„Prin teoria selecției naturale, toate speciile vii au fost asociate cu specia-mamă a fiecărui gen... iar aceste specii-mamă au fost la rândul lor asociate în mod analog cu specii mai vechi, și așa mai departe în trecut... Dar, fără îndoială, dacă această teorie este adevărată, așa a rezistat viața pe acest pământ."

Charles Darwin, *Despre originea speciilor prin intermediul selecției naturale* (1859), pp. 281-282

Istoria completă a evoluției umane

Chris Stringer • Peter Andrews

432 de ilustrații, din care 180 color

Editura Aquila

Pagina întâi: *caricatura lui Charles Darwin din* „The Hornet", 1871

Pagina de titlu: *figura reconstituită a lui* Homo heidelbergensis *din Boxgrove, Anglia, cu cariera de astăzi în fundal*

Această pagină: *paleontologi în căutarea fosilelor din depresiunea Fayum, Egipt*

Titlul în original:
The Complete World of Human Evolution

de:
Chris Stringer şi Peter Andrews

ISBN 973-714-094-X

Traducere din limba engleză: *Paula Nemţuţ*
Consultant ştiinţific: *Radu David*
Director editorial: *Diana Tăutan*

Cuprins

Introducere

Când au fost descoperite și identificate primele dovezi ale fosilelor umane, acum mai bine de 150 de ani, ideile legate de evoluție, paleontologia și arheologia erau încă în fașă. Acum, pe lângă un palmares sporit de fosile, există o gamă de abordări diferite pentru reconstituirea preistoriei umanității. Dispunem de un volum vast de informații obținute prin studierea rudeniilor noastre primate, care, comparate cu date rezultate din studierea diverselor comunități umane, ne permit reconstituirea începuturilor noastre într-o oarecare măsură. Anatomia noastră și cea a rudeniilor noastre fosile pot fi cercetate în detaliu, cu tehnici de investigare specifice criminalisticii aplicate direct în siturile cu fosile pentru a demonstra cum au trăit și cum au dispărut populațiile din trecut, iar evenimentele trecute pot fi reconstituite și datate cu detalii extraordinare. În această carte, încercăm să dezvăluim tehnici prin care savanții se străduiesc să interpreteze originile și evoluția noastră ca specie.

Descoperirea în 1991 a unui os fosil de maxilar la Dmanisi, în Georgia, a confirmat prezența oamenilor străvechi acolo, iar acest lucru a fost urmat de descoperirea a două cranii în 1999. În 2001 a fost găsit acest craniu (dreapta), semănând cu cel al lui Homo habilis *din Africa. Dmanisi este acum unul dintre cele mai bogate situri de fosile umane din lume. Paleontologul georgian David Lordkipanidze și colegii săi (mai jos) cercetează o nouă descoperire.*

(Dreapta) Dovezile sunt câteodată îngropate adânc. Aici, la 11 metri adâncime, arheologii excavează dovezi ale oamenilor timpurii în peștera Liang Bua din insula indoneziană Flores.

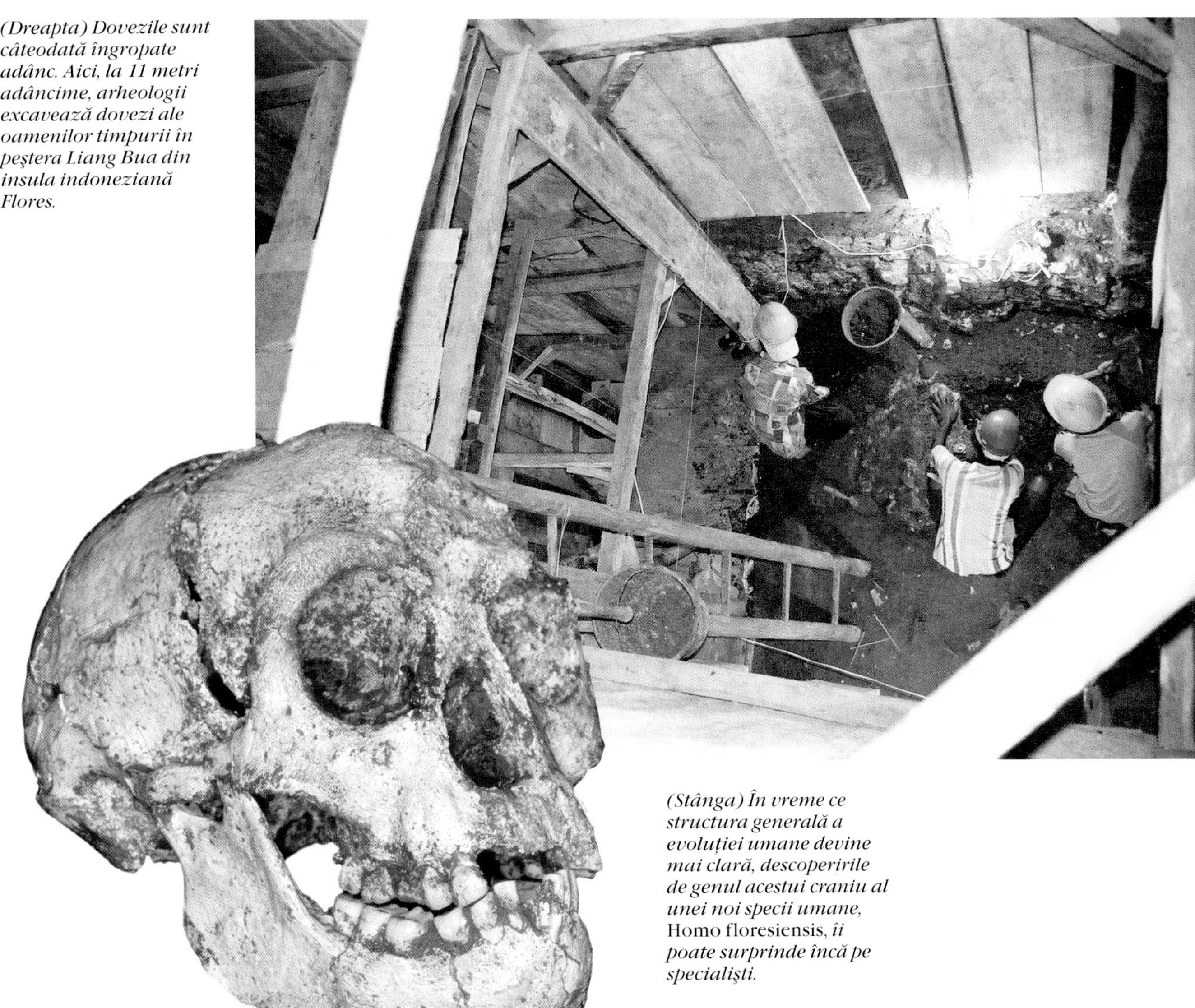

(Stânga) În vreme ce structura generală a evoluției umane devine mai clară, descoperirile de genul acestui craniu al unei noi specii umane, Homo floresiensis, *îi poate surprinde încă pe specialiști.*

Autorii sunt cercetători activi în domeniul paleoantropologiei de peste 30 de ani, iar noi am avut privilegiul de a fi martorii câtorva din cele mai semnificative descoperiri și progrese ale reconstituirii evoluției noastre. Pentru început, au existat descoperiri remarcabile de fosile ce au elucidat evoluția timpurie a maimuțelor antropoide din Africa și dincolo de ea, acestea ilustrând marea diversitate a primelor maimuțe antropoide și arătând cât de înfloritoare și de răspândite erau, în comparație cu reprezentanții lor de azi.

Noi descoperiri în diferite regiuni ale Africii descriu posibilele începuturi ale liniei evoluționiste umane, cu mai multe specii pretendente luptându-se pentru titlul de cel dintâi strămoș al nostru. Răspândirea surprinzător de timpurie a oamenilor din Africa este bine ilustrată de situl neașteptat de bogat de la Dmanisi, din Georgia, datând din urmă cu aproape 2 milioane de ani. Aici au fost găsite cranii, maxilare și părți de schelet ale câtorva fosile umane foarte primitive. Mărimea mică a creierului și setul de unelte din piatră foarte simple ale acestor oameni timpurii sunt surprinzătoare, din moment ce s-a presupus că ar fi fost nevoie de progrese semnificative ale inteligenței și ale tehnologiei pentru ca cei dintâi oameni să fie în stare să emigreze din teritoriile lor ancestrale africane.

Originea și răspândirea propriei noastre specii din Africa sunt dezvăluite de descoperirile de fosile ce se întind din Africa de Sud până în Australia. Dar cât de puține lucruri știm totuși despre evoluția umană ulterioară în regiuni ca Asia Sud-Estică a fost subliniat de recenta descoperire a unei forme umane primitive în Flores, una dintre insulele arhipelagului indonezian. Existența acestei făpturi numite *Homo floresiensis* (Omul din Flores) era nebănuită de nimeni, iar faptul că a supraviețuit până acum mai puțin de 20 de mii de ani înseamnă că oamenii moderni ce au trecut prin regiune înspre Australia s-ar fi întâlnit cu aceste rudenii ciudate.

Din fericire, capacitatea noastră de a verifica mărturiile fosile tot mai numeroase s-a dezvoltat alături de o precizie crescândă a datării rocilor, atât de importantă pentru cele dintâi faze africane ale evoluției umane, și a datării folosind tehnica cu radiocarbon, atât de importantă în cele mai recente stadii ale istoriei omului, cum ar fi ultimii 40 de mii de ani.

Între timp, progresele survenite în tehnici precum metoda izotopilor uraniului ajută la stabilirea cronologiei dincolo de limitele radiocarbonului (pentru perioade mai vechi, datarea cu radiocarbon nu este relevantă) și acolo unde rocile vulcanice potrivite nu sunt disponibile.

Capacitatea noastră de a obține cele mai multe

De la stânga, vederi din față și laterale ale craniilor de Homo erectus *(Sangiran 17, Java);* Homo heidelbergensis *(Broken Hill, Zambia);* Homo neanderthalensis *(La Ferrassie, Franța) și* Homo sapiens *(recent, Indonezia).*

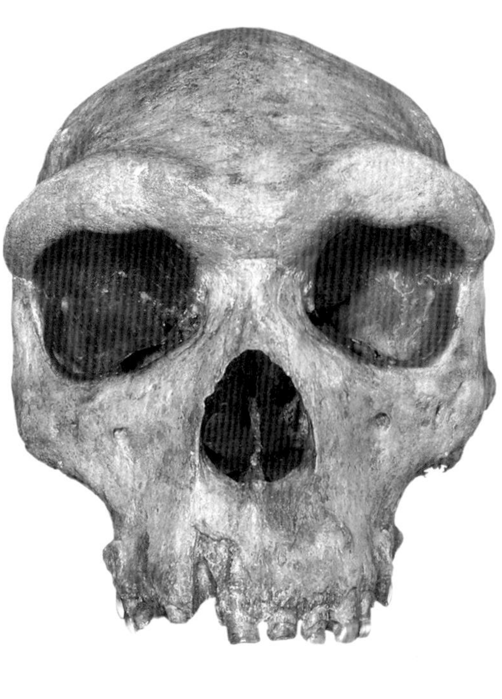

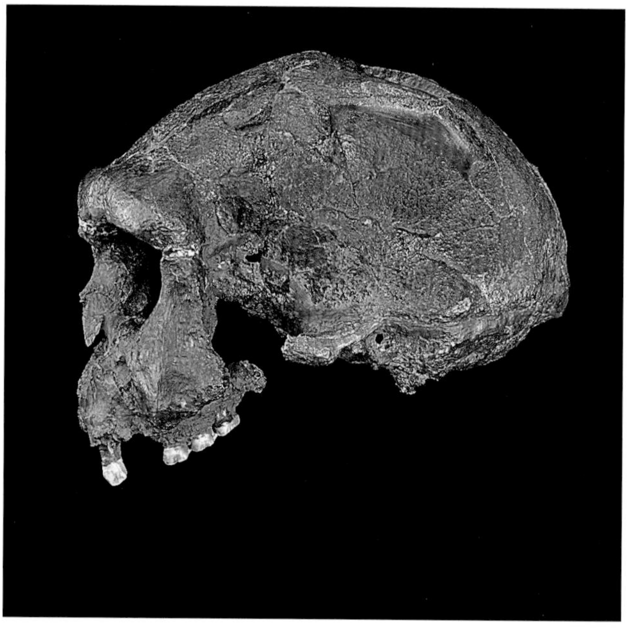

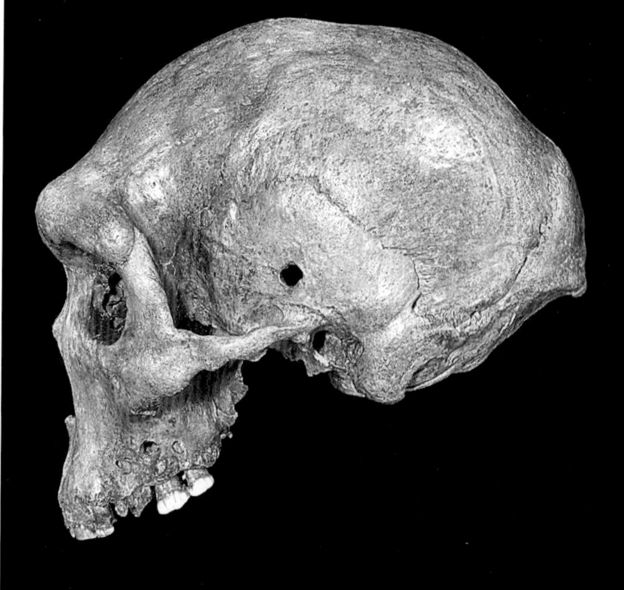

informații posibile de pe urma studierii fosilelor a crescut și ea foarte repede în ultimii ani. Scanarea tridimensională cu raze X, ce a fost inițial dezvoltată în scopuri medicale, poate acum oferi imagini exterioare și interioare foarte precise ale fosilelor, chiar și dacă acestea sunt deformate ori parțial învelite în piatră. Tehnicile microscopice ne permit să studiem formarea și structurile de creștere ale oaselor și dinților, în vreme ce analizele izotopice dezvăluie informații prețioase asupra regimului alimentar străvechi.

Există și o altă abordare care exercitat o influență sporită în ultimii douăzeci de ani, aceea a analizei genetice care poate fi acum extinsă chiar la fosilele neanderthaliene vechi de 50.000 de ani. În orice caz, mare parte a informațiilor genetice implicate sunt adunate de la primatele recente, mai ales oameni, ajutând la confirmarea apropierii relației noastre evolutive de maimuțele antropoide africane și obârșia africană recentă a tuturor

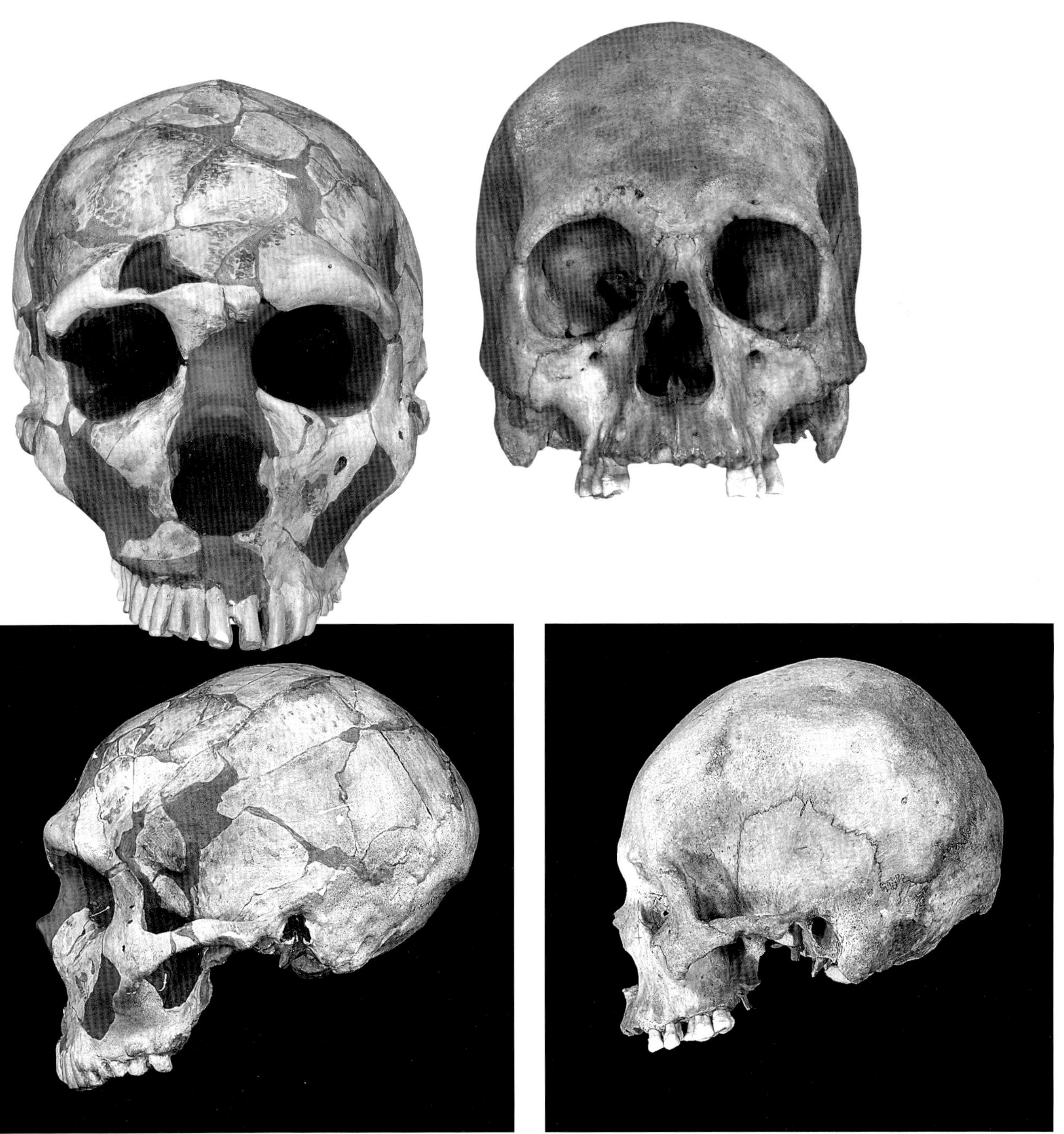

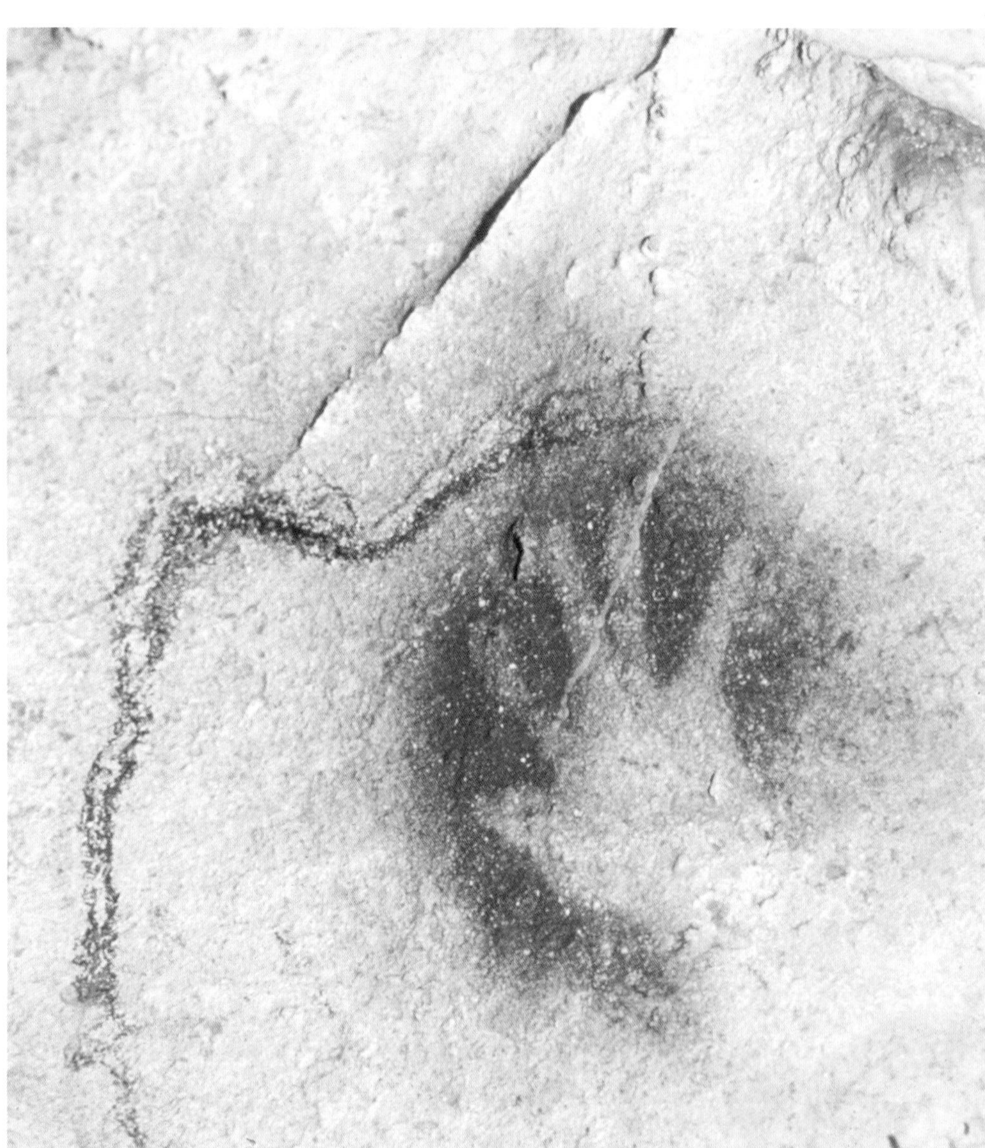

(Stânga) Şabloane de palme umane ca acesta, găsite la mare adâncime în peştera Chauvet din sud-estul Franţei, au fost create prin pulverizarea pigmenţilor (suflând sau scuipând) în jurul unei mâini aşezate pe perete. Profilul negru reprezintă o parte dintr-un mamut – şi a fost desenat înaintea mâinii.

(Dreapta) La Chauvet sunt reprezentate o gamă largă de animale. Acestui urs de peşteră (sus) şi rinocerilor (jos) li se alătură multe alte specii, incluzând lei, cai, o capră sălbatică, un bizon, un zimbru, mamuţi, pantere, reni şi chiar o bufniţă. În plus, pe lângă amprente umane, se mai găsesc şi semne geometrice şi câteva imagini cu conotaţii sexuale. Scopul şi semnificaţia tuturor acestor vestigii pictate rămân, în majoritatea cazurilor, enigmatice.

oamenilor din ziua de astăzi.

Pe lângă fosilele tot mai numeroase, arheologia a adus alte informaţii extraordinare; astfel, cele mai vechi unelte din piatră şi os sunt datate ca având aproximativ 2,5 milioane de ani în Africa de Est, în timp ce simbolismul şi arta au apărut în Africa cu mai bine de 75.000 de ani în urmă, pictarea peşterilor dezvoltându-se în Paleoliticul Superior al Europei Occidentale, după aproximativ 30.000 de ani.

Studiile din ce în ce mai detaliate despre rudeniile noastre primate existente arată că ele împărtăşesc multe trăsături de comportament cu noi, cuprinzând, în cazul cimpanzeilor, tradiţii variate de creare şi folosire a uneltelor simple şi vânătoarea în colaborare pentru carne.

Dar în ciuda tuturor progreselor prezentate mai sus, mai sunt încă multe enigme fascinante. Natura exactă a ultimului strămoş comun pe care l-am împărţit cu cimpanzeii rămâne încă nesigură, precum şi perioada când a trăit acesta şi mediul în care habita.

Există multe idei referitoare la cauza sau cauzele care i-au determinat pe strămoşii noştri să umble în poziţie verticală pe două picioare, dar suntem încă departe de a şti dacă vreuna dintre ele e corectă. Şi cu toate că suntem destul de siguri că s-a întâmplat în Africa cu 2 milioane de ani în urmă, încă nu ştim cu exactitate când, unde şi de ce primii membri ai genului *Homo* s-au dezvoltat. În aceeaşi măsură, în cazul lui *Homo sapiens* sunt încă necunoscute procesele evolutive care au dus la geneza speciei noastre, cât şi felul în care am înlocuit noi în cele din urmă alte fiinţe umane, cu care am fost contemporani o perioadă, neanderthalienii.

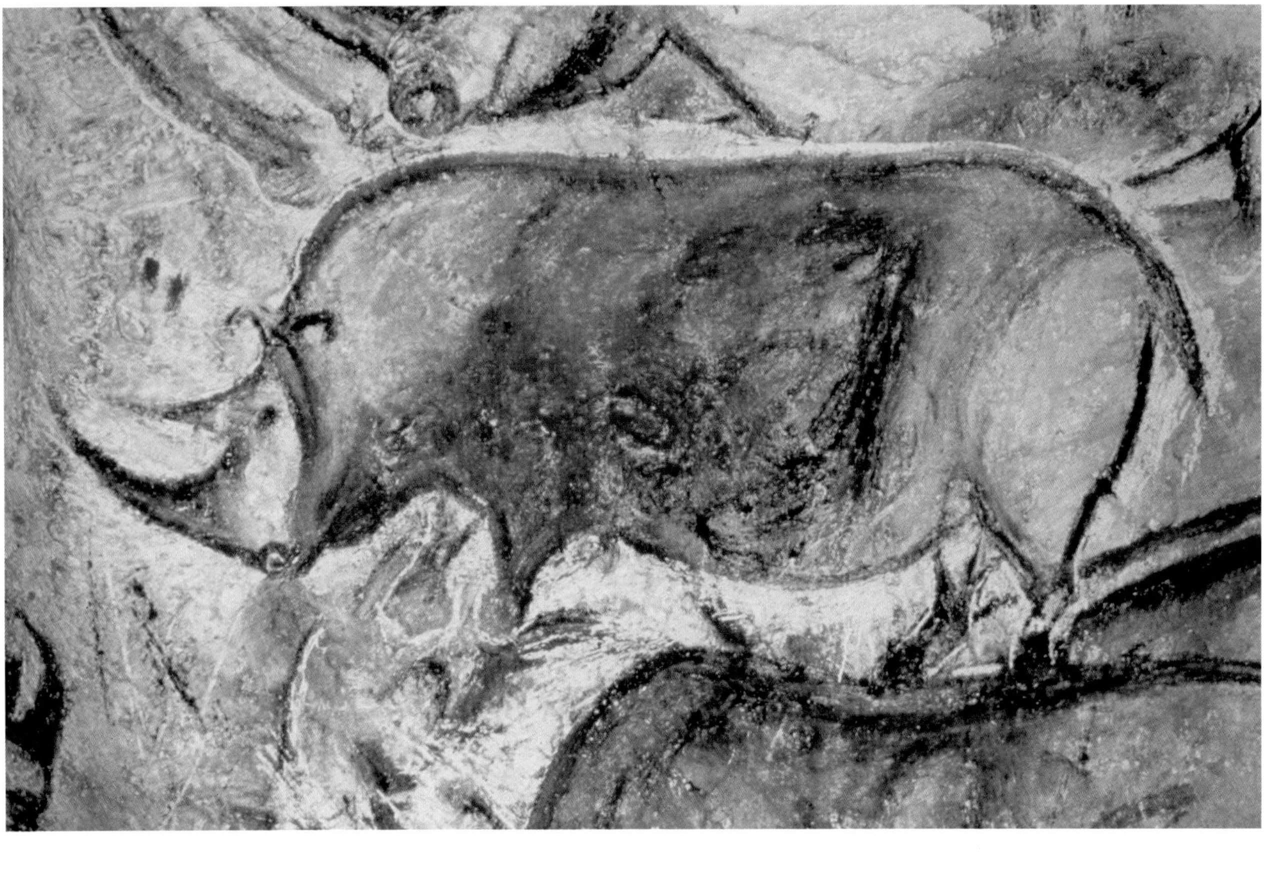

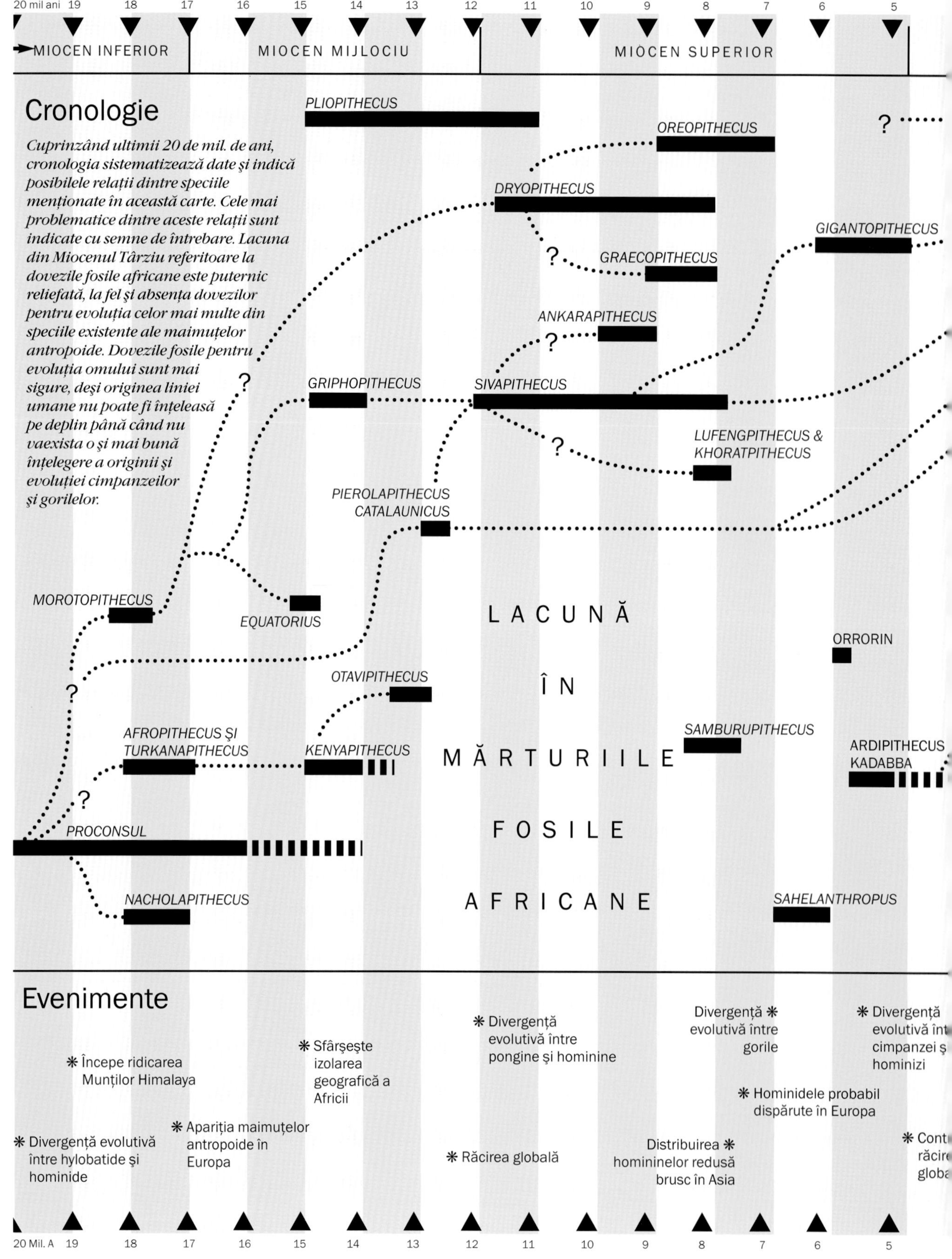
20 mil ani 19 18 17 16 15 14 13 12 11 10 9 8 7 6 5
MIOCEN INFERIOR
MIOCEN MIJLOCIU
MIOCEN SUPERIOR
Cronologie
Cuprinzând ultimii 20 de mil. de ani, cronologia sistematizează date şi indică posibilele relaţii dintre speciile menţionate în această carte. Cele mai problematice dintre aceste relaţii sunt indicate cu semne de întrebare. Lacuna din Miocenul Târziu referitoare la dovezile fosile africane este puternic reliefată, la fel şi absenţa dovezilor pentru evoluţia celor mai multe din speciile existente ale maimuţelor antropoide. Dovezile fosile pentru evoluţia omului sunt mai sigure, deşi originea liniei umane nu poate fi înţeleasă pe deplin până când nu vaexista o şi mai bună înţelegere a originii şi evoluţiei cimpanzeilor şi gorilelor.
PLIOPITHECUS
OREOPITHECUS
DRYOPITHECUS
GIGANTOPITHECUS
GRAECOPITHECUS
ANKARAPITHECUS
GRIPHOPITHECUS
SIVAPITHECUS
LUFENGPITHECUS &
KHORATPITHECUS
PIEROLAPITHECUS
CATALAUNICUS
MOROTOPITHECUS
EQUATORIUS
LACUNĂ
ÎN
MĂRTURIILE
FOSILE
AFRICANE
ORRORIN
OTAVIPITHECUS
SAMBURUPITHECUS
AFROPITHECUS ŞI
TURKANAPITHECUS
KENYAPITHECUS
ARDIPITHECUS
KADABBA
PROCONSUL
NACHOLAPITHECUS
SAHELANTHROPUS
Evenimente
✻ Începe ridicarea Munţilor Himalaya
✻ Divergenţă evolutivă între hylobatide şi hominide
✻ Apariţia maimuţelor antropoide în Europa
✻ Sfârşeşte izolarea geografică a Africii
✻ Divergenţă evolutivă între pongine şi hominine
✻ Răcirea globală
Divergenţă ✻ evolutivă între gorile
Distribuirea ✻ homininelor redusă brusc în Asia
✻ Hominidele probabil dispărute în Europa
✻ Divergenţă evolutivă înt cimpanzei ş hominizi
✻ Cont răcir globa
20 Mil. A 19 18 17 16 15 14 13 12 11 10 9 8 7 6 5

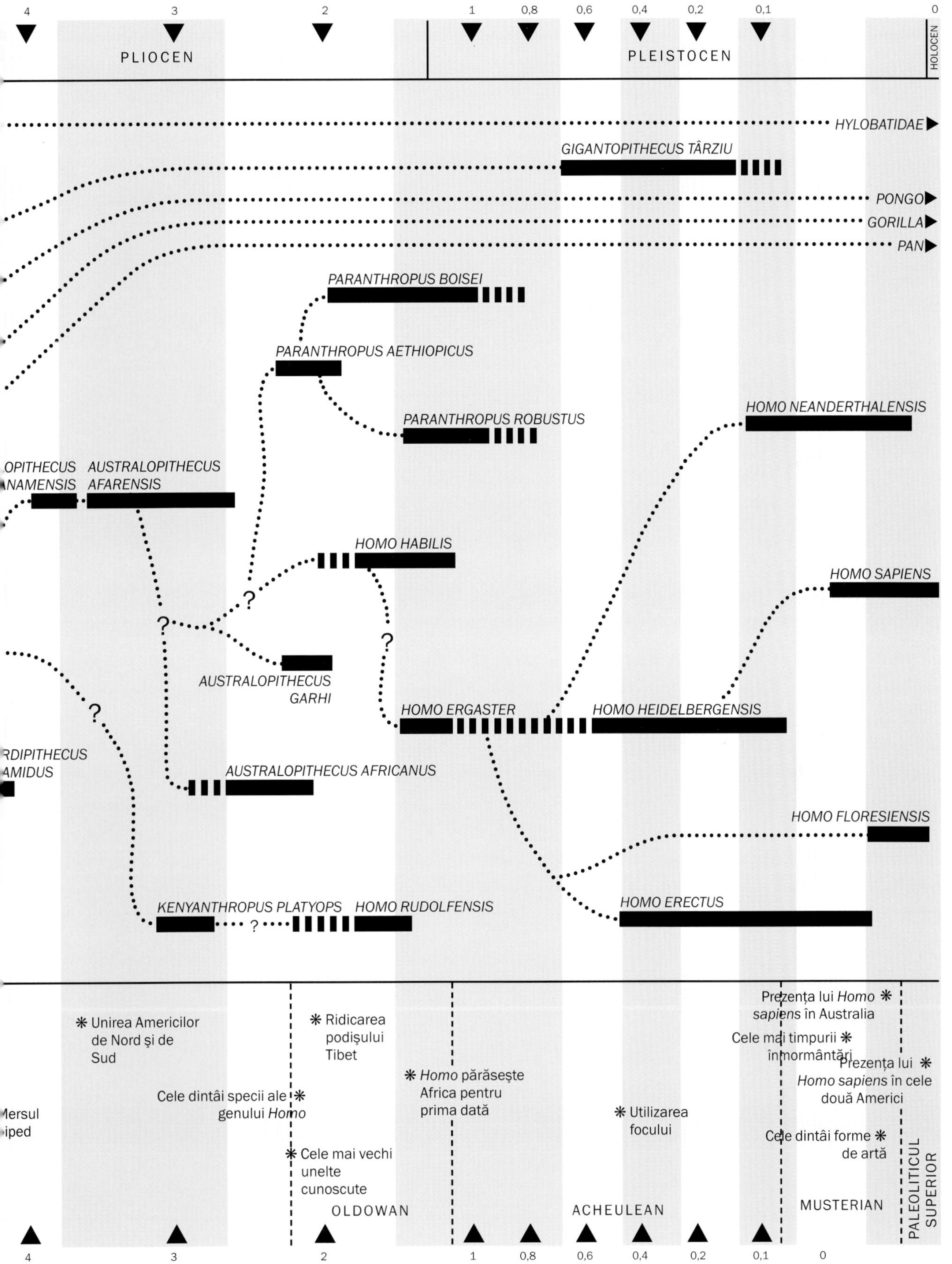

4
3
2
1
0,8
0,6
0,4
0,2
0,1
0
PLIOCEN
PLEISTOCEN
HOLOCEN
HYLOBATIDAE
GIGANTOPITHECUS TÂRZIU
PONGO
GORILLA
PAN
PARANTHROPUS BOISEI
PARANTHROPUS AETHIOPICUS
PARANTHROPUS ROBUSTUS
HOMO NEANDERTHALENSIS
OPITHECUS
NAMENSIS
AUSTRALOPITHECUS
AFARENSIS
HOMO HABILIS
HOMO SAPIENS
?
AUSTRALOPITHECUS
GARHI
HOMO ERGASTER
HOMO HEIDELBERGENSIS
RDIPITHECUS
AMIDUS
AUSTRALOPITHECUS AFRICANUS
HOMO FLORESIENSIS
HOMO ERECTUS
KENYANTHROPUS PLATYOPS
HOMO RUDOLFENSIS
Unirea Americilor de Nord şi de Sud
Ridicarea podişului Tibet
Prezența lui Homo sapiens în Australia
Cele mai timpurii înmormântări
Prezența lui Homo sapiens în cele două Americi
Homo părăseşte Africa pentru prima dată
Cele dintâi specii ale genului Homo
Mersul
biped
Utilizarea focului
Cele dintâi forme de artă
Cele mai vechi unelte cunoscute
OLDOWAN
ACHEULEAN
MUSTERIAN
PALEOLITICUL SUPERIOR
4
3
2
1
0,8
0,6
0,4
0,2
0,1
0

Paleoantropologia reprezintă studiul dovezilor evoluției umane. Perioada sa de studiu se extinde de la oamenii moderni, *Homo sapiens*, până la posibilii noștri strămoși, maimuțele antropoide din Miocen, de acum 20 de milioane de ani sau chiar mai mult. Vom cerceta aceste dovezi în această carte, dar pentru început vom introduce niște teme generale ce sunt importante pentru interpretarea tuturor stadiilor de evoluție umană. Vom arunca o privire asupra contextului în care se găsesc fosilele și vestigiile de cultură materială ale oamenilor preistorici: cum se cercetează siturile arheologice, incluzând discutarea unor antecedente faimoase; mediul asociat cu fosilele, folosind câteva dintre aceleași exemple, timpul geologic și datarea siturilor cu fosile. Vom mai lua în considerare și importanța schimbării survenite la speciile fosile, fiindcă această schimbare arată diferențele din cadrul populațiilor asupra cărora operează selecția naturală.

Știm cu toții că rasele umane variază ca aspect între ele, dar există diferențe și între membrii aceleiași rase, datorate condițiilor de mediu. Acest gen de schimbare naturală este prezentă la oricare dintre speciile vii, iar condițiile diferite de mediu pot favoriza diverse aspecte ale acesteia. De exemplu, oamenii cu pielea neagră, care sunt mai capabili să tolereze lumina puternică a soarelui, în viitor ar putea fi favorizați dacă radiația solară ar deveni mai intensă sau dacă stratul de ozon s-ar distruge. Aceasta constituie selecția naturală în funcțiune, așa cum a acționat de-a lungul întregii istorii evolutive, iar pentru a înțelege cum s-au dezvoltat ființele umane, trebuie să examinăm cum a acționat selecția naturală în diversele stadii ale evoluției umane. În acest sens, avem nevoie atât de vestigiile fosile ale strămoșilor noștri străvechi, care oferă dovezi ale schimbării și ale adaptării din trecut, dar mai avem nevoie și de contextul în care sunt descoperite, spre a putea evalua cât sunt de vechi și a încerca să reconstituim mediul în care trăiau. Numai cu ajutorul tuturor acestor informații putem descoperi nu doar felul în care arătau posibilii noștri strămoși umani, dar și cum au ajuns să dobândească diverse stiluri de adaptare și cum unii dintre ei au ajuns în cele din urmă să devină cei ce suntem azi.

Situl arheologic de la Boxgrove din sudul Angliei, în timpul cercetărilor din 1995. O colecție bogată de unelte din piatră și fosile, incluzând dinți umani și o tibie datând de cca 500.000 de ani, au fost descoperite aici.

În căutarea strămoşilor noştri

Maimuțele antropoide actuale și mediul lor

Pentru om, admirarea cimpanzeilor poate fi atât o experiență amuzantă, cât și una tulburătoare, mai mult decât față de orice alt animal. De ce se întâmplă așa? Pentru că cimpanzeii sunt maimuțe antropoide, familia căreia îi aparțin și ființele umane, dar nu orice fel de maimuță antropoidă, ci specia care este cea mai apropiată de a noastră - 98,8% din ADN-ul cimpanzeilor este identic cu al oamenilor și, în multe privințe legate de comportamentul și biologia lor, ne sunt foarte asemănători. Probabil că nicio altă specie de maimuțe sau maimuță antropoidă nu ar putea fi învățată să imite comportamentul uman atât de fidel, deși gorila s-ar putea apropia de el.

Cimpanzeii și gorilele trăiesc doar în Africa și, ca atare, au fost considerate multă vreme cele mai apropiate rudenii ale oamenilor. În secolul XIX, Charles Darwin plasa originile umane în Africa, împărtășind un strămoș comun în Africa cu cimpanzeii și gorilele, deși în acel stadiu erau așezate în familii diferite, Hominidae și Pongidae. Ținând cont de faptul că s-a acceptat ideea că cimpanzeii sunt mai strâns înrudiți cu oamenii decât gorilele, plasarea lor în aceeași familie nu are niciun sens. În această carte vom include toate maimuțele antropoide mari și oamenii în familia Hominidae, și le vom împărți în trei subfamilii, câte una pentru urangutani și gorile și una pentru oameni și cimpanzei. Subfamilia Homininae îi include pe oameni și cimpanzei, prescurtată ca hominine, iar oamenii se deosebesc de cimpanzei prin includerea într-un trib separat, Hominini, prescurtat ca hominizi.

Ultimul grup de maimuțe antropoide care va fi menționat este familia gibonilor, Hylobatidae, ce trăiesc astăzi în Asia de Est. Așadar, ce anume leagă aceste forme? Cea mai evidentă caracteristică este lipsa cozii. Majoritatea mamiferelor au cozi de o mărime sau alta, iar primatele nu fac excepție. Primatele sunt un grup mai larg, cărora le aparțin maimuțele antropoide și maimuțele în general, iar unele dintre ele, cum ar fi maimuțele din America de Sud, au cozi mai lungi și prehensile (cozi foarte flexibile și manevrabile, care le ajută la cățărat). De fapt, toate au coadă, cu excepția maimuțelor antropoide. Există și alte trăsături. De exemplu, numai maimuțele antropoide dintre primate au un apendice. O altă caracteristică ce va fi menționată mai târziu în această carte se leagă de structura zonei cotului, care este adaptată atât pentru stabilitate, cât și pentru mobilitate printr-o combinare a caracterelor articulației.

Maimuțele antropoide asiatice

Gibonii sunt cele mai mici maimuțe antropoide existente, cântărind între 4 și 13 kg. Ei populează pădurile din Asia tropicală, trăind în grupuri mici doar cu un singur mascul, o femelă și puiul lor. Trăiesc aproape exclusiv în copaci, mâncând mai

Clasificarea maimuțelor antropoide folosită în această carte

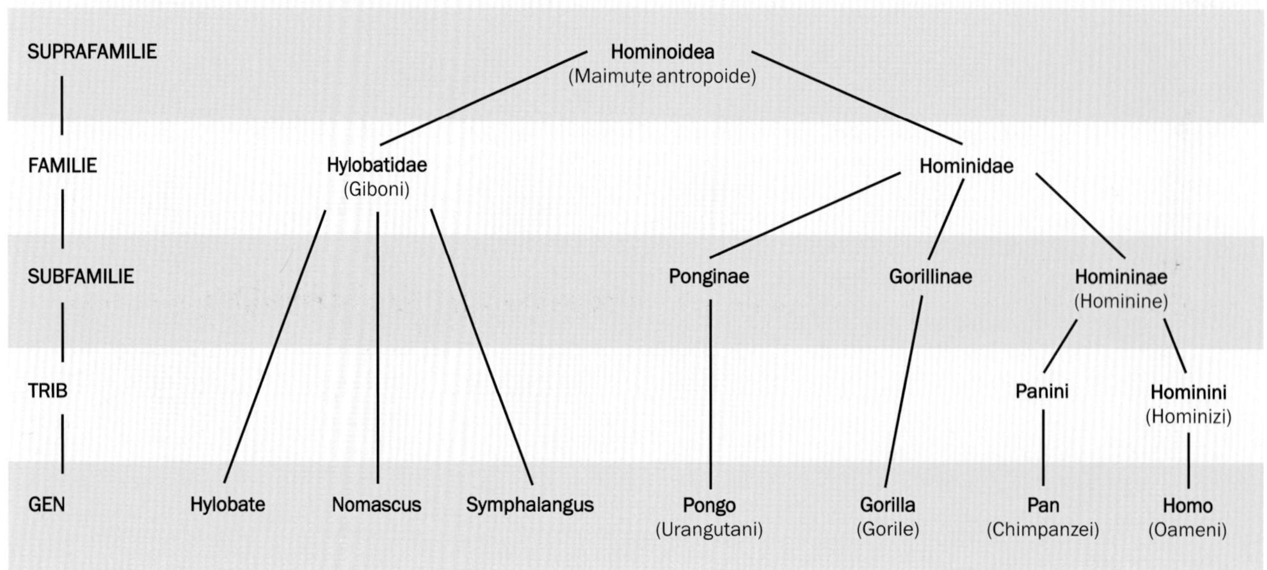

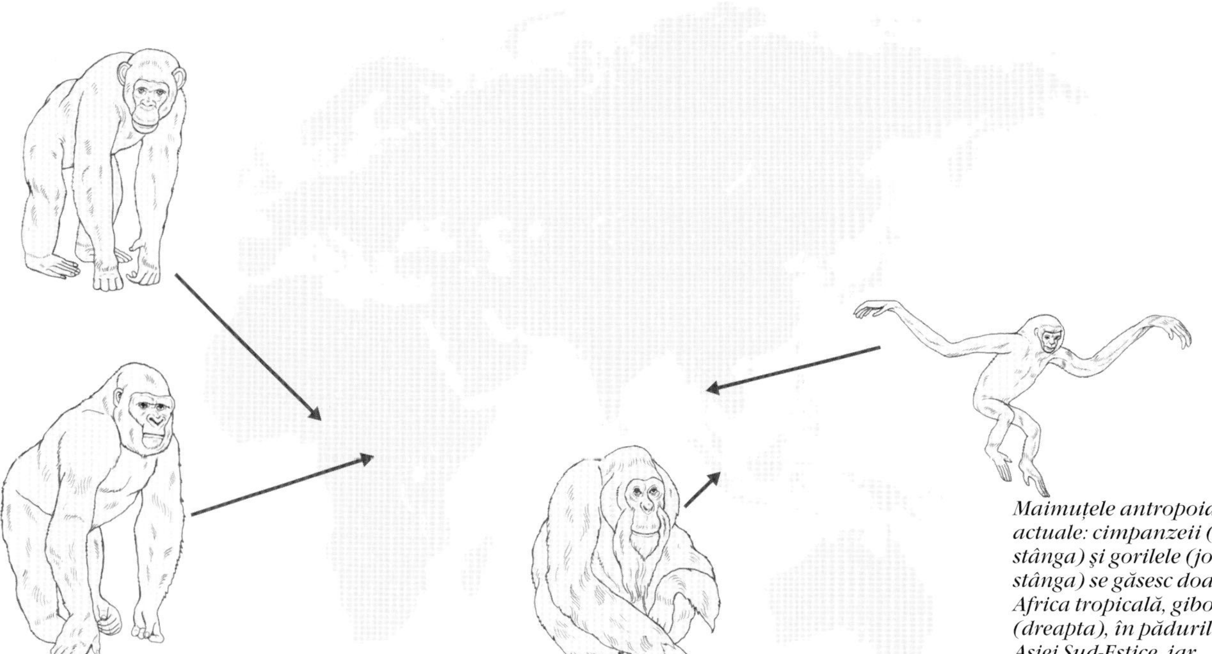

Maimuțele antropoide actuale: cimpanzeii (sus, stânga) și gorilele (jos, stânga) se găsesc doar în Africa tropicală, gibonii (dreapta), în pădurile Asiei Sud-Estice, iar urangutanii (mijloc), în Borneo sau Sumatra.

ales fructe și mișcându-se prin copaci printr-o tehnică unică de locomoție numită brahiere, legănându-se pe sub crengi cu ajutorul brațelor lor lungi și puternice. Masculii și femelele își împart majoritatea activităților, incluzând apărarea teritoriului, și folosesc un sistem complex de comunicare vocală. Se cunosc până la șaptesprezece specii în prezent.

Urangutanul este reprezentat astăzi doar de o singură specie, care are două subspecii mai diferite ce trăiesc în Sumatra și Borneo (cu toate că unii le consideră pe acestea două specii distincte). Oscilează ca greutate între 40 și 140 de kg, fiind mult mai mari decât gibonii, dar mai sunt în esență și arboricoli, adică trăiesc în copaci. Mănâncă aproape numai fructe, dar, spre deosebire de giboni, urangutanii se deplasează prin copaci prin cățărare utilizându-și toate cele patru membre,

(Jos, stânga) Un gibon într-o postură specifică, susținându-se cu brațele.

(Jos, dreapta) Un urangutan din Borneo folosindu-și toate cele patru membre pentru a se cățăra prin copaci.

deoarece picioarele lor sunt aproape la fel de mobile ca brațele. Animale solitare, puii de urangutan stau cu femelele, în timp ce masculii trăiesc separat, cele două sexe întâlnindu-se doar pentru împerechere.

Maimuțele antropoide africane

Gorila este și ea reprezentată astăzi de o singură specie, cu trei subspecii nu la fel de diferite precum cele ale urangutanilor. Ele trăiesc în pădurile tropicale din Africa Vestică și Centrală, dar și în pădurile de munte din zona de frontieră dintre Rwanda și Zair (așa-numitele gorile „de munte"). Gorilele sunt cele mai mari maimuțe antropoide, cântărind între 75 și 180 de kg, și sunt și cele mai vegetariene, mai ales gorilele „de munte"). Au ten-

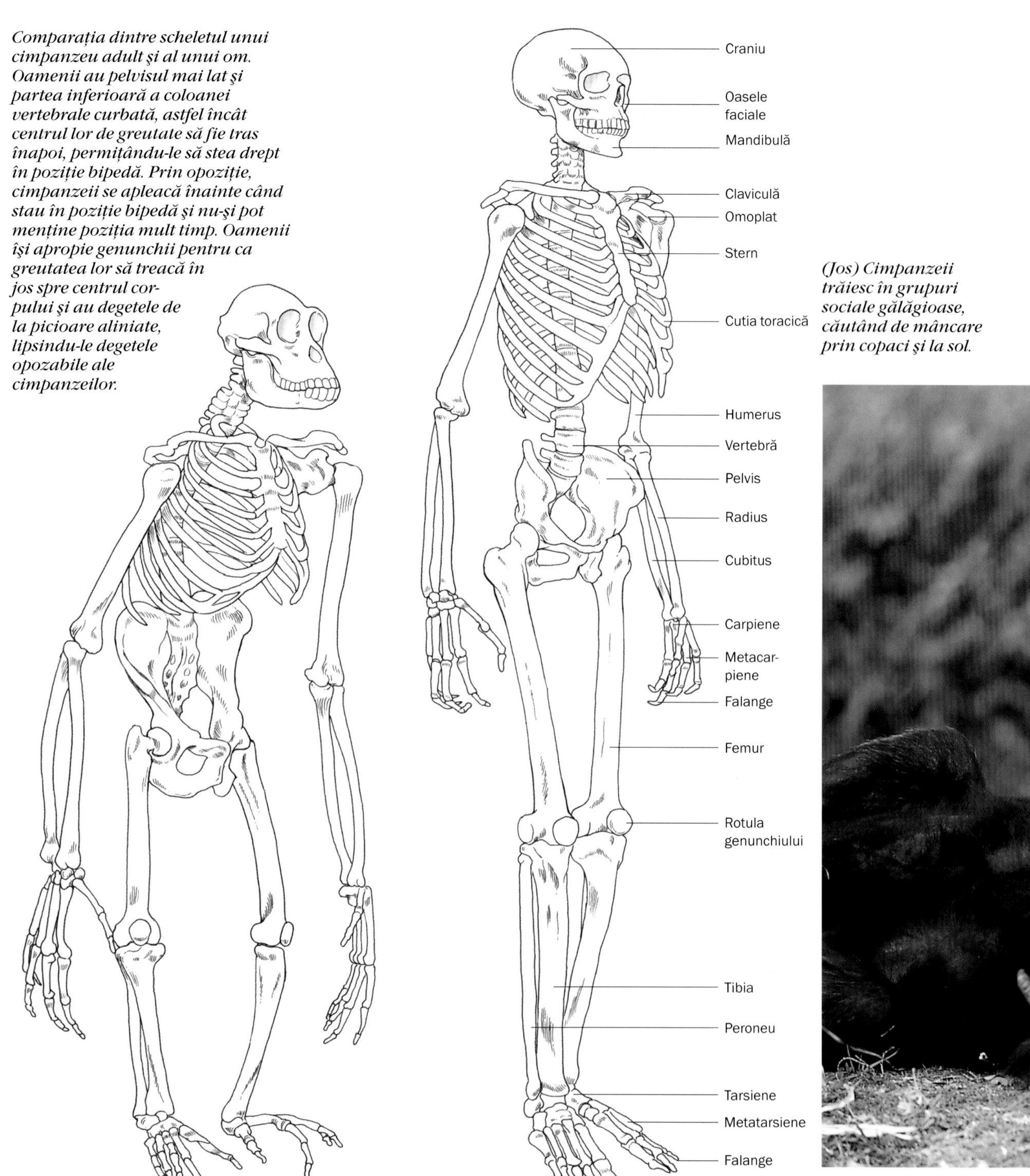

Comparația dintre scheletul unui cimpanzeu adult și al unui om. Oamenii au pelvisul mai lat și partea inferioară a coloanei vertebrale curbată, astfel încât centrul lor de greutate să fie tras înapoi, permițându-le să stea drept în poziție bipedă. Prin opoziție, cimpanzeii se apleacă înainte când stau în poziție bipedă și nu-și pot menține poziția mult timp. Oamenii își apropie genunchii pentru ca greutatea lor să treacă în jos spre centrul corpului și au degetele de la picioare aliniate, lipsindu-le degetele opozabile ale cimpanzeilor.

(Jos) Cimpanzeii trăiesc în grupuri sociale gălăgioase, căutând de mâncare prin copaci și la sol.

(Sus) Gorilele sunt animale blânde, sociabile, cu un regim strict vegetarian.

dința să stea mai mult pe pământ și mai puțin în copaci, probabil în parte datorită dimensiunii lor imense, și se mișcă sprijinindu-și greutatea pe articulațiile degetelor. Practică un fel de poligamie, unul dintre masculii maturi având un număr de femele, iar puii lor alcătuiesc baza grupului.

Cimpanzeii sunt clasificați în bonobo, care mai sunt numiți cimpanzei pigmei, și cimpanzeii obișnuiți. Asemenea gorilei, merg pe încheieturile degetelor, iar această trăsătură unică împărtășită le-a indicat unor savanți că ar trebui să fie grupați în aceeași subfamilie. Sunt mai mici decât gorilele, mănâncă mai multe fructe și trăiesc în grupuri mult mai mari și flexibile, cu mai mulți masculi în grup. Complexitatea lor socială este marcată prin forme avansate de comunicare cu ajutorul expresiei faciale și al sunetelor.

Oamenii moderni

Oamenii sunt reprezentați astăzi numai de o singură specie, dar nu a fost întotdeauna așa. Avem o formă unică de locomoție, mersul biped, iar în prezent acest lucru e luat drept cea dintâi adaptare prin care-i putem recunoaște pe strămoșii umani din mărturiile fosilelor. Suntem probabil de origine africană, asemenea cimpanzeilor și gorilelor, deși astăzi ne-am răspândit prin lume. Am fost probabil adaptați la început pentru un regim vegetarian, la fel ca celelalte maimuțe antropoide.

Diversitatea umană

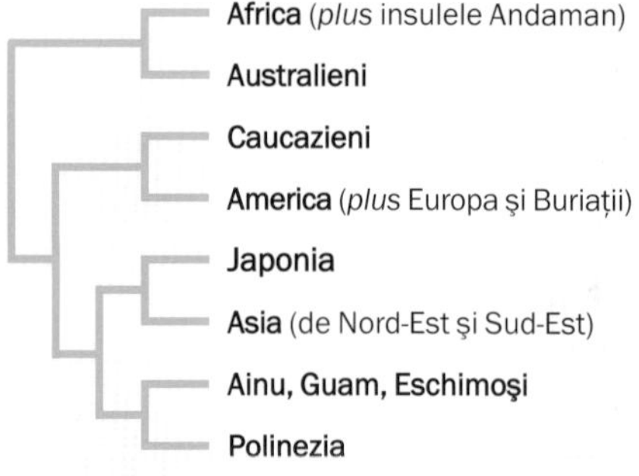

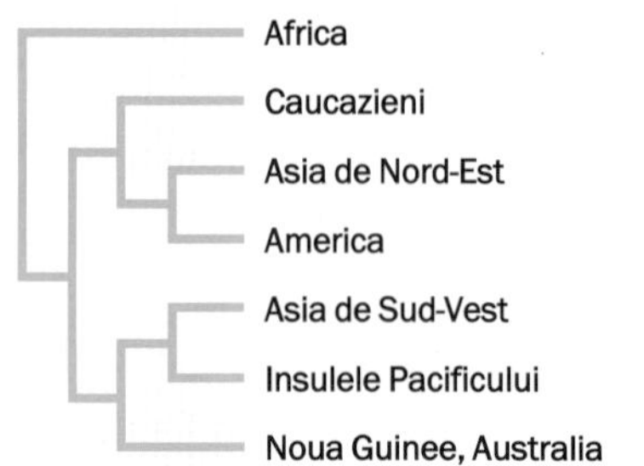

(Dreapta) Rezultatele analizelor computerizate ale măsurătorilor craniului (sus) sunt comparate cu cele ale informațiilor genetice. În timp ce forma craniului poate grupa laolaltă mostrele africane și australiene, informațiile genetice sugerează că africanii din zona subsahariană sunt cei mai diferiți (și mai variați), în comparație cu restul omenirii.

Toți oamenii de azi aparțin unei singure specii. Suntem răspândiți peste tot în lume și împărtășim trăsături comune ale corpului: schelet ușor, un creier mare cuprins într-un craniu înalt și relativ rotund, o față mică și o falcă inferioară cu o bărbie. Specia noastră a fost numită *Homo sapiens* (Omul înțelept) de către marele clasificator suedez al ființelor vii, Linnaeus. El a recunoscut câteva varietăți ale speciei noastre, bazându-se pe continentele în care trăiau acestea, iar acestea sunt considerate a fi „rasele" umane. Se spune că europenii și popoarele înrudite aparțin rasei „caucaziene" (deoarece popoarele din Caucaz erau considerate reprezentative pentru acestea), orientalii aparțin rasei „mongoloide", iar africanii negri, rasei „negroide" etc. Există diferențe exterioare evidente între populațiile umane în privința unor trăsături precum culoarea pielii, aspectul părului, forma nasului, a ochilor și a buzelor etc., iar acestea au stat la baza clasificărilor rasiale.

Trăsături craniene (28 de grupuri)

Trăsături genetice (42 de grupuri)

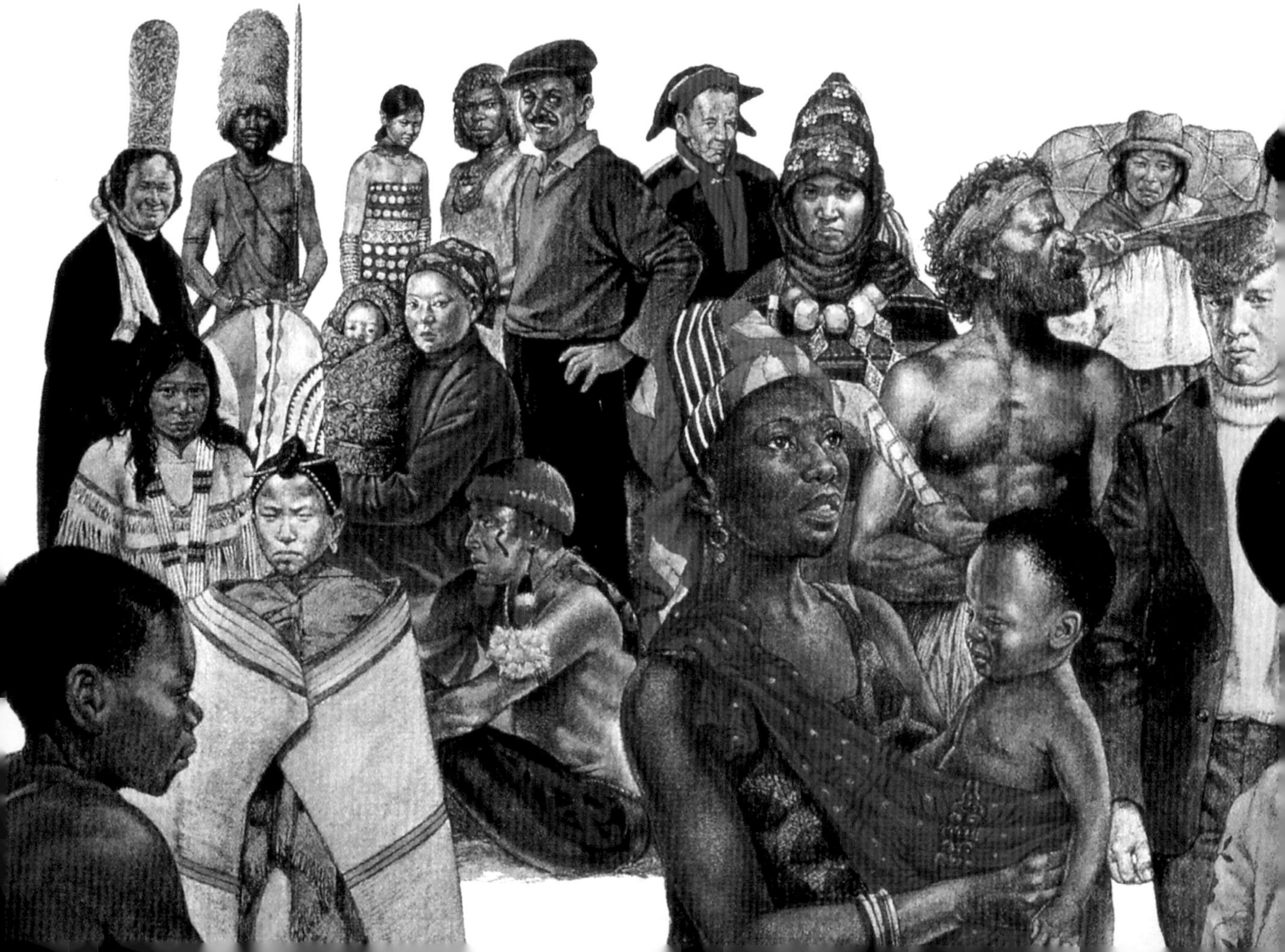

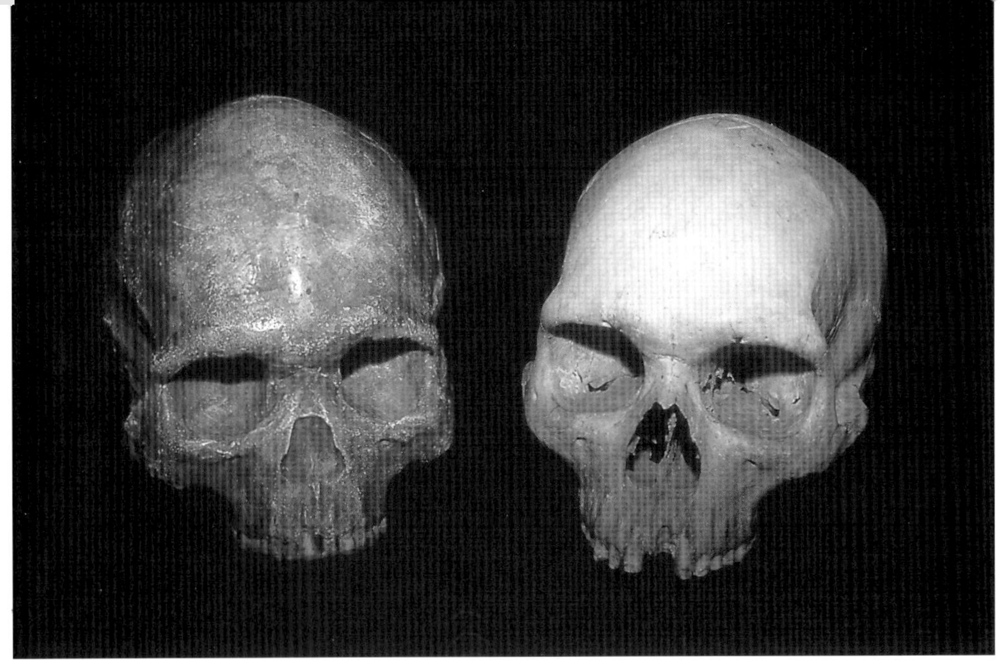

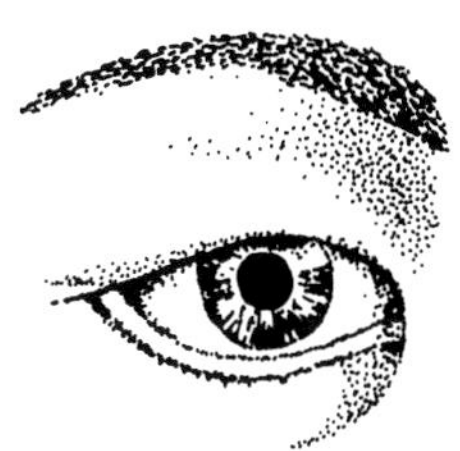

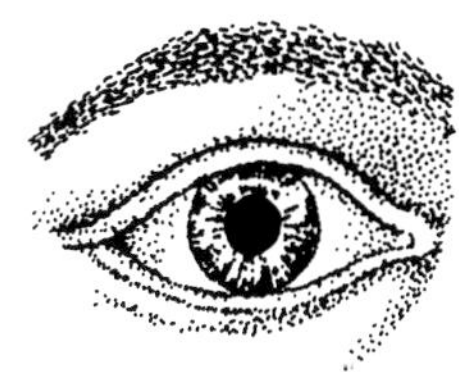

Diferențele regionale sunt mai vizibile la cap și la față: (sus) forma pleoapei comune la populațiile orientale și americane native (sus) în comparație cu forma obișnuită la alte populații. Dacă comparăm (sus stânga) un craniu fosil din Fish Hoeck (Africa de Sud), stânga, cu unul australian recent, trăsăturile distinctive, precum o calotă craniană mare și rotunjită, o frunte înaltă, încrețitura mică a sprâncenelor și o față puțin retrasă, sunt clar vizibile la amândouă.

În orice caz, nu s-a căzut de acord din punct de vedere științific asupra numărului de rase existent, dar numărul celor identificate s-a ridicat de la doar câteva la circa 100. Din această cauză, precum și a opiniilor câtorva savanți că există diferențe fundamentale între rase în privința unor caracteristici de genul comportamentului sau al inteligenței, întregul concept al rasei a devenit foarte controversat. Chiar și cei care credeau în diferențele rasiale acceptă că oameni de rase diferite se pot încrucișa, și se recunoaște astfel că granițele dintre asemenea grupuri în zonele în care se suprapun sunt aproape imposibil de definit. Așadar, mulți antropologi preferă să vorbească mai degrabă despre diferențe „regionale" decât „rasiale", iar în timp ce se recunoaște că există diferențe fizice clare între grupurile regionale importante, preferă să nu considere categoriile ca rigide sau absolute. În plus, mișcările majore de populații, atât din vremurile istorice, cât și preistorice, au produs amestecuri rasiale. Populațiile de origine europeană sunt ferm stabilite acum în cele două Americi,

(Stânga) Ființele umane au multe forme, mărimi și culori. În orice caz, sub piele, scheletele și genele noastre arată că suntem cu toții strâns înrudiți. Schimbările pe care le vedem azi s-au dezvoltat toate probabil în ultimii 200.000 de ani, pe măsură ce specia noastră s-a diversificat din populația africană străveche.

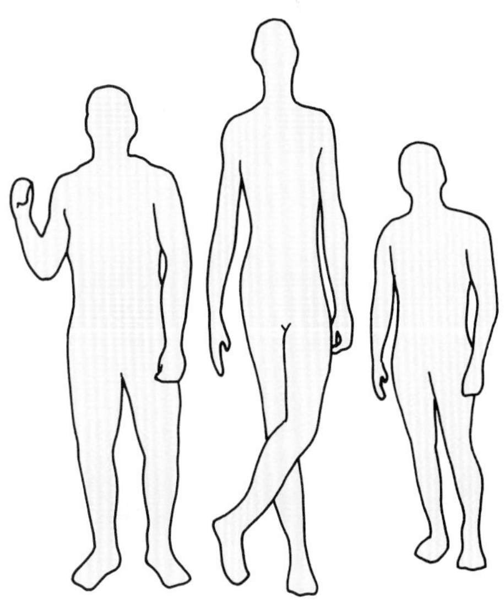

(Dreapta) Diferite forme ale corpului uman sunt cu siguranță legate în parte de climatul în care au evoluat: oamenii cu un fizic mai scund și mai rotund vor reține căldura mai bine decât cei cu un corp mai înalt și cu brațe mai lungi și subțiri.

Pe lângă culoarea pielii, populațiile umane variază în privința formei nasului, a buzelor și a pomeților, precum și a formei capului și a părului facial. Aceste ilustrații pun în contrast înfățișarea facială a unui bărbat Ainu, stânga, și a unei femei Khoisan (boșimană) din Africa de Sud, dreapta. Oamenii Ainu, locuitori aborigeni ai Japoniei, se deosebesc mai ales prin înfățișarea hirsută a bărbaților.

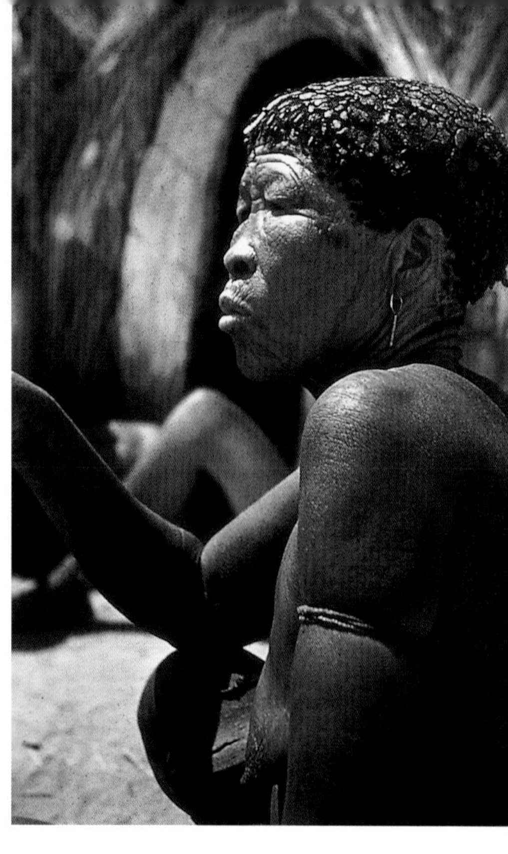

în Africa de Sud, în Australia și Noua Zeelandă prin colonizare, în vreme ce oamenii de origine africană au fost transportați în cele două Americi ca sclavi. Există dovezi că în trecutul îndepărtat, popoare caucaziene trăiau în China vestică, în timp ce populațiile existente azi și restrânse numeric și geografic, precum Khoisan (boșimanii) din Africa de Sud și Ainu din Japonia de Nord, erau probabil mult mai răspândite.

Studiile genetice

Astăzi putem explora diferențele și relațiile dintre populații cu mult mai multe detalii, prin studiile genetice care trec dincolo de diferențele fizice exterioare spre codul moștenit în multe dintre caracteristicile corpului, precum proteinele, enzimele sau grupele sanguine. Un rol important în această direcție îl are comparația ADN-ului (acidul dezoxiribonucleic) între populații diverse. Trăsături precum culoarea pielii sunt controlate prin interacțiunea câtorva gene, în vreme ce geneticienii pot examina câteva mii. Asta înseamnă că noțiunile de „rasă" și regionalitate sunt acum complet reevaluate. Se întreprind cercetări mai amănunțite asupra originii caracteristicilor regionale. Acum se pare că acestea s-au dezvoltat de curând în istoria umanității, probabil cam în decursul ultimilor 50.000 de ani.

Se crede că mai mulți factori se ascund în spatele evoluției schimbărilor regionale. Selecția naturală, mecanismul preferat al lui Darwin pentru schimbarea evolutivă, este cu siguranță unul dintre ei, de exemplu constituind explicația pentru cel puțin câteva din variațiile culorii pielii din lume. Pielea foarte pigmentată oferă protecție împotriva razelor ultraviolete dăunătoare ale soarelui, ce pot cauza distrugerea pielii și cancer cutanat, iar această caracteristică avantajoasă va fi favorizată de selecția naturală. În orice caz, aceste raze sunt benefice în cantități moderate, din moment ce celulele subcutanate le folosesc pentru producerea vitaminei esențiale D. Astfel că gradul de pigmentare a pielii poate fi privit ca un factor de echilibrare între a permite radiației solare să penetreze pielea și să blocheze o cantitate prea mare, în condițiile radiației ultraviolete puternice. Ori-

(Jos) Această diagramă arată felul în care culoarea pielii joacă un rol în echilibrarea cantității de radiație ultravioletă primită de la soare în relație cu nevoile corpului pentru producerea atât a vitaminei D (facilitată de lumina solară), cât și a acidului folic (afectat de radiația ultravioletă).

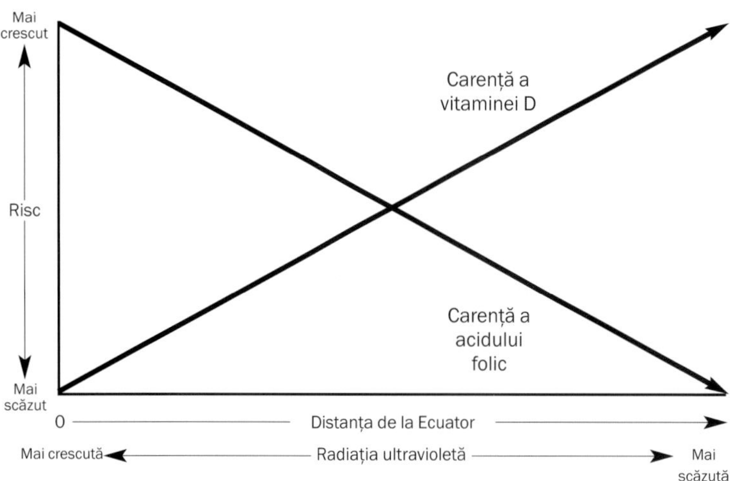

cum, relația dintre culoarea pielii și radiația ultravioletă la populațiile din regiunile lor băștinașe nu este perfectă, iar acest lucru se poate datora faptului că mișcările din trecut ale populațiilor au amestecat populațiile inițiale, sau fiindcă acționează alți factori decât selecția naturală.

Unul dintre acești factori suplimentari ar putea fi selecția sexuală, iar acest mecanism a fost și el cercetat de Darwin, fiind unul despre care el credea că ar putea explica evoluția unor caracteristici „rasiale". În asemenea cazuri, selecția de împerechere influențată de preferințele culturale poate ghida treptat o populație într-o anumită direcție, de exemplu o preferință să zicem pentru bărbați cu nas mai mare sau mai mic, ori pentru femei cu nuanțe mai pale sau mai închise ale pielii. Repetate peste un număr de generații, asemenea alternative se pot cumula la o populație, schimbându-i caracteristicile tipice. Alți factori ai diferențelor dintre populații sunt procese mai întâmplătoare, numite schimbări genetice. În procesul de dinainte, odată ce două populații sunt separate, ele se pot dezvolta diferit grație hazardului; din moment ce apare o anumită schimbare, aceasta poate să se accentueze într-o populație în comparație cu cealaltă înrudită. În al doilea caz, un grup foarte mic și poate atipic al unei populații mari poate da naștere unei populații diferite. De exemplu, se presupune că un număr redus de indivizi au călătorit cu plutele din insulele Asiei Sud-Estice spre continentul complet nelocuit al Australiei și spre Noua Guinee. Caracteristicile acelor întemeietori reduși numeric au fost apoi multiplicate de mii de ori în descendenții lor, aborigenii australieni.

(Dreapta) Superba coadă a unui mascul de păun se crede că s-a dezvoltat ca rezultat al preferințelor de împerechere ale femelei după nenumărate generații, un exemplu de selecție sexuală. Charles Darwin a considerat că multe diferențe regionale ale înfățișării umane se datorează mai degrabă selecției sexuale decât celei naturale. Această opinie a fost combătută mulți ani, dar se bucură acum de o mare popularitate.

Paleoantropologia

Paleoantropologia este studiul tuturor aspectelor evoluției umane. Este o ramură a antropologiei ce investighează fundalul biologic și geologic al evoluției umane, și ca atare acoperă o gamă foarte mare de subiecte. Ce au toate în comun este studiul ființelor umane, originea lor, evoluția, adaptările și comportamentul acestora.

În primul rând, evoluția umană nu poate fi tratată izolat, astfel că domeniul de cercetare se extinde pentru a ține cont de evoluție în general și de evoluția primatelor în particular. După cum am observat, primatele reprezintă numele dat grupului căruia îi aparțin maimuțele antropoide și cele obișnuite, având o istorie ce se întinde în urmă cu cel puțin 50 de milioane de ani. Evoluția primatelor poate fi studiată în câteva moduri diferite. Comparând anatomia tuturor speciilor actuale, aflăm cum arătau strămoșii lor comuni. De exemplu, maimuțele antropoide actuale au fost descrise ca împărtășind trei caracteristici (printre altele): pierderea cozii, prezența unui apendice și adaptările articulației cotului. Toate maimuțele antropoide existente și oamenii prezintă aceste caracteristici și este foarte probabil ca strămoșul comun al maimuțelor antropoide și al oamenilor să le fi avut și el. Alternativa este că aceleași caracteristici s-au dezvoltat independent în cadrul fiecărui neam al maimuțelor antropoide, ceea ce nu e prea probabil.

Distingerea trăsăturilor în acest fel, cunoscute drept caracteristici derivate comune, este unul dintre principiile esențiale în identificarea relațiilor dintre diversele specii. Prezența la maimuțele antropoide și la oameni a acestor trei trăsături, comparate cu prezența cozii, lipsa apendicelui și a caracteristicilor tipice ale articulației maimuțelor antropoide la toate celelalte primate arată faptul că acestea apar doar la maimuțele antropoide și la oameni. Se poate spune că asemănarea acestor caracteristici se bazează pe moștenirea comună, dar în unele cazuri e clar că nu se întâmplă așa. Aripile păsărilor și ale liliecilor, de exemplu, sunt asemănătoare în privința funcției, dar din punct de vedere structural și genetic sunt diferite.

Aceste principii pot fi aplicate unei alte surse de dovezi, ce provin direct din gene. Schimbările materialului genetic ADN se acumulează în același mod, și în multe cazuri sunt responsabile pentru schimbările anatomice și, prin analizarea acestor schimbări, e posibilă fundamentarea relației direct pe gene.

Dovezile furnizate de fosile

Arborii genealogici realizați atât cu ajutorul dovezilor anatomice, cât și cu al celor moleculare arată relațiile evolutive, iar acestea pot fi probate pe fosile. Fosilele maimuțelor antropoide și ale oamenilor sunt descrise de paleoantropologi și comparate cu rudeniile lor existente, iar dacă sunt prezente suficiente caractere specifice, pot fi potrivite în arborii genealogici. În aceste cazuri, fosilele arată când și unde au apărut schimbările în timpul evoluției, fiindcă fosilele pot fi datate și știm de

(Jos, stânga) Cimpanzeii și oamenii au 98,8% din ADN similar, astfel că diferența dintre ei este de numai 1,2%. Cimpanzeii sunt aproape similari genetic cu gorilele, dar gorilele sunt mai diferite de oameni și există chiar diferențe notabile între acești trei și urangutan.

(Jos, dreapta) Craniul speciei Proconsul *din Africa de Est, găsit în 1948 de Louis și Mary Leakey.*

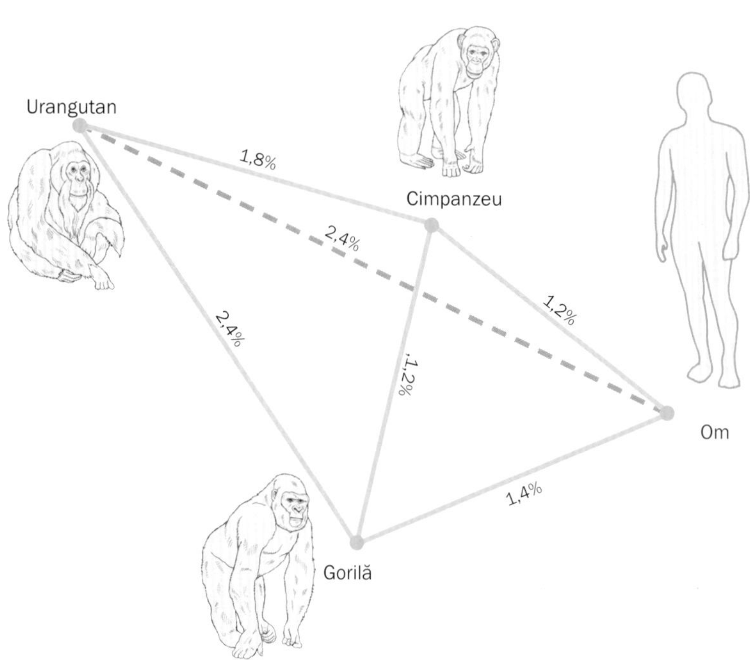

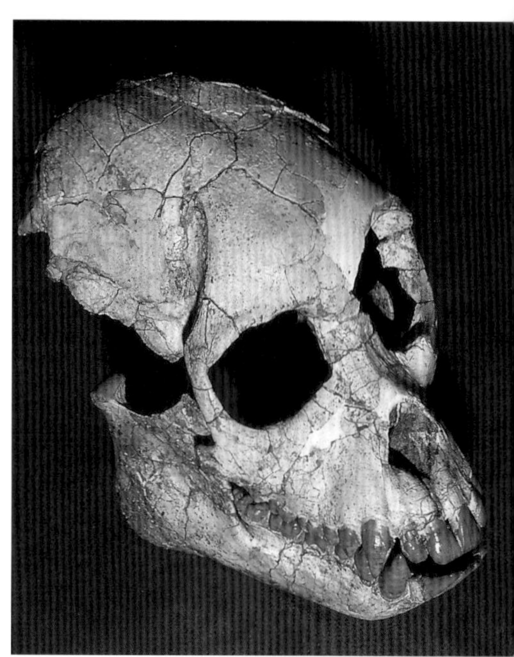

unde provin. De exemplu, știm că oamenii provin din Africa, deoarece primele două până la trei milioane de ani de fosile umane se limitează în întregime la Africa, și prima apariție a fosilelor umane în afara Africii datează de mult mai târziu.

Fosilele ne mai furnizează informații despre tipurile de mediu existente în trecut. Natura depunerilor geologice în care se găsesc fosilele ne oferă informații despre condițiile locale, dacă apar, de exemplu, într-un lac, în sedimentele de râuri sau într-un sol. În orice caz, fosilele trebuie legate de geologie, iar una dintre modalitățile în care se realizează acest lucru este investigarea tafonomică a sitului arheologic. Tafonomia reprezintă studiul conservării oaselor sau al altor părți de animale ori plante sub formă de fosile. De exemplu, dacă mediul geologic indică prezența fosilelor în sedimentele de lacuri, analiza tafonomică poate arăta că fosilele au ajuns în lac fiind purtate de un râu, aduse de un crocodil sau scăpate dintr-un copac de pe mal, în timp ce un prădător își mânca vânatul pe crengi. Cunoașterea acestor procese este importantă pentru înțelegerea naturii colecției de fosile, fiindcă soiurile de animale purtate de un râu pot fi diferite față de soiurile de animale mâncate de un crocodil și chiar mai diferite de cele duse într-un copac și mâncate de prădători.

Apoi, speciile de fosile prezente într-un sit cu fosile pot fi studiate pentru a determina tipul de habitat existent. Identificarea unor specii care trăiau în copaci, de exemplu, sugerează un habitat bogat în copaci, iar identificarea unor specii care trăiau pe pământ sugerează un habitat cu spații deschise.

Comportamentul și arheologia

Un alt aspect complet distinct al paleoantropologiei este studiul comportamentului, atât trecut, cât și prezent. Prin studierea comportamentului maimuțelor antropoide actuale, cum sunt cimpanzeii și gorilele, e posibilă deducerea comportamentului maimuțelor antropoide fosile. Animalele cu structuri corporale similare sau de dimensiuni asemănătoare tind să aibă structuri sociale similare; astfel, prin compararea animalelor fosile cu cele existente aflăm despre structurile sociale trecute.

Arheologia este foarte importantă, deoarece studiază artefactele culturale ce rezultă din comportamentul uman trecut. Prin urmare, arheologia poate deduce multe aspecte ale trecutului din studierea urmelor materiale prezentate. Rămășițele de hrană din siturile arheologice oferă informații cu privire la regimurile alimentare trecute sau la folosirea obiectelor pentru alte scopuri decât mâncarea. Istoria bolilor face și ea parte din paleoantropologie, prin aceea că dovezile bolilor pot fi identificate cu ajutorul semnelor lăsate pe oasele fosile. Rezultă că este necesară o colaborare interdisciplinară pentru a se obține rezultate.

(Dreapta) Câțiva strămoși timpurii au fost descoperiți în peșteri cu oase de animale și s-a crezut la început că oasele animalelor erau rămășițe din hrana lor. Acum se crede că aceștia au fost prada leoparzilor, iar aceasta este o reconstituire în care un leopard și-a purtat vânatul ucis într-un copac spre a-l proteja de hiene. Rămășițele homininului (strămoș al omului) vor cădea în peșteră, după cum se observă în josul imaginii, și vor fi conservate cu alte rămășițe animale.

(Jos) Excavările făcute în peșteri ca aceasta din Gibraltar pot oferi dovezi directe ale preistoriei umane sub forma oaselor și a pietrelor, dar și informații contextuale despre climatele și mediile trecute.

Scara geocronologică

Primii geologi și-au dat seama că depozitele dense de roci sedimentare trebuie să reprezinte perioade străvechi din istoria Pământului, dar nu aveau nicio idee despre cât erau de vechi și nu aveau niciun fel de instrument de datare a acestora. Se presupunea adesea că asemenea depozite erau rezultatul potopului biblic. Acum avem la dispoziție modalități de datare cu ajutorul ceasurilor radiometrice, care acționează prin elementele radioactive prezente în roci. Acestea au dezvăluit că Pământul are o vechime de cel puțin 4,5 miliarde de ani.

Cele dintâi stadii ale istoriei Pământului au fost lipsite de viață. În orice caz, formele simple de viață au apărut în urmă cu 3,5 miliarde de ani, în vreme ce formele complexe s-au dezvoltat mai ales în timpul ultimilor 600 de milioane de ani. Pe măsură ce geologii au elaborat o istorie mai complexă a Pământului, i-au împărțit istoria într-un număr de ere, divizate la rândul lor în perioade și epoci. Diviziunile, începând de la cele mai vechi, sunt Precambrian (de departe cel mai lung), Paleozoic („Era veche a vieții"), Mezozoic („Era mijlocie a vieții"), Terțiar (numit astfel fiindcă era inițial al treilea stadiu) și Cuaternar (al patrulea stadiu,

(Jos) Marele Canion din Arizona, SUA, este una dintre cele mai spectaculoase demonstrații ale imensității timpului geologic. Deși probabil săpat de râul Colorado doar în decursul ultimelor câteva milioane de ani, rocile pereților canionului au probabil circa 270 de milioane de ani, cele mai noi, până la aproape 1,8 miliarde de ani, cele mai vechi.

Cu milioane de ani în urmă	Eon	Eră	Perioadă		Epocă
0	Fanerozoic	Neozoic	Cuaternar		Holocen
0,01					Pleistocen
1,8			Terțiar	Neogen	Pliocen
5					Miocen
24				Paleogen	Oligocen
37					Eocen
58					Paleocen
65		Mezozoic	Cretacic		
142			Jurasic		
206			Triasic		
248		Paleozoic	Permian		
290			Carbonifer		
354			Devonian		
417			Silurian		
443			Ordovician		
495			Cambrian		
545	Precambrian	Proterozoic			
2500		Arhaic			
3800		Hadean			
4560					

Scara geocronologică

Există scheme variate de împărțire a istoriei Pământului, care acoperă aproximativ 4,5 miliarde de ani. Sistemul indicat aici este unul dintre cele mai frecvent folosite, cu perioade și epoci marcate de evenimente geologice și schimbări în caracteristicile fosilelor conservate. Vârstele estimate pentru diferitele diviziuni ale scării geologice sunt indicate în milioane de ani înainte de prezent.

care include trecutul apropiat și prezentul). Perioada terțiară este la rândul ei împărțită în epocile Paleocenă, Eocenă, Oligocenă, Miocenă și Pliocenă, iar Cuaternarul în epocile Pleistocenă și Holocenă (recentă).

Imensitatea timpului geologic

O modalitate obișnuită de a ilustra imensitatea timpului geologic și foarte scurta ocupație a planetei de către noi este să luăm în considerare, să zicem, un ceas cu 24 de ore sau o săptămână de 7 zile sau un an întreg. Dacă folosim ultima analogie, anul ar fi început la 1 ianuarie. Prima formă de viață bacteriologică ar fi apărut în februarie sau martie, dar primele plante multicelulare numai în octombrie, urmate de animale complexe ca trilobiții în noiembrie. Spre sfârșitul lui noiembrie s-au dezvoltat peștii, iar primele animale au colonizat pământul la începutul lui decembrie. Dinozaurii erau răspândiți pe la mijlocul lui decembrie și s-au stins în jurul lui 26 decembrie, când grupul primatelor și-a început evoluția. Maimuțele au apărut prin 29 decembrie, iar cele antropoide, în 30 decembrie. Linia noastră evolutivă s-ar fi separat de cea a rudelor noastre cele mai apropiate, cimpanzeii, în jurul amiezii zilei de 31 decembrie, cu primii oameni moderni apărând în ultimele 20 de minute ale acelei zile. Specia noastră a colonizat Australia și Europa în timpul ultimelor șase minute, iar cultivarea pământului a început chiar înain-

Ne este foarte greu să cuprindem imensitatea timpului implicată în istoria Pământului și evoluția vieții. Un mecanism comun de ilustrare a acestui lucru este să reprezentăm timpul geologic sub forma unui ceas sau a unui calendar. În acest exemplu, cei 4,56 de miliarde de ani ai istoriei Pământului sunt egali cu un an. Fiecare zi reprezintă trecerea a 12,5 milioane de ani, fiecare oră, în jur de 500.000 de ani, fiecare minut, 8.500 de ani, și fiecare secundă, 150 de ani. Pe această scară, oamenii moderni au apărut doar în ultimele 20 de minute ale ultimei zile.

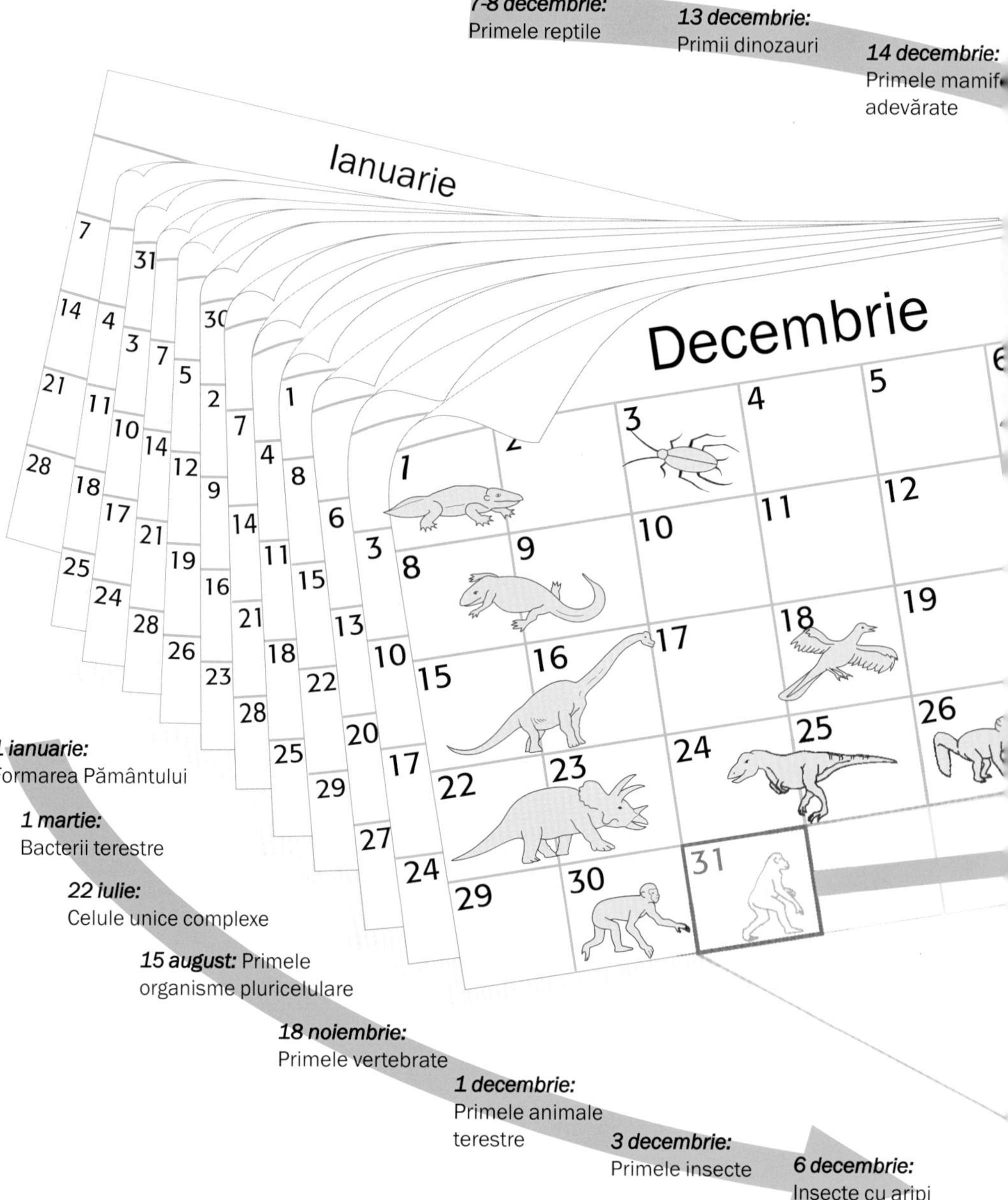

te de ultimul minut.

Pe această scară cronologică, era creştină ar fi început cam la 15 secunde înaintea miezului nopţii de 31 decembrie, în timp ce noi, cei de azi, am trăi cu toţii în ultima secundă! Aşa că noi şi chiar şi cei mai apropiaţi strămoşi ai noştri, primatele, suntem pur şi simplu nişte nou-veniţi în procesul evoluţiei.

E uşor să cădem în capcana de a crede că scopul evoluţiei a fost acela de a produce oameni, dar examinarea mărturiilor fosile arată că, în vreme ce a existat cu siguranţă o creştere a complexităţii organismelor, nu a existat o structură coerentă sau un scop în sine al evoluţiei. În schimb, multe grupuri sau specii au prosperat perioade îndelungate

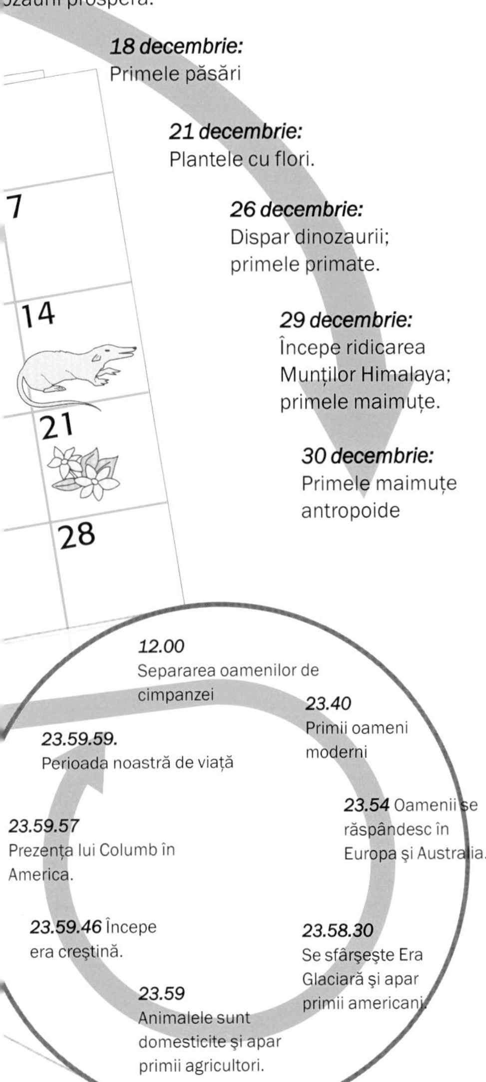

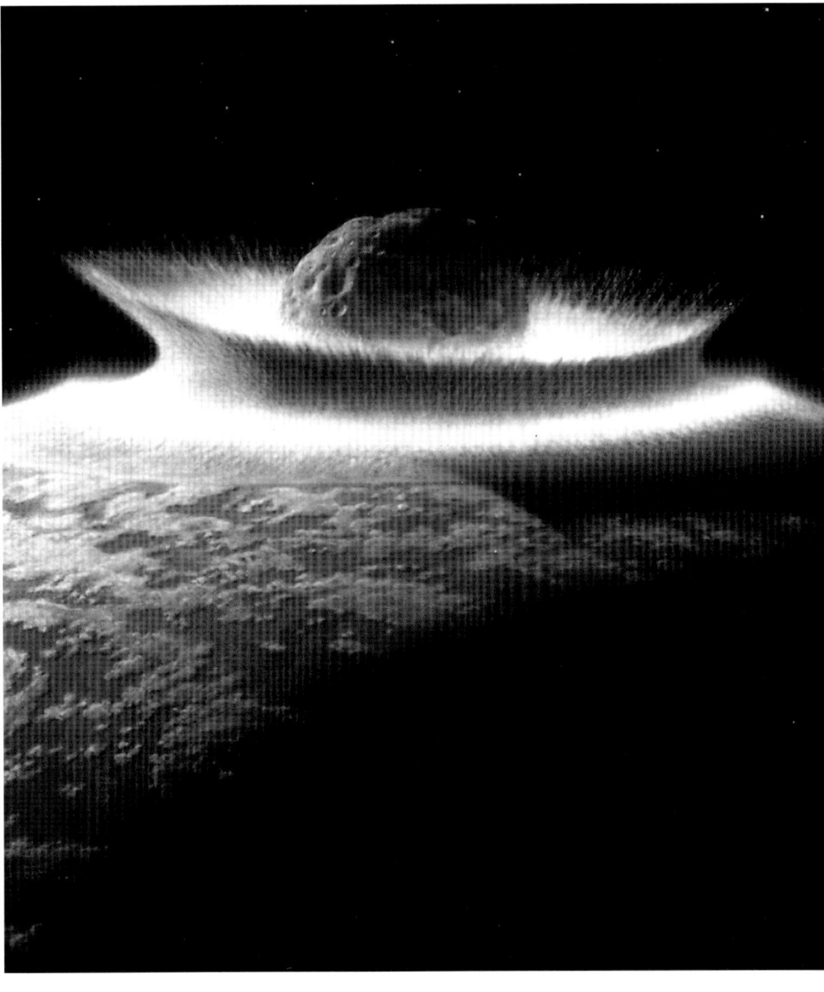

de timp şi au fost apoi complet sau aproape complet distruse.

Mulţi savanţi cred acum că cele mai mari valuri de dispariţii, precum cele de la sfârşitul perioadei Permianului, cu aproape 250 de milioane de ani în urmă, şi de la sfârşitul perioadei cretacice, cu aproape 65 de milioane de ani în urmă, au fost în mare parte rezultatul efectelor întâmplătoare, cum ar fi aterizarea asteroizilor sau a cometelor pe Pământ.

Dacă ar fi fost suficient de mari, acestea ar fi deranjat serios climatele Pământului şi ecosistemele. În orice caz, alţi savanţi cred că schimbările Pământului însuşi, fie ele geologice sau climatice, au fost şi ele factori importanţi ai unor asemenea dispariţii masive.

Evoluţia hominizilor în ultimele câteva milioane de ani a fost adesea privită ca o scară a progresului, conducând inevitabil spre noi, cu creierele noastre mari, inteligenţa sporită şi comportamentul complex. Totuşi, mărturiile fosilelor demonstrează că evoluţia umană a fost însoţită de dispariţia diferitelor specii şi numai puţine au supravieţuit ori s-au dezvoltat în forme noi.

De-a lungul istoriei Pământului, planeta noastră a fost bombardată de rămăşiţe din restul sistemului solar; se crede că Luna a fost creată printr-un asemenea impact. Odată ce viaţa a evoluat, a devenit vulnerabilă la perturbările majore ale mediului, precum modificarea compoziţiei gazelor din atmosferă sau temperaturile mării ori ale pământului, iar unii specialişti cred că impacturile masive cu diverse corpuri cosmice au generat cele mai multe extincţii din istoria vieţii, cum ar fi la sfârşitul perioadei permiene, cu aproape 250 de milioane de ani în urmă, şi la sfârşitul Cretacicului, cu aproape 65 de milioane de ani în urmă.

Datarea trecutului

Câmpia Seregenti, cu muntele Lemagrut, un vulcan stins, în fundal. Olduvai Gorge (defileu) se află la jumătatea distanței, în stânga imaginii.

Există două categorii principale de datare: datarea relativă și cea radiometrică (numită uneori și absolută). Prima leagă un obiect sau un strat de un alt obiect sau strat. Dacă n-a apărut un accident geologic, un strat dintr-o secvență geologică este întotdeauna mai recent decât stratul aflat mai jos de el. Astfel, stratul al II-lea de la Olduvai Gorge din Tanzania (vezi p. 68-71) se așterne peste și e așadar mai recent decât stratul I. Stratul I conține fosile ale hominizilor timpurii, *Homo habilis* și *Paranthropus boisei*, și se presupune astfel că sunt de aceeași vârstă ca stratul I. În orice caz, ele și stratul I sunt, la rândul lor, mai recente decât stratul de rocă vulcanică ce stă la baza întregii succesiuni de straturi de la Olduvai. Animalele fosile din stratul I de la Olduvai sunt asemănătoare cu cele găsite în roci ce conțin fosile de *Paranthropus boisei* din situl de la Koobi Fora, din nordul Kenyei, și se presupune așadar că acestea sunt de aproximativ aceeași vârstă, cu alte cuvinte, pot fi direct legate una de cealaltă sau corelate. Dar niciuna din aceste relații nu ne poate spune cât de vechi este de fapt stratul I.

Datarea radiometrică: potasiu-argon și radiocarbon

Pentru a merge mai departe decât o dată relativă, avem nevoie de un fel de ceas geologic, care ne va spune cu cât de mult timp în urmă au fost depuse

anumite roci sau cât timp a trecut de la moartea unui animal sau a unei plante. Acestea sunt ceasuri radiometrice, fiindcă măsoară timpul folosind radioactivitatea naturală. Un exemplu al unei astfel de tehnici este datarea cu ajutorul potasiului și argonului, ce poate fi utilizată în cazul rocilor vulcanice. Potasiul constă în parte dintr-o formă instabilă numită potasiu-40, iar acest izotop se schimbă treptat, după milioane de ani, în gazul numit argon. Când are loc o erupție vulcanică, lava sau cenușa fierbinte conțin o mică proporție de potasiu-40, iar când lava sau cenușa se răcesc și se solidifică, forma instabilă de potasiu începe să se schimbe în argon. Dacă acest gaz de argon este prins în stratul vulcanic, cantitatea produsă poate fi folosită ca unitate de măsură naturală a timpului de când a fost roca vulcanică depusă. Utilizând această tehnică, lava de la baza stratului I de la Olduvai a fost datată ca fiind de aproape 1,9 milioane ani vechime. Se crede că stratul I a fost sedimentat imediat după aceea, astfel că fosilele lui *Homo habilis* și *Paranthropus* pe care le conține sunt așadar de 1,8 milioane de ani. Prin corelație, aceasta ar trebui să fie vârsta aproximativă a depozitelor asemănătoare de la Koobi Fora, iar acest lucru a fost de fapt confirmat cu ajutorul datării radiometrice.

Cea mai faimoasă metodă de datare radiometrică este datarea cu radiocarbon. Această tehnică se bazează pe faptul că o formă instabilă de carbon, numită carbon-14, este produsă constant în straturile superioare ale atmosferei Pământului, prin acțiunea radiației cosmice asupra nucleelor de azot. Această formă instabilă de carbon este absorbită de corpurile ființelor vii, alături de forma mult mai obișnuită și stabilă de carbon-12. În orice caz, când planta sau animalul moare, nu se mai absoarbe deloc carbon-14, iar cantitatea rămasă

Situl de la Olduvai Gorge conține una din mărturiile-cheie ale istoriei omului, iar această mărturie a fost evaluată printr-o gamă de tehnici de datare. Sedimentele vulcanice pot fi datate folosind tehnica potasiu-argon. Asemenea informații pot fi utilizate nu doar pentru interpretarea mărturiilor de la Olduvai, ci și pentru corelarea acelor mărturii cu siturile din alte părți.

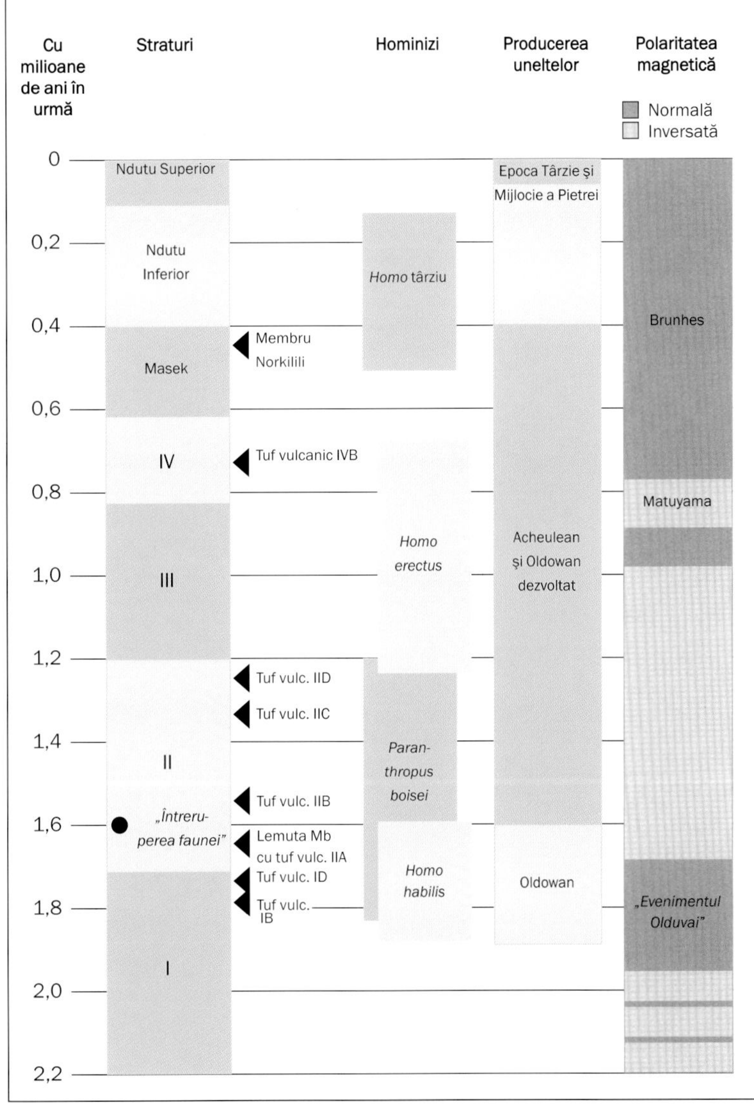

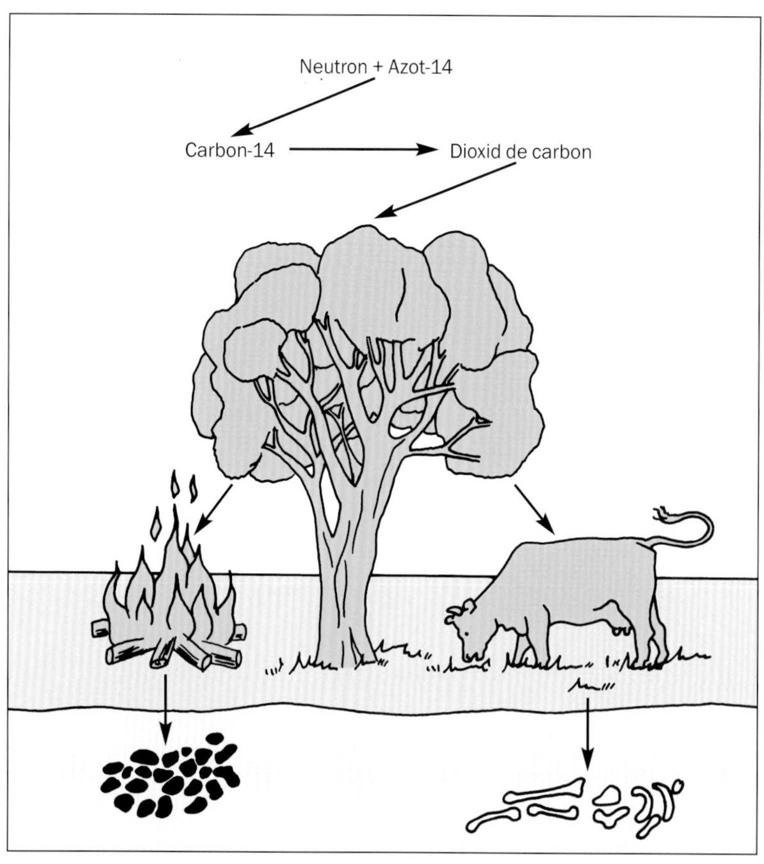

(Sus) O formă radioactivă și instabilă de carbon, carbon-14, este produsă în mod constant prin acțiunea radiației cosmice asupra nucleelor de azot din partea superioară a atmosferei Pământului. Este apoi preluată în corpurile ființelor vii sub forma dioxidului de carbon. Odată aflat acolo, în materiale precum lemnul sau osul, carbonul-14 începe să se dezintegreze, după moarte ființei dispărând în proporție de aproape 50% la fiecare 5.700 de ani. Descompunerea lui creează astfel un „ceas" natural ce poate fi folosit pentru estimarea vârstei fosilelor.

începe să se descompună prin dezintegrarea radioactivă, astfel încât cantitatea prezentă se înjumătățește la fiecare 5.700 de ani (acest fapt se numește timp de înjumătățire a elementelor radioactive). Așa că măsurarea cantității de carbon-14 rămas într-o bucată de cărbune sau un os fosil, să zicem, ne permite să evaluăm cât de mult timp a trecut de când planta sau animalul vizat trăia. Metoda nu poate fi utilizată în cazul materialelor foarte vechi, deoarece cantitatea de carbon-14 lăsată în urmă este prea mică pentru a măsura exact și, prin urmare, datarea cu radiocarbon poate deveni nesigură cu mai mult de 30.000 de ani în urmă. Mai mult, presupunerea producerii constante de carbon-14 în trecut nu este în întregime adevărată, astfel că savanții vorbesc mai degrabă despre date în „ani radiocarbon" decât de ani reali. Totuși, comparațiile cu alte metode sugerează că datarea prin radiocarbon pentru ultimii 40.000 de ani este destul de sigură.

Alte metode radiometrice de datare

Mai recent, alte metode radiometrice au fost dezvoltate pentru datarea atât a materialelor fosile, cât și a celor arheologice dincolo de neajunsurile datării cu radiocarbon. Ele includ datarea cu izotopi de uraniu, bazându-se pe descompunerea diverselor forme de uraniu. Numeroase alte metode folosesc faptul că substanțele cristaline, ca silexul ars ori smalțul dentar suferă modificări din cauza

(Stânga) Geocronologul Rainer Grün printre sedimentele din peștera Qafzeh, Israel. Lucrând cu colegii, a aplicat tehnica rezonanței deplasării electronilor și datarea cu uraniu la dinții fosili din Qafzeh, evaluându-le vârsta la aproape 100.000 de ani. O asemenea muncă a contribuit la o re-evaluare a întregului lanț al evoluției umane în Orientul Mijlociu.

(Dreapta) Acceleratorul de radiocarbon de la Laboratorul de Cercetare Arheologică de la Universitatea Oxford poate detecta și măsura cantități foarte mici de radiocarbon. Acest lucru a permis datarea unor relicve importante, de la craniile fosile la Giulgiul din Torino.

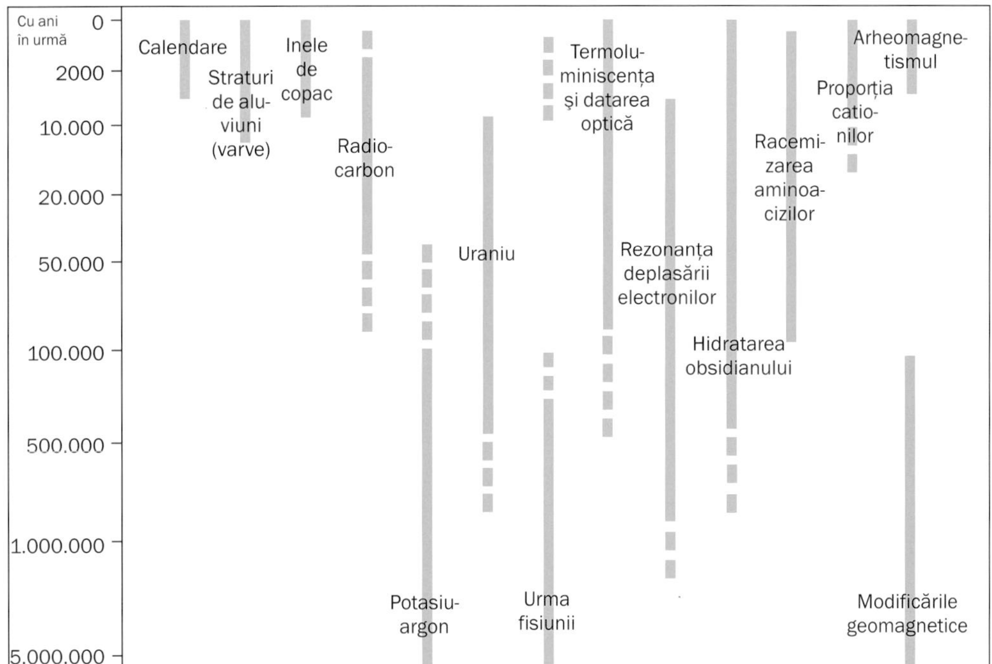

Datarea trecutului

Arheologii și paleontologii au la dispoziție o gamă de tehnici de datare, fiecare cu evantaiul său propriu de aplicații, puncte forte și slăbiciuni. Mai departe de acum 5 milioane de ani, tehnica cu potasiu-argon este principala metodă de datare, deși datarea cu izotopi ai uraniului (și ea bazată pe operația ceasului radioactiv) poate fi și ea folosită. Modificările geomagnetice ne pot oferi o verificare utilă a datelor găsite prin folosirea altor metode.

radiației primite din împrejurimi odată ce sunt îngropate. Cantitatea acumulată poate fi măsurată în silex cu ajutorul unei raze laser (luminiscență stimulată optic – OSL)) sau prin încălzire (termoluminiscența – TL)) sau detectată în smalțul dinților prin radiația microundelor (rezonanța deplasării electronilor – ESR)). Dacă rata acumulării radiațiilor în silex ori dinte poate fi evaluată, durata cât a stat în pământ (de exemplu într-o vatră neanderthaliană) poate fi apreciată.

Funcțiile animale

Când abordăm funcția, ne uităm la anumite caracteristici prin prisma scopului pe care-l îndeplinesc în viața unui animal. Luați de exemplu aripile liliecilor și ale păsărilor: funcția aripilor este de a le permite posesorilor lor să zboare. Ni se spune că aripile s-au dezvoltat în acest sens, dar nu ni se relatează nimic despre relațiile evolutive dintre animalele zburătoare. Studiul funcției este așadar antiteza relației evolutive, fiindcă există doar atâtea funcții câte sunt capabile animalele să realizeze și există în același timp foarte multă repetiție sau convergență, după cum e numită în procesul evoluției. Caracteristicile ce sunt convergente nu ne spun nimic despre relația evolutivă a animalelor care le posedă.

Când Charles Darwin și-a formulat ideile despre selecția naturală ca principal mijloc de schimbare în cadrul evoluției, se referea implicit numai la caracterele funcționale. Caracterele fără nicio funcție erau omise de selecția naturală, fiindcă nu era nimic de selectat. Acest truism aparent este baza marii părți a tehnicilor de cercetare ale geneticii pentru înțelegerea relațiilor evolutive dintre animale. Genele umane conțin în jur de 3 miliarde de itemi cu informații genetice (perechi de nucleotide) și doar aproape 10% dintre acestea conțin informații referitoare la funcțiile umane de orice fel. 90% sunt esențialmente neutre, astfel încât schimbările ce apar datorită mutațiilor întâmplătoare se acumulează la nivelul ratei de mutație. Numărând schimbările dintre grupurile înrudite de animale (sau grupurile taxonomice), de exemplu dintre cimpanzei și oameni, și cunoscând rata mutației, putem apoi estima timpul despărțirii de strămoșul lor comun.

(Jos) Un gibon în habitatul său, în copaci, folosindu-și membrele puternice pentru a se deplasa. Forma lor distinctă de locomoție se numește brahiere.

(Jos, dreapta) Maimuța cu trompă sărind peste un râu din Borneo.

(Stânga) Cimpanzeii și gorilele s-au adaptat la viața la sol, fiind mai puțin mobile în copaci, adoptând un comportament neobișnuit în timpul mersului și sprijinindu-se pe articulațiile degetelor lor.

(Dreapta) Patru tipuri distincte de locomoție la primate. În partea de sus, prosimienii sar din punctele lor de sprijin folosindu-și membrele inferioare; în al doilea rând, deplasarea patrupedă pe pământ; în al treilea rând, un gibon folosind mersul brahial; în rândul de jos, un cimpanzeu mergând pe articulațiile degetelor.

Funcțiile la primate

Accentul principal asupra funcției la primate a fost pus în mod tradițional pe diferitele lor forme de locomoție și pe diversele feluri de mâncare pe care le consumă. Majoritatea primatelor și-au adaptat scheletele membrelor pentru a se cățăra prin copaci. Caractere precum capacitatea de prindere a mâinilor și a picioarelor, umerii mobili, articulațiile șoldului și ale cotului și vederea stereoscopică sunt de-o importanță crucială pentru primatele active ce locuiesc în copaci, iar acestea sunt caracteristici prezente în general la majoritatea primatelor. Unele specii ce s-au adaptat la viața la sol și-au pierdut unele din aceste trăsături de adaptare cu prețul dezvoltării unor membre mai lungi pentru a putea fugi pe sol, de exemplu

(Jos) Babuinii galbeni de pe râul Kwahi, Botswana, indică forma patrupedă de locomoție.

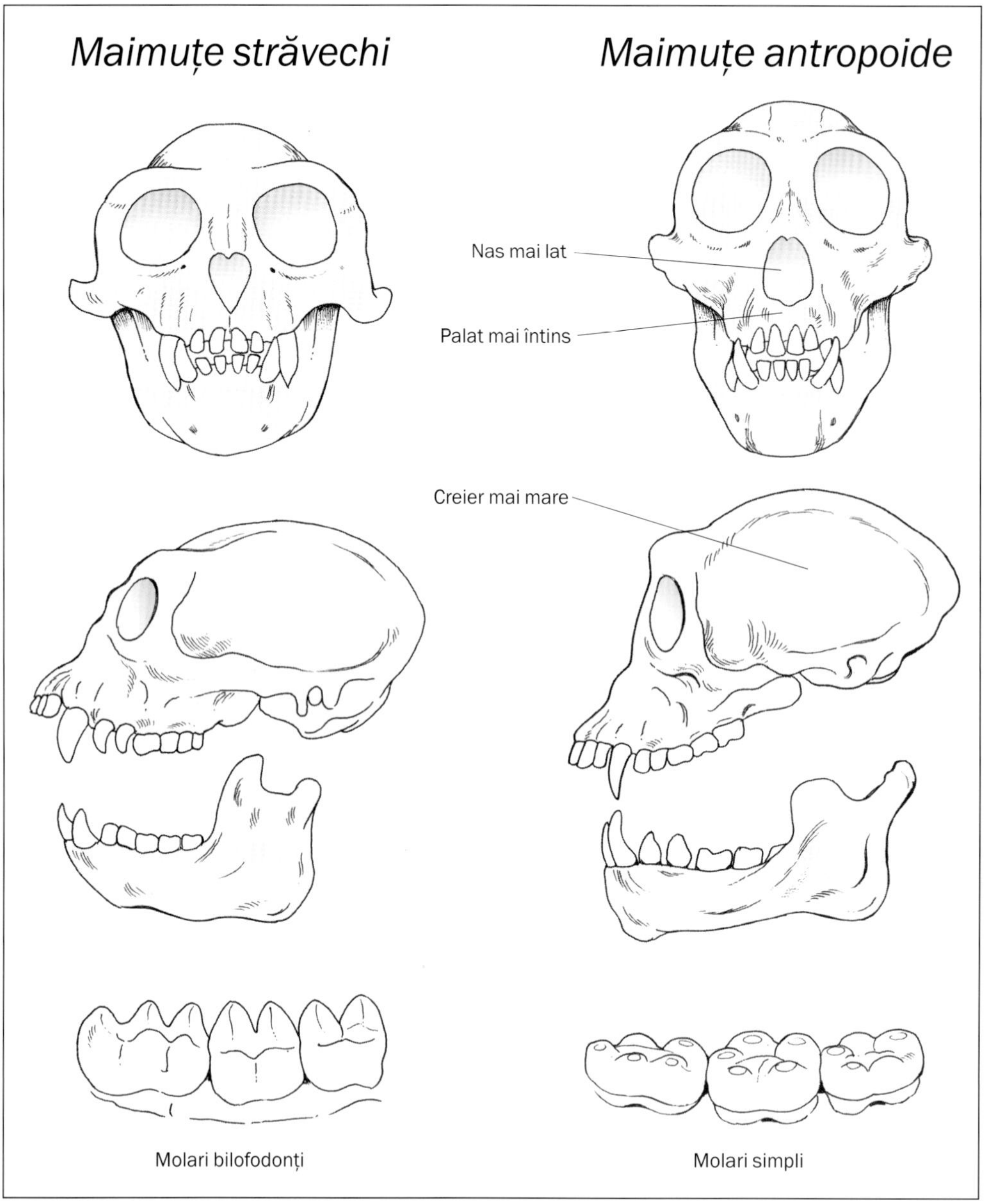

Maimuțe străvechi

Maimuțe antropoide

Nas mai lat

Palat mai întins

Creier mai mare

Molari bilofodonți

Molari simpli

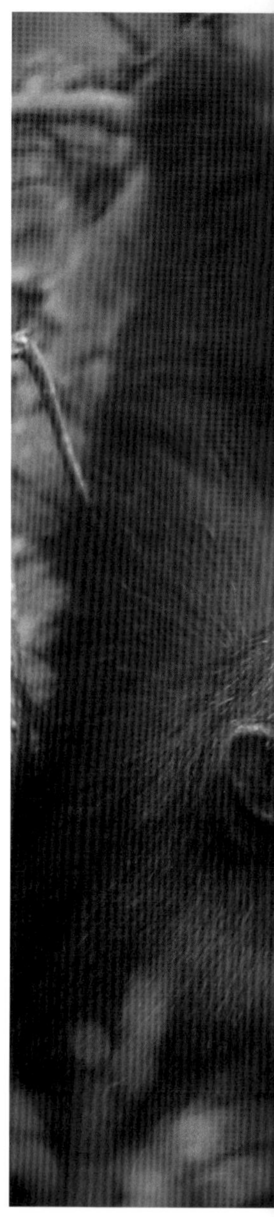

(Sus) Maimuțele antropoide și cele obișnuite diferă în multe privințe, iar în privința formei craniului și a dinților, cele obișnuite și-au dezvoltat molari bilofodonți, adică măsele cu două vârfuri transversale pentru tăierea vegetației spinoase, iar antropoidele au rămas cu dinți simpli, ușor bombați.

(Sus, dreapta) Cimpanzeii au buze mobile și dinții din față mari, eficienți la descojire și desfacerea fructelor.

maimuțele-pata, sau degete liniare la picioare, ca la oameni. Adaptările la salt se observă la unele dintre primatele prosimiene, cu picioarele lor alungite și foarte puternice, iar adaptările pentru a atârna suspendate de crengi se observă la unele maimuțe antropoide, care au membre alungite și puternice. Oricare dintre aceste caracteristici ce pot fi identificate la maimuțele antropoide fosile oferă dovezi directe despre forma probabilă de locomoție a acestora. Prin acest mijloc suntem capabili să identificăm primele maimuțe antropoide fosile ca fiind patrupede, trăind în copaci sau fiind niște primate ce stăteau printre crengi. În mod similar, putem identifica momentele în care unele maimuțe antropoide au devenit terestre, cum altele se deplasau prin brahiere, ca și maimuțele antropoide existente, iar altele au devenit bipede.

Adaptările dinților și ale maxilarelor reflectă tipul de hrană consumată. Primatele ce mâncau insecte aveau dinți cu vârful ascuțit, ca și multe dintre primatele inferioare, precum lemurienii. Molarii devin mai largi pe măsură ce primatele mănâncă mai multă vegetație, iar în cazurile extreme, dinții devin striați și au vârfuri lungi tăioase pentru retezarea frunzelor. Puține specii s-au îndreptat spre consumarea unei vegetații mai dure și au măsele bombate pentru a măcina hrana dură. O dihotomie similară se observă la maimuțele antropoide ce mănâncă fructe, unde speciile consumatoare de fructe moi au dinții inferiori bombați, cu suprafețe netede pentru zdrobirea fructului, în timp ce speciile care mănâncă fructe mai dure au

coroanele dentare mai înalte și un smalț mai dur, pentru a rezista la forța mai puternică exercitată asupra dinților. Acestea au în mod corespunzător maxilare mai mari, pentru a se adapta la aceste presiuni.

Hrana consumată e în relație cu mărimea corpului. Speciile insectivore sunt în general mici, cele erbivore sunt în general mari, situându-le pe cele frugivore (consumatoare de fructe) între ele. Formele arboricole tind să fie mici, iar cele terestre mai mari, deși există multe excepții. Relațiile acestor atribute ecologice cu mediul sunt și ele foarte previzibile și vor fi descrise mai târziu.

Anumite dificultăți apar de pe urma folosirii caracterelor funcționale pentru a indica relațiile din procesul evoluției. Problema convergenței a

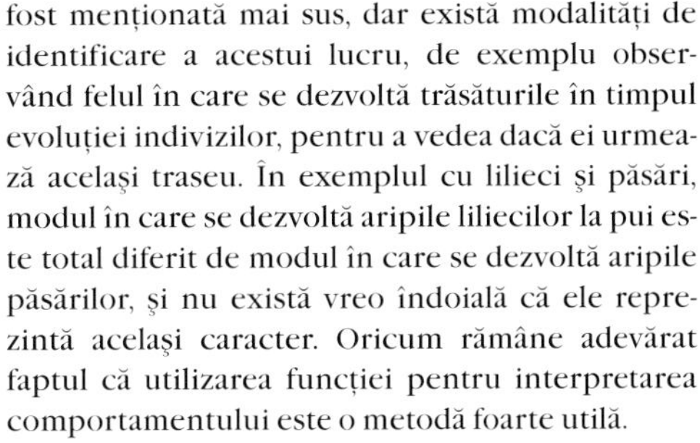

fost menționată mai sus, dar există modalități de identificare a acestui lucru, de exemplu observând felul în care se dezvoltă trăsăturile în timpul evoluției indivizilor, pentru a vedea dacă ei urmează același traseu. În exemplul cu lilieci și păsări, modul în care se dezvoltă aripile liliecilor la pui este total diferit de modul în care se dezvoltă aripile păsărilor, și nu există vreo îndoială că ele reprezintă același caracter. Oricum rămâne adevărat faptul că utilizarea funcției pentru interpretarea comportamentului este o metodă foarte utilă.

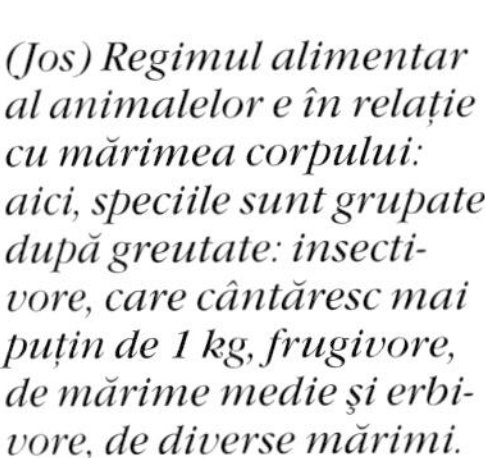

(Jos) Regimul alimentar al animalelor e în relație cu mărimea corpului: aici, speciile sunt grupate după greutate: insectivore, care cântăresc mai puțin de 1 kg, frugivore, de mărime medie și erbivore, de diverse mărimi.

Regimul alimentar vs. Mărimea corpului

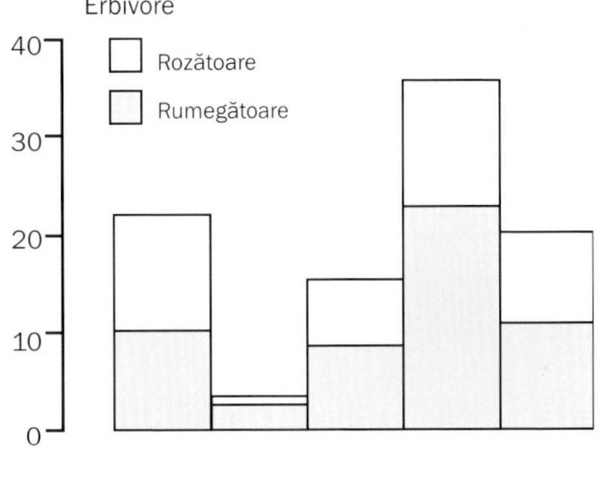

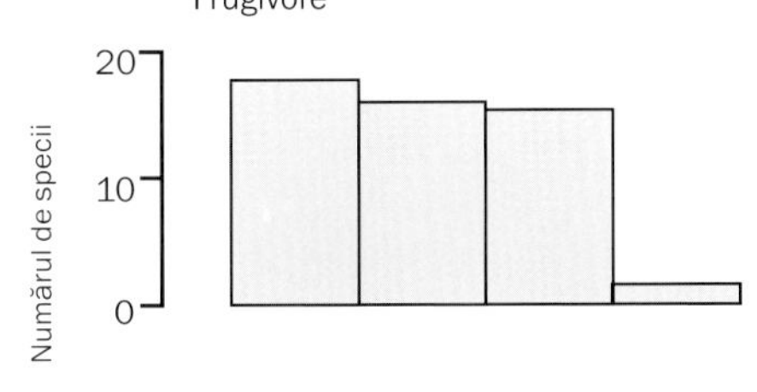

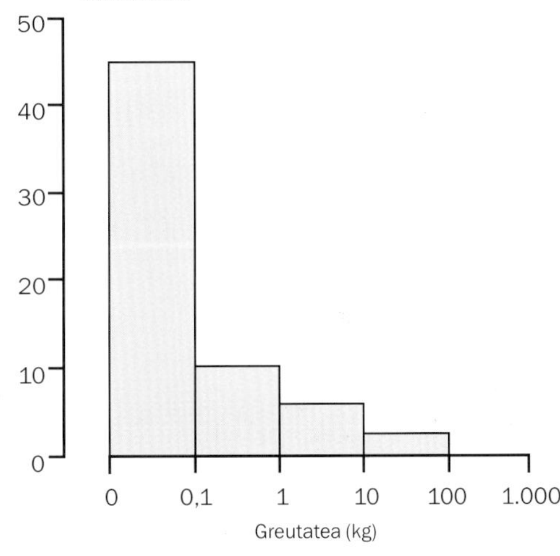

Excavarea şi tehnicile de analiză

Când Darwin a scris The Descent of Man, *nu existau practic niciun fel de mărturii fosile pentru a-i susţine argumentele. Graţie săpăturilor din decursul ultimilor 120 de ani, există acum o relativă bogăţie de materiale care oferă informaţii asupra evoluţiei omului.*

Savanţii lucrează cu fosile şi, pentru a face asta, trebuie să le găsească. Acest lucru presupune descoperirea siturilor cu fosile de vârsta celor care ne interesează, efectuarea de săpături arheologice care să furnizeze genul de informaţii necesare pentru analizarea fosilelor şi apoi examinarea fosilelor la Muzeul de Istorie Naturală din Londra, unde lucrăm amândoi, spre a obţine informaţii despre morfologia funcţională (studiul structurii organismelor) şi analiza filogenetică (studiul evoluţiei lor timpurii), care au fost menţionate mai devreme. Metodele includ atât tehnici utilizate pe teren, cât şi în laborator.

Pe teren

Metodele pe care le folosim pe teren sunt asemănătoare cu cele folosite în arheologie. Uneori ştim de existenţa unui sit cu fosile înainte de-a începe să lucrăm, iar altădată ştim doar că sunt prezente sedimente de o anumită vârstă şi apoi trebuie să cercetăm zona pentru a descoperi dacă există fosile. Există şi situaţii în care multe zone ce par foarte promiţătoare nu conţin deloc fosile.

După ce s-a descoperit o zonă sau un sit care pare promiţător, zona respectivă este cercetată sistematic. În trecut, acest lucru se făcea folosind echipament care azi ni se pare demodat, dar mai recent se aplică tehnologia sateliţilor şi a laserelor. Sunt desenate hărţi şi planuri ale sitului, iar poziţiile zonelor cu posibile fosile sunt marcate pe planuri. Apoi trebuie luată o decizie în privinţa locului de unde să înceapă săpăturile. Acest fapt poate fi foarte dificil, de vreme ce nu se poate vedea sub suprafaţa pământului, dar există două modalităţi de abordare a problemei. Una e de a căuta cea mai mare concentrare de fosile la suprafaţa pămân-

tului, întrucât acest lucru poate arăta că există mai multe locuri din care provin, de sub suprafață. Cealaltă modalitate, de obicei mai sigură, este de a săpa un șanț (o secțiune) transversal, iar acest fapt are avantajul de a oferi informații suplimentare despre stratigrafie.

Excavările sunt marcate în mod obișnuit în metri pătrați. Specimenele găsite în timpul săpăturilor sunt consemnate imediat, pentru ca planurile să poată fi desenate indicând locul de proveniență. Tehnicile de săpare variază, dar se folosește de obicei șpaclul, și acolo unde există pericolul ca obiectele să fie afectate prin săpare, se poate folosi o unealtă fină de lemn pentru a curăța în jurul lor. Secretul pentru a găsi eșantioanele înainte ca ele să iasă la suprafață (lucru ce trebuie evitat, deoarece se pierd poziția și asocierea lor în pământ) este de a curăța încontinuu cu pensule suprafața excavată.

După ce sunt descoperite eșantioanele, ele pot fi desenate, fotografiate și măsurate înaintea mutării lor. Acest lucru este important mai ales dacă

(Dreapta) După ce o zonă a fost săpată, este adunat sedimentul și verificat pentru a găsi eventualele fosile care s-ar fi pierdut. Sedimentul poate fi verificat pe uscat, dar acolo unde apa este disponibilă, ca în acest sit din Turcia, e mai eficient să fie spălat.

(Jos) Săpăturile dintr-un sit datând din epoca miocenă, Turcia, ilustrând excavarea meticuloasă prin folosirea șpaclului și a pensulei. Trei studenți lucrează în trei spații, înregistrându-și descoperirile pe măsură ce înaintează.

Săpăturile reprezintă un proces încet și meticulos, implicând multe măsurători și o pregătire și conservare atentă a eșantioanelor, de multe ori când sunt încă în pământ. Aici, Peter Andreas sapă pe insula Maboko din Kenya.

eșantioanele sunt deja sparte în pământ, astfel încât, dacă vor fi ridicate, se vor fărâmița în bucăți mici. Măsurătorile tipice înregistrează mărimea eșantioanelor și direcția lor de aliniere în sol; mai poate fi măsurat unghiul la care se găsesc, numit și unghiul lor de afundare. Se mai măsoară și poziția lor în săpătură și se marchează pe schița sitului. Când eșantioanele sunt îndepărtate, li se dă un număr de catalog, iar măsurătorile sunt înregistrate din nou la acel număr din catalogul sitului. Sedimentul care este îndepărtat în cursul săpăturii este verificat, fie pe uscat, fie în apă, pentru a recupera orice eșantioane pierdute în cursul săpăturii.

În laborator

După ce fosilele sunt trimise la laborator, sunt

Fosilele recuperate de pe urma unei săpături sunt măsurate, ca în imaginea de față, de către paleontologul finlandez Mikael Fortelius, care măsoară dinții unui exemplar de rinocer găsit la Pașalar, în Turcia.

curățate și așezate în cutii sau tuburi, în funcție de mărimea lor, fiind gata de examinare. Există diverse metode de cercetare, ce oferă detalii și o precizie sporită. Instrumentele principale sunt șublerele digitale pentru măsurarea fosilelor și un microscop funcționând la o putere scăzută (de la x 40 până la x 80 putere de mărire), pentru observarea trăsăturilor exterioare ale oaselor. Pentru a mări mai mult imaginea se folosește un microscop de scanare cu electroni (SEM). Electronii au lungimi de undă mai scurte decât lumina, astfel pot fi create imagini foarte precise. SEM-ul este utilizat pentru depistarea modificărilor tafonomice de pe suprafața oaselor, de exemplu efectele digestiei sau urmele lăsate prin zdrobire, și se mai folosește pentru identificarea structurilor micronice de pe dinți, zgârieturile fine lăsate de mâncare în timpul consumării acesteia de către animal în viață. Unele SEM-uri pot fi combinate cu o microsondă, ce poate detecta compoziția minerală a fosilei și oferi informații despre diageneza eșantioanelor, sau, cu alte cuvinte, schimbările fizice și chimice care au avut loc în timpul sedimentării.

Aceste tehnici sunt toate inofensive, dar analiza mai detaliată necesită de obicei distrugerea unei mici părți a fosilei. Analiza elementelor desenate oferă informații legate de mediu; analiza izotopică a smalțului dinților procedează la fel și mai indică genul de mâncare consumată de animal în timpul vieții, iar dacă există materie organică în fosile, extragerea ADN-ului are posibilitatea de a adăuga o mulțime de informații utile.

O descoperire spectaculoasă recentă a ADN-ului unui os aparținând omului de Neanderthal din Germania a evidențiat diferențe majore față de oamenii actuali, ceea ce demonstrează cât poate fi de utilă această metodă (vezi și pp. 180-181). Dacă poate fi extras suficient ADN, există posibilitatea identificării relațiilor dintre animalele individuale, a sexului și chiar a bolilor de care au suferit în timpul vieții.

Chiar și după această activitate mai sunt multe de făcut prin conservarea și protejarea colecțiilor de fosile. Noi lucrăm într-un muzeu unde există multe milioane de fosile găsite după nenumărate săpături în anii precedenți, iar pentru ca acestea să fie puse la dispoziția generațiilor viitoare de antropologi pentru cercetare sau pentru compararea lor cu viitoarele fosile încă nedescoperite, trebuie ținute în siguranță și la adăpost.

Fosilele sunt adesea examinate folosind un microscop de scanare cu electroni (SEM). SEM-ul poate fi utilizat pentru indicarea detaliilor exterioare ale osului sau ale dintelui, cum ar fi tipul de înveliș găsit pe suprafețele dinților, și mai poate fi folosit pentru observarea detaliilor la fosilele foarte mici, ca dinții rozătoarelor.

Noi tehnici de studiere a fosilelor

Savanții care investighează resturile fosile beneficiază de o gamă mereu sporită de tehnici în studierea mai amănunțită a descoperirilor lor. Pot data acum o fosilă în mod direct, folosind tehnici (vezi p. 30-33), cum ar fi datarea cu radiocarbon, dacă eșantionul nu e mai vechi de 40.000 de ani, datarea cu ajutorul izotopilor de uraniu sau datarea cu ajutorul rezonanței deplasării electronilor (ESR), folosind un fragment din smalțul dinților. Computerele au permis adunarea datelor și analiza rapidă a cantităților mari de informații obținute din fosile. Vechile tehnici de recoltare a datelor au fost înlocuite acum de senzori electronici, sonici sau laser, care pot lega punctele de pe suprafețe foarte precis în trei dimensiuni și le pot înregistra direct în calculator pentru a fi prelucrate. Rețeaua obținută de puncte poate fi esențială pentru a reconstrui forma obiectului, cum ar fi craniul, și o poate compara pe ecran cu altele. Tehnicile morfice (de schimbare a unei imagini computerizate în alta) pot fi utilizate pentru a ilustra volumul de schimbări ale formei necesare, să zicem, pentru evoluția unui eșantion în altul, sau pentru dezvoltarea unei serii de eșantioane de-a lungul ciclului lor de viață.

Scanarea fosilelor

Odată ce tehnica scanării obiectelor cu raze X sau a radiografierii lor s-a răspândit, pot fi studiate pentru prima dată informațiile interne ascunse ale fosilelor, de exemplu forma zonelor sinusoidale ale craniului sau forma rădăcinilor dinților din oasele maxilarelor. Astăzi, o nouă tehnică folosind raze X din medicină a devenit disponibilă, numită tomografie computerizată. Imaginile rezultate sunt numite scanări CT, iar acestea pot fi prezentate pe ecranele computerelor, tipărite sau chiar transformate în copii solide cu ajutorul unei tehnici intitulate stereolitografie. Ele furnizează imagini interne extraordinar de amănunțite ale fosilelor, iar apoi imaginile pot fi manipulate pentru „îndepărtarea" pietrei ce ascunde încă fosila sau pentru reconstruirea unei fosile incomplete.

De exemplu, în 1926 s-au descoperit în Gibraltar resturile fosile ale omului de Neanderthal, într-un sit numit Turnul Diavolului. Ele erau alcătuite din părți ale maxilarului inferior și superior și calota craniană a unui copil. Dinții copilului se potriveau cu cei ai unuia din zilele noastre de cinci ani, conform stadiului lor de dezvoltare. În orice caz, presupunerea inițială că ele proveneau de la un

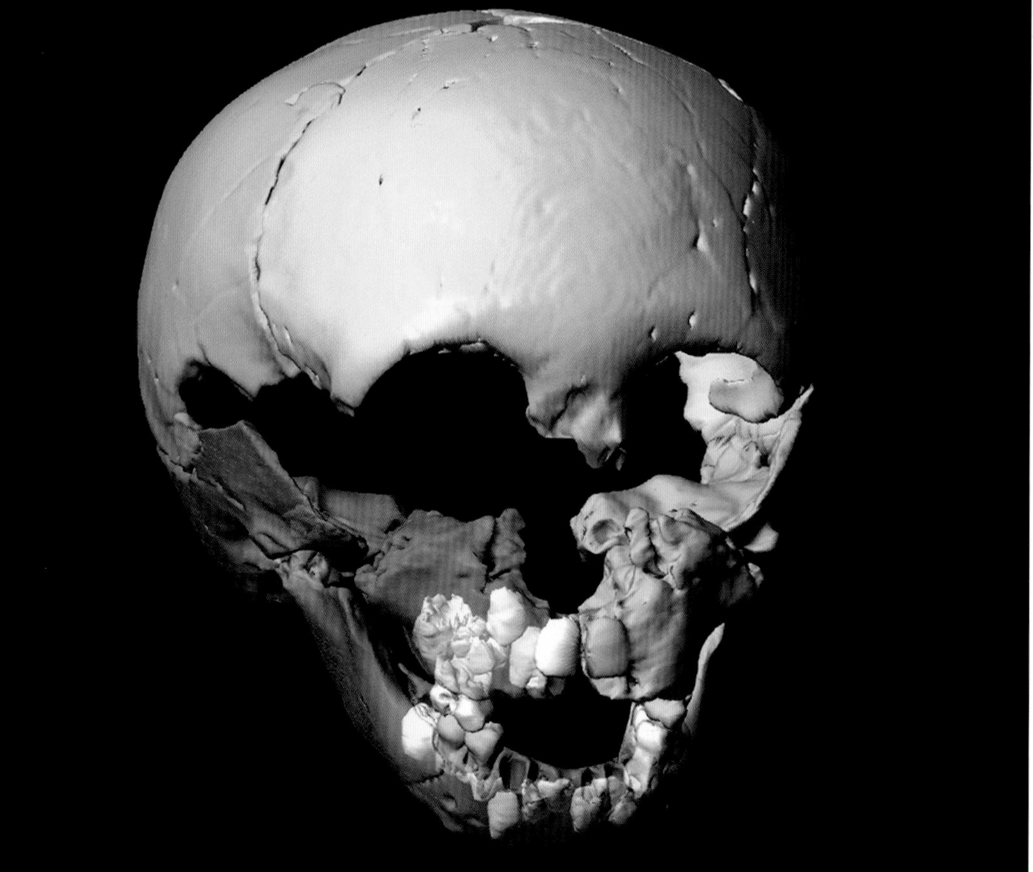

(Stânga) În 1926 au fost scoase la suprafață cinci oase ale craniului unui copil din sedimentele găsite mai jos de suprafață abruptă a Stâncii Gibraltarului, în apropierea Turnului Diavolului. Au fost recunoscute ca un exemplu rar de fosile aparținând unui om tânăr de Neanderthal. Cercetările ulterioare au ridicat problema amestecării oaselor a doi copii de vârste diferite. În orice caz, studiile amănunțite ale dinților și maxilarelor au sugerat că toate proveneau de la un copil de aproximativ patru ani la moartea sa. Acest lucru a fost confirmat mai târziu, când tomografia computerizată a fost utilizată pentru reconstruirea întregului craniu, demonstrând că toate oasele provin de la o singură persoană.

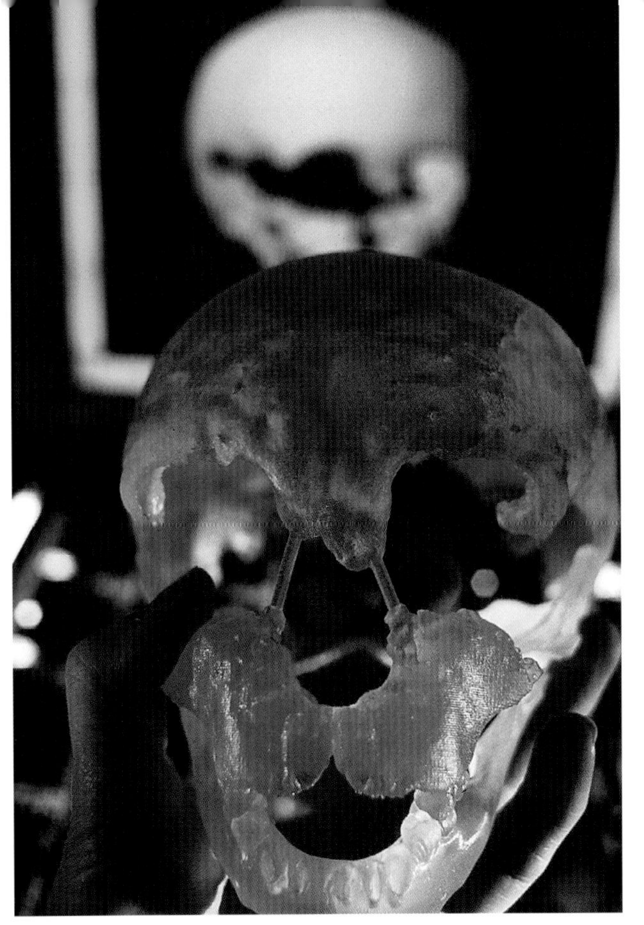

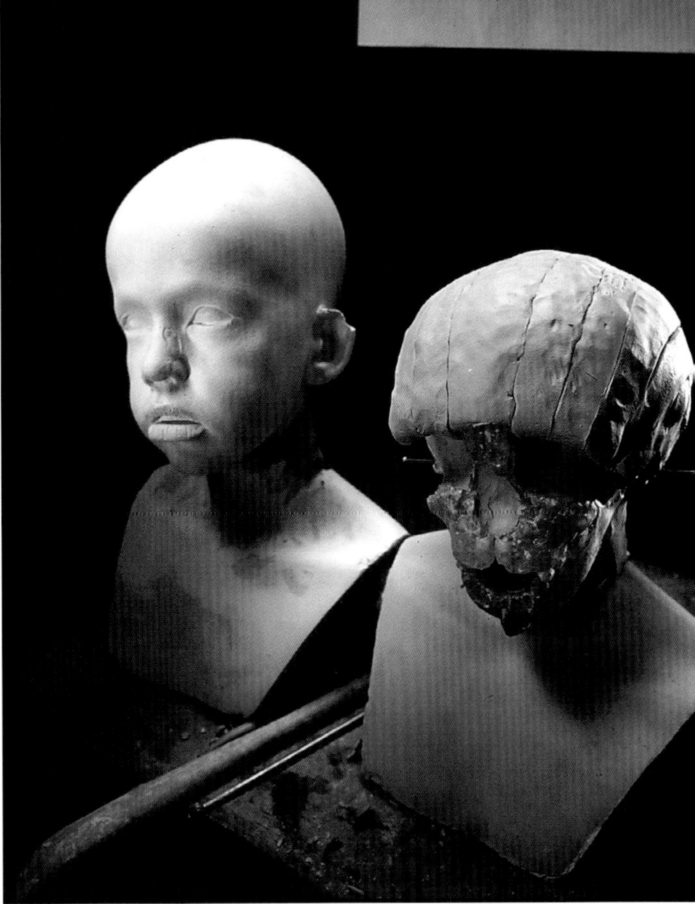

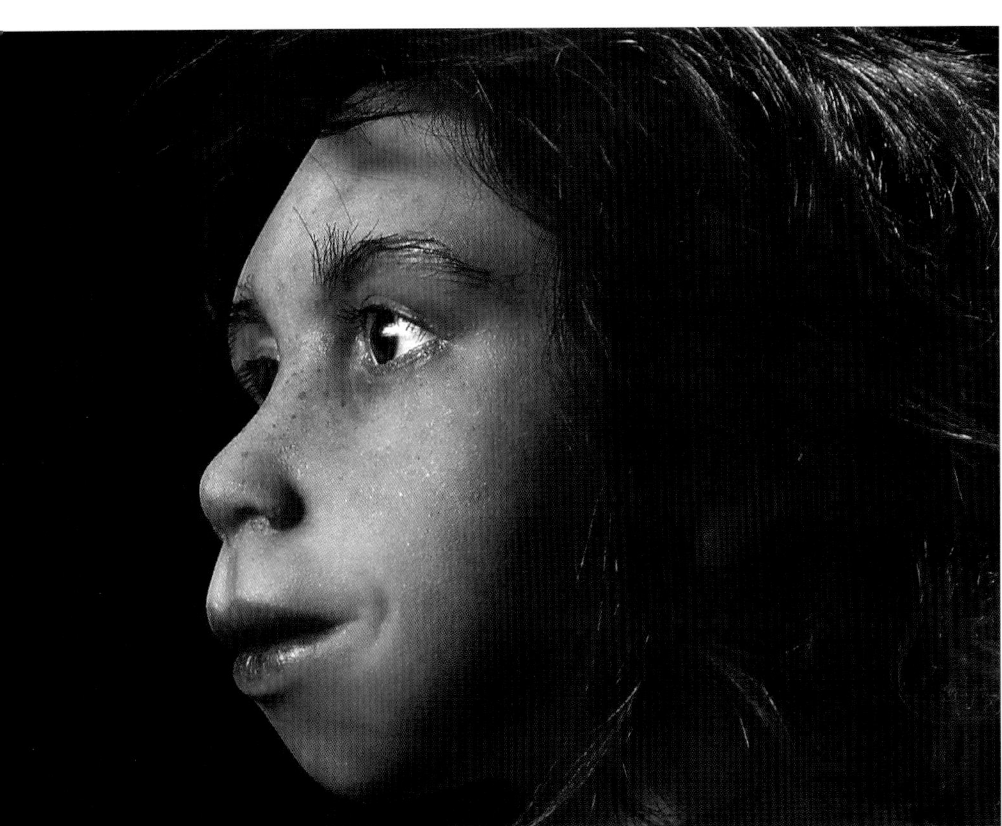

Tomografia computerizată poate fi utilizată pentru a crea o copie plastică, numită stereolitografă, a întregii fosile sau a părților îngropate în ea, cum ar fi dinții neieșiți sau oasele urechii interne. Aici (sus, stânga) a fost creată o copie a craniului găsit lângă Turnul Diavolului, ca bază de la care să fie reconstruite trăsăturile copilului. Folosind argila, pot fi creați mușchii, grăsimea și pielea din jurul craniului (sus, dreapta). În cazul unor trăsături, sunt disponibile informații utile din anatomia comparativă, dar în cazul altora, ca forma urechilor și a buzelor, culoarea pielii și a ochilor, trebuie folosite aprecieri rafinate. Doar dacă un capriciu de conservare nu ne va oferi un corp de neanderthalian în gheață sau într-o turbărie, unele trăsături vor fi reconstituite doar pe baza unor supoziții.

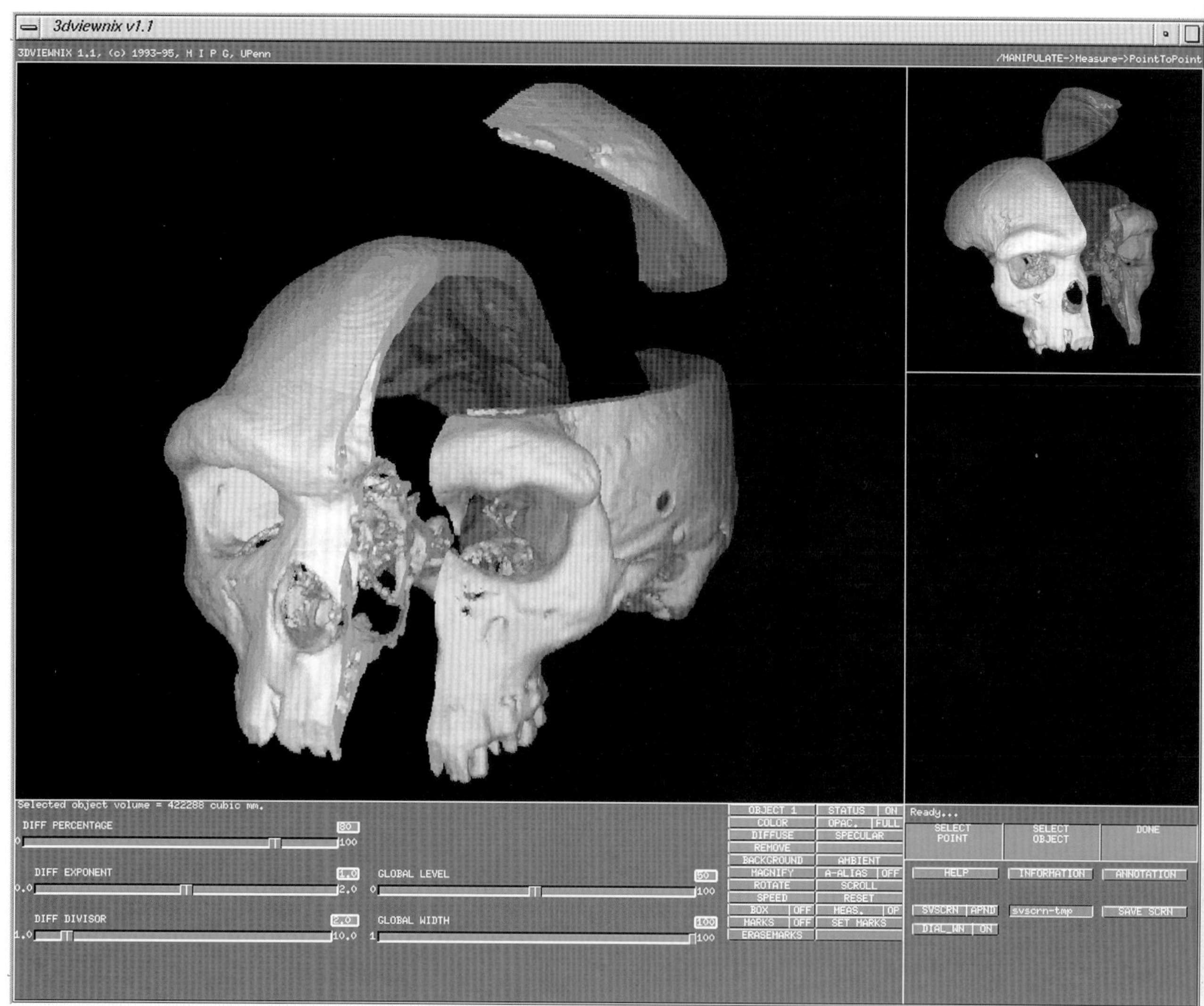

În mod tradițional, fosilele erau măsurate cu rulete și șublere, iar mărimea creierului era evaluată prin folosirea semințelor sau a bilelor de rulmenți ori prin reproducerea în ghips. Apariția tehnicilor CT a însemnat că mărimea și forma fosilelor pot fi înregistrate cu foarte mare precizie (atât suprafețele lor exterioare, cât și cele interioare). În această imagine este dezvăluită anatomia internă a craniului găsit la Broken Hill, în Zambia.

1982 s-a vehiculat ipoteza că aceste oase ar putea reprezenta rămășițele a doi copii, unul în jur de trei ani la moarte (reprezentat printr-un singur os), iar celălalt în jur de cinci ani (restul de oase). Scanarea CT a fost aplicată rămășițelor în 1995, iar acest lucru a dezvăluit noi informații anatomice, reușindu-se o reconstituire tridimensională a întregului craniu pentru prima oară.

Noile cercetări au confirmat că oasele aparțin într-adevăr unui singur copil. Mărimea cavității creierului de copil și forma lui au putut fi vizualizate și măsurate foarte exact, având o dimensiune impresionantă de 1.400 de mililitri, cam aceeași cu a bărbatului mediu adult din zilele noastre. Scanările au evidențiat că copilul a suferit probabil ruperea maxilarului, care s-a vindecat, dar care a cauzat o întrerupere a dezvoltării normale a dinților. Scanările CT au mai arătat că oasele interne ale urechii copilului, încă ascunse, și ale oricărui alt om de Neanderthal de atunci, sunt diferite ca formă de cele ale oamenilor moderni și de ale celor ilustrate la craniile fosile ale posibililor noștri strămoși direcți.

Câteva alte tehnici speciale au ajutat la determinarea vârstei copilului în momentul morții sale. La început a fost creată o copie precisă din rășină a suprafeței frontale din incisivul superior neieșit, dar expus. Acesta a fost apoi examinat folosind un microscop de scanare cu electroni (SEM), iar liniile de creștere de pe dinte au fost fotografiate și numărate. Din moment ce aceste linii se formează cam la intervale de opt zile, era posibil să se evalueze cât de mult timp îi lua dintelui să se formeze. Această numărare arăta că copilul a murit cam la patru ani.

Pentru multe alte situri, imaginile SEM au mai permis și studiul amănunțit al suprafețelor osoase, indicând semne de tăiere făcute de uneltele din piatră; estimarea vârstei la momentul morții din secțiunile oaselor și ale dinților; identificarea bolilor străvechi din urmele lăsate, precum și regimul alimentar al celor dintâi hominizi.

(Dreapta) Când sunt descoperite noi fosile, sunt supuse la o scanare CT, ca parte din studiul lor anatomic. În această imagine, osul tibia găsit la Boxgrove în 1993 trece prin procesul de scanare la Spitalul de la University College din Londra. Scanerul poate fi văzut prin peretele de sticlă, în vreme ce o imagine a secţiunii transversale a osului, demonstrând marea sa densitate, apare pe ecran.

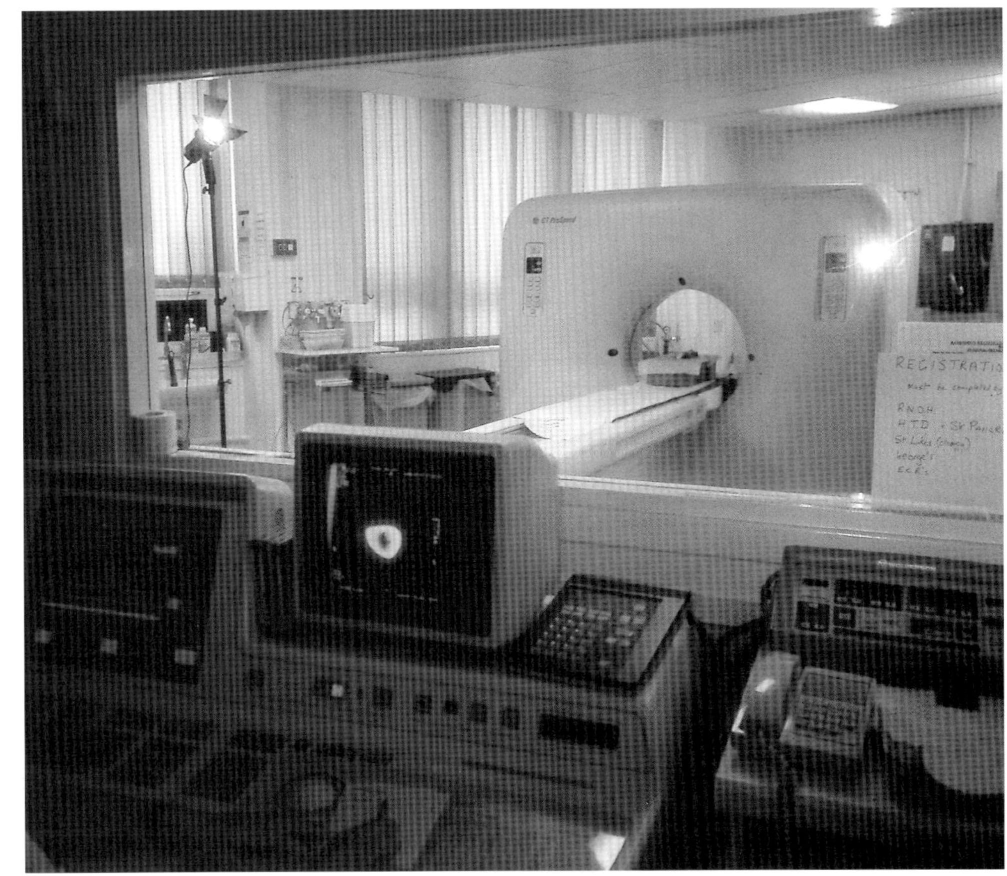

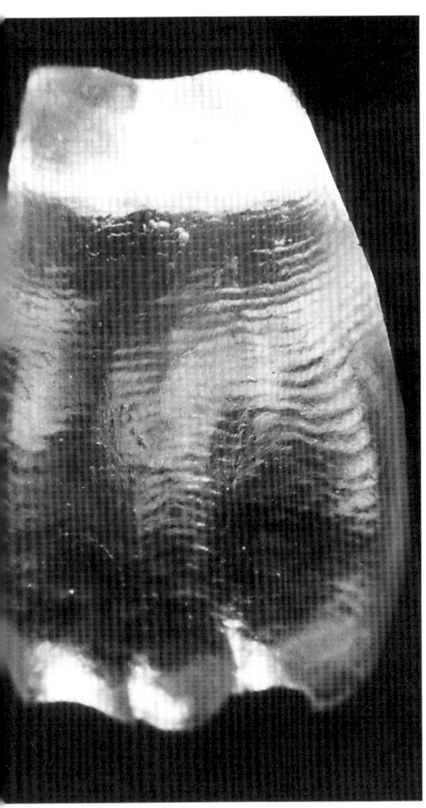

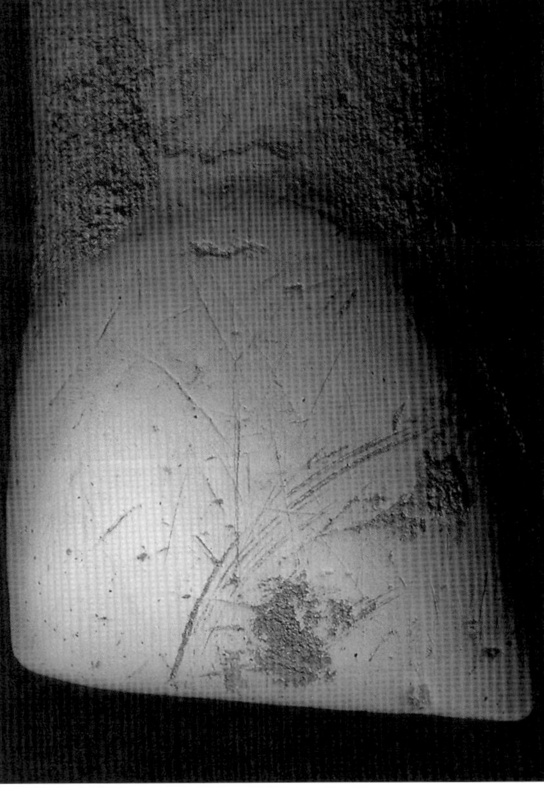

(Stânga) Tehnicile microscopice permit un studiu detaliat al anatomiei fosilelor şi ajută la reconstruirea datelor de viaţă şi a datelor comportamentale cu foarte multe amănunte. În stânga se află o copie a unui incisiv fosil de hominid, arătând liniile de suprafaţă cunoscute drept perikymata. Acestea corespund ciclurilor de creştere subiacente, care durează cam opt zile; asemeni inelelor copacilor, numărarea acestora poate fi folosită la estimarea vârstei în momentul morţii şi a ratei de creştere. În dreapta avem o imagine a suprafeţei frontale a unuia din incisivii găsiţi la Boxgrove, luată de un microscop de scanare cu electroni. Semnele de zgâriere descoperite pe dinte sunt probabil rezultatul ţinerii între dinţi a unor ţesuturi animale sau vegetale ce au fost tăiate cu unelte de piatră.

Tafonomia: cum se conservă fosilele

(Jos) La stânga se află înlănțuirea de evenimente ce leagă o comunitate vie de animale și recuperarea lor ca fosile, sfârșind pe raftul unui muzeu, în timp ce în dreapta se găsesc diferitele tipuri de modificare tafonomică ce pot cauza schimbări în compoziția faunei. Suma acestor modificări formează profilul tafonomic al sitului.

Tafonomia este studiul modului în care oasele ori alte rămășițe de animale sau plante sunt conservate ca fosile. Termenul provine din grecescul *taphos,* însemnând înmormântare, și *nomos,* însemnând lege. E un drum lung de la organismele vii la fosile. În fiecare stadiu, există numeroase procese care pot acționa fie pentru a distruge, fie pentru a adăuga informații asociate rămășițelor, iar cunoașterea acestor procese și a efectelor pe care le produc este vitală pentru interpretarea siturilor de fosile.

Înlănțuirea ilustrată a schimbărilor se întinde de la animalele vii, în partea superioară, la oasele fosile de pe raftul unui muzeu, în partea inferioară. Este important să ne aducem aminte că oasele erau odată părți din animalele vii, și multe din proprietățile oaselor sunt determinate de locul lor în corpurile animalelor, vârsta lor la moarte, starea lor de sănătate și chiar felul în care a murit ani-

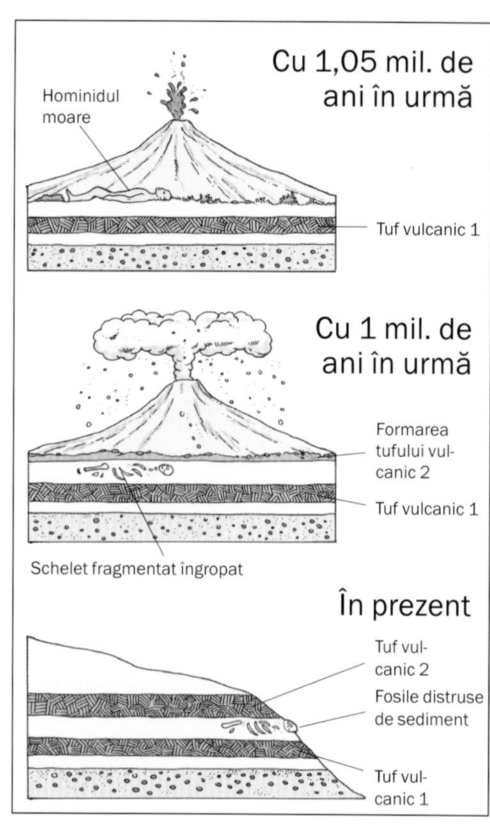

(Sus) Procesul prin care o fosilă de hominid ajungea să fie îngropată în sedimente și conservată sub tuful dintr-o erupție vulcanică. Schema de mai jos arată faptul că rămășițele sunt expuse eroziunii actuale.

(Pag. alăturată, sus) Nouă oase umane ce au fost despicate și mâncate de hienele pătate, producând distrugerea lor, tipică pentru acest gen de prădător. Oasele provin din cimitirul modern Kajiado din Kenya, pe care hienele îl atacă în mod obișnuit.

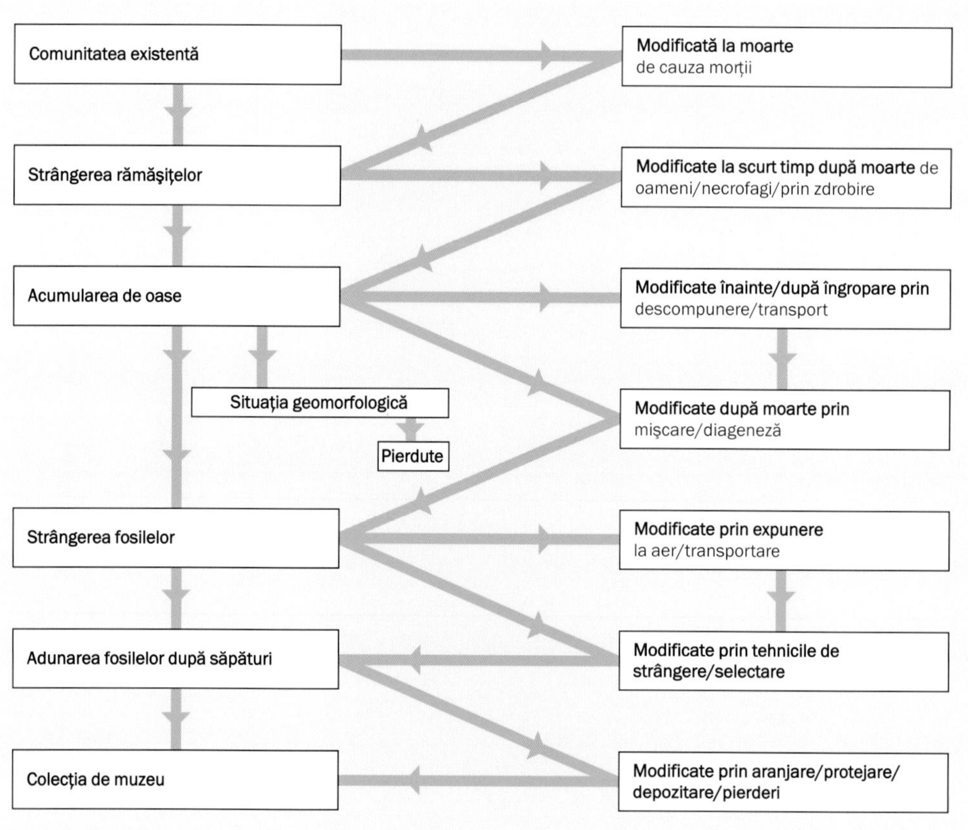

malul. Alimentația săracă, boala și vârsta înaintată pot reduce șansele oaselor de a supraviețui presiunilor tafonomice pentru a deveni fosile. La fel se întâmplă și dacă un animal este ucis și mâncat: oasele pot fi rupte de animalele carnivore ca hienele, pot fi mâncate sau digerate de prădători ce înghit oasele întregi precum crocodilii, șerpii sau, în cazul mamiferelor mici, de bufnițe. Multe oase sunt distruse prin aceste procese, însă dimpotrivă, acele oase care supraviețuiesc doar cu stricăciuni parțiale poartă semnele pagubelor până sunt găsite. De exemplu, sfărâmarea oaselor de către hiene se distinge rapid de sfărâmarea oaselor de către lei.

O problemă este că prădătorii termină rareori de mâncat tot și pot lăsa câteva resturi care vor fi mâncate de animalele ce se hrănesc cu leșuri. Este dificil, adesea imposibil, să distingem efectele primei acțiuni asupra oaselor de cea de-a doua, dar aceasta este o deosebire importantă când este luat în considerare comportamentul animalelor carnivore, fiindcă necrofagii mănâncă pur și simplu ceea ce se găsesc în jur pe sol, în vreme ce carnivorele care vânează își aleg prada pe baza unui set întreg de criterii de vânare. Alegerea prăzii de către animalele vânătoare este așadar previzibilă și verificabilă, în timp ce adunarea ei de către animalele care caută hoituri, nu. Există indicii că prădătorii primari (vânătorii) iau cele mai nutritive părți din corpurile prăzilor lor, lăsându-le resturile celorlalți, astfel că cele două acumulări de fosile ar trebui să consiste din tipuri diferite de oase, dar în practică acest lucru nu este întotdeauna adevărat.

Efectul vremii asupra oaselor

Există și alte procese care încep să acționeze asupra oaselor chiar înainte de-a fi fost luată toată carnea de pe ele. Pot fi rupte prin zdrobire, transportate de vânt sau apă, iar stadiile timpurii de descompunere prin expunerea la soare, ploaie și vânt le pot deteriora ulterior. Aceste procese se accelerează pe măsură ce oasele sunt complet expuse la intemperiile vremii, iar în general, cu cât e mai

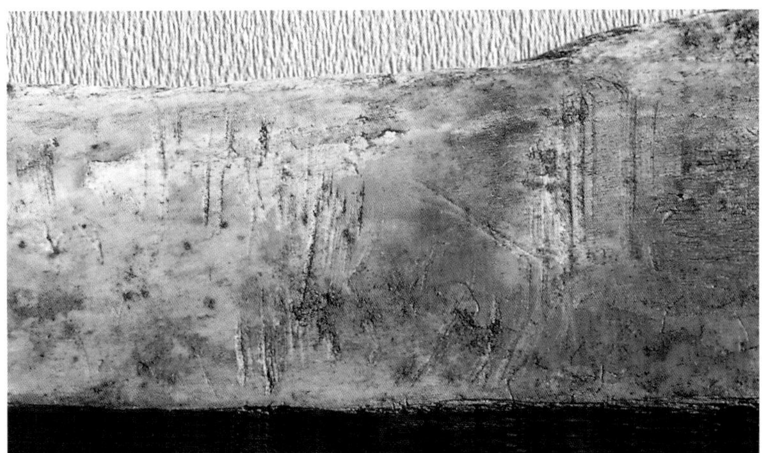

(Jos) Reproducerea tăieturilor pe osul unui membru de bovină. Osul provine de la un animal ce a murit la Draycott, în Somerset, și zăcea pe stratul stâncos, frecventat de alte animale. Efectul zdrobirii făcea ca osul să se rotească în jurul axului său lung, iar datorită frecării de roci au apărut numeroase zgârieturi paralele perpendicular pe lungimea sa.

(Stânga) Micrograful SEM al uneia dintre tăieturile de pe osul de la Draycott, indicând tăieturi regulate făcute de mâna omului.

(Jos) Oase împrăștiate, găsite astăzi în mod obișnuit în siturile deschise din Africa de Est.

mare expunerea, cu atât mai mare va fi stricăciunea, dar există mulți alți factori care trebuie luați în considerare. Descompunerea depinde de tipul climatului și are efect mai rapid la tropice decât în climatele temperate. De asemenea, vegetația afectează mult proporția și gradul de descompunere. De asemenea, locația oaselor față de traseele normale de mers ale posibililor necrofagi este și ea semnificativă.

E posibil ca stricăciunile lăsate de procesele anterioare să crească predispoziția oaselor de-a fi distruse de procese ulterioare, cum ar fi descompunerea. Un os digerat sau rupt de prădători e mai susceptibil la descompunere decât unul proaspăt. S-a demonstrat că oasele erodate se tocesc mult mai repede și în proporții mai mari decât cele proaspete și este probabil ca această acțiune multiplă să fie regula generală, deși asemenea evenimente înlănțuite au fost puțin studiate.

Descompunerea continuă și după îngroparea în sol, deoarece solurile sunt medii active din punct de vedere biologic. În orice caz, efectele descompunerii subpământene sunt total diferite de cele produse la suprafață și sunt rapid identificabile, astfel că e adesea posibil să spunem cât de repede a fost îngropat un os înaintea fosilizării lui. Mai târziu, un nou set întreg de procese fizice și chimice intră în acțiune, depinzând de natura sedimentelor în care sunt îngropate oasele, de exemplu aciditatea lor, compoziția minerală și gradul de protejare împotriva atmosferei. În acest stadiu intervine de fapt fosilizarea, cu înlocuirea conținutului organic al osului (doar în proporție de 10% ca volum) cu orice minerale sunt prezente în apa ce se scurge prin sediment. Conținutul mineral mai poate fi spălat, iar hidroxiapatitul ce alcătuiește o mare parte din os poate fi înlocuit de mineralele găsite în apa de la suprafața pământului, cel mai frecvent carbonatul de calciu. Acest proces este numit de obicei diageneză.

Unele situri de fosile au fost investigate în detaliu și procesele ce duc la acumularea fosilelor au fost identificate. Un exemplu este ilustrat aici cu săpăturile întreprinse din anul 1976 până în anul 1984 într-o peșteră din Westbury-sub-Mendip, Somerset.

După fosilizare, fosilele sunt încă supuse proceselor tafonomice, mai ales descompunerea, fiindcă sedimentele purtătoare de fosile se erodează și expun iarăși fosilele la suprafața pământului. În timpul recoltării lor, au loc adesea stricăciuni, precum cele produse de săpături ori de tehnicile de analiză, plus cele ce se pot produce și pe rafturile muzeelor dacă temperatura și umiditatea nu sunt strict controlate.

Profilul tafonomic al evenimentelor din peștera de la Westbury-sub-Mendip, Somerset, cu ajutorul cărora poate fi reconstituită istoria sitului.

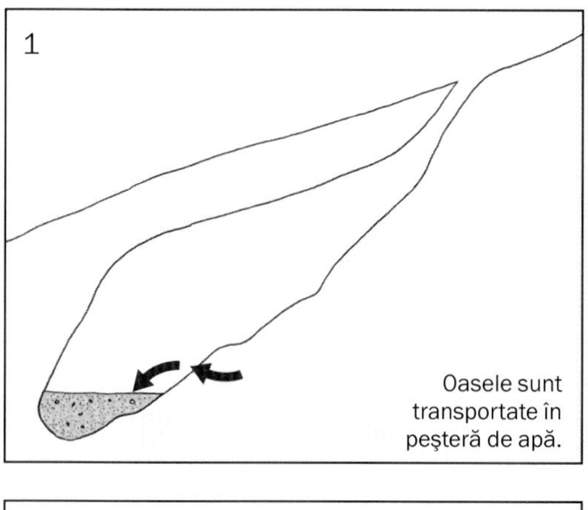

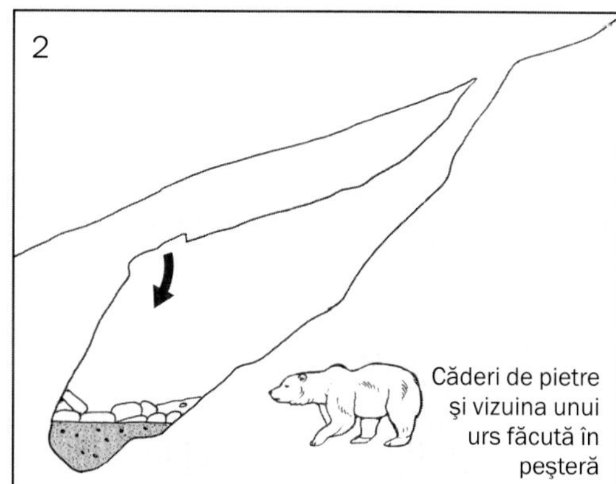

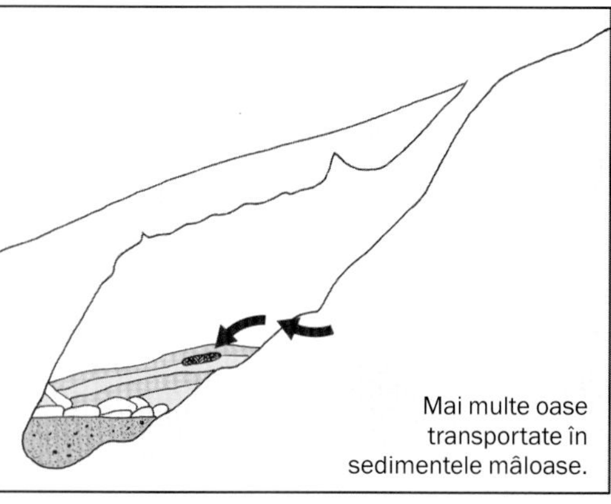

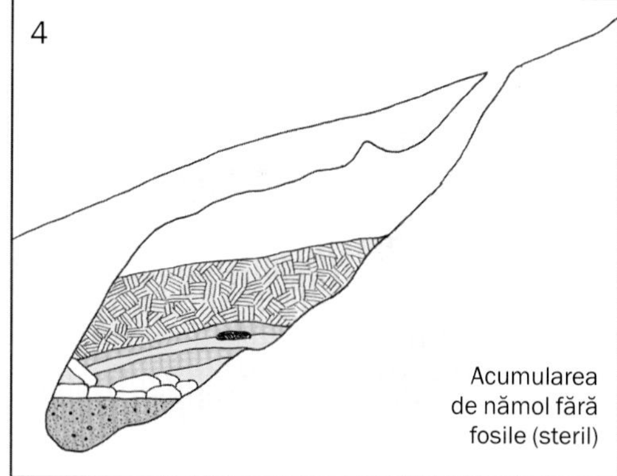

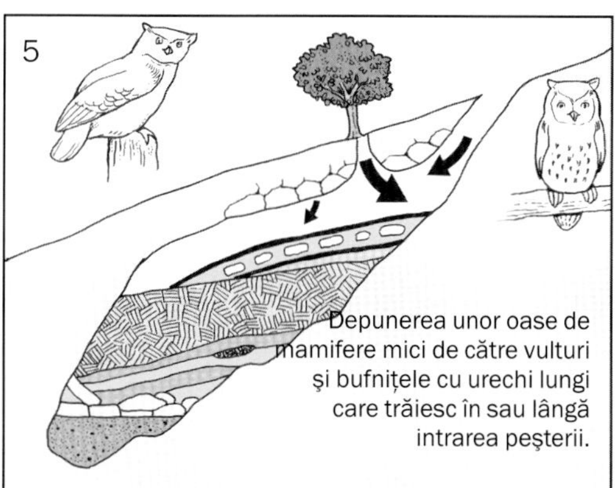

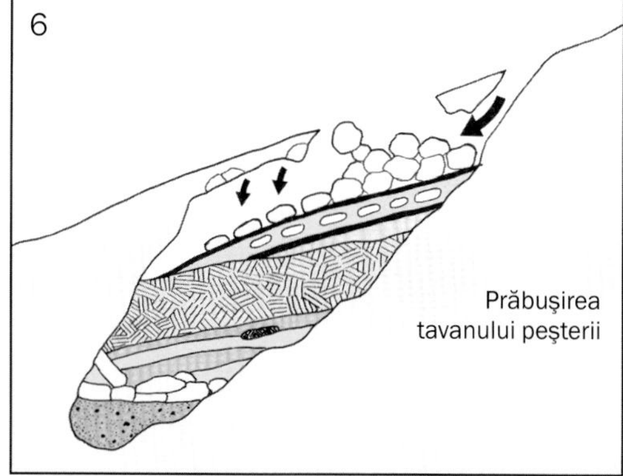

Ce ne spun fosilele despre mediile preistorice

Studiul fosilelor umane și ale strămoșilor maimuțelor antropoide ne poate spune unde și când au avut loc evenimentele care alcătuiesc evoluția omului, dar nu ne poate relata și de ce s-a întâmplat așa. În acest scop trebuie să cunoaștem contextul în care au apărut schimbările evolutive, lucru ce se referă la condițiile de mediu la care ființele umane trebuiau să se adapteze. Numai atunci putem începe să răspundem la întrebările legate de locul oamenilor în lume, atât în trecut, cât și în prezent, și poziția ocupată în ecologia mondială.

Paleoecologia: studiul interacțiunilor cu mediul din trecut

Ecologia reprezintă studiul interacțiunilor dintre comunitățile de plante și animale și mediul lor. Prin aceeași definiție, paleoecologia este studiul interacțiunilor dintre comunitățile de plante și animale din trecut și mediul lor străvechi (paleomediu). Comunitățile de animale interacționează cu mediul, ambele modificându-se în urma acestei interacțiuni, iar comunitățile de plante și animale din orice mediu dat formează un ecosistem. Ecosistemele sunt dinamice, energia ce vine de la soare alimentând plantele prin fotosinteză și asigurând hrană pentru animale, până la microorganismele din sol. Studiul acestor interacțiuni este foarte complex. În studierea paleoecologiei ființelor umane și a maimuțelor antropoide fosile, se vrea a se înțelege ceva atât din poziția lor în cadrul comunității, cât și din modul lor de adaptare la mediu. În timp ce ecologii pot cerceta direct mediul de azi, paleoecologii trebuie să încerce reconstruirea sistemelor ecologice din trecut pe baza mărturiilor fragmentare oferite de fosile.

Toate metodele reconstituirii paleoecologice depind de compararea trecutului cu prezentul. Asta nu înseamnă că sistemele ecologice din tre-

Studiul polenului dintr-un strat cu fosile oferă o imagine asupra vegetației din acele timpuri. Aceste spectre de polen din formațiunea Shungura din apropierea râului Omo, Etiopia, sunt comparate cu polenul modern. Scara temporală e indicată în stânga. Când speciile tolerante la secetă abundă de polen, copacii iubitori de umezeală sunt rari (dreapta), ceea ce ne spune că a fost o secetă în zonă cu aproape două milioane de ani în urmă.

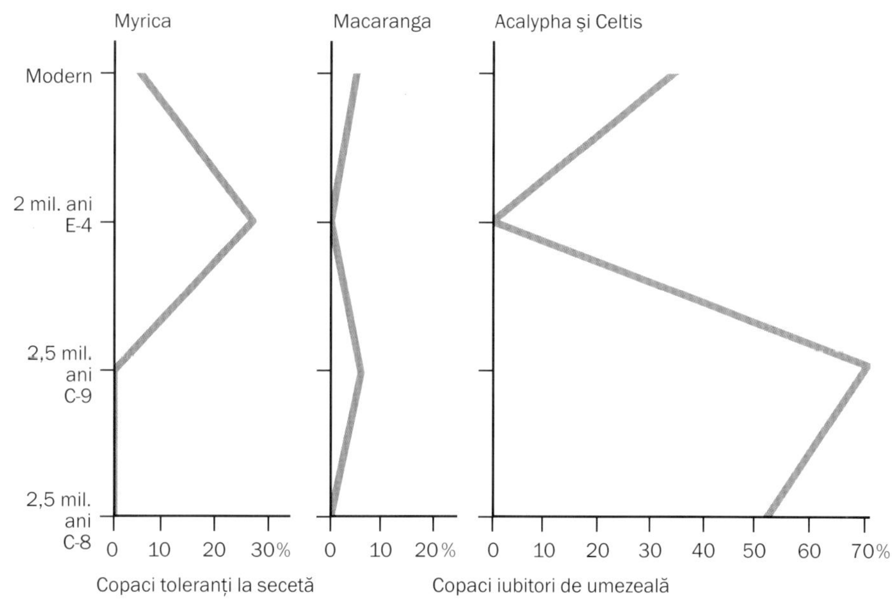

cut se presupun a fi aceleași cu cele prezente, dar aplicarea acelorași principii în trecut e o soluție probabilă; astfel, prin înțelegerea acestor principii și corelarea lor cu dovezile din trecut, e posibilă crearea unei imagini a ecologiei din trecut. Fundamental pentru acest fapt este conceptul de nișă, ce reprezintă poziția organismelor în cadrul ecosistemului, ce anume iau din el și ce restituie; din moment ce acest lucru nu poate fi studiat direct în cazul animalelor fosile, e necesară găsirea unor modalități alternative de abordare.

Uneori există dovezi nemijlocite pentru vegetație prin prezența resturilor fosile de plante sau de polen fosil. În acest caz, multe plante pot fi identificate ca aparținând unei anumite specii, dar nu întotdeauna se poate identifica exact planta cu care avem de-a face. Dovezile pot veni și din studiul diferențelor dintre izotopul de carbon și cel de oxigen, dar până acum, metoda cea mai obișnuită de analiză paleoecologică pentru siturile unde s-au găsit hominizi este de a examina mamiferele fosile.

(Jos) Unele primate au rămas în pădure, iar aceste maimuțe-păianjen din America de Sud își petrec toată viața în copaci.

(Pag. alăturată, stânga) Habitat mixt din Africa tropicală, cu pășuni predispuse la inundații în jurul unui mic lac. Asemenea habitate mixte sunt comune în Africa și sunt greu de interpretat din punct de vedere paleoecologic, fiindcă apar atât animale ce trăiesc în zone păduroase, cât și animale specifice pășunilor și acvatice.

(Pag. alăturată) Primatele s-au dezvoltat ca specii arboricole, dar puține specii, precum babuinul, s-au adaptat la viața la sol, astfel încât prezența primatelor într-o faună nu indică neapărat prezența pădurii.

Africa de Est actuală

1 2 3 4 5 6 7 8 9 10 11 12

I II III IV, V VI

Miocen Inferior America de N.

13 14 15 16 17 18 19 20 21 22 23 24 25

II III IV V

Miocen Superior America de N.

26 27 28 29 30 31 32 33 34 35 36 37

II III IV V VI

Identificarea paleomediilor cu ajutorul mamiferelor fosile

Cea mai veche și mai tradițională dintre aceste abordări a fost identificarea animalelor fosile și echivalarea ecologiei lor trecute cu ecologiile rudeniilor lor cele mai apropiate. Fără îndoială că acest lucru funcționează uneori, deoarece multe grupuri de mamifere sunt conservatoare din punct de vedere ecologic, iar până într-un anumit punct, faptul rămâne adevărat pentru maimuțele antropoide. Însă problema cu această metodă e că nu este verificabilă, fiindcă nu există niciun fel de dovezi care pot fi strânse și prin care să fie testată. Mai recent, au fost dezvoltate numeroase metode bazate pe funcțiile animalelor, iar acestea permit reconstruirea comportamentului animalelor și a adaptărilor lor la anumite tipuri de medii. Aceste metode devin mai sigure când adaptările la habitat ale tuturor animalelor dintr-o faună sunt combinate într-o analiză a structurii comunității faunei.

Maxilarele și dinții sunt adaptați în primul rând pentru prelucrarea hranei și au diferite mărimi și forme, în funcție de felul mâncării consumate cel mai des. Unele dintre acestea au fost descrise într-o secțiune anterioară despre funcții (vezi p. 36-37), dar ideea este că aceste morfologii diferite pot fi identificate la animalele fosile, iar relația dintre mâncare și tipurile de maxilare este atât de larg aplicabilă, încât este convenabil să deducem regimul alimentar utilizând fosilele. Mamiferele vegeta-

Tipurile coroanei molarilor la mamifere. În șirul superior sunt dinții cu coroană joasă, cu vârfuri separate, potrivite pentru a fărâmița mâncarea. Coroanele cresc în complexitate de la stânga la dreapta, și mai indică o schimbare pe stânga datorită zdrobirii obiectelor mai moi, și pe dreapta, datorită zdrobirii obiectelor mai dure. În șirul mijlociu sunt dinți adaptați pentru tăierea plantelor cum ar fi iarba și frunzele, cu cute longitudinale și diagonale funcționând ca foarfece. Cei doi dinți din șirul de jos au coroane puternic cutate, cu încrețituri transversale, pentru a putea tăia bucățile dure de mâncare.

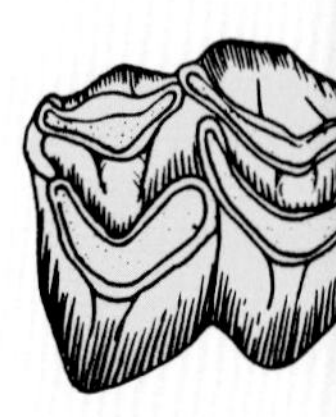

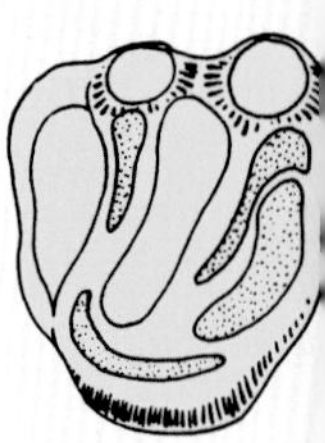

Habitatele şi fauna de savană în perioada miocenă

Diversitatea mamiferelor din fauna actuală din Africa de Est, în comparaţie cu fauna miocenă din America de Nord, ilustrând varietatea acestora. America de Nord de astăzi a pierdut multe mamifere mari, dar în trecut, fauna sa prezenta asemănări cu cea din Africa. Tipurile de habitat şi fauna asociată sunt: medii forestiere – erbivore mici, selective (I); ţinut împădurit – erbivore de mărime mică şi medie (II-III), savană – erbivore de mărime medie şi mare, tendinţe de turme şi teritorialitate (IV şi V) şi păşune – rumegătoare de mărime medie şi mare, formarea de turme (VI). Deşi speciile fosile sunt diferite de speciile moderne, există asemănări între ele care arată că erau adaptate pentru stiluri de viaţă comparabile.

Speciile ilustrate sunt: 1 rozător acvatic; 2 antilopă; 3 gerunuk; 4 antilopă de pădure; 5 kudu mare; 6 impala; 7 rinocer negru; 8 girafă; 9 antilopă sud-africană; 10 gnu; 11 gazelă Grant; 12 zebra lui Burchell; 13 Parablastomeryx; 14 Barbouromeryx; 15 Lambdoceras; 16 Diceratherium; 17 Merycoidodon; 18 Hypohippus; 19 Anchitherium; 20 Moropus; 21 Archeohippus; 22 Merychypus; 23 Parahippus; 24 Oxydactylus; 25 Protolabis; 26 Pseudoceras; 27 Yumaceras; 28 Tapirus; 29 Synthetoceras; 30 Aphelops; 31 Merycodus; 32 Hemiauchenia; 33 Calippus; 34 Aepycamelus; 35 Neohipparion; 36 Pliohippus; 37 Astrohippus

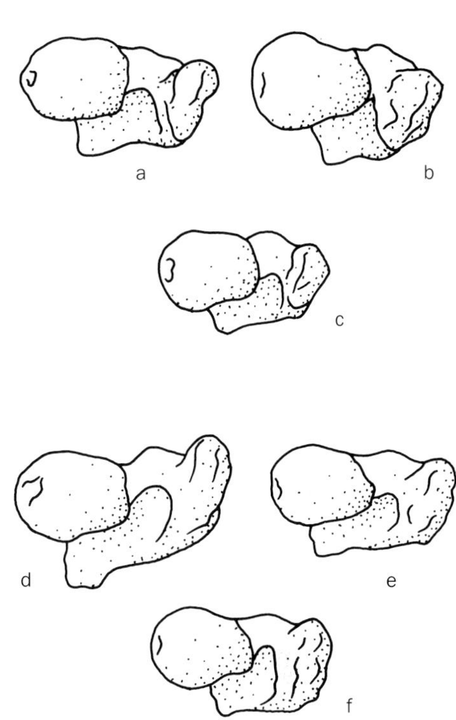

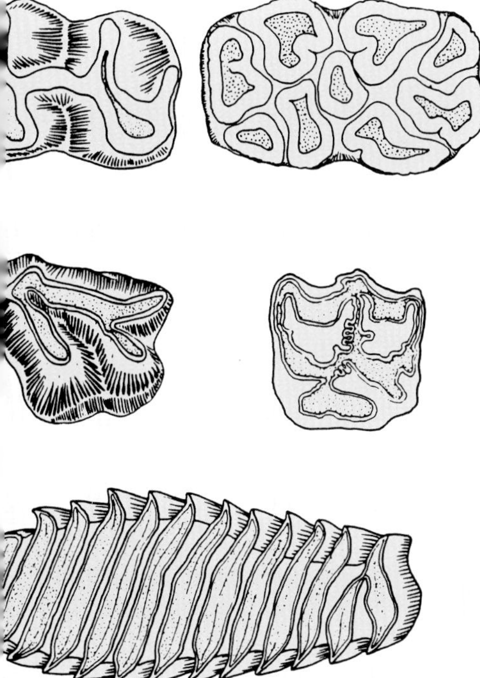

riene ce mănâncă frunze pot fi distinse de speciile care mănâncă iarbă pe baza înălţimii dinţilor, a lăţimii părţii frontale a maxilarelor şi după uzura lor; speciile frugivore pot fi distinse de ambele prin măselele lor cu coroană joasă şi suprafeţe netede şi dinţii mari din faţă (incisivi); iar speciile insectivore sunt identificate graţie striaţiilor ascuţite de pe dinţi. Numărul diferitelor specii prezente în orice loc unde se mănâncă aceste feluri diverse de hrană ar trebui să fie acelaşi ca distribuţia acestor genuri de mâncare, astfel încât, de exemplu, dacă sunt multe animale ce mănâncă fructe şi frunze într-o faună, se poate deduce că locul unde a fost găsită fosila era unul ce avea mulţi copaci. Când aceste informaţii sunt combinate cu alţi factori de mediu, ca latitudinea şi altitudinea, se poate deduce că un ecosistem de pădure tropicală a fost prezent acolo.

Adaptările oaselor membrelor pot fi analizate în aceeaşi manieră. Adaptările membrelor la fugă, salt sau căţărare sunt toate diferite unele de celelalte şi chiar mai relevante sunt adaptările pentru săpare, înot sau zbor. Mărimea corpului trebuie să fie luată aici în considerare, fiindcă aceste adaptări chiar diferă între speciile foarte mici şi foarte mari. Astfel, dacă mai sunt şi multe animale în faună care aveau membrele adaptate pentru căţărarea în copaci, laolaltă cu multe specii care trăiesc pe pământ sau zburătoare, posibilitatea prezenţei unui ecosistem de pădure tropicală este mult sporită.

(Mai sus) Epifiza femurului este un bun indicator al tipului de locomoţie a bovinelor. Cea cilindrică, din figura „a", aparţine unei antilope care trăia într-un habitat de savană, adaptată pentru fugă; cea mai rotunjită, din figura „b", provine de la o specie săltăreaţă, trăind într-un ţinut păduros sau în pădure. Epifiza femurului din „c" este intermediară, indicând un înveliş rupt. Cele trei specimene din partea de jos etalează adaptări similare: „e" şi „f" sunt similare cu „b", iar „d" cu „c".

Schimbările climatice

Marea Britanie este direct influențată de circulația maselor de aer din Atlanticul de Nord, iar acest lucru a produs mari contraste în climat, mediu, asupra animalelor și a plantelor în timpul erei pleistocene. Mai jos este ilustrată o reconstituire a Golfului celor Trei Stânci din Gower, sudul Țării Galilor, așa cum arăta probabil acum 120.000 de ani. Prezența hipopotamului, a hienei, a rinocerilor și a elefantului o face să pară o priveliște africană, dar climatul era puțin mai cald decât astăzi.

Distanța de la Pământ la Soare este suficient de mare încât să permită evoluția și menținerea vieții pe planeta noastră. În orice caz, orbita Pământului și orientarea sa precisă în spațiu nu sunt fixe, și astfel cantitatea de radiație solară pe care o primește nu e constantă. De asemenea, circulația atmosferei sau a apei în jurul planetei se poate modifica datorită schimbărilor geologice, ca poziția continentelor sau prezența lanțurilor muntoase. Uneori, planeta noastră devine mai rece, iar acest lucru duce la o acumulare de gheață în detrimentul apei lichide. Atunci, Pământul trece printr-o așa-numită Eră Glaciară.

Au existat multe ere glaciare în trecutul îndepărtat, de exemplu Epoca Huroniană Glaciară, acum aproape 2 miliarde de ani, și Epoca Ordoviciană Glaciară, acum aproape 400 de milioane de ani. Epoca Glaciară actuală, în care trăim încă, a început cu cel puțin 2 milioane de ani în urmă. La începutul secolului XX, pe baza dovezilor avansării și retragerii ghețarilor în Alpi, se credea că existaseră patru maxime glaciare importante în istoria recentă a Pământului, iar acestea au devenit temeiul datării mărturiilor arheologice și a fosilelor umane din Europa. În orice caz, acum știm că înlănțuirea schimbărilor climatice și a dezvoltării ghețarilor e mai complexă.

Ciclurile lui Milancovici

Factorii care modelează climatul de azi al Terrei au fost studiați de savantul Milutin Milancovici, care a depistat trei factori importanți ce au determinat topirea uriașelor calote glaciare și creșterea nivelului Oceanului Planetar. Aceștia aveau legătură cu fluctuațiile din forma orbitei Pământului (de la una aproape circulară la una aproape ovală), cu înclinarea axei de rotație a Pământului și cu momentul din an în care Pământul e cel mai aproape de Soare. Acești trei factori parcurg anumite cicluri cam la fiecare 95.000, 42.000 și 21.000 de ani. Când toți trei indică aceeași direcție, climatul Pământului se schimbă spre o extremă: spre condiții fie glaciare (reci), fie interglaciare (calde), dar în marea parte a timpului se menține între extreme. În ultimii 700.000 de ani, cel mai lung ciclu

(Dreapta) Aceeaşi zonă din Gower, în sudul Țării Galilor, este ilustrată aşa cum va fi fost cu aproape 20.000 de ani în urmă. Calota glaciară se află la doar câțiva kilometri spre nord, iar nivelul mării a scăzut dramatic, fiindcă apa a fost prinsă în uriaşele calote de gheață. Peisajul înghețat e locuit de lemingi mari, reni şi bufnițe albe.

(95.000 de ani) a fost dominant, producând o glaciațiune majoră cam aproape la fiecare 100.000 de ani. Suntem norocoşi că trăim în vremea unui stadiu interglaciar scurt, dar asemenea stadii constituie mai degrabă excepția decât regula în istoria

(Dreapta) Reconstituirea suprafeței Pământului (sus) aşa cum arăta în timpul apogeului unui stadiu glaciar (cu aproape 20.000 de ani în urmă) şi (jos) aşa cum arată în timpul unuia interglaciar (astăzi). În perioadele glaciare, cantități uriaşe de gheață se acumulau în zonele montane, în apropierea polilor şi peste mările reci. Atunci, Marea Britanie, nordul Europei şi mare parte din America de Nord erau acoperite cu pături de gheață de un kilometru grosime pe alocuri, iar mările şi lacurile erau complet înghețate iarna.

(Sus dreapta, planul îndepărtat) Acum circa 70 de ani, Milutin Milancovici a descris trei factori importanți care influențează cantitatea de lumină solară ce ajunge în diferitele părți ale Pământului și care ne determină astfel climatul. În primul rând (sus), orbita Pământului nu are forma unui cerc perfect în jurul Soarelui, ci oscilează între stări mai mult sau mai puțin eliptice, într-un ciclu de aproximativ 95.000 de ani. În al doilea rând (în centru, dreapta), înclinarea axei Pământului fluctuează între 21,5 și 24,5 grade cam la fiecare 42.000 de ani. Și în al treilea rând (jos, dreapta), Pământul „se clatină" pe măsură ce se-nvârte, ca un giroscop rotitor. Fiecare „clătinare" durează cam 21.000 de ani.

(Dreapta, planul apropiat) Șirurile lungi și aproape continue de sedimente așezate pe fundul oceanelor pot fi folosite spre a reconstitui schimbările climatice trecute și mai ales mărimea calotelor glaciare. Acest lucru se face de obicei prin însemne chimice conservate în cochiliile microorganismelor. Această înregistrare a miezului adânc al mării ilustrează fluctuațiile majore ale ultimilor 6 milioane de ani și, în vreme ce demonstrează realitatea ciclurilor lui Milancovici, arată atât scăderea generală a temperaturilor globale, cât și influența sporită a calotelor glaciare în această perioadă.

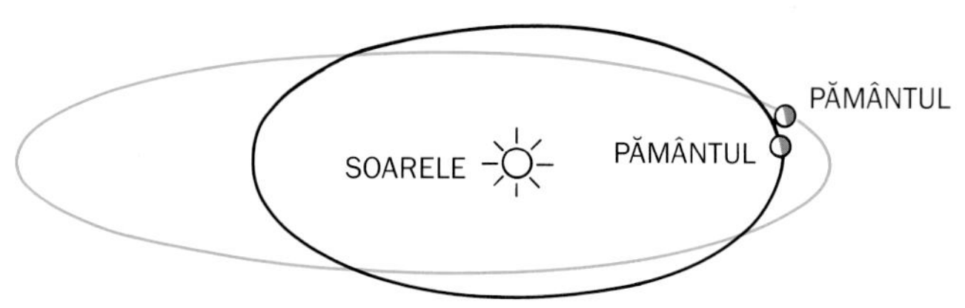

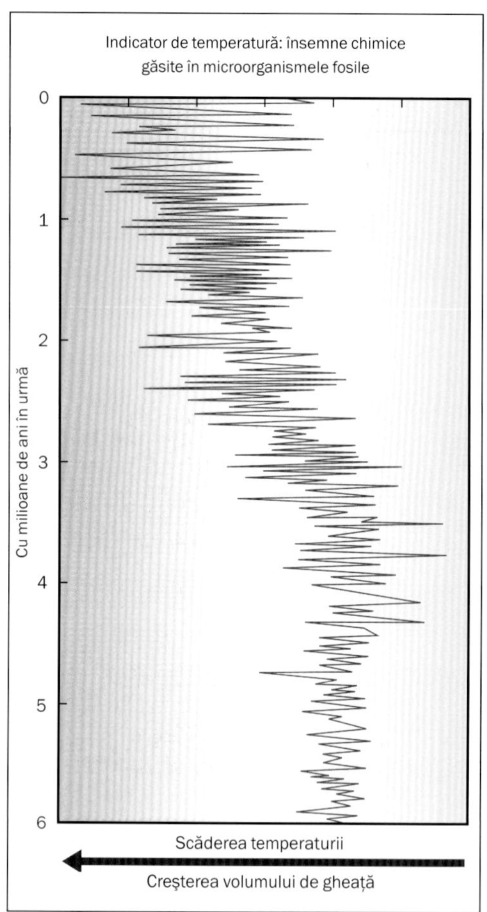

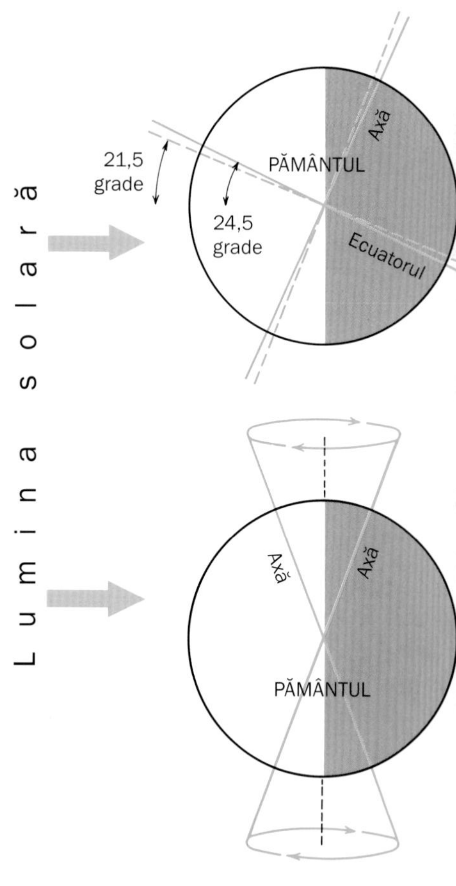

recentă a Pământului și aproape 90% din ultimii 500.000 de ani au fost mai reci decât astăzi. Când calotele glaciare s-au mărit în volum, ele au afectat nu numai mările sau uscatul din jurul lor. Nivelurile mării au scăzut global cu până la 100 m, datorită cantității de apă prinsă în calotele glaciare. Datorită nivelului scăzut al Oceanului Planetar, Marea Britanie era legată pe uscat de Franța, Sicilia de Italia, Noua Guinee de Australia și Asia de Alaska. Cantitatea de apă care circula în atmosferă a scăzut și ea în asemenea vremuri, lucru ce-nsemna că fiecare glaciațiune la latitudini mari era în general însoțită de extinderea deșerturilor în zonele de lângă tropice.

Europa Occidentală și mai ales Insulele Britanice etalează câteva din cele mai extreme semne ale schimbării climatice. Acest lucru se datorează faptului că prezența sau absența Curentului Golfului, care transportă ape calde din Atlanticul Mijlociu de Vest înspre Europa, este afectată de glaciațiunea din Atlanticul de Nord. În ultimii 10.000 de ani, Calota Polară s-a retras spre nord, Curentul Golfului fiind azi prezent în nord-vestul Europei. Cu circa 120.000 de ani în urmă, Curentul Golfului s-a revărsat pe lângă Marea Britanie la fel de mult ca astăzi – de fapt, va fi fost puțin mai cald decât în zilele noastre. În orice caz, acum 20.000 de ani, în culmea ultimei Ere Glaciare, Calota Polară se întindea peste Atlantic până aproape la nivelul Peninsulei Iberice. Jumătate din America de Nord era acoperită de un înveliș dens de gheață, iar Europa Nord-Vestică era acoperită de gheață. Atunci, urșii polari se scăldau probabil în Tamisa. Se știe azi că rapiditatea schimbărilor climatice e chiar mai notabilă decât atunci. Din studiul carotelor (probelor) extrase din ghețari și al carotelor de sedimente extrase din sedimentele de pe fundurile lacurilor și oceanelor reiese că trecerea de la un climat la altul se poate face chiar în mai puțin timp decât e necesar pentru trecerea de la un stadiu glaciar la unul interglaciar (10.000 de ani), uneori chiar și în 10 ani.

(Sus) Ghețarii montani sunt râuri de gheață ce se mișcă încet, scobind văi caracteristice pe măsură ce se scurg în jos. Comparațiile dintre forma văilor tăiate de ghețarii din Alpi și cele din regiuni ca Lake District din Anglia au ilustrat existența unor „Ere Glaciare" importante în istoria Pământului.

(Stânga) Istoria climatului este înregistrată în roci, sedimente de pe fundul lacurilor și oceanelor și ghețari. În această imagine, o carotă de gheață este extrasă, iar asemenea carote pot înregistra căderi anuale de zăpadă în timpul sutelor sau miilor de ani și chiar compoziția atmosferei în momentul sedimentării.

Situl I: Insula Rusinga

Pentru a explica felul cum lucrează paleoantropologii, vom descrie câteva situri fosilifere și cum au fost ele săpate. Fosilele adunate din ele, mai ales cele de maimuțe antropoide, felul cum sunt măsurate și cum sunt analizate rezultatele vor fi și ele descrise. În primul rând vom lua în considerare câteva situri din Miocen, întinzându-se pe o perioadă cuprinsă între acum aproape 20 și 10 milioane de ani, iar după aceea câteva situri pleistocene din ultimii 2 milioane de ani.

Insula Rusinga este așezată la o oarecare distanță de malul kenyan al lacului Victoria și este alcătuită aproape în întregime din sedimente miocene. A fost unul din siturile care i-au făcut remarcați pe Louis și Mary Leakey, care au strâns eșantioane aproximativ 30 de ani, începând din 1931. Louis Leakey a schițat prima hartă și a numit toate locațiile importante de pe insulă unde s-au făcut descoperiri, fiind și primul loc în care unul dintre noi (Peter Andrews) a făcut săpături pe vremea când era încă student la Universitatea Cambridge, în timpul unei expediții din 1971 cu alți doi studenți de la Cambridge, John și Judy Van Couvering.

Sedimentele de pe insula Rusinga provin în mare parte din Miocen, cu principalele straturi fosilifere, datate radiometric prin tehnica potasiu-argon, datând de acum 17,8 milioane de ani. Mai

(Sus) Dispunerea unei fosile în timp ce e măsurată de Glenn Conroy, într-o secțiune de la capul Kaswanga, insula Rusinga.

(Dreapta) Geologi la muncă pe insula Rusinga. John Van Couvering a fost primul care a cartat și a datat depozitele sedimentare din insula Rusinga; aici e alături de Cary Madden.

(Dreapta) Harta siturilor miocene din Kenya de Vest

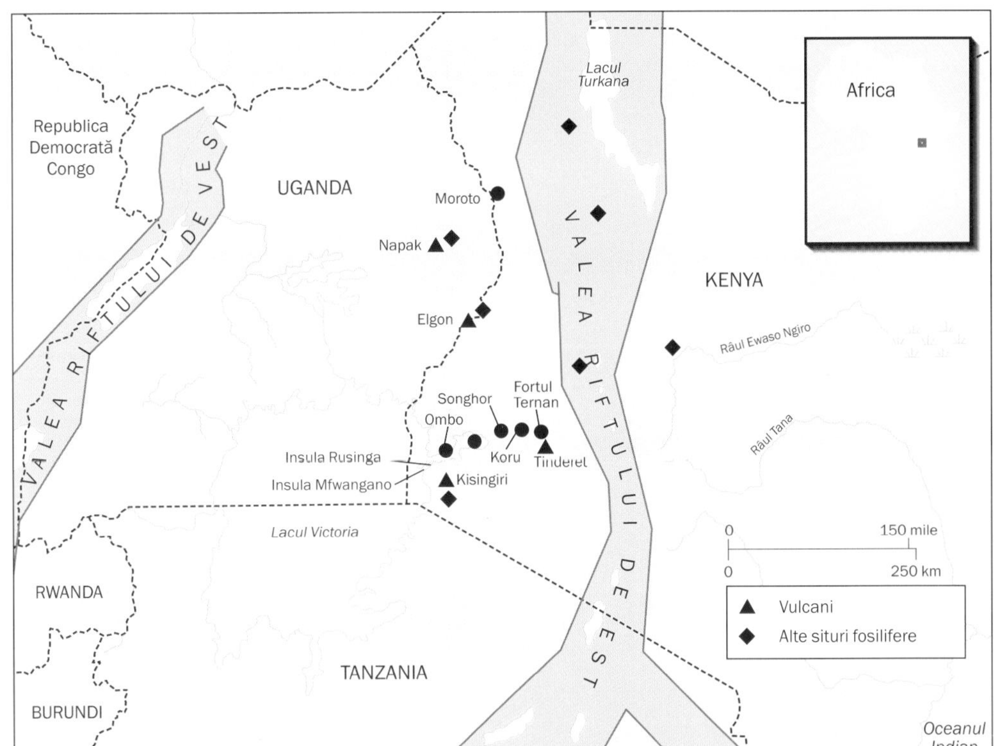

(Jos, dreapta) Lacul Victoria văzut din spațiu. Insula Rusinga poate fi văzută în colțul nord-estic al lacului. Poziția lacului este marcată prin lipsa învelișului de nori, dar, de fapt, evaporarea considerabilă a apelor lacului din timpul zilei dă naștere frecvent unei acumulări de nori în timpul zilei, ducând la ploaie după-amiaza.

(Dreapta) O imagine a straturilor fosilifere de pe insula Rusinga

(Jos) Straturile formațiunii Kulu din nivelurile superioare ale insulei Rusinga au sedimente ce abundă în schelete de pești, fiind ilustrate aici de Judith Harris.

sunt câteva sedimente timpurii, vechi de aproape 20 de milioane de ani, iar straturile așa-zise de Kulu conțin fosile de păsări și pești, vechi de aproape 17 milioane de ani. Toate aceste sedimente provin dintr-un vulcan străvechi, numit Kisingiri, într-o vreme când nu exista acolo niciun lac, ci doar un râu vast, care a depus sedimente aici. În această perioadă Riftul Est-African încă nu se dezvoltase, astfel că nu existau zonele înalte de azi. Zona era probabil plată și joasă, continuând geografic ținuturile joase din Africa Centrală.

Fosile bine conservate

Una dintre particularitățile fosilelor găsite pe insula Rusinga este starea lor excelentă de conservare. Acest lucru a fost posibil datorită faptului că sedimentele în care au fost îngropate proveneau de la un vulcan cu emanații puternic alcaline. Kisingiri era ceea ce se numește un vulcan cu carbonatit, care producea o cantitate imensă de cenușă, și avea o concentrație ridicată de carbonați ce înlocuiesc rapid structura inițială a oaselor, astfel încât acestea se fosilizează foarte repede. Procese asemănătoare pot fi observate și azi, când oasele sunt fosilizate în decursul câtorva ani, de exemplu în regiunile calcaroase. Când se produce acest lucru, oasele n-au timp să se descompună, fiindcă părțile lor organice sunt înlocuite repede de carbonați și chiar părțile moi pot fi conservate dacă înlocuirea are loc suficient de rapid. Acest lucru s-a întâmplat în unele cazuri pe insula Rusinga, permițând conservarea pielii unor reptile mici, și conservarea excelentă a vechiului habitat de pădure, cu toate varietățile de frunze, flori, semințe, crengi și fructe.

Fosilele de animale sunt de asemenea frecvent întâlnite în sedimentele din Rusinga, și în multe cazuri sunt prezente în rămășițele fosilizate ale solurilor în care au fost prima dată îngropate. Multe din animale au schelete întregi sau aproape întregi, cu unele descoperiri remarcabile de bovine, rozătoare și maimuțe antropoide. Recent, a fost descoperită o grupare de schelete parțiale ale maimuței antropoide fosile timpurii *Proconsul*, iar singurul craniu cunoscut de *Proconsul* pro-

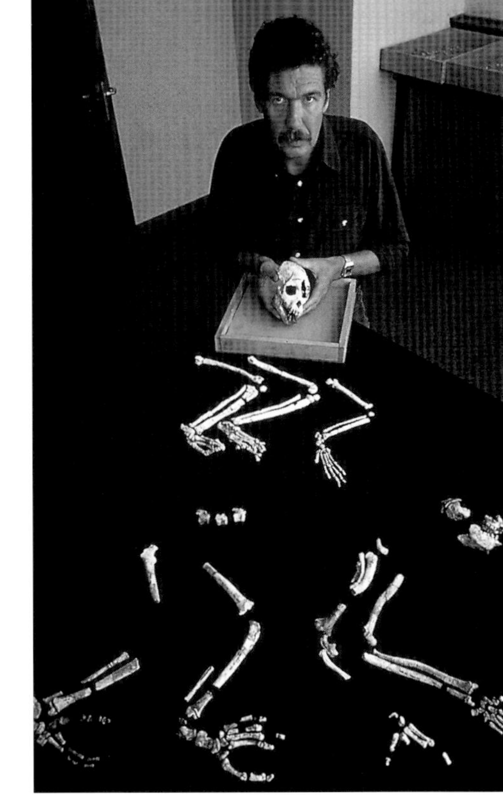

venea de aici. O altă descoperire remarcabilă a lui *Proconsul,* împreună cu alte animale, venea dintr-o zonă de la numai câțiva metri depărtare, cunoscută drept Gaura lui Whitworth, iar aceasta s-a format prin descompunerea unui trunchi de copac străvechi.

(Sus) Fructe de copaci fosilizate, descoperite pe insula Mfwangano din apropiere: (stânga) două fructe din specia Entandrophragma *și (dreapta)* Sterculiaceae, *un copac de dimensiuni mari. Acestea ne oferă informații despre pădurile din acea vreme.*

Până acum a fost menționată conservarea fosilelor în soluri și în copaci scobiți, ambele fiind tipuri specifice de conservare tafonomică. Cel mai frecvent, pe insula Rusinga fosilele erau conservate în sedimentele depuse de un râu. Un râu mare curgea prin zonă în Miocen, și majoritatea sedimentelor erau transportate de apă, incluzând sedimentele vulcanice, care erau spălate de pe pantele vulcanului și redepozitate în locul unde sunt descoperite acum. În cele mai multe cazuri, sedimentele erau expuse la suprafață suficient de mult timp pentru ca solurile să se formeze peste ele, și fosilele conservate proveneau în mare parte de la animale ce trăiau în aceste habitate, fie în copaci, fie la suprafața solului.

Cele două specii de maimuțe antropoide fosile cunoscute, *Proconsul heseloni* și *P. nyanzae*, se găsesc în locuri diferite ale insulei Rusinga, împreună cu câteva specii de maimuțe antropoide mai mici, mai ales speciile *Dendropithecus* și *Limnopithecus.* Toate trăiau în copaci și au fost descoperite alături de multe alte specii care viețuiau în copaci, precum veverițele zburătoare, și de animale adaptate la viața de pădure, precum șoareci uriași și mici rozătoare acvatice. Când am făcut săpături pe insula Rusinga în 1971, am descoperit mai multe straturi cu acest gen de combinații între animale, care ofereau informații despre mediile tropicale împădurite din timpul acestor sedimentări. Am mai găsit alte straturi unde speciile de pădure lipseau și în locul lor erau animale mai mari, precum cele care trăiesc astăzi în zone cu păduri mai rare. Săpăturile au mai demonstrat prezența mediilor non-forestiere și a devenit evident în timpul activității noastre că s-au schimbat rapid condițiile, pe măsură ce se acumulau sedimentele în insula Rusinga, cu faune forestiere într-un singur moment și loc, urmate de faune non-forestiere la intervale mici de timp și înlocuite de alte faune la doar câțiva zeci de metri de fiecare parte. A existat probabil un tip de habitat foarte amestecat, poate cu petice de pădure suficient de mari pentru a susține fauna forestieră alături de savană.

(Sus) Scheletele parțiale de Proconsul *(reconstituire mai jos), descoperite de Alan Walker pe insula Rusinga.*

Situl II: Paşalar

În 1976, unul dintre noi lucra cu o echipă în sud-vestul Turciei, la sedimente din Miocenul Mijlociu, de aproximativ 13 milioane de ani. Primul sit ales n-a fost satisfăcător, deoarece n-am găsit niciun fel de fosile de maimuțe antropoide, astfel că la sfârșitul sezonului am decis să încercăm să găsim un sit puțin mai vechi, situat mai spre nord, unde fuseseră descoperite câteva fosile de maimuțe antropoide, în sedimente expuse într-o crăpătură de la marginea unei șosele. Tot ce știam era că acest sit se situa în apropierea unui mic sat numit Paşalar, într-o regiune îndepărtată, rurală. Situl era alcătuit dintr-o acumulare restrânsă de sedimente, nu mai mult de 40 de metri, dar se presupunea că era bogat în fosile.

Cercetarea şi săpăturile

După găsirea unui sit, următoarea etapă era obținerea permisiunii de a lucra acolo; a fost nevoie de câțiva ani pentru a realiza acest lucru. Când a început în cele din urmă munca, am stabilit un punct fix marcat în beton, ca reper pentru măsurători, şi apoi am examinat întreaga regiune, folosind echipament standard de studiu. La sfârşit, am aşezat o linie metrică pentru a controla săpăturile şi am început să lucrăm treptat prin afloriment. În acelaşi timp, am făcut tranşee prin sedimente pentru a le determina adâncimea şi lungimea. Atât materialul săpat, cât şi sedimentele scoase din tranşee au fost triate cu ajutorul apei, pentru a separa fosilele pierdute în timpul săpăturilor în sediment. Informațiile din toată această activitate ne-au arătat că fosilele au fost transportate în sit împreună cu sedimentele în care se găseau acum. Sedimentele înseşi pot fi uşor identificate ca provenind dintr-o sursă foarte apropiată de sit, din coasta de deal învecinată, iar descompunerea şi erodarea fosilelor demonstrează că au fost expuse pentru scurt timp pe această coastă înainte de-a fi transportate.

De-a lungul anilor am strâns sute de mii de eşantioane, de la aproape 1.700 de specimene de maimuțe antropoide. Ni s-au alăturat mulți specialişti, care au contribuit fiecare la un anumit aspect al studiului. Sedimentologii, geomorfologii, geologii şi geochimiştii au analizat sedimentele şi aşezarea stratigrafică pentru a arăta de unde proveneau depozitele de fosile. Geofizicienii au analizat izotopii de carbon şi oxigen spre a determina proprietățile chimice ale solului şi genul de mâncare consumat de animalele fosile. Paleontologii au identificat toate animalele, iar acest lucru ne-a permis să datăm situl prin comparație cu alte situri cu faună asemănătoare, aproximându-l cam la 14-15 milioane de ani, la începutul Miocenului Mijlociu. Am mai investigat şi morfologia funcțională a majori-

(Jos) Locația şi harta geologică simplificată a sitului de la Paşalar

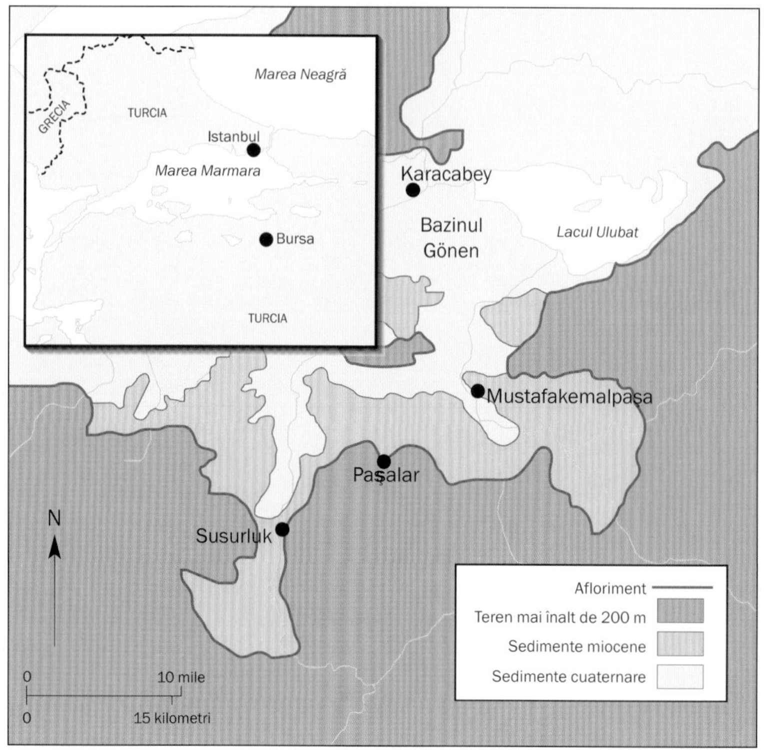

tății speciilor prezente în sit, demonstrând că majoritatea animalelor trăiau pe pământ și se hrăneau cu frunze și iarbă, dar erau și animale ce trăiau în copaci și mâncau fructe, iar acest fapt sugerează prezența unei păduri în zonă. Analiza solurilor mai indică un climat cu mai multe sezoane (anotimpuri) în Turcia, fiindcă existau atât dovezi ale scufundării în apă, cât și ale uscării solurilor. Ca urmare, am putut reconstrui climatul și vegetația în oarecare detalii pentru această parte a Turciei din Miocenul Mijlociu. Exista un climat musonic, cu un anotimp uscat lung pe timpul iernii, dar cu ploi abundente vara. Vegetația era probabil formată din păduri de foioase, cu multe poieni.

Analizarea fosilelor

Tafonomii au analizat fosilele din sit. Unele oase indicau semne ale digestiei, deoarece multe dintre rozătoarele și insectivorele mici fuseseră mâncate de bufnițe. În privința mamiferelor mari, ca rinocerii și girafele, existau mai mulți indivizi tineri în comparație cu adulții – carnivorele selectaseră specimenele tinere ale animalelor mari și exista probabil o vizuină de carnivore aproape de locul unde aceste oase s-au adunat. Majoritatea oaselor arătau semne de descompunere, iar oasele des-

(Sus) Situl fosilifer de la Pașalar. Sedimentele erau expuse pe un mic deal care în întindea între copacul pitic din stânga (în prim plan) și copacii din dreapta (în fundal). Săpăturile (stânga) au pătruns în deal între 9 și 12 metri și au scos la iveală mii de eșantioane de fosile.

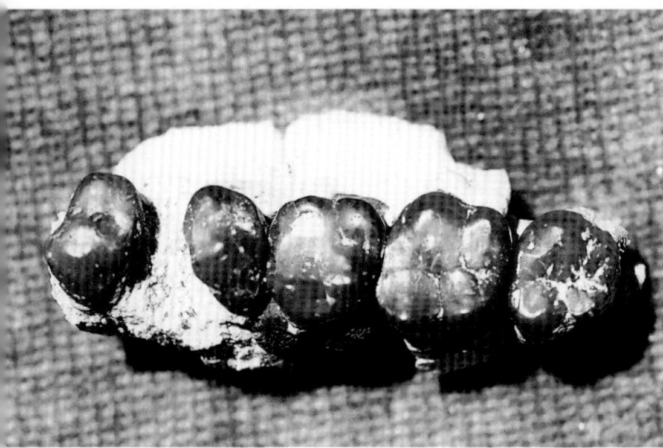

(Deasupra) Eşantion din Griphopithecus alpani, *hominidul fosil comun la Paşalar.*

(Sus) Mandibula girafei Giraffokeryx, *una dintre speciile obişnuite de la Paşalar.*

compuse erau erodate mai târziu în timpul transportului, în timp ce altele erau îngropate în sol, în mare parte a cazurilor înaintea transportului, iar în altele, după aceea. Toate oasele au fost transportate spre sit cam pe o distanţă de 2-3 km împreună cu sedimentul, care a fost apoi afectat de acţiunea apelor.

Majoritatea activităţii de analiză s-a concentrat asupra eşantionului mare de fosile de maimuţe. A fost examinată o mare varietate de fosile provenind de la maimuţe antropoide, la fel ca şi structura dinţilor lor. Secţionând dinţii şi cercetându-i la un microscop de scanare cu electroni (SEM), s-a descoperit că toţi aveau un smalţ dens la suprafaţă. Alţi studenţi au lucrat la structurile de uzură a dinţilor şi la micromorfologia dinţilor, folosind tehnici de analiză sofisticate pentru a compara morfologia acestora cu cea a altor maimuţe antropoide. Un savant a utilizat SEM-ul pentru a descrie microuzura dinţilor şi a descoperit că aceste maimuţe se hrăneau cu fructe dure, după cum sugera densitatea smalţului. Un altul a lucrat la numărul mic de oase ale membrelor găsite (toate fiind oase ale degetelor de la mâini şi picioare) şi a aflat că maimuţa antropoidă de la Paşalar era similară maimuţelor timpurii şi mai primitive din Africa. Toate aceste tehnici oferă o imagine amplă asupra maimuţelor antropoide de la Paşalar ca fiind cătărătoare arboricole, hrănindu-se cu fructe dintr-un mediu forestier, asemănându-se mult cu maimuţele ce trăiesc azi în habitate identice din India.

Mulţi studenţi turci (alături) au fost pregătiţi în domeniul tehnicilor de săpare şi al paleoantropologiei la Paşalar. Insaf Gençtürk (dreapta) a fost unul dintre aceşti studenţi, iar acum ea s-a perfecţionat pentru a-şi termina doctoratul în domeniu.

(Stânga şi alături) Două etape din excavarea unui craniu de proboscidian de la Paşalar. Proboscidianul este un mastodont, un tip de elefant străvechi numit Gomphotherium pasalarense. *Câtiva dinți dintr-un maxilar superior fragmentat au fost descoperiți prima dată, urmați de alți doi şi unul din colți.*

Situl III: Rudabánya

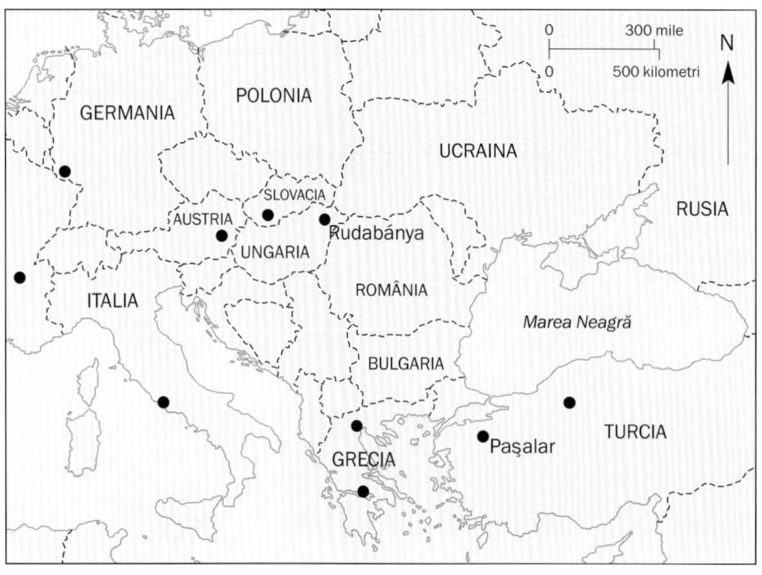

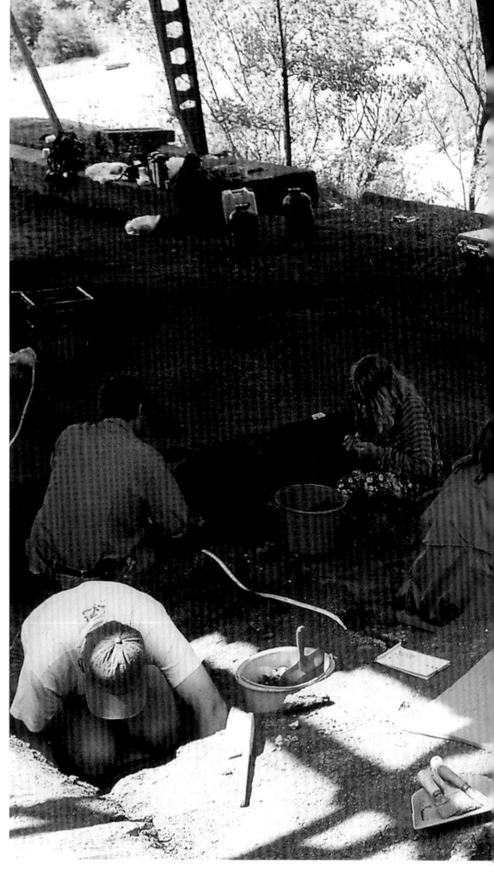

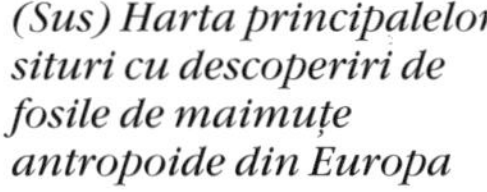

(Sus) Harta principalelor situri cu descoperiri de fosile de maimuțe antropoide din Europa

(Jos) Kretzoi și Hernyák la Rudabánya în 1970, la prima noastră vizită la sit.

Rudabánya este un mic oraș din Ungaria, situat într-o zonă industrială și minieră. La câțiva kilometri în afara orașului se găsește o carieră de piatră, în care au fost descoperite depozite întinse de sedimente miocene, depuse pe și de-a lungul malurilor unui lac mare din Miocen. Acest lac a fost atât de mare, încât aducea mai mult cu o mare interioară de apă dulce, ocupând Bazinul Panoniei de azi, care acoperea părți întinse din Ungaria zilelor noastre. Sedimentele nu pot fi datate în mod direct, însă, după vârsta lacului și animalele găsite în sedimente, au fost datate în Miocenul Superior, având între 9 și 10 milioane de ani vechime.

Importanța sitului

Situl fosilifer de la Rudabánya a fost descoperit în 1967 de G. Hernyák, un geolog maghiar ce lucra la o companie minieră, iar fosilele timpurii de acolo au fost descrise de un paleontolog maghiar, Miklós Kretzoi, care a înțeles rapid importanța sitului. Unele dintre cele mai bune eșantioane de maimuțe antropoide fosile din Europa acestei perioade provin de la Rudabánya, împreună cu fosile de plante și animale ce oferă o cunoaștere detaliată a zonei. În timpul unei mari părți din Miocenul Mediu și Superior, până ceva mai târziu decât perioada Rudabánya, maimuțele antropoide constituiau o prezență obișnuită în Europa, întinzându-se spre nordul îndepărtat până în Polonia și, deși climatul era diferit atunci, o parte importantă din Europa de Sud fiind în zona de climă subtropicală, era foarte diferit și față de habitatele maimuțelor antropoide de astăzi.

Cercetările mai timpurii de la Rudabánya acordaseră puțină atenție mediului celor dintâi maimuțe antropoide și nu s-a cunoscut nimic din tafonomia sitului. A fost nevoie de câtva timp pentru a începe săpăturile telefonice, dar în cele din urmă am putut începe munca acolo în 1992. Am adunat un grup de oameni, alcătuit în principal din specialiști în săpături, astfel încât să putem combina descrierile geologiei sedimentelor și ale rocilor înconjurătoare cu tafonomia fosilelor și a identificării lor paleontologice.

Descoperirea depunerilor

Procedura de săpare a fost în mare parte aceeași cu cea descrisă mai devreme în cazul Paşalar (p. 62). Am excavat cu unelte de mână pe porțiuni de câte un metru pătrat, înregistrând pozițiile tuturor fosilelor pe trei dimensiuni, astfel încât să poată fi reprezentate grafic toate descoperirile. Lemnul fosil și alte rămășițe de plante erau foarte bogate, fiindcă depozitele constau din două soluri mlăștinoase suprapuse, iar oasele fosile erau și ele abundente într-un spațiu limitat. Depozitele s-au format într-o vale adâncă, cu pante spre nord și înclinație spre Lacul Panonic. Nivelul lacului era evident variabil, iar la începutul secvenței de sedimentare, nivelul lacului era scăzut, dar s-a ridicat

(Stânga) Săpăturile de la Rudabánya, Ungaria. Excavarea se făcea cu ajutorul liniei metrice, dar pentru o precizie sporită se măsura poziția fiecărui eșantion în trei dimensiuni dintr-un punct fix.

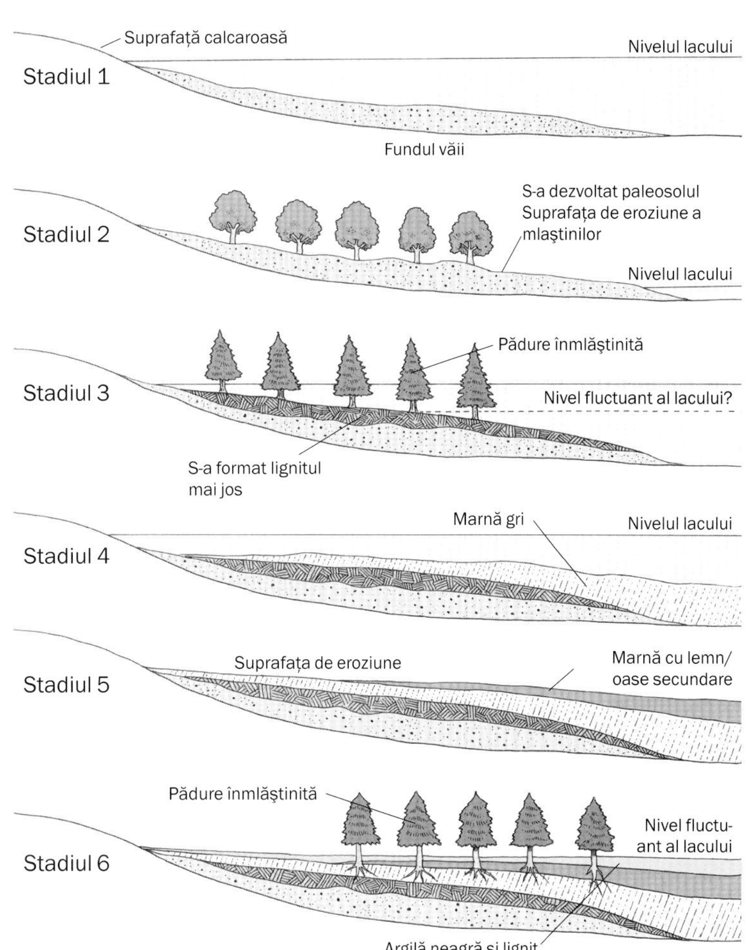

(Sus) Reconstituirea evenimentelor din timpul acumulării depozitelor sedimentare de la Rudabánya. Ridicarea și scăderea nivelului Lacului Panonic a dus la sedimentarea marnelor de lac când acesta era ridicat și la depuneri mlăștinoase bogate din punct de vedere organic când lacul era scăzut. Există câteva fosile în marne, dar majoritatea se găsesc în vegetația de mlaștină, alcătuită din pădure cu Taxodium *și în micile iazuri lăsate în urmă de apa în retragere.*

treptat în susul văii. Consecința acestui fapt era că sedimentele se umezeau din ce în ce mai mult, transformându-se într-un lignit care se formează în condiții mlăștinoase, acolo unde există atât de multă apă încât vegetația moartă nu putrezește, ci se acumulează cu timpul în depozite dense, așa cum se întâmplă azi cu turba. Datorită timpului îndelungat și presiunii, lignitul se transformă într-un final în cărbune, dar asta nu s-a întâmplat cu depunerile de la Rudabánya. Ce s-a întâmplat într-adevăr a fost o creștere ulterioară semnificativă a nivelului lacului, astfel încât deasupra lignitului s-a depus un strat gros de sedimente lacustre. La anumite intervale de timp lacul seca, lăsând suprafața sedimentului expusă, perioade în care în zonele mai umede s-au format depuneri de argilă neagră.

Fosilele

Fosilele apar pretutindeni cu excepția zonelor cu lignit, care ar fi fost foarte acid datorită condițiilor anaerobe (lipsa oxigenului) (plantele se conservă bine în condiții acide, dar oasele sunt dizolvate și distruse de aciditatea crescută). Fosilele din depozitele lacustre erau relativ bogate, cu câteva schelete parțiale, probabil de la animalele care au fost aduse de apă în lac din împrejurimi. În argila neagră, formată prin revărsarea locală peste întinderile netede ale lacului sterp, se aflau o mulțime de mamifere mici, cum ar fi primatul similar maimuței antropoide *Anapithecus hernyaki,* cu oase foarte fragmentate, probabil de către prădători.

În cele din urmă, argilitul din partea superioară era bogat în fosile, foarte sfărâmate, dar cuprinzând numeroase eșantioanele de maimuță antropoidă. Aceasta se numește Dryopithecus hungaricus, și prezintă un interes deosebit datorită morfologiei sale avansate (vezi pp. 110-113); este interesant că s-a găsit la acest nivel, în condiții ce indicau prezența pădurii subtropicale, deoarece rămășițele bogate de copaci descoperite la acest nivel arată prezența în acea vreme a pădurii subtropicale de tip Taxodium. Taxodium este chiparosul de mlaștină, obișnuit astăzi în mlaștinile Everglade din Florida.

(Stânga) Maxilarul lui Dryopithecus hungaricus. *Acest specimen oferă detalii despre dinți, palat și fosele incisivilor, care pot fi văzute ca o tăietură în marginea de sus a osului.*

Situl IV: Defileul Olduvai

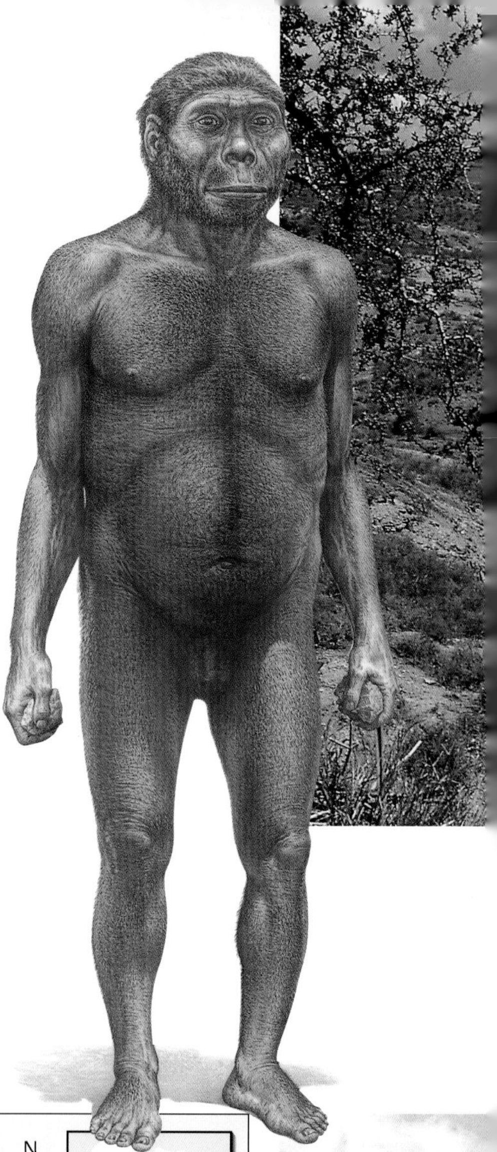

(Dreapta) Primele descoperiri de fosile aparținând lui Homo habilis *au cuprins numai câteva părți din scheletul corpului. Totuși, în 1986 a fost descoperit un schelet parțial, pe care se bazează această reconstituire. Era un biped mic, cu dimensiuni mai degrabă de maimuță antropoidă.*

Defileul Olduvai (Olduvai Gorge) brăzdează estul câmpiei Serengeti din nordul Tanzaniei. Are o lungime de cca 50 de km și o adâncime de până la 100 de metri, iar în aflorimetele sale apar sedimente de râu, lacustre și vulcanice, care înregistrează porțiuni din ultimii două milioane de ani ai preistoriei Africii de Est. A fost prima dată identificat în 1911 de un savant german, care a făcut o colecție mică de oase fosile luate din pantele sale și le-a dus la Berlin (Olduvai era situat atunci în Africa de Est germană). Specii importante ca *Hipparion*, calul cu trei degete la picioare, au fost recunoscute printre fosile, astfel că o expediție condusă de geologul Hans Reck s-a întors în defileu în 1913. Echipa lui Reck a adunat peste 1.700 de fosile, confirmând marea vechime a sitului, iar acestea cuprindeau un schelet uman despre care susținea că era o fosilă străveche (astăzi se știe că a fost îngropată relativ recent, într-o groapă săpată în depozite mult mai vechi).

Echipa lui Leakey la Olduvai

Munca asiduă a început la Olduvai numai când antropologul Louis Leakey l-a invitat pe Reck să se alăture expediției din 1931 în regiune. În această expediție s-au descoperit primele unelte străvechi din piatră la Olduvai, iar Leakey a dezvoltat ideea

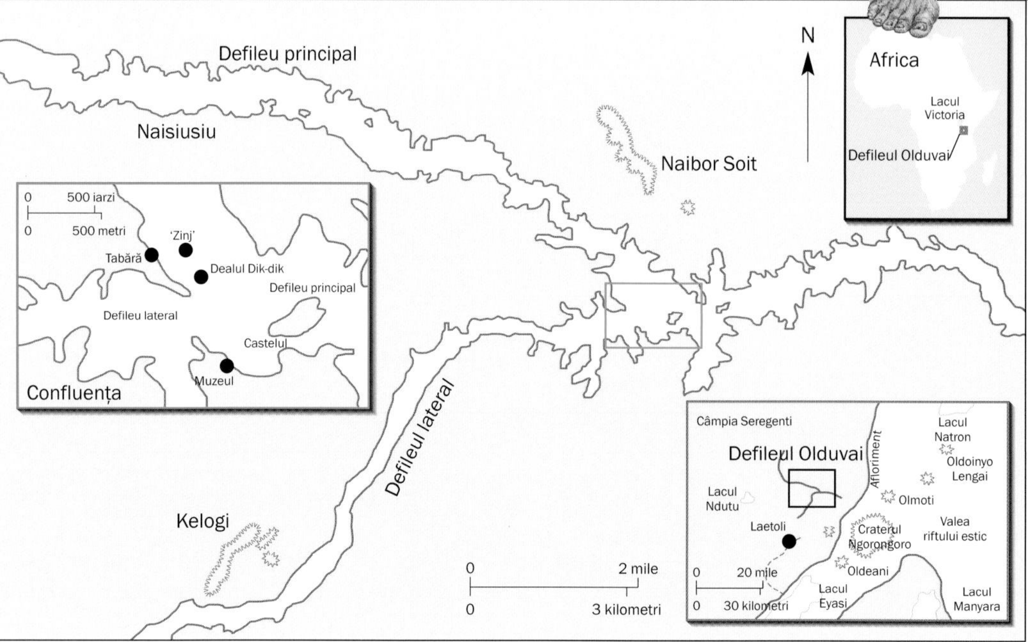

(Jos) Defileul Olduvai din Tanzania constituie unul dintre siturile clasice ale preistoriei africane. Această hartă îi înfățișează forma Y de bază, și poziția a multe dintre siturile importante în care au fost descoperite fosile, aproape de confluența defileului principal cu cel lateral.

că situl înregistra o înlănțuire gradată de epoci, începând de la unelte din cremene neprelucrate (din așa-zisa Cultură Oldowan) în stratul I, cel mai timpuriu, la unelte mult mai sofisticate, ca topo-rașe „de mână" din piatră din stratul IV de mai târziu. Lui Leakey i s-a alăturat arheologul Mary Nicol într-o expediție ulterioară la Olduvai, în 1935.

Colecția de animale fosile și de unelte din piatră a continuat să crească pe măsură ce și-au extins cercetările în următorii 20 de ani, iar caracteristicile schimbătoare ale fosilelor animale și artefactele ilustrau o vechime mare pentru situl Olduvai. La baza depozitului sedimentar au fost depuse sedimente de un lac sărat mare, a cărui mărime și adâncime varia considerabil. În cele din urmă, lacul a dispărut, iar regiunea a devenit o câmpie

(Sus) Defileul Olduvai

(Jos) Situl 'Zinj' din defileul Olduvai, 1972. Plinta din fundal indică locul unde a fost descoperit craniul lui Zinjanthropus *(acum* Paranthropus*)* boisei *în 1959.*

(Dreapta) Săpăturile de la Olduvai dintr-o perioadă de aproximativ 100 de ani au scos la iveală o mulțime de descoperiri. Inițial era strâns numai materialul de la suprafață, dar mai târziu, săpăturile mai atente au scos la iveală mii de eșantioane din zone restrânse.

(Jos) Această calotă craniană a fost descoperită de Louis Leakey la Olduvai în 1960, și se crede că datează cam de acum 1,2 milioane de ani. A fost numită inițial „Omul Chellean" datorită presupusei sale asocieri cu topoarele din piatră aparținând culturii „Chelleene" găsite la Olduvai. Totuși, seamănă mult cu craniile lui Homo erectus, *cu care este adesea asociat.*

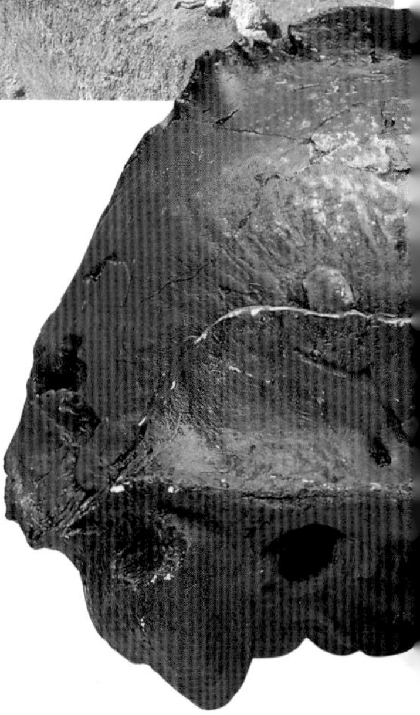

netedă, brăzdată de pârâiașe sezoniere. Totuși, mai târziu, pe măsură ce defileul actual a început să se deschidă datorită schimbărilor geologice, la suprafață s-a depus nisip, praf și sedimente ale râurilor. În mod periodic, vulcanii din împrejurimi își revărsau lava sau cenușa peste crusta stratului de sedimente. Printre animalele fosilizate descoperite se numără antilope africane, țapi de apă, porci și gazele sud-africane.

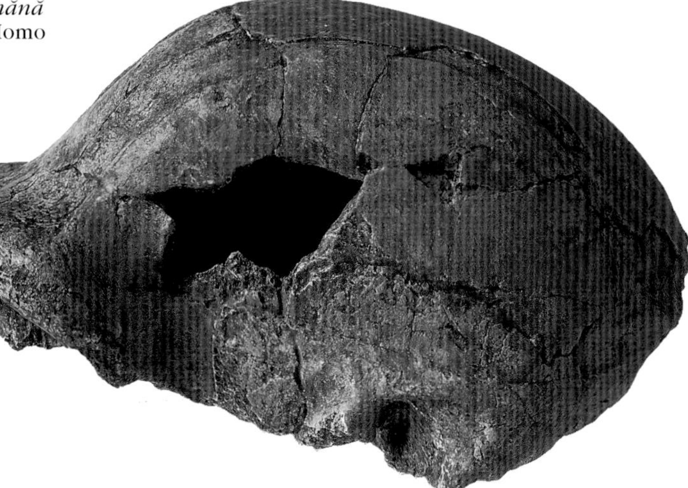

(Sus) Craniul unui hominid din Olduvai, poreclit „Spărgătorul de nuci" din cauza dinților uriași din spate. Atribuit prima dată lui „Zinjanthropus" boisei *și considerat un posibil strămoș al omului, acum este clasificat ca australopitec robust* Paranthropus boisei.

Descoperirea fosilelor de hominizi

Echipa lui Leakey n-a fost recompensată cu o fosilă spectaculoasă a unui posibil om primitiv până în 1959, când Mary Leakey a descoperit craniul unui australopitec robust (vezi pp. 126-129), asociat cu uneltele de la Olduvai (vezi p. 208) din stratul I. La început, cei din echipa lui Leakey l-au numit *„Zinjanthropus boisei"* („Omul est-african al lui Boise", după Charles Boise, unul din sponsorii lor), dar fosila îi este acum atribuită așa-numitului *Paranthropus boisei*. Louis Leakey a presupus prima dată că descoperise omul timpuriu ce fabrica uneltele de la Olduvai, dar în următorii doi ani, rămășițe ale unei forme care aducea și mai mult cu cea umană au fost găsite la aceleași niveluri din stratul I și, mai sus, în stratul II. Aceste resturi, incluzând părți dintr-un craniu, oase de maxilar, mâini și picioare, au fost atribuite unei noi specii, *Homo habilis* („Omul Îndemânatic"), în 1964. Această specie, cu dinții săi inferiori mai mici și cu dimensiunea mai mare a creierului, era considerată atunci făuritoarea uneltelor găsite în straturile I și II de la Olduvai, mai degrabă decât verișorul său contemporan cu el, australopitecul.

Tehnica datării cu potasiu-argon a demonstrat că rămășițele umane cele mai vechi și uneltele din piatră de la Olduvai datează cam de acum 1,8 mil. de ani, de pe la sfârșitul Pliocenului. Resturile speciei mai avansate *Homo erectus* au fost și ele excavate din straturile II-IV de la Olduvai, uneori asociate cu unelte de tipul toporașelor „de mână" din piatră. Louis Leakey a murit în 1972, dar Mary și-a continuat săpăturile meticuloase de la Olduvai până în 1984. Acestea au scos la iveală dovezi mult mai importante despre comportamentul uman timpuriu, cuprinzând făurirea uneltelor din piatră, posibile structuri din piatră și dovezi ale vânătorii. La doi ani după ce Mary a părăsit situl, un schelet parțial atribuit lui *Homo habilis* a fost descoperit în stratul I de către o echipă americană, iar în 1996, o altă echipă condusă de americani a mai găsit un maxilar superior atribuit acestei specii.

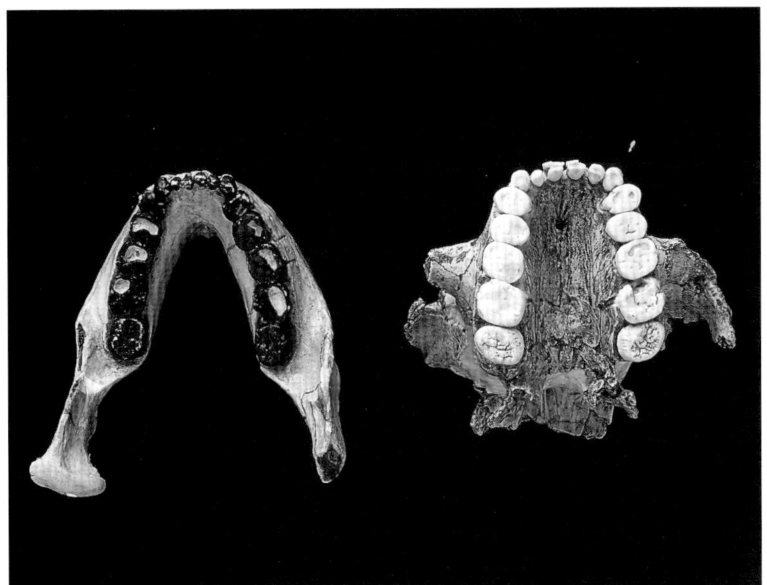

(Sus) Dinții neobișnuiți ai lui Paranthropus boisei, *din maxilarul inferior (stânga) găsit la Peninj în Tanzania și maxilarul superior (dreapta) al hominidului 5 de la Olduvai. Dinții din față sunt relativ mici, iar premolarii și molarii sunt imenși și uzați.*

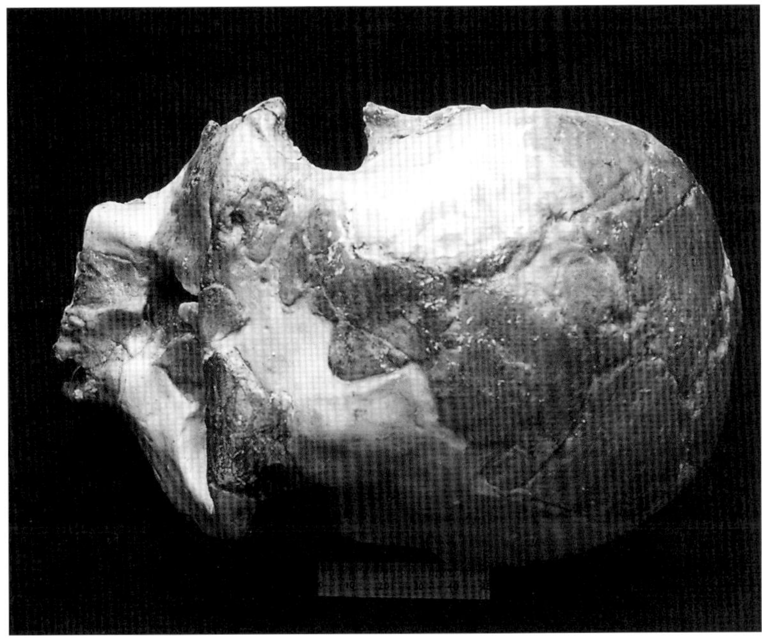

(Deasupra) O vedere de sus a craniului hominidului 24 de la Olduvai, probabil Homo habilis.

Situl V: Boxgrove

(Dreapta) Această reconstituire a unui individ masculin din Boxgrove se bazează pe un os mare și robust al tibiei găsit acolo, precum și pe material de la Homo heidelbergensis *din alte situri.*

Situl de la Boxgrove este situat într-o carieră, la 10 km nord de țărmul Canalului Mânecii, în apropiere de Chichester din sudul Angliei. Săpăturile amănunțite de la Boxgrove au început în 1985 și s-au dezvoltat treptat într-un mare proiect, implicând peste 40 de specialiști și zeci de săpători. Dar numai la sfârșitul lui 1993, odată cu descoperirea unui os tibia, vechi de cca 500.000 de ani, situl a devenit faimos în lume. Acea descoperire a fost urmată în 1995 de excavarea a doi dinți umani. Aceste descoperiri reprezintă cele mai vechi urme umane cunoscute din Insulele Britanice, iar situl a scos la iveală informații despre comportamentul oamenilor din Boxgrove.

Acum 500.000 de ani țărmul marin era la 10 km nord de locația sa prezentă, iar marea a săpat faleze uriașe în dealurile de cretă ale zonei cunoscute azi drept Sussex. Apoi nivelul mării a scăzut ușor, și mlaștini sărate și pășuni s-au dezvoltat peste suprafețele nisipoase pe care le-a lăsat în urma sa. Turme de erbivore au păscut pe această nouă câmpie de coastă – cerbi, bizoni, cai, până și elefanți și rinoceri – dar și animalele ce le vânau, ca leul, hiena și lupul, trăiau în zonă. Și oamenii hoinăreau pe aici, câștigându-și existența din cules (scoici, rădăcini, fructe etc.) pescuit și vânătoare.

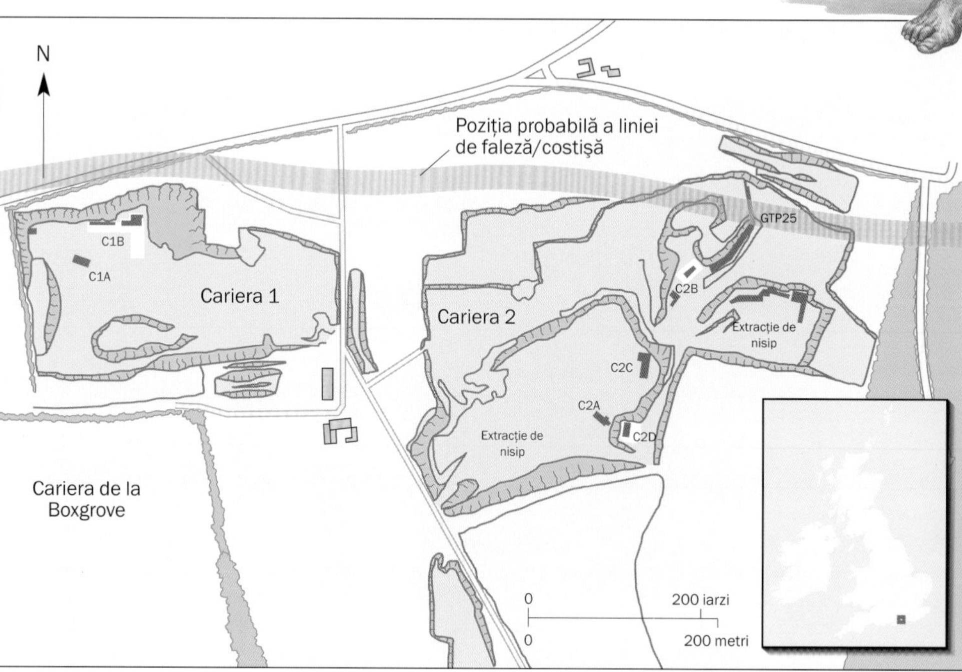

(Jos) Situl arheologic de la Boxgrove este situat lângă Chichester, Anglia, și a fost descoperit într-o carieră activă. Cariera 2 conținea rămășițele unui cal vânat, în vreme ce cariera 1 era zona ce cuprindea resturile de rinoceri vânați și un os tibia și dinți umani. Situl este acum protejat și acoperit pentru a-i conserva depunerile pentru studiile viitoare.

(Pagina alăturată, sus) Unul dintre principalele depozite de sedimente de la Boxgrove. Analiza acestor depuneri a permis reconstituirea unei istorii detaliate a mediului trecut al sitului, de la falezele marine de cretă la câmpia de coastă bogată din punct de vedere ecologic.

(Pagina alăturată) O săpătură în cariera 1 din 1995. Această zonă a scos la suprafață cei doi incisivi umani inferiori găsiți în acel an, precum și zeci de unelte asemenea toporașelor de mână din piatră.

Uneltele şi oasele de la Boxgrove

Atenţia oamenilor a fost atrasă şi de prezenţa silexului din falezele de cretă, o excelentă sursă de materie primă din care puteau realiza cele mai caracteristice unelte din piatră găsite la Boxgrove, cum ar fi toporaşele aşa-zise „de mână" din care au fost scoase la lumină peste 300 de exemplare. Deoarece suprafeţele de uscat de la Boxgrove erau acoperite în mod repetat de apa ce se revărsa frecvent, depunând peste ele un nămol fin, acele suprafeţe străvechi au fost conservate cu un grad minim de răscolire. Conservarea e atât de reuşită, încât până şi locurile în care oamenii s-au ghemuit pentru a-şi face uneltele din piatră s-au păstrat, astfel că fiecare foiţă de silex pe care au tăiat-o se găseşte încă acolo unde a căzut cu aproape 500.000 de ani în urmă. Şi nu numai aceasta, dar şi oasele animalelor pe care le mâncau mai sunt acolo, înconjurate de unelte şi adesea păstrând urme ale măcelăririi lor.

Toporaşele de mână din piatră, care sunt predominant ovale sau de forma unei migdale, erau folosite pentru a tranşa schelete mari de cerbi, bizoni, cai şi rinoceri. Există foarte puţine semne de tăiere pe oricare dintre oasele animalelor

(Jos) Una din uneltele de genul toporaşelor de mână din piatră, frumos conservate, de la Boxgrove. Topoarele din piatră de la Boxgrove sunt în general făcute din nuclee de silex.

mai mici, cum ar fi ciutele, sugerând faptul că animalele mai mici erau fie ignorate, fie transportate altundeva pentru tranșare. Este clar că oamenii de la Boxgrove aveau acces la carcase complete, din moment ce majoritatea părților de animale au fost găsite pe locul în care au fost tranșate.

Situl este datat pe baza rămășițelor sale de mamifere dintr-o perioadă caldă sau interglaciară a Pleistocenului Mijlociu, la sfârșitul a ceea ce se cunoaște drept Complexul Cromerian, cu cca 500.000 de ani în urmă. Molarii șoarecilor de apă s-au schimbat prin evoluție în decursul timpului, iar genul de șoarece de apă găsit la Boxgrove, numit *Arvicola terrestris cantiana,* precum și alte specii asociate, se potrivesc cu cele prezente la Mauer, în apropierea localității Heidelberg din Germania, situl care a scos la iveală maxilarul inferior al lui *Homo heidelbergensis* (vezi pp. 148-151) în 1907. Tibia de la Boxgrove a fost de asemenea atribuită aceleiași specii și este unul dintre cele mai mari oase de picior uman găsite vreodată. Individul avut în vedere trebuie să fi avut o înălțime de aproximativ 1,8 m, iar densitatea pereților tibiei sugerează că această persoană (probabil un bărbat) era greu și musculos - cântărind probabil peste 90 de kg. Vigoarea osului trebuie să reflecte și stilul de viață solicitant din punct de vedere fizic pe care acești oameni îl aveau.

Cei doi dinți descoperiți la Boxgrove provin din partea frontală a maxilarului inferior și nu sunt

(Dreapta) O altă vedere asupra carierei 1 din 1995, arătând numărul mare de săpători implicați în munca de la acest sit. Sedimentul ce a fost atent răzuit este păstrat pentru trierea cu site, dezvăluind chiar bucățele de silex și os.

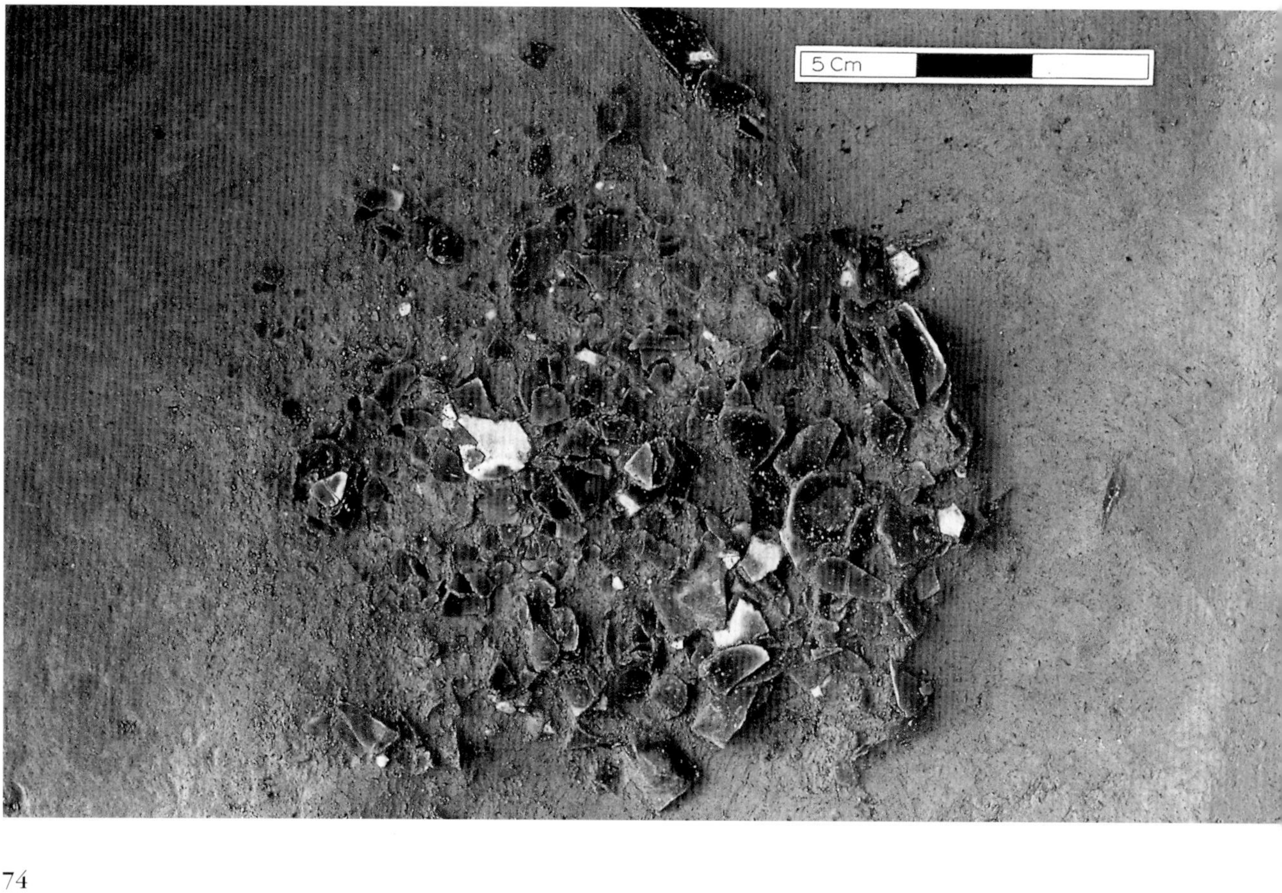

(Jos) În unele cazuri, la Boxgrove, rămășițele procesului de creare a uneltelor din piatră sunt așa cum au fost lăsate de cel care le-a făurit. În această imagine, resturile de silex ilustrează locul unde cineva s-a ghemuit să facă un topor din piatră acum vreo 500.000 de ani. Bucățile pot fi reunite pentru a indica întregul proces de manufactură.

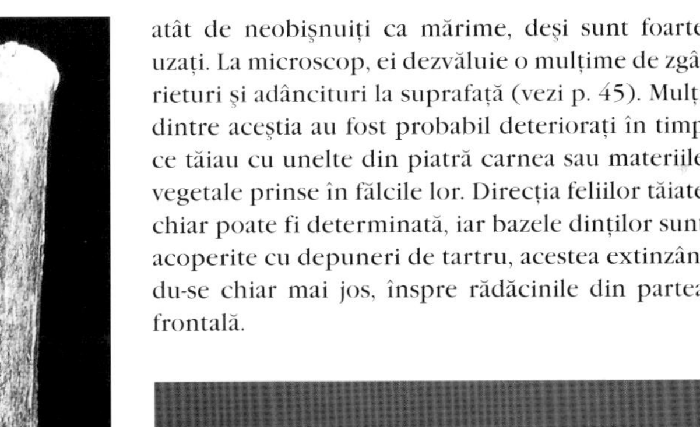

atât de neobişnuiţi ca mărime, deşi sunt foarte uzaţi. La microscop, ei dezvăluie o mulţime de zgârieturi şi adâncituri la suprafaţă (vezi p. 45). Mulţi dintre aceştia au fost probabil deterioraţi în timp ce tăiau cu unelte din piatră carnea sau materiile vegetale prinse în fălcile lor. Direcţia feliilor tăiate chiar poate fi determinată, iar bazele dinţilor sunt acoperite cu depuneri de tartru, acestea extinzându-se chiar mai jos, înspre rădăcinile din partea frontală.

(Dreapta) Tibia stângă de la Boxgrove, descoperită în 1993. Provine de la un individ înalt, bine făcut, iar studiile microscopice ale structurii osoase sugerează că individul era relativ bătrân când a murit.

(Jos) Fosilele umane de la Boxgrove au fost atribuite speciei Homo heidelbergensis, *pe baza pe vârstei lor şi pe asemănările cu alte materiale atribuite acelei specii. În această imagine, unul din incisivii de la Boxgrove este comparat cu o reproducere a maxilarului din Mauer, situat în apropierea oraşului Heidelberg din Germania, descoperit în 1907, de la care şi-a luat specia numele.*

Situl VI: Gibraltar

Stânca Gibraltar a fost un punct de reper pentru populațiile Mării Mediterane timp de nenumărate milenii și trebuie să fi fost un punct avantajos minunat pentru unii dintre primii săi locuitori de acum 500.000 de ani, oamenii de Neanderthal. Gibraltarul a fost unul din primele locuri care au scos la iveală dovezi ale acestor oameni străvechi. A fost probabil și unul dintre ultimele lor refugii înainte de dispariție.

Descoperirea accidentală a unui craniu uman fosilizat, distrus în timpul muncii la cariera lui Forbes, aproape că a plasat Gibraltarul pe primul loc al studiilor preistorice mai bine cu 150 de ani în urmă. Dar descoperirea a fost neglijată 50 de ani, iar scheletul din valea Neander din Germania, 1856, a atras cel mai mult atenția oamenilor de știință. O altă descoperire semnificativă neanderthaliană a fost făcută în Gibraltar în 1926, la situl

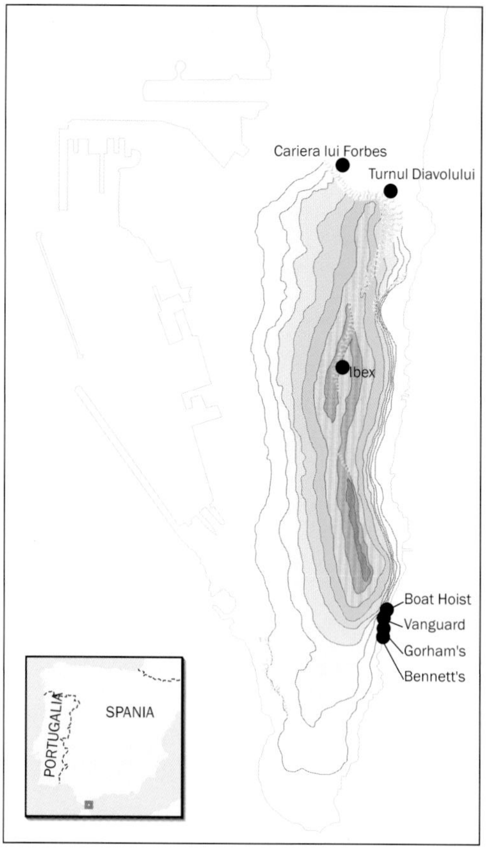

(Dreapta) Harta Gibraltarului, ilustrând siturile unde au fost făcute descoperirile legate de oamenii neanderthalieni.

(Sus) Peştera lui Gorham, cu Peştera lui Bennett vizibilă în partea stângă.

(Sus, stânga) Acest craniu fosil, probabil al unei femei, a fost găsit în 1848, cu opt ani înaintea scheletului din valea Neander (Neanderthal), după care a fost dat numele speciei. Din păcate, importanţa sa ştiinţifică a fost recunoscută abia în 1863.

Turnului Diavolului, din jurul unei despicături în calcarul din nord, nu departe spre est de cariera lui Forbes. Această descoperire a fost cercetată în mod sistematic, fiind identificate oase animale, unelte din piatră şi cărbune de lemn din vetre de foc străvechi. Rămăşiţele fosile constau din părţi ale maxilarelor inferioare şi superioare şi calota craniană a unui copil de Neanderthal (vezi şi pp. 42-44).

Peşterile Gorham's şi Vanguard

Deşi fosilele din Cariera lui Forbes şi Turnul Diavolului continuă să atragă interesul oamenilor de ştiinţă şi rămân două din cele mai bine conservate cranii neanderthaliene, siturile de unde proveneau sunt azi în mod probabil golite de sedimente. Totuşi, există o serie de peşteri în apropierea mării, pe „Plaja Guvernatorului", în partea sud-estică a Stâncii, iar două dintre aceste peşteri – Gorham's şi Vanguard – conţin încă dovezi bogate ale locuirii neanderthaliene. Peştera lui Gorham, mai ales, conţine mărturii bogate ale locuirii umane, dinainte de ultimii 100.000 de ani. O plajă veche suspendată, care datează de acum cca 120.000 de ani, stă la baza sitului. Există aici cel puţin 10 metri de straturi (în adâncime), ce cuprind urme ale locuirii neanderthalienilor, marcate de uneltele Paleoliticului Mijlociu, iar deasupra cam 3 metri de depuneri conţinând unelte din Paleoliticul Superior, care altundeva în Europa sunt caracteristice pentru aşezările oamenilor moderni *Homo sapiens,* din ultimii 35.000 de ani. La partea superioară a secvenţei stratigrafice se găsesc produse de olărit şi artefacte din metal din ultimii câteva mii

Această reconstituire indică un grup de neanderthalieni lângă una dintre peşterile Gibraltarului, acum aproape 50.000 de ani. În acest răstimp, calotele glaciare ale Pământului erau mari, iar nivelul scăzut al mării a permis formarea unei câmpii de coastă fertile mai jos de peşteri. Descoperirile din peşteri ilustrează faptul că regimul alimentar al neanderthalienilor cuprindea broaşte ţestoase şi scoici.

(Sus) Această imagine a Peșterii lui Gorham indică grosimea sedimentelor conservate aici, de mai bine de 100.000 de ani.

(Stânga) Peștera Vanguard de pe Plaja Guvernatorului a dezvăluit recent dovezi clare că oamenii de Neanderthal au exploatat resursele marine de acolo acum 100.000 de ani. Acest lucru includea coacerea midiilor pe foc și consumarea mamiferelor marine, ca focile și delfinii. Midiile trebuie să le fi adunat în mod sistematic, dar mamiferele marine probabil le-au găsit moarte pe plajă.

de ani. Vetrele străvechi sunt conservate la niveluri diferite în peșteră, mai ales pentru Paleoliticul Superior, iar oasele de animale sunt prezente în toată secvența stratigrafică.

În 1995, o nouă serie de săpături a fost începută în Gibraltar. Primul sezon de săpături în Gorham a scos la lumină colecții bogate de unelte din piatră, oase, nuci arse, semințe și cărbune de lemn, schițând zonele în care oamenii de Neanderthal construiseră vetre de foc și își pregătiseră carnea și mâncările vegetale. Folosind tehnica radiocarbonului pentru câteva bucăți de cărbune de lemn, le-a fost atribuită o dată apropiată de limitele metodei – în jur de 45.000 de ani. Până în 1997 se obținuseră o serie de date folosind metoda radiocarbonului pe cărbuni de lemn și oase fosile cu privire la nivelurile de ocupare din ambele peșteri. Ele indicau faptul că Vanguard, cel mai mic dintre cele două situri, trebuie să fi fost probabil plin de nisip și sedimente cu aproximativ 40.000 de ani în urmă, și astfel era doar posibil să conțină dovezi semnificative ale ocupării neanderthaliene.

În orice caz, la Gorham existau mai multe niveluri de Paleolitic Superior, care au fost datate între 26.000 și 30.000 î.C., iar acestea demonstrau că sosirea oamenilor moderni în Gibraltar ar fi putut avea loc în vreme ce neanderthalienii trăiau încă în zona interioară mai muntoasă a Peninsulei Iberice. O descoperire remarcabilă făcută în situl peșterii Vanguard o constituie primele dovezi bine datate și neechivoce că neanderthalienii au folosit resurse marine de hrană – un subiect care a fost o sursă de polemici mulți ani. În acel loc a fost excavat un strat distinct din Paleoliticul Mijlociu, constând din scoici de midii de dimensiuni mari, amestecate cu cenușă și unelte din piatră, dintre care unele arătau distrugerea marginii, ce putea fi cauzată de deschiderea sau răzuirea scoicilor. Acest nivel a fost datat în urmă cu 115.000 de ani cu ajutorul metodei termoluminiscenței, iar acestea sunt câteva dintre primele dovezi ale folosirii hranei marine de către ființele umane.

Cât de des au interacționat ultimii neanderthalieni în regiunea din Gibraltar cu primii oameni moderni de acolo și modalitatea lor de interacțiune sunt lucruri pe care le putem doar ghici. Vor fi fost întâlniri violente, se vor fi evitat reciproc sau vor fi stabilit contacte pașnice? Din dovezile strânse din Gibraltar și sudul Peninsulei Iberice, se pare că neanderthalienii nu și-au schimbat tehnologia când au sosit noii oameni – spre deosebire de rudele lor din nordul îndepărtat, și-au păstrat neschimbate tradițiile lor străvechi de fabricare a uneltelor din piatră, până când au dispărut.

(Jos) Un vârf de suliță al unui posibil om de Neanderthal din peștera lui Gorham. Nu se știe sigur cum au fost montate aceste vârfuri pe mânerul din lemn al sulițelor.

(Stânga) O selecție de unelte din piatră neanderthaliene, găsite în peșterile Gorham și Vanguard. În majoritatea cazurilor puteau fi făcute din material descoperit pe plaje sau pe albiile râurilor, dar unele pietre par să fi fost aduse de la o distanță mai mare, din Spania.

Dovezile fosile ale originilor omului pot fi urmate înapoi în timp până la originea primatelor. Putem identifica apariția unor caractere umane din ce în ce mai numeroase în decursul evoluției primilor antropoizi, grupul ce le cuprinde pe maimuțele obișnuite și pe cele antropoide, și apoi pe humanoizi, maimuțele antropoide și oameni. Antropoizii s-au desprins probabil de celelalte primate cu cca 30-40 de mil. de ani în urmă, iar despre humanoizi se știe că s-au desprins de maimuțe după aproape 20 de mil. de ani. Humanoizii fosili timpurii includ o gamă de specii mici și mari din Africa de Est de acum 17-22 mil. de ani. Există o oarecare îndoială că aceste specii erau maimuțe antropoide în vreun fel și, de fapt, vor fi fost străbune atât ale maimuțelor obișnuite, cât și ale celor antropoide. Maimuțele antropoide fosile de mai târziu, datate cu aproape 15 mil. de ani în urmă, erau net pe linia humanoidă și, curând după aceea, maimuțele antropoide apar pentru prima oară în afara Africii. Cu circa 12 mil. de ani în urmă, există dovezi ale dezvoltării distincte a pongidelor și a hominizilor, adică strămoașele urangutanilor, respectiv ai maimuțelor antropoide africane și oameni.

În acest stadiu există un fel de gol în mărturiile fosile. Maimuțele antropoide fosile continuă să existe în Eurasia până acum 7-8 mil. de ani, dar în Africa de acum 12-8 mil. de ani, mărturiile maimuțelor antropoide fosile nu mai apar. Unii au interpretat acest lucru prin faptul că hominizii s-au dezvoltat în afara Africii și au reintrat în Africa acum 7-8 mil. de ani, dar aceasta reprezintă o neînțelegere a naturii mărturiilor fosile: absența dovezilor nu înseamnă în mod neapărat dovada absenței. Fosilele africane reapar acum 7-8 mil. de ani cu fosilele hominizilor din Ciad și Kenya, despre care se susține în mod controversat că sunt hominide, adică pe linia ce duce la oamenii moderni. Începând cu 4 mil. de ani în urmă, mărturiile hominizilor încep să se completeze cu fosile ce oferă dovezi clare de locomoție bipedă. După primele artefacte din piatră cunoscute, cea dintâi specie a neamului nostru, *Homo*, a apărut cu aproape 2 mil. de ani în urmă și s-a distins prin dimensiunea mai mare a creierului și dovezi ale consumului de carne. La scurtă vreme după aceea, una sau mai multe specii timpurii *Homo* părăsesc Africa prima dată. Până la un moment dat, evoluția a urmat căi separate în Africa, Asia de Est și Europa, până la ultimul eveniment major din evoluția umană, când specia noastră *Homo sapiens* s-a dezvoltat în Africa și a început să se răspândească de acolo în toată lumea.

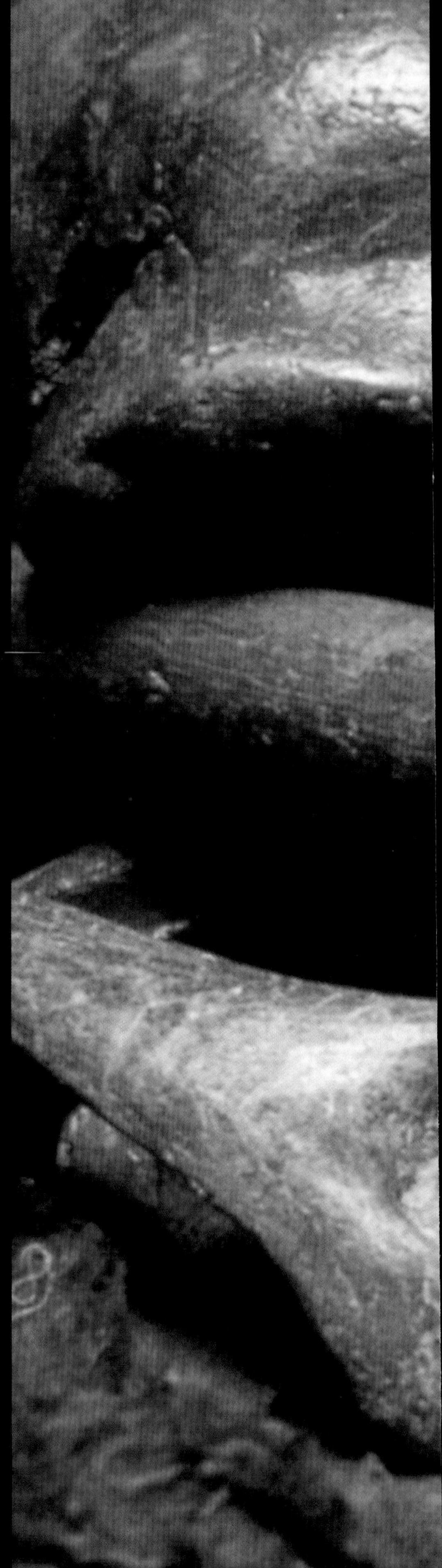

Descoperirea unui schelet în Grota Feldhofer din valea Neander, Germania, în 1856, a fost un moment hotărâtor în studiile despre evoluția umană. Studierea lor a dus la identificarea unei specii umane străvechi, numite, după locul descoperirii, Homo neanderthalensis, *în 1864.*

II Dovezile fosile

Originea primatelor

(Sus) *Observați la aceste mici animale ochii îndreptați înainte, degetele apucătoare și unghiile de la vârfurile degetelor mai degrabă decât gheare. Dimensiunea mare a ochilor și a urechilor sunt caracteristice pentru speciile nocturne.*

(Centru, dreapta) *Dentiția rozătoarelor de tip* Plesiadapis, *arătând dinții în poziția de ocluziune.*

(Dreapta) *Mandibulele genului* Plesiadapis, *multă vreme considerat a fi un primat timpuriu, dar astăzi exclus în mod general din ordin. Are incisivi de rozătoare cu vârfurile orientate înainte, dar cu molari ca ai primatelor.*

Primatele sunt mamifere ce cuprind specii care trăiesc în principal în copaci. Din grupul lor fac parte maimuțele antropoide și oamenii, dar când au apărut prima dată erau foarte diferite – în general erau animale mici și adesea nocturne. Unele primate au supraviețuit până în prezent, fiind în aceeași măsură mici și nocturne, de exemplu lorișii, atât din Africa, cât și din Asia, deși multe aspecte ale anatomiei lor sunt diferite de cele ale primatelor străbune și nu pot fi considerate reprezentative pentru ele, exceptând caracteristicile cele mai generale.

Primatele au fost adesea considerate ca lipsindu-le orice caractere definitorii evidente, și chiar azi există o oarecare îndoială în privința grupului de animale considerat a fi înrudit cu primatele. Există și neînțelegeri legate de care grupuri, atât vii, cât și fosile, ar trebui incluse. Veverițele arboricole din Asia Sud-Estică au fost incluse timp de mulți ani, dar se recunoaște acum că împărtășesc doar trăsături primitive cu primatele. Aceste neînțelegeri izvorăsc din natura caracterelor folosite pentru definirea primatelor, iar în continuare vom alcătui lista acestor caractere (vezi chenarul) înainte de a discuta despre originea primatelor. Aceasta este o listă abreviată de caractere prezente la toate sau la majoritatea primatelor existente și poate forma baza interpretării dovezilor fosile pentru originea primatelor.

Caracterele primatelor

1 Picior apucător cu degetul mare opozabil
2 Prezența unghiei (mai degrabă decât a ghearei) la degetul interior mare al labei din spate (hallux)
3 Elongația călcâiului (calcaneus)
4 Predominarea membrelor inferioare în timpul locomoției
5 Apariția membrelor cu degete opozabile
6 Unghiile prezente în mod obișnuit la majoritatea degetelor
7 Un oarecare grad de rotire în față a ochilor
8 Ochii strâns apropiați, îndreptați înainte, pentru vederea stereoscopică
9 Dimensiunea mărită a creierului
10 Durata gestației este lungă.
11 Dezvoltarea fetală este înceată.
12 Durata vieții prelungită
13 Pierderea unui incisiv și a unui premolar din rândul dinților

Mărturii fosile timpurii

Mărturiile fosile sunt neuniforme în cel mai mare grad, cu anumite momente și locuri bine repre-

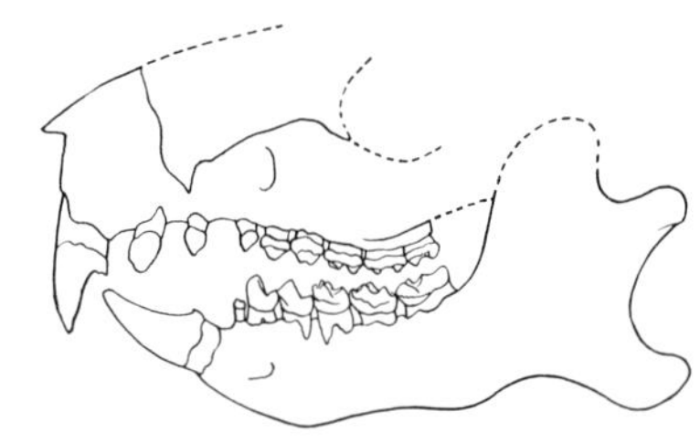

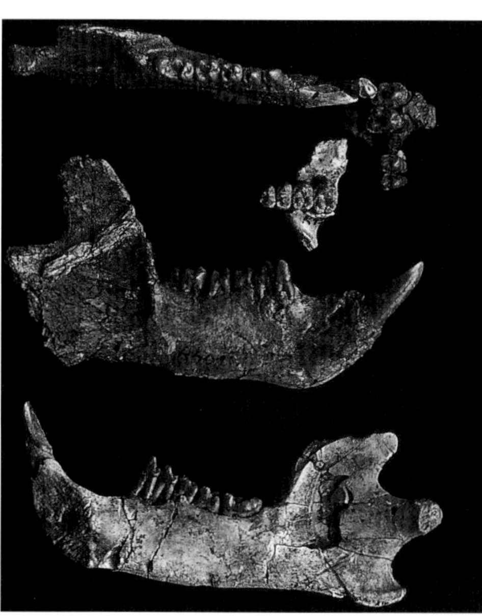

zentate și altele deloc. Astăzi sunt cel puțin 194 de specii de primate existente, iar numărul lor crește pe măsură ce subspeciile grupurilor sunt transformate în specii separate. Nici chiar în Miocen ele nu au atins o diversitate comparabilă cu cea de azi. În alte perioade și în părți întinse ale lumii, nu se cunosc deloc niciun fel de primate fosile și chiar acolo unde se cunosc, fosilele sunt de obicei foarte fragmentate.

Plesiadapiformele erau un grup paleocen de cel puțin 14 specii. Sunt adesea considerate ca aparținând primatelor, dar fosilele nu împărtășesc aproape niciunul din caracteristicile enumerate în tabelul de la pagina anterioară. Același lucru este valabil pentru celelalte specii paleocene și mai timpurii (cu 55 de mil. de ani în urmă), iar motivul pentru care au fost incluse în rândul celor dintâi primate este că pot avea creiere ușor mărite (punctul 9 din listă) și au dinți molari ca ai primatelor. În orice caz, ele împărtășesc aceste trăsături cu multe alte mamifere timpurii, iar dinții lor din față erau foarte specializați în tocarea vegetației.

Primele primate adevărate

În Eocen, în perioada cuprinsă între cu 55 și 35 de mil. de ani în urmă, au apărut primatele într-o formă oarecum asemănătoare cu cea de azi. Începutul acestui moment era o perioadă de încălzire climatică, cu condiții tropicale extinzându-se spre Europa nordică și sudul Angliei. Climatul cald va fi fost legat oarecum de originile primatelor, deși nu se știe exact în ce fel, iar câteva grupuri importante de primate par să se răspândească prin întreaga lume (excluzând Australia și Antarctica).

Grupul cel mai diferit de primate eocene este clasificat în familia Adapidae, cu două grupuri mai degrabă distincte în nordul Americii și Europa. Niciunul dintre acestea nu mai există astăzi, însă nici vreunele din rudeniile lor, dar toate caracterele de bază ale primatelor enumerate în listă sunt prezente la adapide. Se întâlnesc și la al doilea mare grup, tarsiformele, care pot fi înrudite cu lemurienii existenți în Asia Sud-Estică. Ambele grupuri s-au diversificat în același timp la începutul Eocenului, iar unele din primele fosile sunt cunoscute din China, alături de reprezentanții eoceni ai lemurienilor. Există și dovezi controversate legate de prezența primatelor mai evoluate în China din această perioadă. Este posibil ca tarsiformele să fie mai strâns înrudite cu maimuțele obișnuite și cu cele antropoide decât cu adapidele. Acest lucru este indicat de caracteristicile alveolelor ochilor, ale feței mai scurte a tarsiformelor și ale dimensiunilor creierului, care sunt legate de schimbarea comportamentului senzorial, de la accentul pus pe miros la accentul pus pe vedere. Acest fapt implică ideea că nu doar primatele ca grup, ci și primatele mai înalte (maimuțele obișnuite din America, maimuțele obișnuite și cele antropoide din Africa și Asia) s-au ivit în același timp, dar locul lor de baștină nu poate fi exact identificat în prezent.

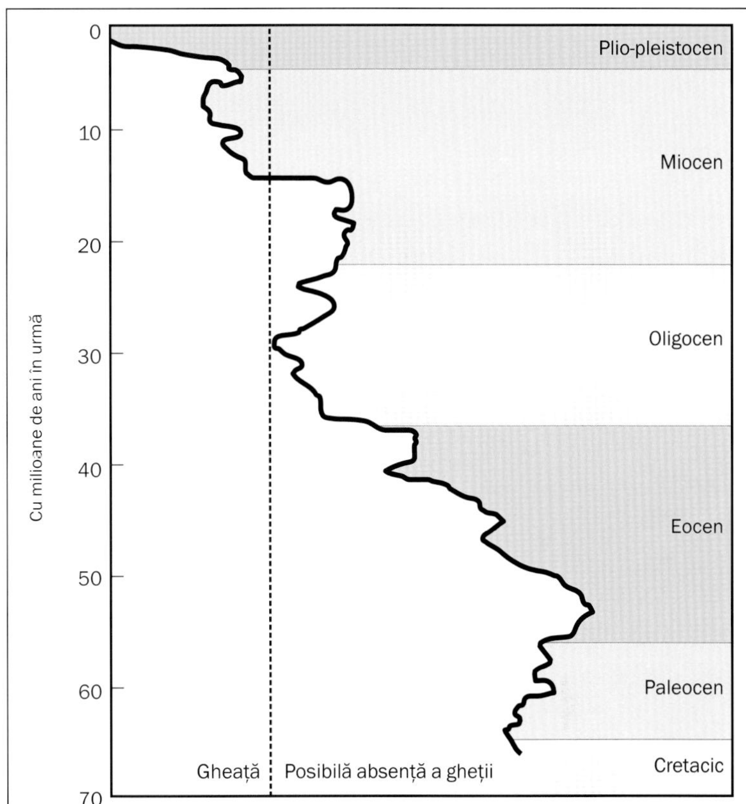

(Sus) Curba izotopului de oxigen, bazată pe studiul foraminiferelor de pe fundul oceanului. Acestea oferă o bună modalitate de determinare a temperaturii anuale globale medii, care poate fi observată scăzând mai mult sau mai puțin de la începutul Eocenului.

Atât adapidele, cât și tarsiformele erau animale zburătoare agile, ce se mișcau rapid printre crengi. Erau în primul rând insectivore și aproape în totalitate arboricole în obiceiurile lor, multe dintre ele fiind și nocturne. Se găsesc în exclusivitate în asociere cu habitatele păduroase, calde din Eocen, iar aceste păduri erau foarte asemănătoare cu pădurile tropicale de azi, mai ales în Africa. Spre sfârșitul Eocenului, temperaturile au scăzut, iar pădurile s-au restrâns, rezultând schimbări importante în fauna primatelor la sfârșitul Eocenului și în Oligocen.

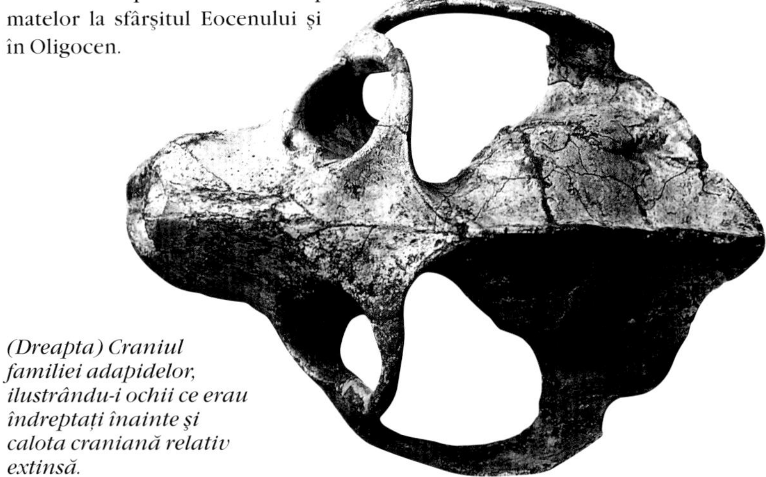

(Dreapta) Craniul familiei adapidelor, ilustrându-i ochii ce erau îndreptați înainte și calota craniană relativ extinsă.

Primii antropoizi

(Dreapta) O echipă de paleontologi caută fosile prin depresiunea Fayum din Egipt.

Am văzut cum s-au diversificat primele primate în timpul perioadei calde din Eocen. Ele trăiau în pădurile tropicale ce acopereau o foarte mare parte din cele două Americi, Eurasia și Africa. Răcirea climatică de la sfârșitul Eocenului, cu circa 40 de mil. de ani în urmă, a adus cu sine schimbări majore în rândul mamiferelor, mai ales ale primatelor, care au devenit mai puțin răspândite în această perioadă, iar adapidele și tarsiformele au fost aproape exterminate, ultimele supraviețuind în pădurile tropicale ale Asiei de Est. Oricum, în ultima parte a Eocenului a existat o proliferare a primatelor antropoide în Africa de Nord și există controverse cu privire la existența acestora în Birmania și Thailanda.

Fosilele din Fayum

Fauna de primate din Fayum, Egipt, era foarte bogată și ne oferă cea mai mare parte a cunoștințelor despre primatele din Eocenul Târziu și Oligocen. S-au găsit acolo cel puțin cinci specii de primate în cele mai vechi depuneri de la Fayum, antropoizi trăind cu cca 36 de mil. de ani în urmă. Aceștia erau încă foarte primitivi, dar puțin mai târziu existau deja opt specii de propliopiteci cu dinți ca ai maimuțelor antropoide, parapiteci cu dinți ca ai maimuțelor obișnuite, precum *Parapithecus* și *Qatrania,* și câteva specii de animale înrudite, ca *Afrotarsius* („Lemurianul african"), *Arsinoea* și, din Algeria, *Algeripithecus.* Aceste grupuri s-au extins în pădurile oligocene ale depresiunii Fayum, formând o faună bogată de primate care a dăinuit până acum cca 31 de milioane de ani.

Primatele fosile din Fayum au fost prima oară descoperite devreme în acest secol, de către Richard Markgraf, dar cercetările lui Elwyn Simons din ultimii 30 de ani au scos la iveală majoritatea eșantioanelor cunoscute azi. Există mai multe cariere producătoare de fosile în Fayum și, cu cât durează mai mult munca pe teren, cu atât mai multe fosile sunt descoperite

(Dreapta) Mandibula lui Oligopithecus savagei *din Eocenul Superior, din Fayum. Această specie și-a redus rândul de premolari la doi, fapt specific pentru catarrhine.*

Propliopitecii

Cele mai cunoscute fosile de la Fayum sunt cele două specii *Propliopithecus* similare maimuțelor antropoide: *P. haeckeli* și *P. zeuxis* (înainte *Aegyptopithecus).* Erau mici, cu dimensiuni de 2-6 kg, asemenea câinilor de mărime mică și mijlocie și, aidoma câinilor, aveau fețe mai degrabă alungite, cu canini lungi. Dinții lor erau ca ai maimuțelor antropoide, lucru ce a dus la încadrarea lor în

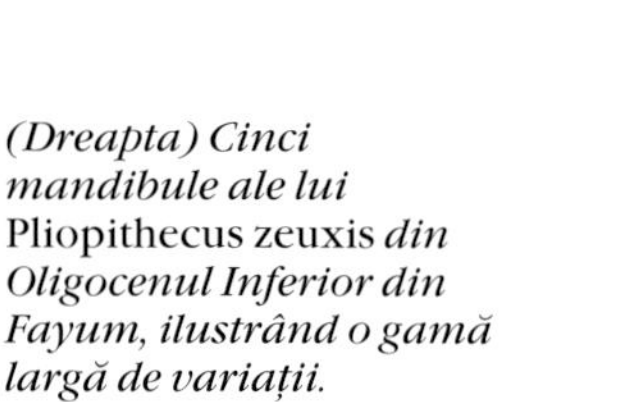

(Dreapta) Cinci mandibule ale lui Pliopithecus zeuxis *din Oligocenul Inferior din Fayum, ilustrând o gamă largă de variații.*

această categorie când au fost descoperite prima oară, dar se știe acum că dinții lor sunt primitivi. După cum se va observa mai târziu, acest fapt îngreunează identificarea maimuțelor antropoide doar pe baza dinților lor. Scheletele lor sunt distincte, cu oase mai degrabă robuste, mai ales antebrațele. Brațul superior era robust, cu o articulație a cotului adaptată pentru stabilitate și incapabilă de a fi întinsă în întregime (vezi pp. 88-89 pentru discuția despre importanța articulației cotului). Degetele mâinilor și ale picioarelor erau și ele viguroase și adaptate pentru apucarea lucrurilor, iar în ansamblu, anatomia sugerează cățărarea cva-

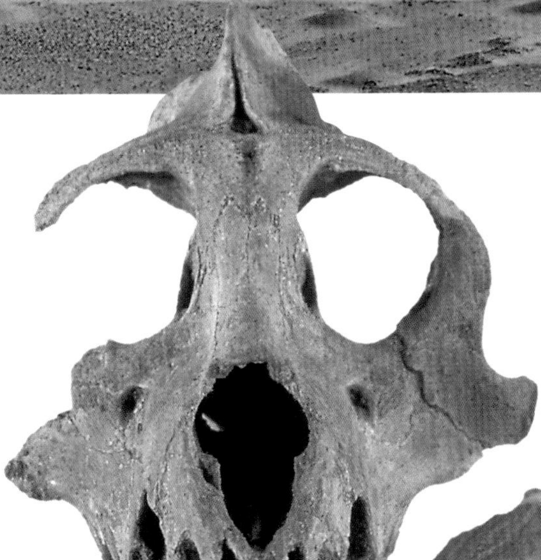

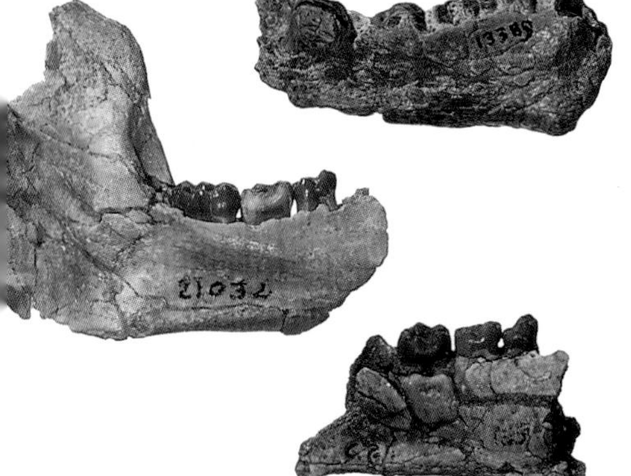

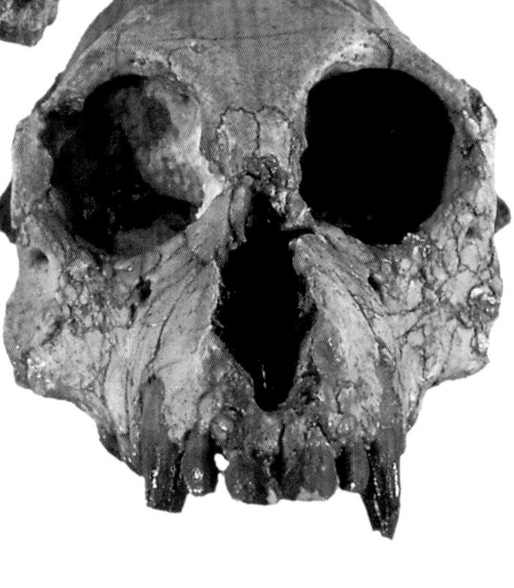

(Sus și dreapta) Două cranii de Propliopithecus zeuxis *din Oligocenul Inferior din depresiunea Fayum, probabil un mascul în partea stângă cu o creastă specifică, și o femelă în partea dreaptă.*

(Stânga) Reconstituirea lui Propliopithecus zeuxis. *Acest antropoid timpuriu era mai degrabă un cățărător prin copaci, bine făcut și probabil încet în mișcări, trăind în copacii pădurii tropicale, ilustrat ca fiind mediul probabil din Egipt la acea vreme.*

drupedă (cu patru picioare) înceată prin copaci ca principal mijloc de viețuire a acestor primate, probabil foarte asemănătoare maimuțelor urlătoare din pădurile tropicale ale Americii de Sud, din zilele noastre.

Adaptările craniului și ale dinților pliopitecilor ilustrează faptul că aveau un regim alimentar frugivor, probabil fructe relativ moi. Multe trunchiuri de copaci mari sunt găsite împreună cu fosilele, ilustrând că această zonă a fost acoperită de păduri înalte, probabil cu un climat tropical spre subtropical. Acest lucru mai este ilustrat și de fauna remarcabilă: pe lângă cele două specii de pliopiteci, existau mai multe specii de alte primate, mai ales parapitecizii în mare parte asemănători maimuțelor-veverițe existente în pădurile tropicale sud-americane și central-americane. Cea mai mare specie se apropia de 2 kg, greutatea mai-

(Dreapta) Bazându-se pe oasele postcraniene de Pliopithecus zeuxis, *acest primat avea o morfologie foarte similară cu cea a maimuței urlătoare prezentate aici (cu excepția cozii prehensile) și avea probabil o formă asemănătoare de locomoție.*

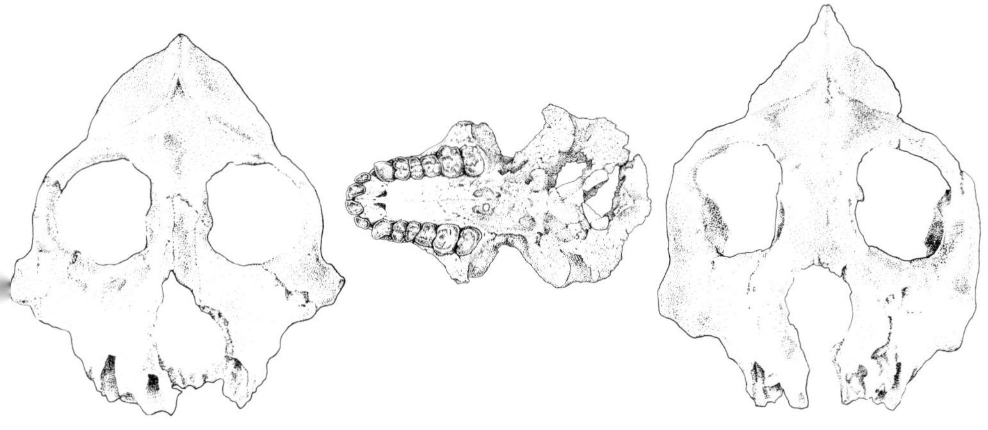

(Stânga) Trei desene ilustrând morfologia craniului de Propliopithecus Zeuxis.

muțelor capucine de astăzi. Dintre mamifere sunt de amintit hyraxes și proboscidieni înrudiți (familia elefanților), specia mare de *Arsinotherium* similară rinocerilor, șoareci uriași și rozătoare, precum și unele marsupiale. Sirenienii erau și ei prezenți, trăind în lagune, astfel încât peisajul tipic era cel al unei lagune situate în zone joase din apropierea mării, cu păduri de coastă și fluviale, toate într-un climat tropical cald.

Propliopitecii și probabil și parapitecii sunt înrudiți cu maimuțele obișnuite și cu cele antropoide și oferă cele mai solide dovezi pentru originea acestui grup. Acest fapt indică originea africană a grupului, din moment ce aceste dovezi provin numai din nordul Africii, Egipt și Oman (în Oligocen, Arabia făcea parte din continentul african). Spre deosebire de acesta, puținele fosile din Birmania prezintă relații ambigue. Legătura africană este continuată când primele maimuțe antropoide sunt luate în considerare, deoarece ele sunt cunoscute doar din Africa, deși este greu să distingem primele maimuțe obișnuite și antropoide. Fosile ca *Dendropithecus* („Maimuța antropoidă de copac"), *Limnopithecus* („Maimuța antropoidă de lac") și *Micropithecus* („Maimuța antropoidă mică") aparțin acestei categorii, și majoritatea antropologilor acceptă faptul că, deși sunt similare maimuțelor antropoide în privința craniului și a dinților, cum se întâmplă într-adevăr cu *Propliopithecus,* ele aparțin de fapt unei răspândiri considerabile a primatelor mici din Oligocen până în mijlocul Miocenului, durând aproape 24 de mil. de ani (cu 36-12 mil. de ani în urmă), dar fără să lase descendenți actuali.

(Jos) Habitatul de pădure tropical-umedă în care trăiau primatele de la Fayum a fost determinat asociindu-se fosilele animalelor descoperite aici cu resturile de vegetație, în special de copaci mari găsite în depozitele sedimentare-(perioada: Oligocen).

Maimuțele antropoide

Una dintre dificultățile identificării primelor maimuțe antropoide, ca să nu mai vorbim de descrierea lor, este că se deosebeau doar puțin de o întreagă gamă de primate asemănătoare lor ce trăiau în aceeași perioadă de timp. Cel mai simplu mod de a le deosebi este acela că maimuțele obișnuite au coadă, iar cele antropoide nu, dar absența unui lucru nu poate fi luată ca o trăsătură distinctivă pentru fosile. Capitolul despre tafonomie (pp. 46-49) arăta că procesul de conservare și fosilizare a rămășițelor animale este adesea unul distructiv, astfel că rar găsim schelete complete. Când este descoperit un schelet parțial, fără oase ale cozii, putem fi siguri că n-au existat acolo niciodată sau că, de fapt un oarecare animal înfometat le-a mâncat ori le-a îndepărtat de acolo? De exemplu, un savant a presupus că coada putea fi absentă la una din speciile de *Proconsul* („Înaintea lui Consul" – Consul era un bine-cunoscut cimpanzeu de la Grădina Zoologică din Londra) din insula Rusinga (vezi pp. 58-61): această ipoteză se bazează pe forma vertebrelor sacrale, care alcătuiesc extremitatea inferioară a șirei spinării și care sunt foarte mici la *Proconsul.* Pe de altă parte, s-a relatat recent că există câteva vertebre ale cozii asociate cu unele din scheletele de *Proconsul* descoperite curând pe insula Rusinga, ceea ce ar sugera că aveau într-adevăr o coadă. Dacă acest lucru s-ar dovedi adevărat, ar arunca bănuieli asupra afinităților acestei maimuțe antropoide cu acest grup.

Gorila femelă cu pui. Maimuțele antropoide se disting prin absența cozii.

În ciuda acestei dificultăți, principiul pe care s-a bazat întrebarea stă în picioare. Acest lucru se întâmplă fiindcă am examinat prima dată reprezentanții existenți ai unui grup pentru a observa ce trăsături comune împărtășesc și a exclude celelalte grupuri: maimuțelor antropoide le lipsește coada, alte primate au coadă, așadar lipsa cozii le identifică pe maimuțele antropoide. Ce facem noi în plus este să împărțim direcția cu procesul evoluționist, deoarece, studiind alte primate mai evoluate, și la mamifere în general, observăm că majoritatea au de asemenea coadă, și astfel, „prezența cozii" este o trăsătură generală a mamiferelor. Așadar, prezența cozii este o caracteristică străveche la maimuțele obișnuite și la cele antropoide, iar păstrarea ei la maimuțele obișnuite înseamnă păstrarea unei trăsături străvechi fără nicio importanță evolutivă; în orice caz, la maimuțele antropoide absența cozii este o noutate evoluționistă și este în mare măsură caracteristica grupului. De vreme ce tuturor maimuțelor antropoide existente (și oamenilor) le lipsește coada, se presupune că această stare era prezentă la ultimul strămoș comun al maimuțelor antropoide (și al oamenilor) și că și aceasta definește grupul, cunoscut drept suprafamilia Hominoidea.

Tema prezenței sau absenței unei cozi a fost utilizată în acest loc pentru a stabili un reper de procedură, dar situația nu este prea clară. Maimuțele antropoide actuale împărtășesc o varietate de caracteristici, de la similarități de comportament la puncte detaliate ale anatomiei lor, dar în mod evident acestea n-au apărut odată, astfel că există un soi de hibrid în care primatele fosile ce le erau într-adevăr strămoașe maimuțelor antropoide aveau unele dintre, dar nu toate, aceste trăsături. Speciilor fosile din acest hibrid li se dă un nume special, maimuțe antropoide originare, ceea ce implică faptul că sunt de fapt înrudite cu maimuțele antropoide și grupate în aceeași suprafamilie, Hominoidea, însă au doar puține caracteristici ale maimuței antropoide.

Importanța zonei cotului

S-a menționat în capitolul despre maimuțele antropoide actuale (pp. 16-19) că structura zonei cotului este un aspect important în evoluția spre om. Maimuțele antropoide (și oamenii) au brațe foarte mobile: dacă vă extindeți brațul drept înainte cu palma perfect întinsă, și vă răsuciți antebrațul, veți descoperi că-l puteți roti aproape până la 360 de grade, iar noi folosim această capacitate în diverse situații din viața noastră de zi cu zi. Ce putem noi face, uneori prin efort considerabil, maimuțele antropoide fac chiar mai rapid și mai ușor. Așadar, acesta este un caracter general specific maimuțelor antropoide și se bazează pe structura articulației cotului, în vreme ce articulația dintre humerus (braț) și radius și cubitus (antebraț) are funcție dublă; suprafața osului humerus unde se articulează cu osul radius este rotundă, astfel încât osul radius să se poată roti în jurul lui; partea osului humerus care se articulează cu osul cubitus alunecă foarte tare și este cutată, în așa fel încât osul cubitus să fie ținut în loc, ca și cum ar fi niște șine de tramvai, și se poate mișca doar într-o singură direcție. Astfel, osul humerus are o formă foarte caracteristică la maimuțele antropoide, tot așa ca extremitățile osului radius (rotunde) și ale osului cubitus (cutate), iar descoperirea acestor trăsături la fosile ar indica relația cu maimuțele antropoide existente, deoarece celelalte primate nu prezintă această combinație de caracteristici. Prezența acestui complex funcțional în regiunea cotului este cea care a dus la recunoașterea lui *Proconsul* ca humanoid, în timp ce primatele timpurii, similare maimuțelor antropoide ca *Propliopithecus* sau primatele de aceeași vârstă ca *Dendropithecus* sunt excluse, această caracteristică lipsindu-le amândurora.

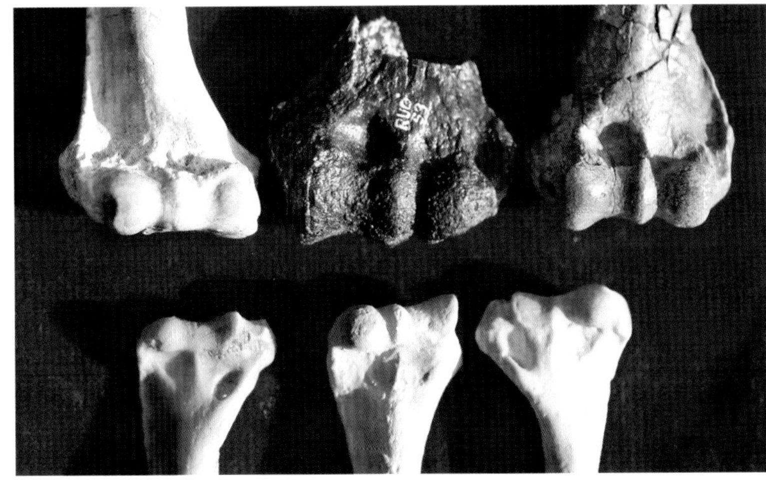

(Sus) Articulația cotului lui Propliopithecus *în comparație cu alți antropoizi fosili, ilustrând asemănarea dintre ele. În sensul acelor de ceasornic, de sus, din stânga:* Equatorius, Dryopithecus, Sivapithecus, Pliopithecus, Proconsul *și* Propliopithecus.

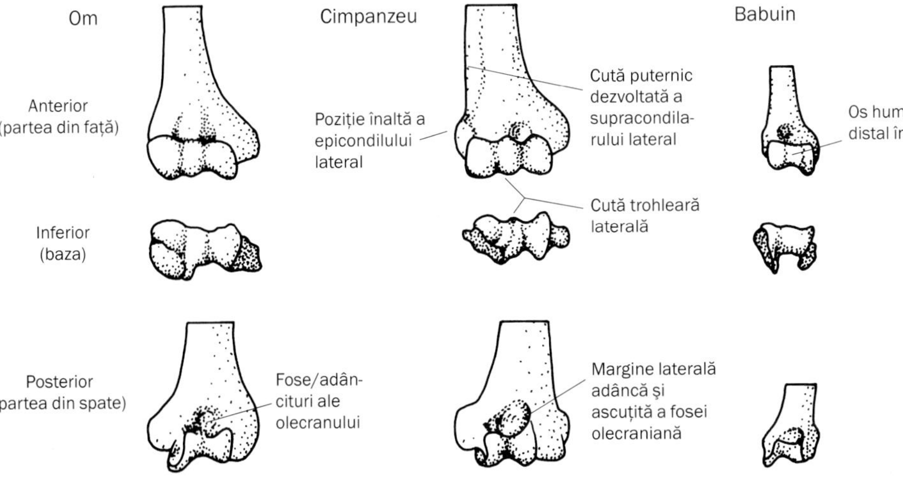

(Stânga) Compararea osului humerus la oameni (stânga), cu a cimpanzeilor (mijloc) și a babuinilor (dreapta).

(Jos, stânga) Oasele brațului lui Dendropithecus macinnesi. *Aceste oase sunt lungi și subțiri, indicând o formă de locomoției despre care se credea odată că ar fi asemănătoare cu a gibonilor.*

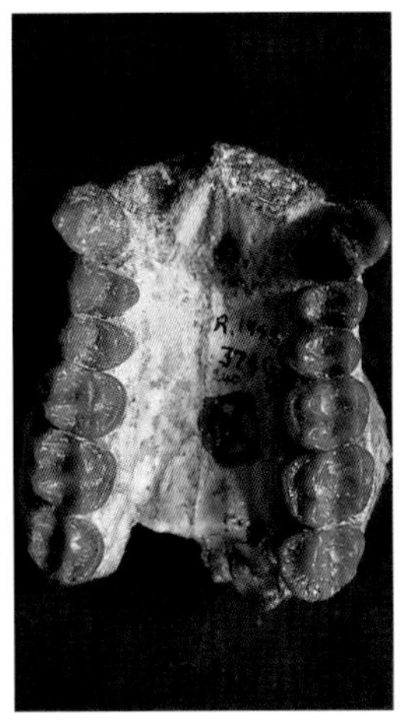

(Jos) Maxilarul lui Dendropithecus macinnesi.

Maimuțele antropoide ancestrale

Caninii superiori ai unui babuin au coroane lamelare lungi și sunt strânși în lateral, oferind un exemplu al mecanismului de ascuțire observat la Dendropithecus macinnesi. *Această stare este rară la maimuțele antropoide.*

Primele dovezi directe ale existenței maimuțelor antropoide se observă în structura articulației cotului la o formă fosilă din insula Rusinga, deja menționată de câteva ori (pp. 58-61). Câteva schelete parțiale ale speciei *Proconsul* includ cotul și toate au o morfologie asemănătoare maimuței antropoide, dar mai au și o mulțime de alte caracteristici ce nu sunt deloc similare maimuțelor antropoide, iar combinate cu problema prezenței sau absenței unei cozi, există totuși o îndoială în privința statutului acestor primate din Miocenul Timpuriu.

Pe lângă *Proconsul* și provenind din același loc și perioadă, a existat o răspândire remarcabilă a primatelor similare maimuțelor antropoide în perioada timpurie a Miocenului, cu aproape 20 de mil. de ani în urmă. Exista o specie asemănătoare ca mărime cu *Proconsul,* dar cu câteva caracteristici diferite. Aceasta era *Rangwapithecus gordoni,* cam de aceeași mărime cu *Proconsul africanus,* cunoscuți din aceleași situri din vestul Kenyei, mai ales din Songhor și Koru. Maxilarele și dinții săi indică o adaptare diferită față de *Proconsul* la tipul de hrană, fiindcă avea mai multe vârfuri ascuțite pe dinți și crestături mai mari, dezvoltate pentru a străpunge și a tăia hrană dură. Aceasta este o adaptare observată în mod obișnuit la mamiferele existente care mănâncă vegetație dură, și trebuie să taie bucăți frunzele pentru a elibera substanțele nutritive, cam așa cum fac astăzi gorilele. Pare probabil că *Rangwapithecus* („Maimuța antropoidă Rangwa") era un consumator de frunze, spre deosebire de *Proconsul*, care era adaptat pentru un regim alimentar bazat pe fructe moi, similar celui al cimpanzeilor actuali.

Un aspect interesant legat de regimul alimentar al acestor maimuțe antropoide fosile este că, prin comparație cu speciile existente, se observă un

(Stânga) Caninul superior al lui Dendropithecus macinnesi *este alungit și are formă lamelară/ascuțită, fin striat și comprimat lateral. În timpul vieții, acest dinte a fost cutat de al treilea premolar inferior, menținând o margine ascuțită pe suprafața distală. Maimuțelor antropoide fosile și actuale le lipsește acest mecanism de cutare.*

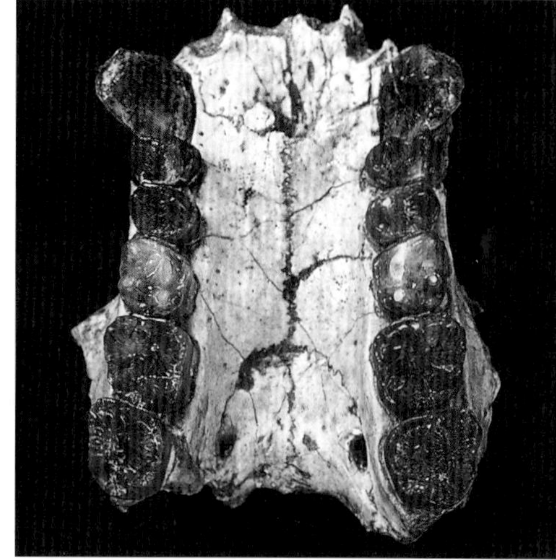

spectru diferit de adaptări. Când toate fosilele provenite din Eocen sunt luate împreună și comparate cu maimuțele obișnuite și cele antropoide, maimuțele din Miocen sunt transferate în jos, spre capătul frugivorelor din spectru. Nu există niciun fel de specii în Miocen care să prezinte adaptări pentru consumarea frunzelor ca oricare dintre maimuțele antropoide actuale și mult mai puține decât la maimuțele obișnuite consumatoare de frunze.

Maimuțele antropoide mici

Alte primate contemporane cu *Proconsul* erau ceea ce numim în mod obișnuit maimuțele antropoide mici de statură. Unele dintre acestea sunt asemănătoare cu *Proconsul*, exceptând dimensiunea lor mult mai mică, de exemplu *Limnopithecus legetet* și *Limnopithecus evansi*. Acestea erau primate mici, de mărimea lui *Propliopithecus* și cu morfologia maxilarelor și a dinților foarte similare, dar lipsindu-le caninii și premolarii foarte ascuțiți. Ele au și incisivi mai lați, dinții frontali utilizați pentru ruperea și masticarea fructelor, ca și atunci când, de exemplu, mâncăm un măr întreg. Erau alte două tipuri prezente în Miocenul Timpuriu care într-adevăr semănau cu *Propliopithecus* chiar în acest sens, adică *Micropithecus* și *Dendropithecus*, și foarte asemănători cu babuinii. Dinții lor din spate erau similari cu cei ai lui *Limnopithecus*, dar în plus aveau canini foarte ascuțiți, foarte asemănări cu babuinii. Babuinii sunt o pradă obișnuită pentru leoparzi peste tot în Africa, dar dacă un grup de masculi pregătesc un atac împotriva unui leopard, ei pot să-l sfâșie în bucăți. E posibil ca Dendropithecus să fi avut un comportament asemănător cu al babuinilor, cu sisteme sociale bine conturate, în grupuri cu mai mulți masculi și o ierarhie de dominare foarte puternică.

Majoritatea acestor maimuțe antropoide originare se cunosc numai de pe urma maxilarelor și a dinților, dar *Dendropithecus* mai are niște schelete parțiale de pe insula Rusinga. Rămășițele a patru indivizi au fost găsite de către Loius Leakey într-un sit unde nu s-au descoperit prea multe. S-au găsit atât membrele din față, cât și cele din spate, iar ele sunt foarte lungi și subțiri. Animalele care trăiesc la sol tind să aibă oase mai bine construite și mai robuste pentru a le susține greutatea, iar acest lucru poate fi adevărat și în cazul animalelor care locuiesc în copaci dacă se mișcă prin aceștia mai degrabă pe deasupra crengilor decât atârnând dedesubtul lor. Oasele subțiri, precum cele ale lui *Dendropithecus*, ar fi slab adaptate pentru sprijinirea greutății și e probabil că se deplasa suspendat pe sub crengi, așa cum o fac maimuțele antropoide actuale ca gibonii, care au oasele membrelor tot așa de lungi și subțiri. Această similitudine i-a condus pe pe unii savanți la concluzia că *Dendropithecus* era strămoșul gibonilor, însă de vreme ce-i lipsește oricare din caracteristicile distinctive ale maimuțelor antropoide, mai ales ale articulației cotului, pare mai probabil ca oasele subțiri ilustrează doar un stil de viață asemănător.

Reconstituirea lui Dendropithecus macinnesi *îl arată ca pe un gibon. Nu există niciun indiciu că se deplasa prin brahiere ca gibonii, nici că arăta măcar aidoma gibonilor, după cum este ilustrat în această imagine, dar este evident din morfologia sa că avea membre subțiri lungi, potrivite pentru brahiere.*

Speciile discutate până acum sunt toate cunoscute din perioada timpurie a Miocenului, cu aproape 18-20 de mil. de ani în urmă. „Maimuțele antropoide de statură mică" apar mai târziu în timp, și o deosebită importanță prezintă *Simiolus* („Maimuța antropoidă mică") dintr-un sit din nordul Kenyei numit Kalodirr, fiindcă este similar din punctul de vedere al adaptărilor cu *Dendropithecus*, dar cu 1-2 mil. de ani mai târziu. Mai multe dintre aceste specii mici care au apărut după aceea s-au schimbat, dar foarte puțin față de *Dendropithecus*, cele mai cunoscute dintre ele fiind *Pliopithecus* („Maimuța antropoidă primitivă") din vestul Europei, *Anapithecus* din estul Europei și *Laccopithecus* din China.

(Pagina alăturată) Maxilarul lui Rangwapithecus gordoni, *o specie înrudită cu* Proconsul, *dar diferită de el prin faptul că are vârfuri mai ascuțite pe molari, arătând că mânca frunze, spre deosebire de specia frugivoră* Proconsul.

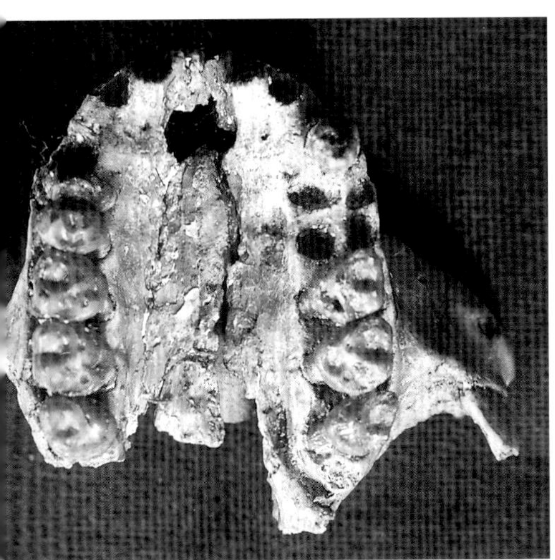

(Stânga) Maxilarul lui Micropithecus bishopi, *o specie mică, probabil înrudită cu* Dendropithecus macinnesi.

Proconsul și contemporanii săi

(Stânga) Craniul parțial al uneia dintre primele specii humanoide încă nenumită. Provine dintr-un sit din regiunea Koru din Kenya, numit Podul Meswa.

(Dreapta) Paleontologi în căutarea fosilelor pe insula Rusinga.

Cea dintâi fosilă atribuită suprafamiliei Hominoidea este *Kamoyapithecus hamiltoni* („Maimuța antropoidă Kamoya" - numită în cinstea vânătorului de fosile Kamoya Kimeu) din nordul Kenyei. Nu a fost bine datată, dar pe baza informațiilor radiometrice și a animalelor asociate cu ea, pare să fie de vârstă oligocenă, având cam 26-24 milioane de ani vechime. Există puține fragmente de maxilare cunoscute până acum, și a fost identificată ca humanoidă numai pe baza asemănărilor prezentate de dinții săi, însă din moment ce acestea sunt similare majorității celorlaltor primate mari care trăiau în aceeași perioadă, incluzându-l pe *Proconsul,* nu sunt foarte caracteristice. Același lucru este valabil și pentru materialele complexe dintr-un sit numit Podul Meswa din vestul Kenyei, vechi de 22 de milioane de ani; acestea i-au fost atribuite lui *Proconsul*, dar, în ambele cazuri, identificările au fost făcute pe baza caracteristicilor primitive comune cu acesta, și deci nu sunt demne de încredere.

Primele dovezi valide pentru *Proconsul* provin de la un grup de fosile din siturile kenyene vestice, toate având între 18 și 20 de mil. de ani vechime. Unul dintre acestea este insula Rusinga, unde s-au descoperit speciile *P. heseloni* și *P. nyanzae* (cu o greutate a corpului de 11 kg, respectiv 36, bazată pe evaluările făcute pe 18 indivizi), dar alte situri

notabile sunt Songhor și Koru, de unde se cunosc două specii, *P. major* și *P. africanus* (cel din urmă cam de 11 kg, dar primul atingând până la 76 kg, dimensiunile fiind stabilite în urma studierii a trei indivizi). *P. africanus* a fost prima specie descoperită și numită astfel de A.T. Hopwood de la Muzeul de Istorie Naturală din Londra în 1933.

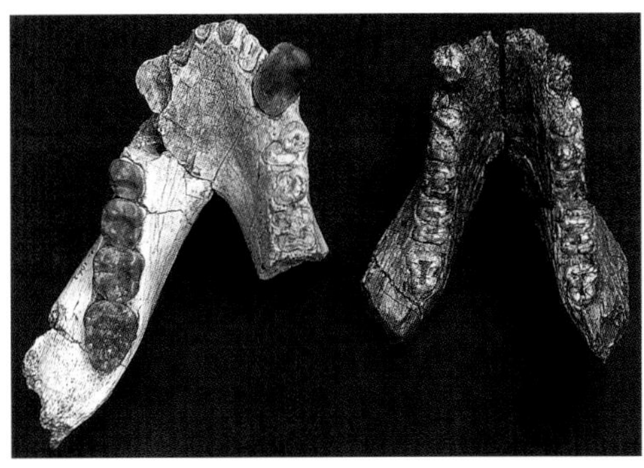

(Dreapta) Două mandibule provenite de la Proconsul major *din Songhor. Cea din partea dreaptă și-a pierdut majoritatea dinților, dar, judecând după mărimea rădăcinilor și dimensiunile maxilarului, provenea de la o femelă, în timp ce mandibula mai mare din partea stângă era a unui mascul.*

Trăsături de maimuță la specia Proconsul

Din păcate, există doar un craniu de *Proconsul* cunoscut, iar acesta a fost găsit în 1948 de Mary Leakey pe insula Rusinga. Acest craniu seamănă foarte mult cu al unei maimuțe obișnuite, având un nas îngust, o față ușor alungită, arcade destul de proeminente și un bot scurt. Acest craniu provine probabil de la o femelă, iar masculii erau probabil mai mari. Aceste ipoteze se bazează în mare parte pe dimensiunea dinților; la speciile mai mici de *Proconsul,* masculii erau de 1,3 ori mai mari decât femelele, lucru egal cu diferența de mărime dintre masculii și femelele de cimpanzeu. Pentru *P. major,* acest raport este mai mare și se aseamănă mai mult cu diferența dintre masculii și femelele de gorilă.

Acum se știe că *Proconsul* a avut un trunchi asemănător maimuței obișnuite, care era adâncit și

(Jos) Specimenul tipic de Proconsul heseloni, *craniul din 1948 găsit de echipa lui Leakey pe insula Rusinga.*

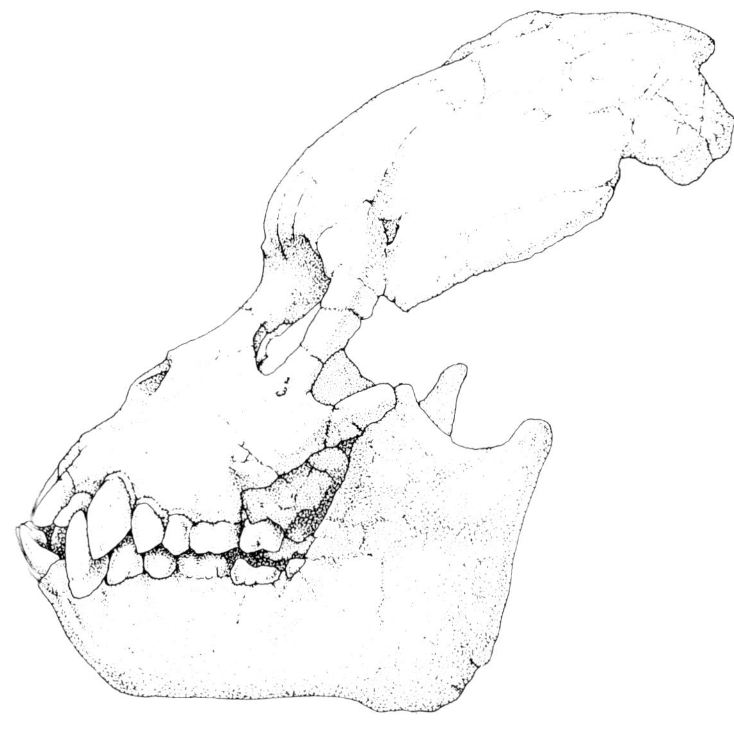

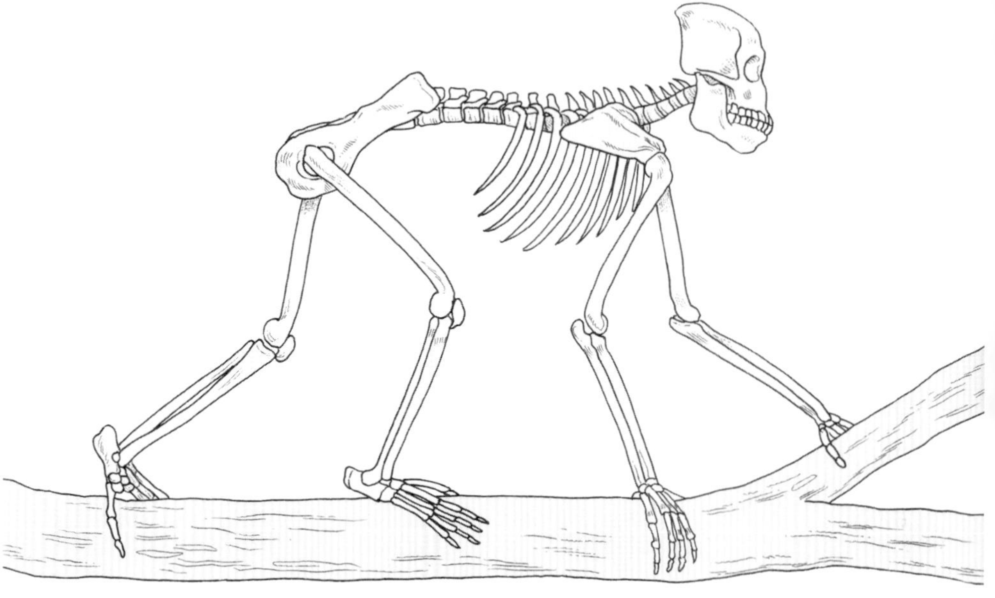

Reconstituirea scheletului de Proconsul heseloni. *Majoritatea oaselor scheletului sunt cunoscute la această specie.*

îngust, aidoma celui al pisicilor şi al câinilor şi al altor animale patrupede. Acest fapt contrastează cu trunchiul maimuţelor antropoide actuale, la care pieptul este mai lat şi mai scurt, ca la oameni. Spatele era lung la *Proconsul*, mai ales partea inferioară (regiunea lombară cu şase vertebre lombare), articulaţia umărului era îndreptată mai degrabă spre spate (decât lateral ca la maimuţele antropoide actuale), iar omoplaţii lui *Proconsul* (oasele umărului) erau mai curând pe o parte a corpului decât pe spate, ca la maimuţele antropoide. Toate aceste caracteristici ilustrează faptul că *Proconsul* se mişca pe toate cele patru membre în poziţie aplecată.

Picioarele din spate, labele piciorului şi braţele

Picioarele din spate ale lui *Proconsul* confirmă faptul că era adaptat pentru o gamă restrânsă de mişcări, mai ales pentru susţinerea greutăţii în timpul locomoţiei patrupede şi al căţărării. Epifiza femurului, unde se articulează cu osul şoldului, nu era rotunjită ca la maimuţele antropoide, ci era extinsă lateral, lucru ce limitează mişcarea din regiunea şoldului la una mai degrabă faţă-spate decât lateral, ca la maimuţele antropoide actuale. Pe de altă parte, nu era atât de limitată în acest sens ca la maimuţele obişnuite, astfel că, sub acest aspect, *Proconsul* se situa între maimuţele obişnuite şi cele antropoide.

Piciorul lui *Proconsul* era puternic şi putea să apuce cu el, având un deget mare opozabil şi muşchi de prindere solizi, ca şi maimuţele antropoide de azi, astfel că ar fi fost capabil să se agaţe de crengi atât cu picioarele, cât şi cu mâinile. Toate acestea se adaugă la faptul că *Proconsul* era un căţărător activ prin copaci. Se poate ca unele din aceste caracteristici să fi fost precursoarele adaptării primare observate la maimuţele antropoide de azi, a locomoţiei prin brahiere. Acest lucru va fi discutat ulterior în relaţie cu *Dryopithecus* şi *Oreopithecus* (p. 110-113).

Un aspect interesant al braţelor lui *Proconsul* este că sunt proporţionate asemănător cu mâinile umane. Braţele maimuţelor antropoide actuale sunt foarte alungite, iar degetul arătător e scurt,

Patru dintre oasele membrelor aparţinând scheletului original al lui Proconsul heseloni, *găsit pe insula Rusinga în 1951. Sunt două fragmente de humerus, un os cubitus distal (jos, stânga) şi un os radius aproape complet în partea de sus.*

Reconstituirea corpului lui Proconsul heseloni. *Această imagine îl înfățișează ca pe un cățărător activ pe deasupra crengilor copacilor, deplasându-se pe toate patru membrele, care sunt egale ca lungime, dar probabil nu putea sări din copac în copac, așa cum fac unele maimuțe de astăzi. Din moment ce există unele dovezi că trăia în medii cu climă sezonieră, probabil va fi coborât pe pământ când umbla dintr-un copac în altul sau trecea dintr-o pădure în alta.*

astfel încât atunci când un cimpanzeu încearcă să ridice un obiect mic, trebuie să țină obiectul mai curând între degetul arătător și partea laterală a mâinii decât între vârfurile degetelor, așa cum o facem noi. *Proconsul* avea dimensiunile „palmelor" similare cu ale mâinii umane, iar articulația degetului arătător era și ea aidoma celei prezente la mâna umană.

În acest stadiu nu se poate spune cu siguranță dacă *Proconsul* era sau nu o maimuță antropoidă. Ceea ce se poate spune este că, dacă se identifică drept o maimuță antropoidă, este cu siguranță cel mai primitiv membru al suprafamiliei, iar în înfățișarea și comportamentul său de ansamblu avea puține în comun cu oricare dintre maimuțele antropoide actuale. Trăia în mai multe medii, în pădurea tropicală în unele situri, mai ales *Proconsul major* și *Proconsul africanus* la Songhor, în vreme ce unele situri de pe insula Rusinga ilustrează medii mai uscate, cu mai multe anotimpuri.

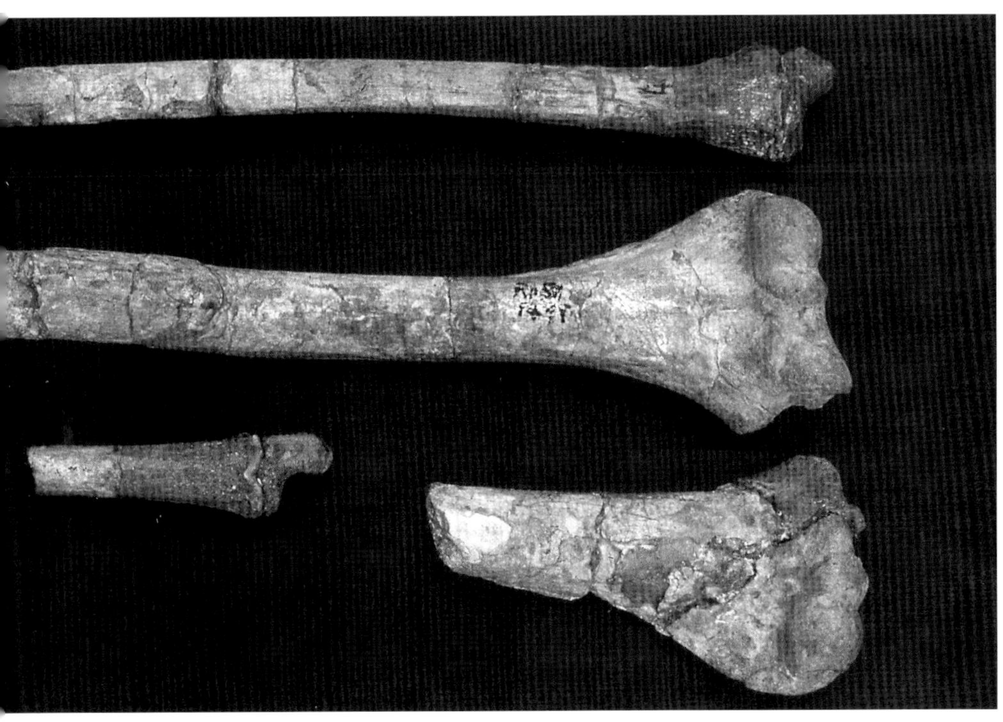

Maimuțele africane din Miocenul Mijlociu

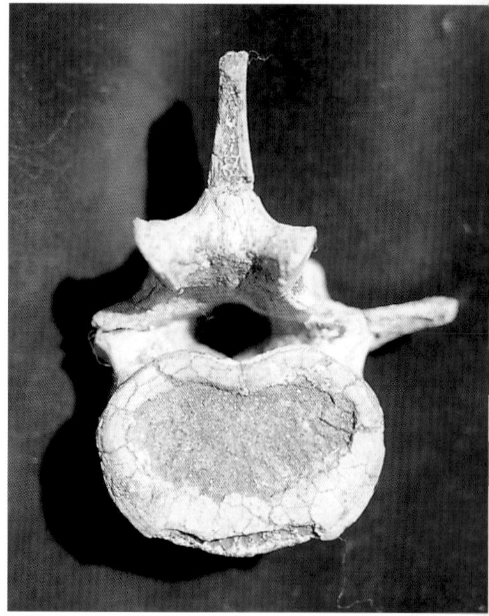

(Dreapta) Această vertebră lombară a lui Morotopithecus bishopi *este în unele privințe asemănătoare cu cea a maimuțelor antropoide actuale. Este mai dezvoltată decât la alte maimuțe antropoide din perioada miocenă timpurie, cum ar fi* Proconsul.

(Jos) Craniul lui Afropithecus. *Creasta de-a lungul părții superioare a craniului, numită creastă sagitală, servea la inserția mușchilor mari ai maxilarelor, ce trebuiau să susțină dinți măriți, mai ales incisivi și premolari.*

Două grupe de maimuțe antropoide fosile sunt cunoscute ca datând de acum 17-15 mil. de ani în Africa. Una dintre acestea este încă foarte asemănătoare cu *Proconsul*, un schelet parțial din nordul Kenyei descris recent, *Nacholapithecus kerioi*. Este asemănător și unui alt schelet parțial recent descris din aceeași parte a Kenyei, *Equatorius africanus*, și împreună pot aparține aceluiași grup *Afropithecus* („maimuța antropoidă africană"), ce apare mai frecvent, 2 mil. de ani mai târziu, la Kalodirr, în nordul Kenyei. Acest sit a fost deja menționat ca locul de descoperire a lui *Simiolus*, iar o a treia specie e cunoscută din același sit, *Turkanapithecus* („maimuța antropoidă din Turkana"), toate datând de acum cca 17 mil. de ani.

Afropithecus și Morotopithecus

Craniul lui *Afropithecus* constituie unul din eșantioanele desăvârșite ale maimuței antropoide care se cunosc, cu o față și un maxilar complete și cu partea frontală a craniului arătând mai degrabă ca ale gorilei și având aproximativ aceeași dimensiune ca ale unei gorile mici. Craniul avea o față foarte lungă și ieșită în afară, ca la maimuțele antropoide moderne, dar formele nasului și ale ochilor săi erau total diferite, fiind mai înguste decât la maimuțele antropoide actuale. Avea dinții din față mari, iar osul în care sunt implantați incisivii, premaxilarul, era și el foarte lung și proeminent. Toate acestea, împreună cu smalțul dens de pe dinți, sugerează că *Afropithecus* era adaptat la un regim alimentar foarte dur, ce necesita dinți mari și robuști, protejați de un smalț dens.

Sunt cunoscute alte specii asemănătoare cu *Afropithecus*, atât în Kenya, cât și în Uganda. Una dintre acestea a fost descrisă în 1996 sub numele de *Morotopithecus bishopi*. Acesta provine din sedimente puțin mai vechi din Uganda, dar este luat aici împreună cu *Afropithecus*, fiindcă are adaptări similare ale craniului și ale dinților. Asemenea lui *Afropithecus*, *Morotopithecus* („maimuța antropoidă Moroto") are dinții din față și premolarii foarte mari și pare să fie adaptat pentru un regim alimentar cu hrană foarte dură. E de asemenea remarcabil faptul că are o parte din coloana vertebrală similară celei a maimuțelor antropoide de azi și diferită de a maimuțelor obișnuite.

Kenyapithecus wickeri

Equatorius și *Nacholapithecus* menționați mai sus apar cu 2 mil. de ani mai târziu decât afropitecii și sunt considerați de unii ca fiind derivați din acest grup. Ei păstrează multe din caracteristicile primitive pe care le au în comun cu *Proconsul*, dar dovezile sunt încă insuficiente pentru a fi siguri de relațiile dintre ei. Mai există controverse în privința relației lor cu o maimuță antropoidă fosilă

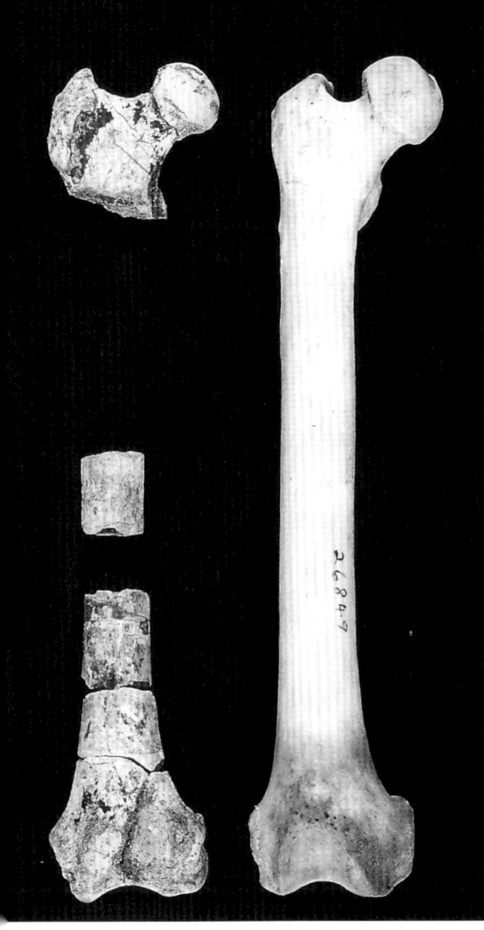

(Stânga) Rămășițele fragmentare ale femurului unui Morotopithecus bishopi, *comparate cu femurul unui cimpanzeu.*

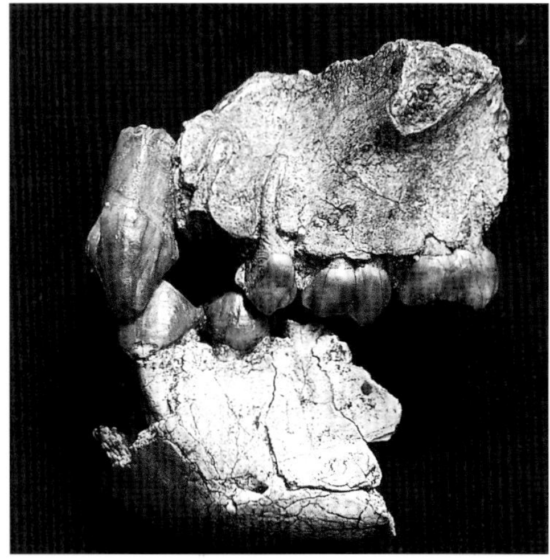

(Dreapta) Maxilarul și mandibula lui Kenyapithecus wickeri. *Asocierea acestor specimene a aruncat o nouă lumină asupra interpretării semnificației filogenetice a acestei specii, despre care s-a crezut înainte că era strămoașa oamenilor.*

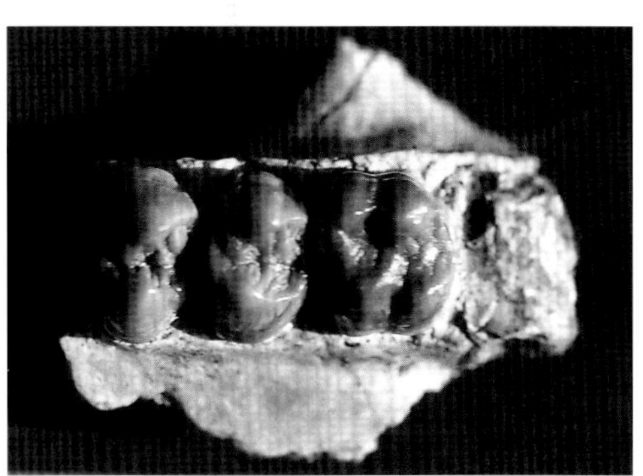

(Dreapta) Specimen de Equatorius africanus, *descris prima dată după un exemplar provenit, se părea atunci, din insula Rusinga. Analiza a ilustrat că era mai vechi decât sedimentele de la Rusinga, iar acum se crede că este originar din insula Maboko.*

târzie, *Kenyapithecus wickeri* (maimuță antropoidă kenyană descoperită de Fred Wicker), însă de vreme ce le lipseau caracteristicile-cheie (sinamorfiile) prezente la *Kenyapithecus*, aceste controverse nu își au rostul. Louis Leakey a numit această specie în 1962, într-un moment în care Elwyn Simons dorea să demonstreze afinitățile unei maimuțe antropoide asiatice numite *Ramapithecus* („maimuța antropoidă a lui Rama", după zeul indian) cu strămoșii omului. S-a dezvoltat un soi de competiție între Leakey și Simons, fiecare sperând să găsească un strămoș uman mai timpuriu decât celălalt.

Studentul cel mai eminent al lui Simons a fost David Pilbeam. Împreună au revoluționat studiul maimuțelor antropoide fosile, cele mai influente lucrări scrise vreodată despre acest subiect fiind probabil cele din 1965. Simons și Pilbeam l-au atribuit pe *Kenyapithecus wickeri* speciei lor asiatice, *Ramapithecus punjabicus*. În acele vremuri se credea că *Ramapithecus* era un înaintaș al hominizilor (un punct de vedere luat acum în considerare cu prudență, vezi p. 106), iar *Kenyapithecus wickeri* era și el foarte asemănător omului, cu dinți mari acoperiți cu un strat dens de smalț, astfel încât coroana părea rotundă și netedă, mai degrabă ca dinții umani și nu precum cei ai maimuțelor antropoide. În plus, maxilarele erau foarte viguroase, dinții din față păreau mici, iar fața părea scurtă, iarăși alte asemănări cu oamenii. Pe de altă parte, mandibula aducea mai mult cu a maimuțelor antropoide, mai ales prezența unui suport masiv ca o scoică peste partea frontală, unde cele două maxilare se întâlneau. Folosind aceste dovezi împreună cu deja cunoscutele maxilare, fața putea

(Jos) Reconstituirea feței inferioare a lui Kenapithecus wickeri, bazată pe mandibula și *maxilarul ilustrate mai sus. Este foarte diferită de fețele mai alungite ale maimuțelor antropoide actuale.*

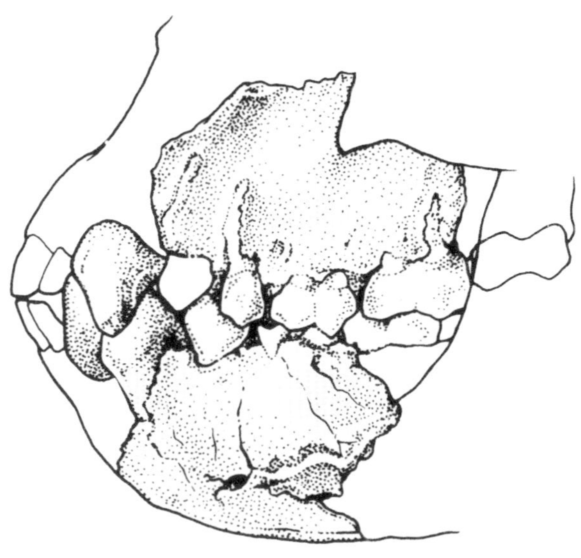

Fort Ternan, Kenya, (sus) săpăturile din 1974 din spatele şanţului realizat în săpăturile anterioare, de Louis Leakey. A fost decupată o platformă din deal (dreapta) în spatele şanţului, spre a alege bucata de teren purtătoare de fosile.

fi apoi reconstituită, lucru ce arăta că era de fapt asemănătoare maimuţelor antropoide în privinţa tuturor caracteristicilor.

Mai există un singur os al membrelor provenit din Fort Ternan, Kenya, osul braţului superior sau humerus, iar acesta îi aparţine lui *Kenyapithecus wickeri*. Se aseamănă foarte mult cu fosilele din Maboko, demonstrând că maimuţa antropoidă găsită la Fort Ternan trăia şi ea parţial pe pământ, mişcându-se pe toate patru membrele. Niciuna dintre aceste maimuţe antropoide n-ar fi trăit în permanenţă la sol mai mult decât oricare din maimuţele antropoide de azi (cu excepţia gorilelor de munte), dar e probabil ca ele să se fi deplasat pe sol dintr-un teritoriu într-altul, din moment ce nu trăiau în pădurea tropicală cu copaci denşi, ci într-un ţinut păduros amestecat cu savană, unde speciilor cu corpul mare le-ar fi fost dificil să se mute dintr-un copac într-altul.

Pe lângă Fort Ternan, există alte câteva situri în Kenya ce pot oferi dovezi suplimentare despre *Kenyapithecus*, însă din păcate acestea n-au fost încă publicate în mod adecvat. Mai există o fosilă interesantă, provenind din sudul Africii, singura maimuţă antropoidă africană din Miocen cunoscută dincolo de graniţele Africii de Est. Aceasta este *Otavipithecus namibiensis* (maimuţa antropoidă din Otavi, Namibia), care pare să aibă afinităţi cu *Afropithecus*. Întrebarea cu privire la aceste noi fosile este dacă ele se vor dovedi că sunt de *Kenyapithecus* sau de *Equatorius* sau, cu alte cuvinte, au ele caracteristici dezvoltate, ca prima specie, ori primitive, ca ultima.

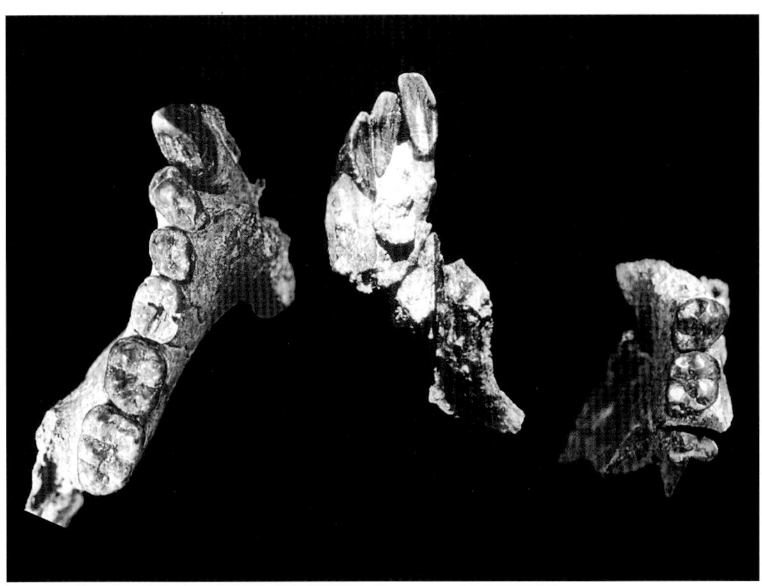

(Sus) Eşantioanele recent descrise ale lui Equatorius africanus *din Kipsaramon, Kenya.*

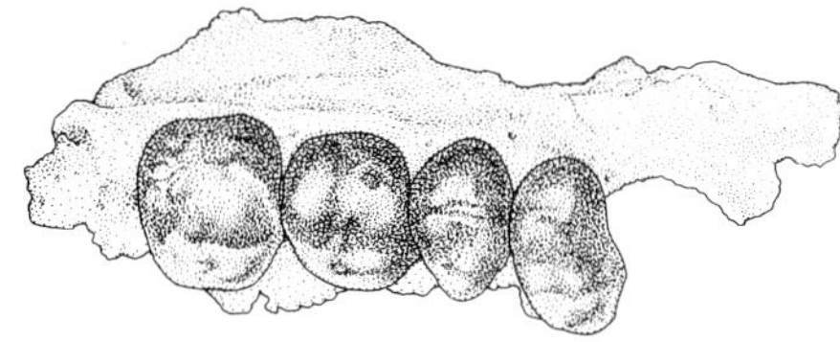

(Stânga) Fragment de maxilar al Heliopithecus leakeyi, *o maimuţă antropoidă fosilă din Ad Dabtiyah, Arabia Saudită. Este asemănătoare cu* Afropithecus.

(Dreapta) Reconstituirea unui Heliopithecus leakeyi. *Se cunosc puţine lucruri despre mediul Arabiei Saudite din Miocenul Timpuriu, dar, potrivit indiciilor era împădurit.*

Plecarea din Africa

Până în acest moment, toate maimuțele antropoide fosile descrise au provenit exclusiv din Africa. La sfârșitul Eocenului, temperaturile pe glob au scăzut (vezi p. 83), iar pădurile tropicale din America de Nord și Eurasia s-au retras. Drept urmare, primatele au dispărut aproape complet din aceste continente nordice până la sfârșitul Oligocenului și Miocenului Inferior. În mare parte a acestei perioade, Africa a fost complet izolată de Europa și Asia, dar, datorită deplasării continentelor, Africa se deplasa spre nord și a luat prima dată contact cu Europa în Oligocenul Superior spre Miocenul Inferior. Există dovezi că acum 20 de mil. de ani exista o legătură pe uscat ce separa Golful Arabiei de Marea Mediterană estică: cândva, aceste două mări făceau parte dintr-o mare mai vastă numită Marea Tethys, care se întindea între Africa și

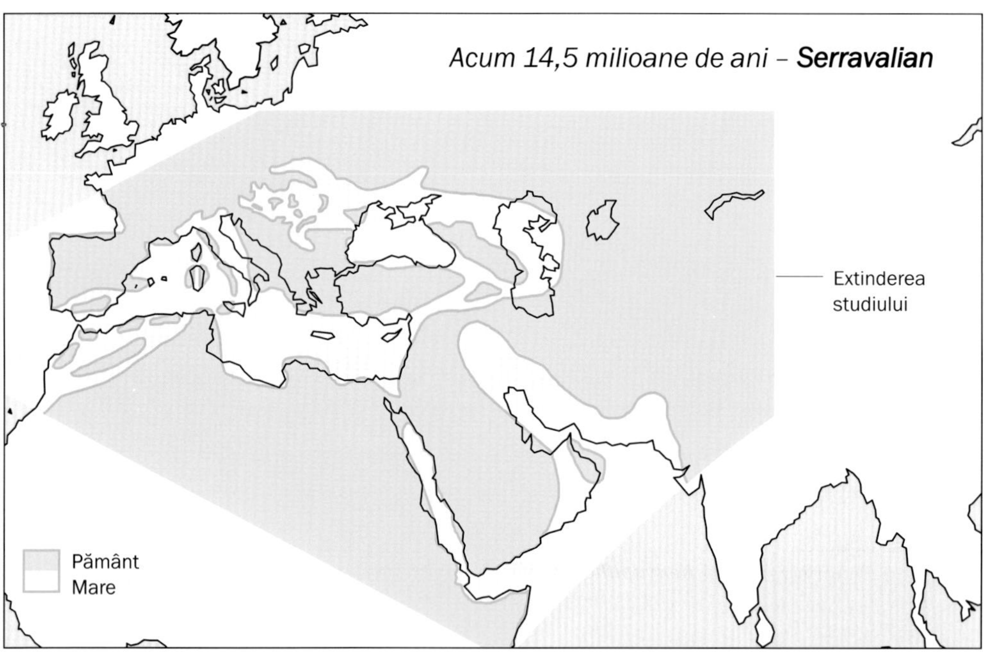

Trei stadii din procesul de alipire a continentului african la Eurasia. N-a fost prezent niciun contact în Aquitanian acum 21-23 de milioane de ani; a existat un contact restrâns în Burdigalianul Superior acum 17-18 milioane de ani, de-a lungul căruia au migrat unele grupuri de mamifere, cum ar fi Dionysopithecus, *dar nu se găsește niciun hominid în această fază; iar un contact mai strâns s-a realizat acum vreo 14-15 milioane de ani, în timpul Serravalianului, care este perioada primei apariții a maimuțelor antropoide în Europa.*

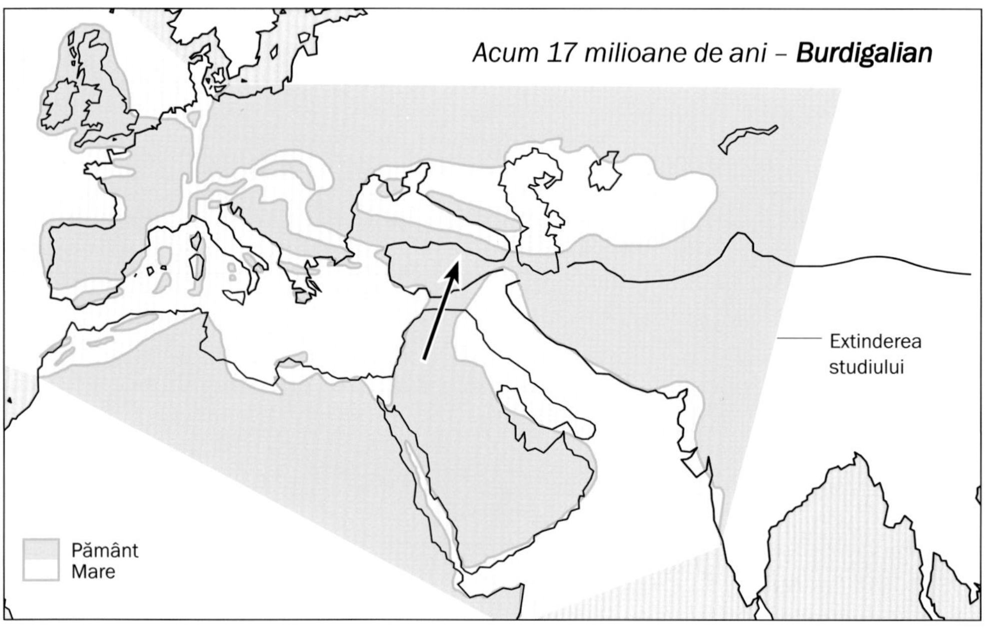

Europa. Această perioadă coincide cu emigrarea proboscidienilor (elefanților) din Africa în Europa și Asia și a mai fost probabil momentul când *Dionysopithecus* („maimuța antropoidă, Dionysos), o maimuță antropoidă mică, foarte asemănătoare cu *Micropithecus*, s-a mutat din Africa în Asia. E cunoscută din locuri diferite ale Chinei și ale Vietnamului, de acum 17 mil. de ani.

Griphopithecus

Cu circa 14,5 mil. de ani în urmă, izolarea geografică a Africii s-a încheiat, iar maimuțele antropoide fosile apar în Europa. În această vreme, legătura pe uscat era mai spre est, legând Africa de Orientul Mijlociu, și existau migrații importante ale rozătoarelor (șoareci și șobolani), bovidelor (antilopele) și primatelor. Cele dintâi maimuțe antropoide fosile cunoscute în Eurasia provin din Europa Centrală și Estică. Un singur dinte îi este atribuit lui *Griphopithecus* din sudul Germaniei și puțin mai târziu e datat materialul din Republica Cehă și Turcia. În același timp, un alt grup de primate similare maimuței antropoide apare în Europa Centrală, pliopitecii, un grup foarte primitiv, cu origine necunoscută. Ne vom ocupa de *Griphopithecus*, pentru care există din Turcia destule mostre, de la Pașalar și Candir.

Griphopithecus de la Pașalar a fost inițial identificat dintr-o colecție restrânsă de dinți realizată de Heinz Tobien în 1970. De atunci s-au descoperit aproape 2.000 de eșantioane, incluzând 15 maxilare și mandibule și 17 oase ale brațelor și picioarelor, dar până acum, cel mai obișnuit element continuă să fie dinții. După cum s-a descris mai devreme, acest fapt se datorează factorilor tafonomici distructivi activi din acest sit. E puțin probabil ca un craniu sau un schelet aproape întreg să fie găsit vreodată la Pașalar, dar sunt destule informații acum pentru a oferi o idee despre cum arăta *Griphopithecus*. Mandibula lui *Griphopithecus* este foarte viguroasă, precum cea a fosilelor kenyene, iar partea frontală a mandibulei este asemănătoare, având un suport imens, dar maxilarele sunt mai puțin solide.

Molarii lui *Griphopithecus* sunt aproape identici cu cei ai lui *Kenyapithecus wickeri*, astfel că atunci când a fost descrisă prima dată colecția lui Tobien, a fost de fapt atribuită speciilor africane. Se apreciază acum că ele seamănă mai mult cu *Equatorius africanus*, menționat mai sus (p. 97). Dinții anteriori, incisivii, caninii și premolarii sunt și ei similari cu cei ai lui *Equatorius*, dar există o a doua specie diferită la Pașalar. Aceasta are un set de caracteristici ale dinților anteriori care sunt recunoscute drept caracteristici derivate, împărtășite cu *Kenyapithecus*, ducând la excluderea trăsăturilor primitive avute în comun cu *Equatorius* și *Griphopithecus alpani*. Există astfel dovezi concludente ale relației dintre noile specii de la Pașalar și *Kenyapithecus*, atât de multe încât acestea sunt așezate în același gen.

Unul din marile avantaje de a avea acces la o co-

(Stânga) Doi incisivi de la Pașalar, Turcia, ilustrând exemple a două morfologii de hominid fosil prezente în sit. În partea dreaptă se află Griphopithecus alpani, *o specie primitivă, dar cu un smalț dens, iar în partea stângă se găsește o nouă specie de* Kenyapithecus, *indicând o legătură timpurie între maimuțele antropoide africane și răspândirea maimuțelor antropoide fosile în Eurasia.*

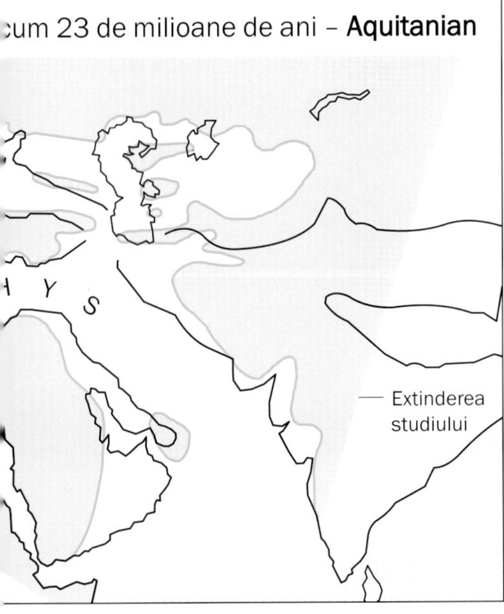

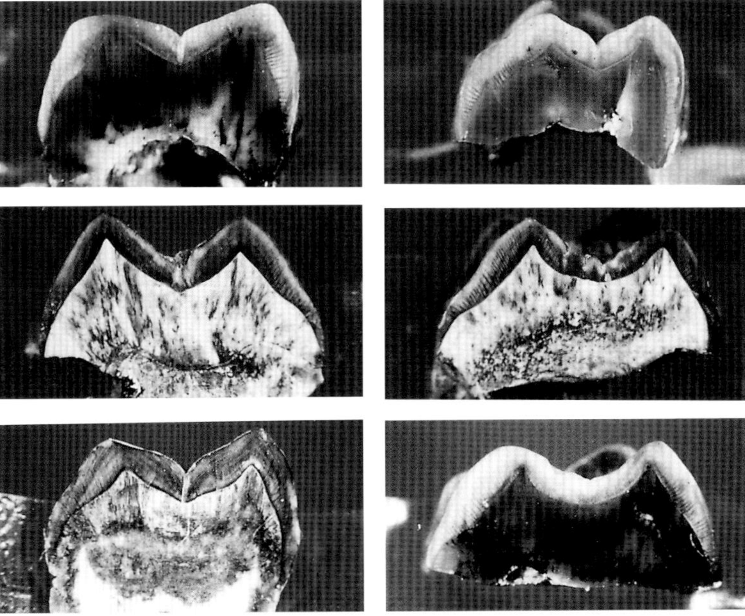

(Jos) Multe dintre maimuțele antropoide fosile din Miocen și primatele străvechi aveau un smalț mai slab pe dinți, dar multe dintre speciile din Miocenul Mijlociu, incluzându-le pe cele ilustrate aici de la Pașalar, aveau smalț îngroșat, ceea ce este considerată o adaptare la regimul alimentar bazat pe alimente mai dure.

lecție de genul *Griphopithecus* de la Pașalar este că poate oferi atât de multe informații despre acea fereastră specială a timpului. Studiul microuzurii dentiției lui *Griphopithecus* a arătat că era adaptat la un regim alimentar bazat pe fructe dure, diferit de cel al maimuțelor antropoide africane și cel mai asemănător regimului urangutanului. Anatomia sa ilustrează că *Griphopitecus* trăia parțial în copaci și parțial la sol, dar cu adaptări încă puțin diferite în general de structura deja descrisă pentru maimuțele antropoide fosile africane timpurii.

Amândouă aceste tipuri de comportament se potrivesc bine cu reconstituirea mediului de la Pașalar din Miocenul Mijlociu. Sedimentele arată că era un climat sezonier, cu perioade alternante umede și uscate. Fauna mamiferelor era similară faunelor prezente, de la ținuturi împădurite subtropicale la cele tropicale. Aceste specii foarte timpurii de maimuțe antropoide ce trăiau în Europa în timpul Miocenului Mijlociu au viețuit astfel în medii subtropicale asemănătoare pădurilor musonice care există azi în centrul și nord-estul Indiei. Aceste regiuni constau azi dintr-un mozaic de zone împădurite amestecate cu zone cu ierburi înalte, iar *Griphopithecus* ocupa o poziție ecologică similară în aceste păduri subtropicale cu maimuțele antropoide din Miocenul Inferior din Africa tropicală de Est. Climatul din timpul Miocenului Mijlociu era mai cald decât azi, astfel încât foarte mare parte din uscatul din jurul Mediteranei beneficia de o climă subtropicală și oferea un habitat pentru maimuțele antropoide acolo unde acest lucru nu mai e posibil azi.

Pierolapithecus catalaunicus

O altă maimuță antropoidă fosilă a fost recent descrisă pentru Miocenul Mijlociu al Spaniei. Aceasta este *Pierolapithecus catalaunicus* („mai-

Reconstituirea mediului lui Griphopithecus alpani, *bazată pe fosilele numeroase de la Pașalar, la care sau adăugat măsurătorile cu izotopul de carbon și dovezile stratigrafice. Această maimuță antropoidă fosilă a fost aproape sigur parțial terestră, fiindcă deși trăia în medii de pădure subtropicală, pădurile nu erau suficient de dense pentru a îngădui mișcarea lejeră prin copaci a unui animal de această dimensiune.*

muță antropoidă din Pierola, Catalonia), datată de acum 12,5-13 mil. de ani. Este puțin mai târzie decât *Griphopithecus alpani* și e foarte diferită ca morfologie. Molarii sunt alungiți, o trăsătură neobișnuită la primatele humanoide, însă în vreme ce craniul indică similarități cu *Afropithecus*, cu fața sa lungă înclinată, mai are dezvoltate câteva caractere de maimuță antropoidă mare, ca palatul adânc și regiunea zigomatică (a obrazului) înaltă. În orice caz, mai important, craniul a fost găsit în asociere cu părți ale scheletului, iar acestea ilustrează și ele un amestec de caracteristici primitive și derivate. Mâna are degete primitiv de scurte, asemănătoare celor ale altor maimuțe antropoide fosile și diferite față de maimuțele antropoide actuale (și *Dryopithecus*, vezi p. 110), iar acest lucru indică o lipsă a capacităților de a „circula" suspendat prin tehnica brahierii. Pe de altă parte, caracteristicile claviculei, ale coastelor și vertebrelor arată un torace lat puțin adânc, similar celui al maimuțelor antropoide mari actuale, ilustrând o poziție verticală foarte diferită de cea a maimuțelor obișnuite și a majorității altor maimuțe antropoide miocene. *Pierolapithecus catalaunicus* pare astfel să fi fost un cățărător ca cimpanzeii de azi, dar lipsindu-i capacitatea de a se deplasa suspendat pe sub crengi. Acest lucru pune sub semnul întrebării multe din ideile acceptate despre maimuțelor antropoide, potrivit cărora dezvoltarea poziției verticale la maimuțele antropoide era asociată cu capacitatea de suspendare a corpului pe sub crengile copacilor. În orice caz, prezența atâtor caracteristici ale maimuțelor antropoide mari plasează această specie într-o poziție ancestrală față maimuțele antropoide actuale și oameni (familia Hominidae) dar este mai recentă decât maimuțele antropoide mai timpurii ca *Proconsul*, *Afropithecus* și *Griphopithecus*.

Ankarapithecus – o enigmă fosilă

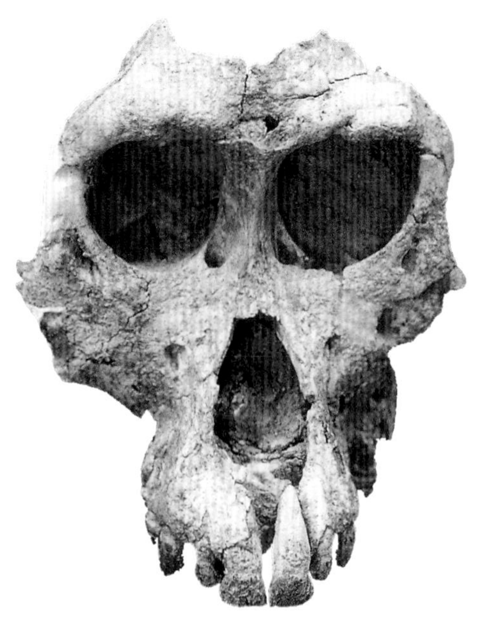

(Jos) Vedere asupra săpăturilor din sedimentele de la Sinap, Turcia. Acesta este situl de unde provenea craniul parțial mai vechi al lui Ankarapithecus meteai, *iar săpăturile extinse au început în 1994. Craniul ilustrat în partea dreaptă a fost descoperit în anul următor.*

În 1996 a fost analizat în Turcia un craniu al unei noi maimuțe antropoide fosile, iar acest fapt a schimbat multe lucruri în paleoantropologie. Craniul a fost descoperit în 1995 în timpul săpăturilor făcute în depunerile vechi de 9-10 mil. de ani, împreună cu alte mamifere fosile. Craniul a fost atribuit speciei *Ankarapithecus meteai* („maimuța antropoidă din Ankara"), de la care se cunoștea încă din 1980 un fragment de craniu.

Cu ochii ațintiți și spre est, și spre vest

Craniul conservă mare parte din fața și zona sa frontală. Dimensiunea corpului a fost estimată la 29 kg, aproximativ de mărimea unei femele bonobo (cimpanzeu pigmeu). Maxilarul inferior este foarte viguros, iar smalțul dinților pare să fie dens și forma maxilarului inferior este aceeași ca la femelele de maimuțe antropoide actuale. Craniul provine de la o femelă, în vreme ce cel găsit în 1980 este al unui mascul și este interesant că mărimea caninului e relativ mică atât la mascul, cât și la femelă, în comparație cu maimuțele antropoide actuale. Aceasta e o trăsătură despre care se credea că e specific umană, în comparație cu antropoidele, ai căror masculi au canini mari, ieșiți în afară.

Diferențele de mărime dintre dinții din față (incisivii) sunt foarte mari, lucru valabil în cazul urangutanilor actuali, însă diferit în situația maimuțelor antropoide africane. Pe de altă parte, ochii sunt rotunzi, fapt care se aseamănă mai mult cu maimuțele antropoide africane, spre deosebire de orbitele în general ovale ale urangutanilor și ale speciei *Sivapithecus* („maimuța antropoidă a lui Șiva",, numită astfel după zeul indian, vezi următorul capitol). Din lateral, profilul feței este drept, dar are arcade proeminente deasupra ochilor. În ansamblu, acest profil este similar cu cel a lui *Graecopithecus* („maimuța antropoidă greacă", vezi pp. 111-112) și *Dryopithecus* și diferă de fața concavă a urangutanului și a lui *Sivapithecus*.

Ankarapithecus mai prezintă asemănări cu urangutanul și *Sivapithecus* în privința legăturii dintre baza nasului și gură prin palatul dur. Este mai degrabă neted la *Ankarapithecus,* ca și la urangutan și *Sivapithecus,* decât în trepte ca la *Dryopithecus* și maimuțele antropoide africane. Regiunea plată a obrazului e comună și lui *Dryopithecus,* pe lângă *Sivapithecus* și urangutan. Aceste caracteristici, plus o distanță mică între ochi,

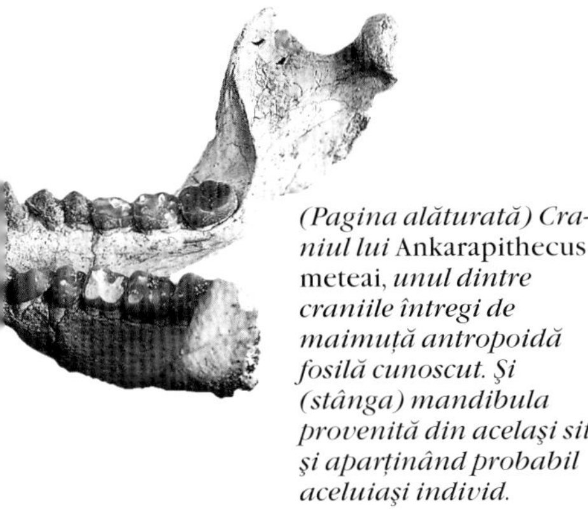

(Pagina alăturată) Craniul lui Ankarapithecus meteai, *unul dintre craniile întregi de maimuță antropoidă fosilă cunoscut. Și (stânga) mandibula provenită din același sit și aparținând probabil aceluiași individ.*

toate au fost legate de grupul evolutiv al urangutanului-*Sivapithecus.* Prezența unora, dar nu a tuturor caracteristicilor la *Ankarapithecus* și asemănările lui în alte privințe cu *Dryopithecus* și cu maimuțele antropoide africane sugerează că aceste caracteristici nu sunt la fel de puternic legate în evoluția maimuțelor antropoide pe cât se credea înainte și îngreunează plasarea lui *Ankarapithecus* în contextul său evoluționist.

Mai sunt caracteristici împărtășite de *Ankarapithecus* și *Graecopithecus,* cum ar fi dinții mari din față, tociți, forma ochilor, caninii mici amintiți mai sus și prezența arcadelor proeminente ale ochilor. Aceste trăsături diferă, în orice caz, de cele prezente la maimuțele antropoide africane și oameni, și chiar arcadele ochilor sunt diferite față de cele observate la maimuțele antropoide africane. Diferențele vizibile dintre *Ankarapithecus* și *Graecopithecus,* precum și distanțele dintre ochi nu sunt mai pronunțate decât cele dintre strâns înrudiții bonobo *Pan paniscus* și *Gorilla gorilla*.

Gama de caracteristici ale craniului ce se găsesc în mod individual în configurații variate la alte maimuțe antropoide fosile se găsesc împreună la *Ankarapithecus.* Un set de trăsături îl leagă de forme descoperite în est, *Sivapithecus* și urangutanul. Un al doilea set de trăsături îl leagă de forme descoperite în vest, *Graecopithecus* și *Dryopithecus.* O analiză completă a relației exacte dintre ceea ce este acum un eșantion divers și bine reprezentat de antropoizi din Miocenul Superior va necesita o definiție clară și amănunțită a caracteristicilor, dar ceea ce se observă deocamdată este că morfologia estică nu e legată de urangutan și cea vestică nu e legată probabil de maimuțele antropoide africane. Părți din ambele seturi de caracteristici sunt prezente la *Ankarapithecus,* astfel că dacă s-ar întâmpla să fie legat de un grup de descendență sau altul, trăsăturile ce nu se potrivesc pentru acel grup ar trebui interpretate drept convergente, adică nefiind semnificative din punct de vedere evolutiv, iar dacă se întâmplă așa, aceste caractere nu pot fi utilizate în cazul altor fosile.

De exemplu, ochii apropiați au fost folosiți spre a propune o legătură evolutivă între *Sivapithecus* și urangutan și, fiindcă acest caracter este prezent și la *Ankarapithecus,* acesta a fost legat de urangutan. Dacă *Ankarapithecus* nu este înrudit cu urangutanul, fața îngustă ar fi mai bine interpretată drept o trăsătură a maimuței antropoide străvechi. La fel, prezența arcadelor oculare la *Dryopithecus* și *Graecopithecus* a fost utilizată pentru a sugera relația dintre aceste maimuțe antropoide fosile și maimuțele antropoide africane de azi; prezența aceleiași caracteristici la *Ankarapithecus* ar putea sugera aceeași relație pentru el, dar dacă e înrudit cu urangutanul, atunci acest caracter ar trebui să fie și el convergent. De fapt, multe din caracterele lui *Ankarapithecus* pot fi privite mai mult în ipostaza lor de funcții decât a importanței lor filogenetice și evolutive, și se pare că această maimuță antropoidă nu este înrudită cu niciunul din grupurile de maimuțe antropoide actuale, situație în care argumentul convergenței se aplică și mai mult. Vom folosi cazul lui *Ankarapithecus* mai târziu, ca ilustrare a interdependenței dintre funcție și istoria evolutivă (filogeneză).

Variația formei craniilor de maimuță antropoidă fosilă: rândul de sus ilustrează asemănările dintre urangutan (stânga) și Sivapithecus *(vezi capitolul următor); rândul din mijloc ilustrează craniile de* Dryopithecus *(stânga),* Oreopithecus *(mijloc) și* Proconsul *(dreapta), iar rândul de jos compară craniul lui* Graecopithecus *(stânga) cu cel al lui* Ankarapithecus *(mijloc) și craniul mult mai vechi al lui* Propliopithecus *din partea dreaptă.*

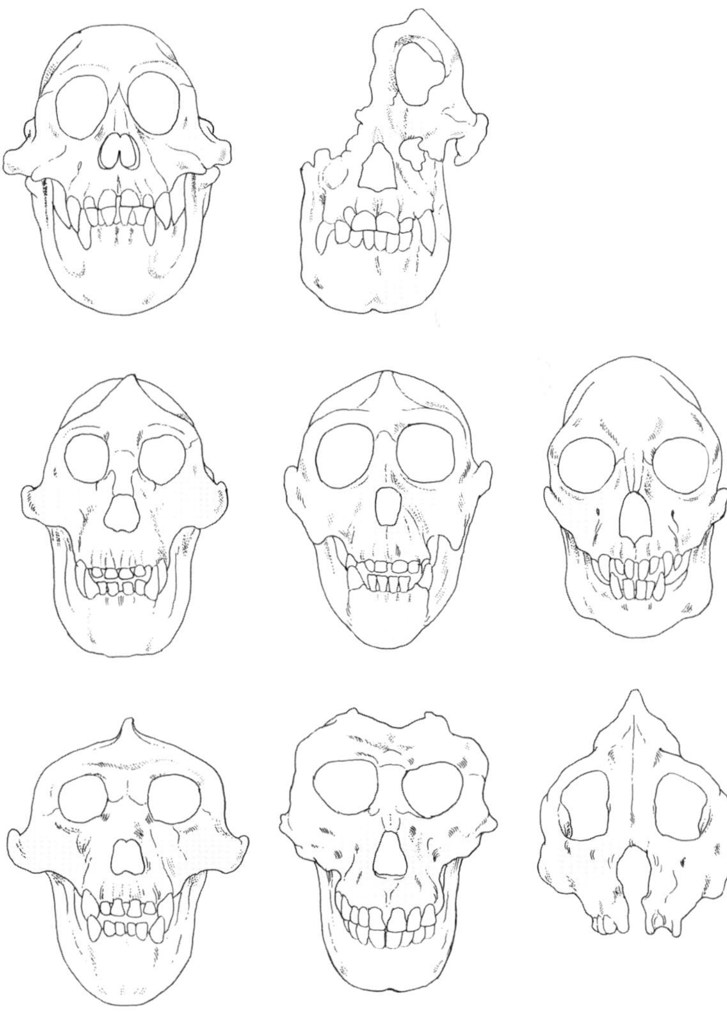

Strămoşii urangutanilor

La începutul secolului XX, depozitele extinse de fosile de pe dealurile Siwalik din nordul Indiei au scos la iveală două maimuțe antropoide fosile. Activitatea se derulase fără succes în mare parte din secolul XIX, însă după aceste descoperiri inițiale au început să apară numeroase eşantioane până în deceniile recente.

În anii 1930, un paleontolog american, G. Edward Lewis, a descoperit noi specimene pe care le considera foarte asemănătoare cu cele ale oamenilor recenți. Aceste fosile păreau să aibă mandibule rotunde, canini mici şi o față teşită, toate considerate atunci a fi caractere specific umane. Aşa s-a născut *Ramapithecus*. Multe decenii, *Ramapithecus* a fost acceptat ca primul strămoş uman, fapt ce plasa originea oamenilor în timp cu cca 12 mil. de ani în urmă. Trei evenimente din anii 1960 şi 1970 aveau să demonstreze falsitatea acestei teorii. Unul era aplicarea biologiei moleculare la studiul relației dintre specii, fapt ce ilustra că maimuțele antropoide africane sunt mai strâns înrudite cu oamenii decât urangutanul, iar separarea lor a fost mai recentă decât perioada lui *Ramapithecus*. Al doilea eveniment l-a constituit demonstrația că specimenele africane ce fuseseră identificate drept *Ramapithecus* nu aveau cele trei caractere amintite mai sus care-l defineau pe *Ramapithecus*. Cel de-al treilea şi cel mai important eveniment a fost descoperirea unor fosile noi mai bine păstrate, care ilustrau în primul rând faptul că *Ramapithecus* ar trebui asociat cu maimuța antropoidă fosilă *Sivapithecus* şi, în al doilea rând, că trăsăturile lui *Sivapithecus* îl înrudeau cu urangutanul, şi nu cu oamenii.

Reconstituirea mediului lui Sivapithecus indicus. *Oasele postcraniene ale acestei specii ilustrează o adaptare la viața terestră, iar habitatul era un amestec de pădure tropicală musonică şi zone ierboase deschise.*

Legături cu urangutanul

Noile fosile de *Sivapithecus* îl indicau ca fiind remarcabil de asemănător cu urangutanul. Craniul are aceeaşi formă scobită, concavă din profil; distanța dintre ochi e foarte mică, spre deosebire de aproape toate celelalte maimuțe antropoide (mică e şi la *Ankarapithecus*, fapt ce a dus la asocierea lui pentru o vreme cu *Sivapithecus*); regiunea

pometilor este lată şi e orientată mai curând înainte decât în lateral, ca la majoritatea maimuţelor antropoide (la fel e şi la *Dryopithecus*, lucru ce i-a determinat pe unii antropologi să mai asocieze această fosilă cu *Sivapithecus* şi cu urangutanul), iar morfologia detaliată a legăturii dintre baza nasului şi gură, zonă numită regiunea nazalo-alveolară, e tocmai similară celei a urangutanului şi diferită de toate celelalte maimuţe antropoide, atât fosile, cât şi actuale.

În multe alte privinţe, *Sivapithecus* e exact la fel ca celelalte maimuţe antropoide fosile ce trăiau în aceeaşi perioadă. Dinţii lui sunt puţin diferiţi de cei ai unui *Kenyapithecus*, *Griphopithecus* sau

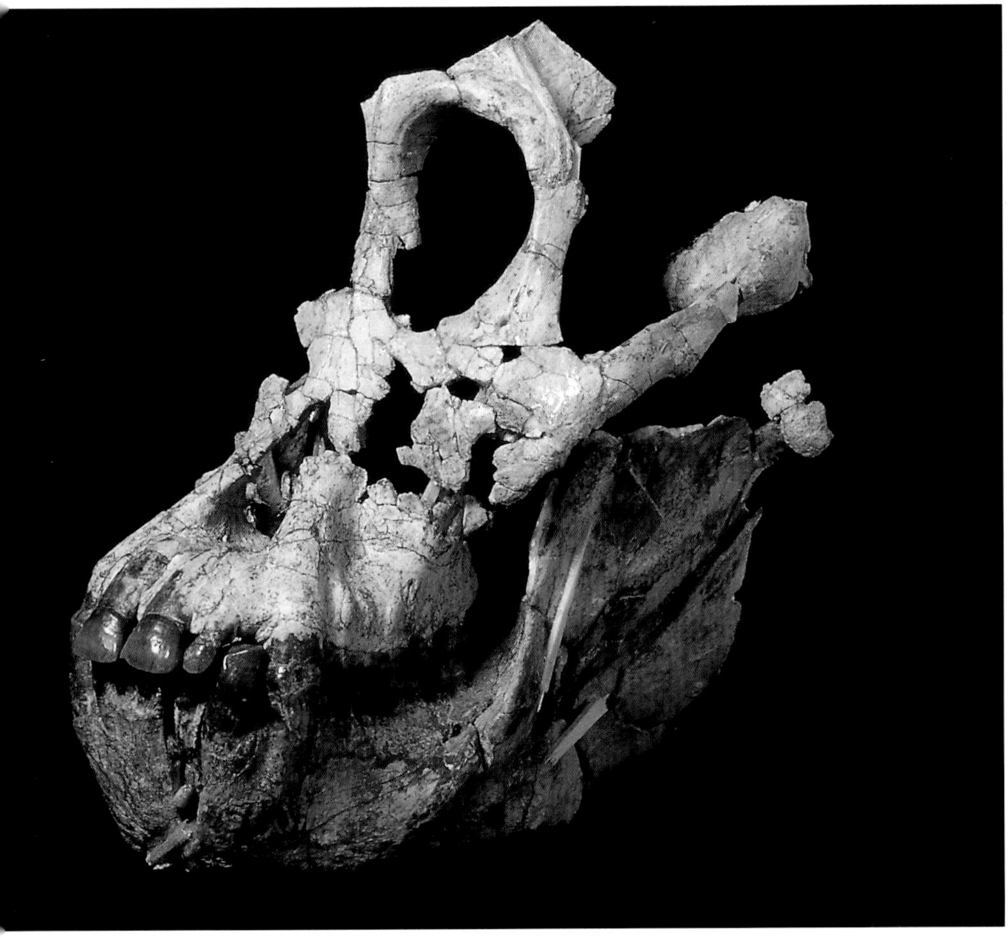

(Sus, stânga) Maxilarul lui Sivapithecus sivalensis, *o specie mică a acestui gen, numită înainte Ramapithecus.*

(Sus) Un urangutan atârnând de un braţ, în timp ce-şi foloseşte ambele picioare şi celălalt braţ pentru a ţine un fruct.

(Stânga) Craniul unui Sivapithecus indicus, *înfăţişând asemănările acestuia cu urangutanul: faţa concavă, distanţa mică dintre ochi şi regiunea zigomatică (obrazul) lată.*

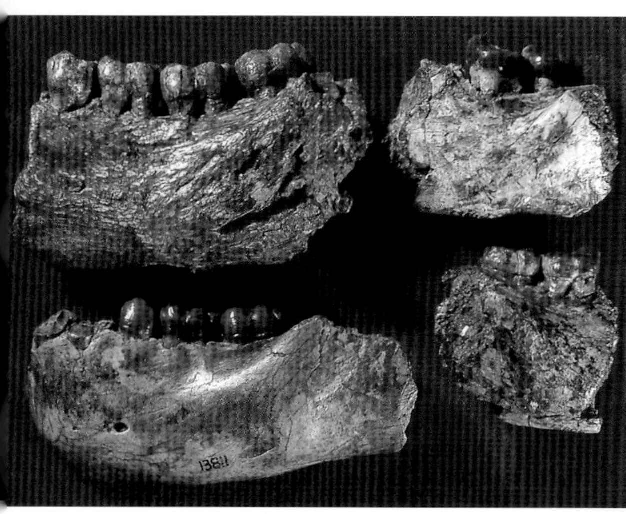

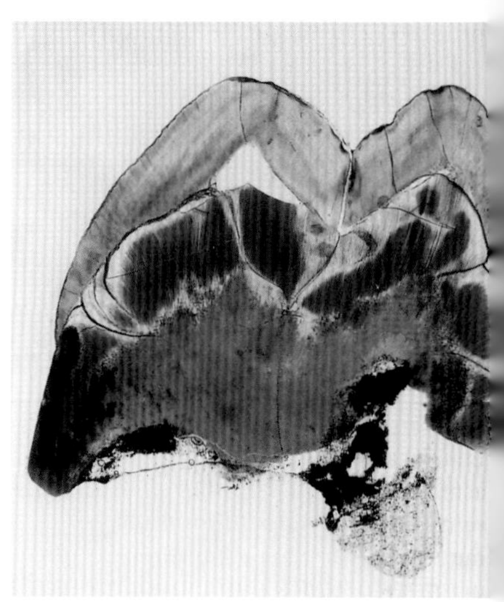

(Stânga) Patru mandibule ale speciei Sivapithecus, *ilustrând gama de dimensiuni de la* S. indicus, *sus în partea stângă, la* S. sivalensis *(odată* Ramapithecus*), în dreapta.*

(Dreapta) Secțiune transversală a unui dinte de Sivapithecus sivalensis, *ilustrând smalțul dens.*

(Jos) Compararea craniului unui Sivapithecus indicus *(mijloc) cu al unui cimpanzeu (stânga) și al unui urangutan (dreapta). Observați fața concavă și lipsa arcadelor oculare la fosilă și urangutan.*

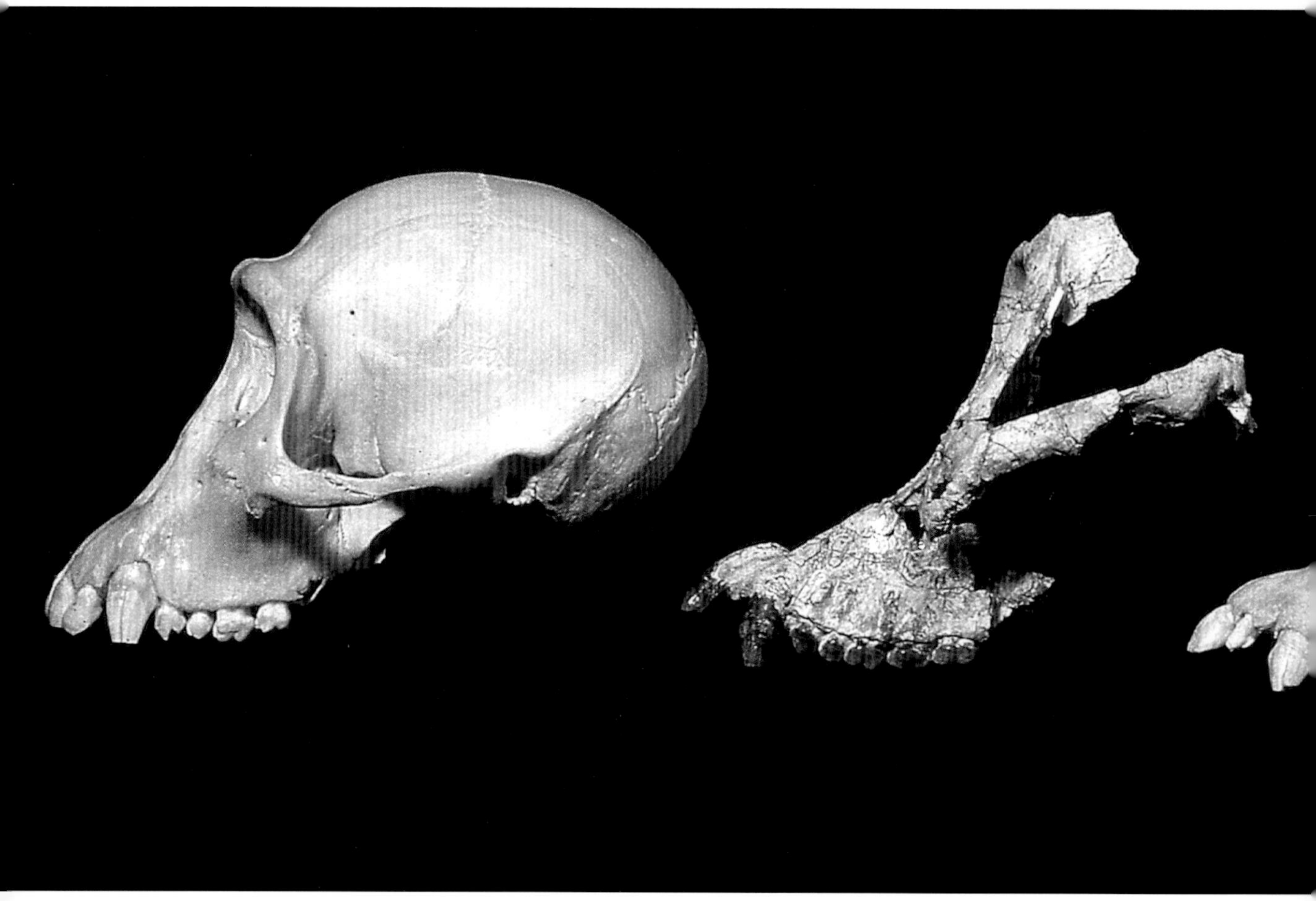

Ankarapithecus și, într-adevăr, toate aceste fosile au fost într-o vreme sau alta incluse în genul *Sivapithecus,* pe baza acestei asemănări. Molarii unui *Sivapithecus* aveau smalț dens și erau relativ mari, ca la celelalte genuri și, asemenea lor, mandibula sa era foarte viguroasă. Craniul său era mai fragil, nu robust ca la maimuțele antropoide de azi. Niciunul dintre aceste caractere nu servește la distingerea lui de alte maimuțe antropoide fosile. Oasele brațului indică o adaptare la deplasarea pe deasupra crengilor, deși e aproape sigur că trăia de asemenea și la sol. Toate aceste caractere diferă de gama de caractere împărtășite de maimuțele antropoide actuale și presupuse că ar fi fost prezente la strămoşul lor comun.

E important să fim siguri de relația lui *Sivapithecus* cu urangutanul, fiindcă acestea sunt singurele dovezi pe care le avem şi care leagă orice maimuță antropoidă fosilă de orice specie existentă. Ne oferă informații importante despre datarea, de exemplu, a evenimentului evolutiv din momentul când linia ce ducea spre urangutan s-a despărțit de cea care ducea la maimuțele antropoide africane şi oameni. Cea dintâi fosilă cunoscută pentru *Sivapithecus* are o vechime de 12 mil. de ani şi ne spune că această despărțire va fi apărut până atunci, iar separarea liniei ce ducea la oameni de maimuțele antropoide africane trebuie să se fi produs astfel mai târziu în timp. *Sivapithecus* a supraviețuit în Pakistan până acum 7-8 mil. de ani, un moment în care apare o nouă presupusă rudenie a urangutanului, *Khoratpithecus piriyai* („maimuța antropoidă din Khorat", Thailanda, numită în onoarea descoperitorului său, Piriya Vachajitpan). Aceasta este contemporană şi seamănă ca morfologie cu *Lufengpithecus lufengensis* („maimuța antropoidă din Lufeng") din sud-vestul Chinei. Aceste maimuțe antropoide fosile sunt puțin asemănătoare cu urangutanul şi, chiar dacă se găsesc în locul potrivit la timpul potrivit, natura relației dintre ele, dacă există vreuna, este neclară.

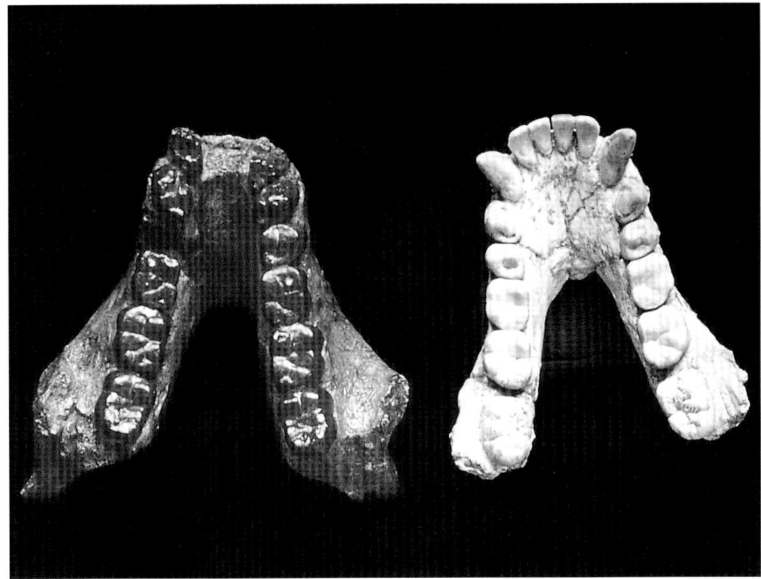

Mandibula lui Gigantopithecus bilaspurensis *(stânga), care era contemporan cu* Sivapithecus *şi este probabil strămoş al speciilor ulterioare de* Gigantopithecus. *Aici e comparată cu o mandibulă a lui* Graecopithecus *(vezi următorul capitol).*

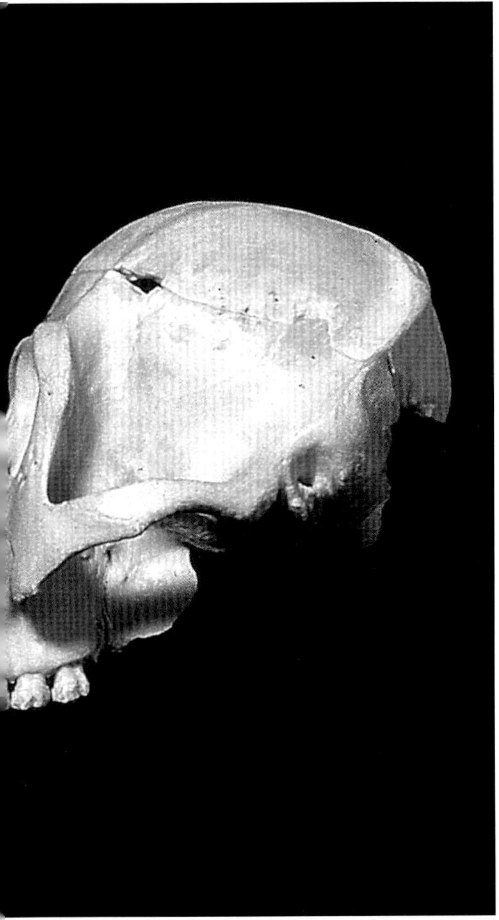

Viața la sol versus viața în copaci

Mediul ocupat de *Sivapithecus* nu era habitatul tipic de pădure la care sunt adaptate maimuțele antropoide actuale. Era un mediu amestecat, compus din păduri subtropicale, întrerupte de zone cu ierburi. Acesta este similar mediilor probabile ale lui *Kenyapithecus* din Africa şi *Griphopithecus* din Turcia, deşi maimuța antropoidă turcească mai târzie, *Ankarapithecus*, era probabil adaptată chiar pentru un mediu mai deschis. *Sivapithecus* trăia în acest habitat în mare parte asemeni celorlaltor maimuțe antropoide cu dinții puternici, mâncând fructe şi petrecându-şi o anumită parte din timpul său la sol, deoarece oasele membrelor sale ilustrează că era parțial adaptat pentru viața terestră. Aici intervine o problemă, fiindcă urangutanul de azi are o viață arboricolă şi e ciudat să aibă un posibil strămoş care trăia la sol şi căruia îi lipseau adaptările pentru locomoția suspendată prin copaci, comună tuturor maimuțelor antropoide actuale. Există doar dovezi nesigure ale adaptării la locomoție suspendată la *Sivapithecus*, iar acest lucru i-a făcut pe unii antropologi să pună la îndoială afinitățile lui cu urangutanul. Deocamdată, nu există vreo soluție la acest dezacord.

Ar trebui amintită pe scurt în acest loc maimuța antropoidă uriaşă *Gigantopithecus* („maimuța antropoidă gigantică"), care descindea probabil din *Sivapithecus*. O specie de *Gigantopithecus* este cunoscută într-adevăr din aceleaşi sedimente din India ca *Sivapithecus*; fosile mai târzii provin din estul îndepărtat al Chinei şi sud-estul Asiei. *Gigantopithecus* a dus lățimea dinților şi proeminența maxilarelor la extreme, în vreme ce corpul său era probabil puțin mai mare decât la masculii de gorile de azi.

Strămoşii maimuţelor antropoide de azi

Există două grupe de maimuţe antropoide fosile care au o anumită relevanţă pentru evoluţia ulterioară a hominizilor. Acestea sunt *Graecopithecus* („maimuţa antropoidă greacă", cunoscută uneori drept *Ouranopithecus*) şi *Dryopithecus* („maimuţa antropoidă de stejar"). Ele se împart în două grupe distincte de maimuţe antropoide fosile amintite mai devreme: maimuţele antropoide cu dinţi puternici, care ocupau zone cu climat sezonier, cu un stil de viaţă semi-terestru, şi maimuţe antropoide cu dinţii mai slabi, trăind în păduri şi deplasându-se prin brahiere. *Graecopithecus* reprezintă primul grup şi e cunoscut din câteva mandibule şi maxilare (pagina alăturată) şi un craniu aproape întreg (p. 112). Prezintă un număr de caractere ce-l leagă de maimuţa antropoidă africană şi de specia oamenilor, mai ales faţa relativ verticală, morfologia nasului şi a canalului de unire cu gura. Numai două falange se cunosc din scheletul postcranian, nu suficiente însă pentru a determina modul de deplasare a speciei *Graecopithecus*, dar morfologia lor sugerează viaţa la sol. Relaţia lui cu celelalte maimuţe antropoide fosile nu este cunoscută în prezent, deşi a fost legat în trecut atât de *Ankarapithecus*, cât şi de *Dryopithecus*.

Enigmaticul *Dryopithecus*

Când a fost descoperit în secolul XIX la St. Gaudens în Franţa, *Dryopithecus* era cunoscut numai după maxilare şi un număr mic de dinţi. La mijlocul acestui secol s-au adăugat noi descoperiri, mai

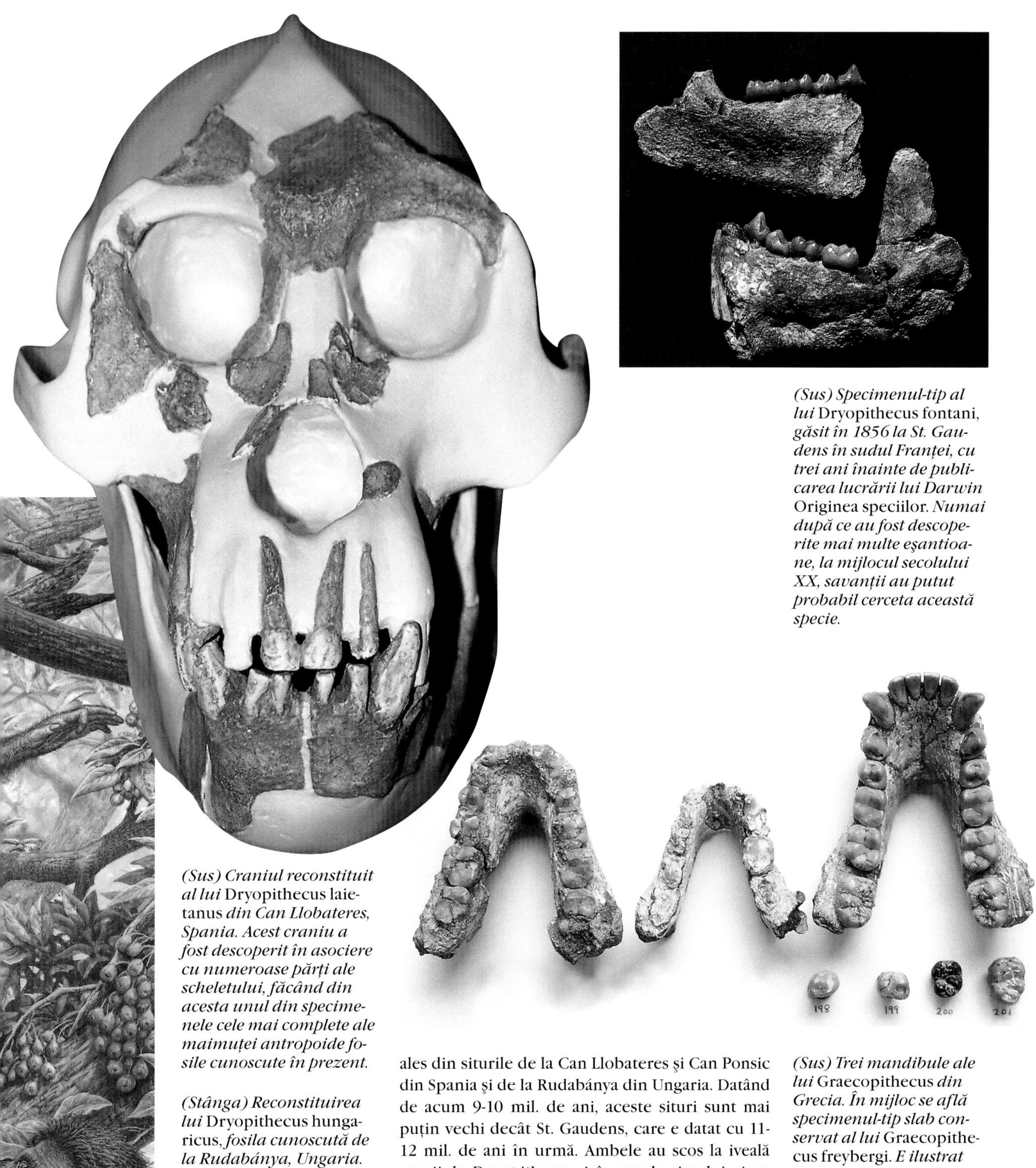

(Sus) Specimenul-tip al lui Dryopithecus fontani, *găsit în 1856 la St. Gaudens în sudul Franței, cu trei ani înainte de publicarea lucrării lui Darwin* Originea speciilor. *Numai după ce au fost descoperite mai multe eșantioane, la mijlocul secolului XX, savanții au putut probabil cerceta această specie.*

(Sus) Craniul reconstituit al lui Dryopithecus laietanus *din Can Llobateres, Spania. Acest craniu a fost descoperit în asociere cu numeroase părți ale scheletului, făcând din acesta unul din specimenele cele mai complete ale maimuței antropoide fosile cunoscute în prezent.*

(Stânga) Reconstituirea lui Dryopithecus hungaricus, *fosila cunoscută de la Rudabánya, Ungaria. Această specie a fost asociată cu depunerile bogate în substanțe organice, formate când Lacul Panonic s-a retras (vezi p. 67), lăsând în urmă mlaștini împădurite în care au trăit probabil maimuțele antropoide fosile.*

ales din siturile de la Can Llobateres și Can Ponsic din Spania și de la Rudabánya din Ungaria. Datând de acum 9-10 mil. de ani, aceste situri sunt mai puțin vechi decât St. Gaudens, care e datat cu 11-12 mil. de ani în urmă. Ambele au scos la iveală cranii de *Dryopithecus* și, în cazul primului, și un schelet parțial. Cu atât de multe materiale noi, s-ar putea crede că *Dryopithecus* ar fi și cea mai binecunoscută maimuță antropoidă, și specia cu cele mai clare afinități evolutive. Primul lucru e cu siguranță adevărat, dar există de fapt mai multe controverse legate de poziția în cadrul arborelui evoluției decât pentru oricare dintre celelalte mai-

(Sus) Trei mandibule ale lui Graecopithecus *din Grecia. În mijloc se află specimenul-tip slab conservat al lui* Graecopithecus freybergi. *E ilustrat aici cu al doilea molar (singurul dinte intact), aliniat cu al doilea șir de molari ai celorlaltor două mandibule din aceeași specie (dar care sunt numiți* Ouranopithecus macedoniensis *de către unii savanți).*

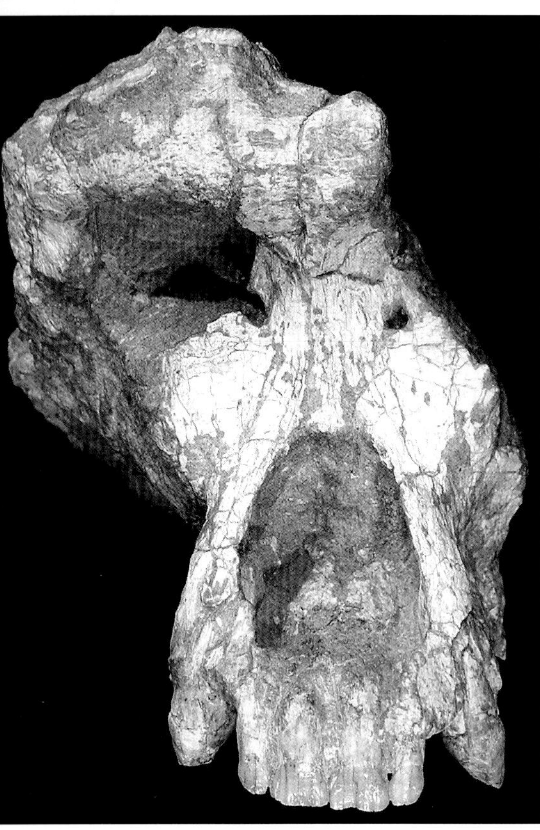

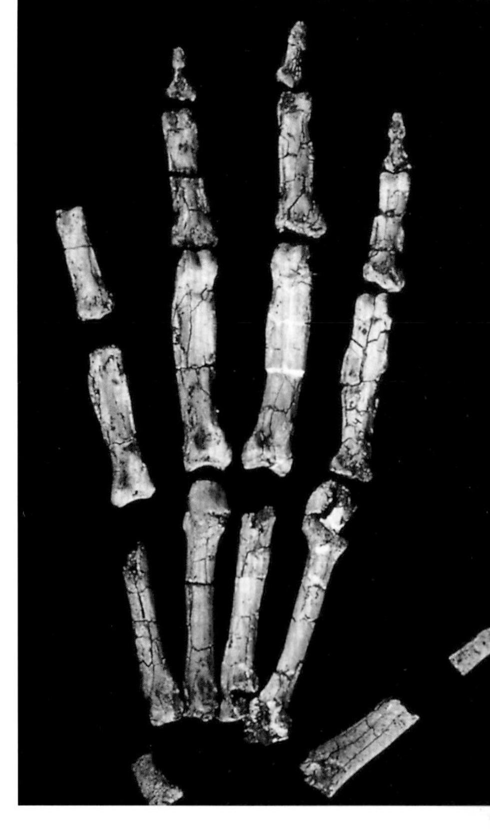

(Dreapta) Palma aproape completă a lui Dryopithecus laietanus, *descoperită alături de craniul ilustrat pe pagina anterioară. Dimensiunile palmei sunt remarcabile, cu oasele degetelor foarte alungite în comparație cu metacarpienele. Nu există nicio paralelă cu acesta printre primatele actuale, dar s-ar părea că înfățișează capacitatea de apucare la speciile fosile.*

(Sus) Craniul lui Graecopithecus. *Partea superioară a craniului a fost deformată prin zdrobire și există o pierdere considerabilă de masă osoasă la suprafața craniului. Fața inferioară este mai verticală decât la majoritatea maimuțelor antropoide actuale și fosile, iar nasul și premaxilarul sunt asemănătoare cu starea prezentă la hominine, ce poate indica o relație cu maimuțele antropoide africane și oameni.*

muțe antropoide fosile.

Craniile nu sunt masive ca la celelalte maimuțe antropoide fosile și există arcade oculare destul de proeminente, ca la *Ankarapithecus*. Această trăsătură este diferită de craniul de *Sivapithecus*, iar alte diferențe se referă la faptul că nasul e îngust și distanța dintre ochi e mare. Totuși, asemenea lui *Sivapithecus*, zona obrazului este plată și îndreptată înainte, lucru valabil și pentru *Ankarapithecus*. Anatomia bazei nasului și a gurii, o regiune foarte caracteristică, unde *Sivapithecus* se aseamănă mult cu urangutanul, prezintă forma maimuței antropoide primitive *Dryopithecus* și diferă puțin de *Proconsul* și *Griphopithecus*. Dinții lui sunt mici și le lipsește smalțul îngroșat al altor maimuțe antropoide fosile din aceeași perioadă și diferă, de fapt, de dinții de *Proconsul* numai prin detalii minore, ca pierderea stratului ce se întinde de-a lungul părții interioare a dinților de sus (cingulum), prezent la *Proconsul*.

O viață prin copaci

Combinarea caracterelor a produs confuzia legată de relațiile lui *Dryopithecus*. În privința anumitor caractere seamănă cu urangutanul, în altele seamănă cu maimuțele antropoide africane, în vreme ce prin altele diferă de ambele specii și e pur și simplu primitiv. În orice caz, într-o singură privință nu e deloc primitiv și diferă de toate celelalte, cu excepția uneia. Oasele membrelor sale sunt

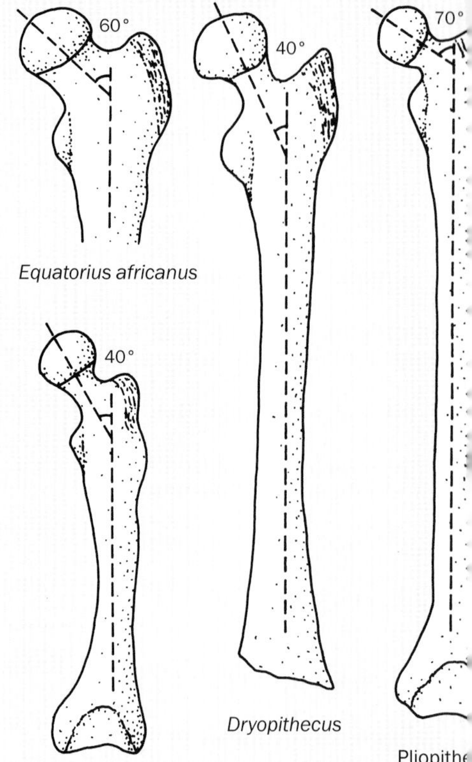

(Dreapta) Un femur al lui Dryopithecus laietanus, *comparat cu un urangutan și alte două fosile,* Pliopithecus vindobonensis *din Neudorf (Austria) și* Equatorius africanus *din insula Maboko.*

clar adaptate pentru brahiere, exact ca la maimuțele antropoide de azi, iar această caracteristică lipsește vizibil la celelalte maimuțe antropoide fosile. Îndeosebi picioarele sale erau foarte mobile, într-un mod foarte similar cu ale urangutanului și avea mâini foarte late și puternice, cu degetele foarte alungite și mușchi puternici pentru apucare. Aceste caractere indică un stil de viață arboricol. Acest fapt e confirmat și de lucrurile cunoscute despre habitatul în care locuia, reprezentat de pădurea subtropicală densă.

Pe baza acestor caractere ale oaselor membrelor, se poate ca *Dryopithecus* să fie maimuța antropoidă fosilă cel mai strâns înrudită cu marile maimuțe antropoide de azi, concluzie trasă de unii cercetători, dar mai rămâne o problemă: aceste caractere nu sunt prezente la *Sivapithecus*, pentru care există dovezi concludente ale relației cu una dintre marile maimuțe antropoide existente, urangutanul. Dacă strămoșul comun al marilor maimuțe antropoide poseda aceste caractere pentru deplasarea prin copaci, ca la *Dryopithecus*, și dacă *Sivapithecus* se situează pe linia ce duce spre urangutan, ar trebui să aibă și el aceste caractere. Dar nu le are.

Oreopithecus, o specie insulară

O maimuță antropoidă fosilă ce poate împărtăși unele caracteristici ale deplasării suspendate cu *Dryopithecus* este *Oreopithecus* („maimuța antropoidă de mlaștină"). Această maimuță antropoidă e cunoscută numai din Italia și Sardinia, din sedimentele mai tinere ale Miocenului Superior, dar este bine cunoscută dintr-un schelet aproape complet și un număr de maxilare și dinți. Avea brațe lungi și picioare mobile, adaptări la viața arboricolă ca la *Dryopithecus*, dar s-a susținut recent că mai prezenta și adaptări pentru viața terestră. În plus, se pretinde că, în momentul deplasării pe sol, mergea pe două picioare asemenea oamenilor, nu pe toate patru ca maimuțele antropoide. *Oreopithecus* mai e ciudat printr-o specializare unică a dinților săi, care nu sunt aidoma dinților celorlaltor maimuțe antropoide fosile, și e posibil ca aceste particularități să se datoreze mediului său, o insulă izolată de continentul european. Aceasta făcea parte din Italia într-o vreme când era încercuită de mare, iar zona siturilor fosilifere de azi era acoperită cu păduri subtropicale dese, pline de mlaștini. E posibil ca diferitele adaptări ale dinților să se fi produs în urma retragerii pe o insulă, unde și lipsa prădătorilor se știe că produce niște efecte bizare. Fără ele, *Oreopithecus* ar părea oarecum mai asemănător cu *Dryopithecus*.

Strămoșii maimuțelor antropoide de azi

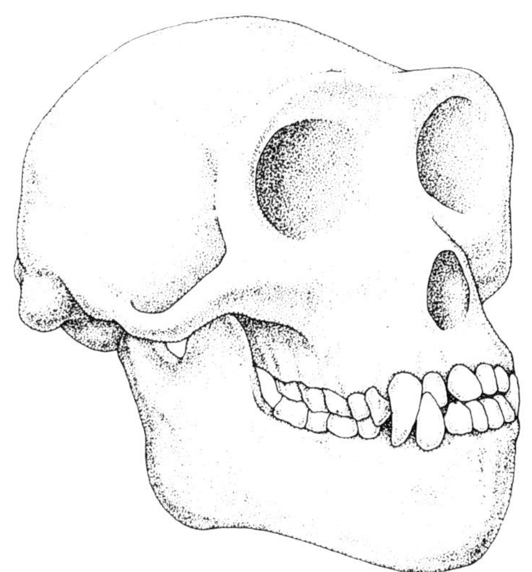

(Stânga) Craniul reconstituit al unui Oreopithecus bambolii *din Italia. Fața e relativ scurtă, spre deosebire de fețele alungite ale maimuțelor antropoide actuale, iar acestea au dus inițial la ideea că* Oreopithecus *a fost un strămoș al omului. În orice caz, craniul este apreciat astăzi ca fiind similar cu cel al altor maimuțe antropoide fosile și n-are nimic de-a face cu strămoșii omului.*

(Jos) Scheletul de Oreopithecus, *așa cum a fost recuperat din sedimentele de cărbune din Italia. Scheletul a fost aplatizat, având majoritatea oaselor zdrobite, dar câteva oase ale membrelor erau suficient de întregi pentru a ilustra că brațele erau considerabil mai lungi decât picioarele, o caracteristică a adaptării la deplasarea prin brahiere a maimuțelor antropoide actuale.*

Maimuțele din Miocenul Superior și strămoșii umani

Până acum am examinat gama de maimuțe antropoide fosile pentru a descoperi dacă vreuna din ele ar putea fi evidențiată ca posibil strămoș al omului. E foarte clar că acest lucru nu este posibil, fiindcă nu există nimic care să o lege pe oricare din ele de strămoșii omului. În orice caz, ceea ce putem face este să conturăm setul de caracteristici al maimuțelor antropoide fosile din Miocenul Superior de acum 10-6 mil. de ani.

Două grupe de maimuțe antropoide fosile s-au conturat mai sus. Una prezintă maxilare viguroase, molari măriți, cu un strat gros de smalț și un craniu puternic pentru a face față la dificultățile masticației, cauzate de dinții mari și un regim alimentar bazat pe fructe dure. Trăiau în medii cu climate sezoniere, cu păduri mai rare și spații deschise și erau adaptate într-o oarecare măsură la viața terestră. Cealaltă grupă locuia în păduri mai umede, și trăia în copaci, întrebuințând o formă de locomoție ce implica un anumit grad de suspendare de crengile copacilor. Maxilarele lor nu erau foarte puternice, iar dinții nu erau măriți, astfel că regimul lor alimentar va fi constat din fructe moi. Ultima grupă e cunoscută numai din Europa și Asia; prima grupă e cunoscută din amândouă aceste continente și mai e cunoscută din Africa. Acest lucru poate fi semnificativ, fiindcă toate dovezile evoluției umane din timpul perioadei cuprinse între acum 6 și 2 milioane de ani sunt de proveniență africană.

Distingerea strămoșilor omului

Întrebarea-cheie în ceea ce privește distingerea celor dintâi strămoși ai omului de maimuțele antropoide e care sunt caracterele ce îi separă de maimuțele antropoide. Au fost propuse diverse trăsături, precum creierele mari, dimorfismul sexual redus (diferențele dintre masculi și femele), mersul vertical biped, densitatea smalțului și molari și premolari mari. Primele două pot fi luate în considerare doar pe jumătate, deoarece mărirea dimensiunii creierului a apărut mai târziu în evoluția umană, de circa 2 mil. de ani încoace, iar dimorfismul sexual a rămas crescut cam tot atâta vreme. Smalțul gros al dinților este comun majorității homininelor, însă, după cum am văzut, era larg răspândit și la maimuțele antropoide fosile. Același lucru e valabil și pentru molarii mari ai unei grupe de maimuțe antropoide fosile. Singurul caracter care ne-a mai rămas pentru a-i distinge pe strămoșii omului este mersul biped, dar se ridică întrebarea: este acesta suficient? Nu e posibil ca unele maimuțe antropoide fosile fără nicio legătură cu strămoșii omului să fi folosit mersul biped? Le transformă acest fapt în strămoși ai omului? S-a observat la câteva grupe de maimuțe antropoide fosile că au trăit parțial pe sol, o condiție a dezvoltării mersului biped. Vom cerceta acum dovezile, luând în considerare aceste lucruri.

(Jos) O hartă indicând siturile din Africa cu hominine din Miocenul Superior și Pliocen.

(Dreapta) Echipa de teren studiind nisipurile deșertului din jurul lacului Ciad, în căutarea mai multor fragmente de oase hominine.

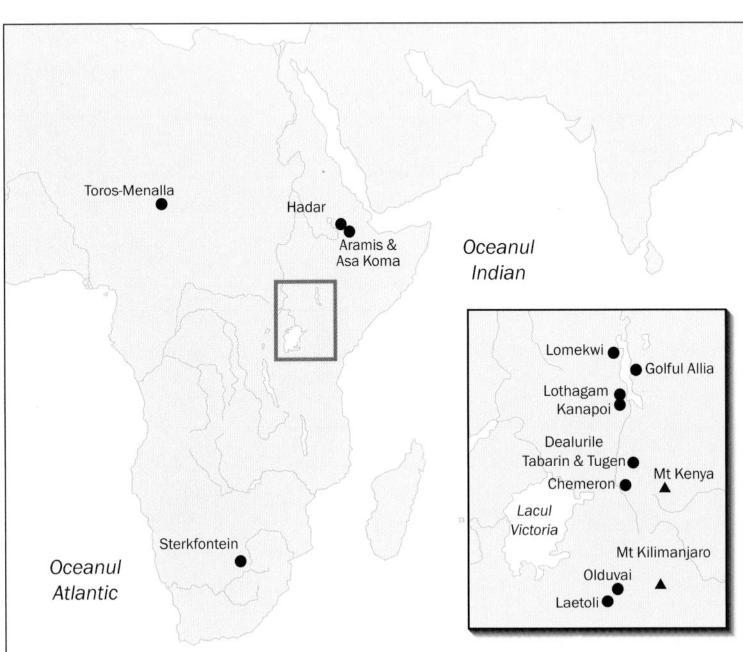

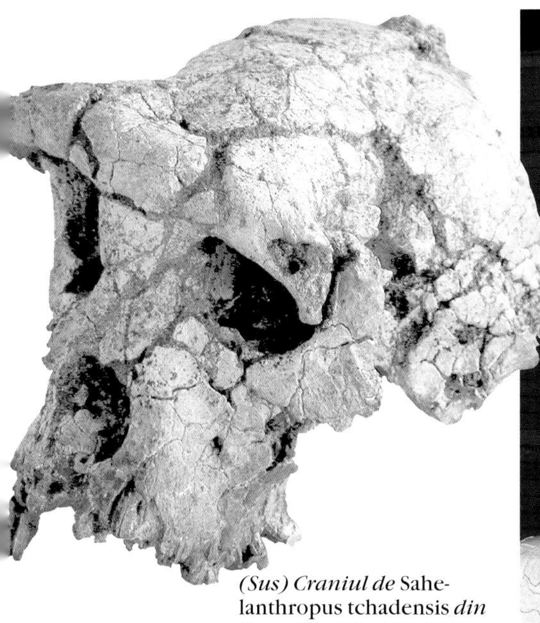

(Sus) Craniul de Sahelanthropus tchadensis *din Toros-Menalla, Ciad. Nu există vreun indiciu în prezent care să ateste dacă această specie avea mers biped.*

(Sus) Michel Brunet ținând craniul din Ciad (în comparație cu un craniu de cimpanzeu), recompensa multor ani de căutare neobosită a fosilelor din această regiune neospitalieră.

Cele dintâi hominine?

Una din cele mai timpurii fosile posibile de hominin (datată cu 7-6 mil. de ani în urmă) a fost descoperită recent, nu în Africa de Est, ci în situl de la Toros-Menalla, de lângă lacul Ciad. Aceasta e numită *Sahelanthropus tchadensis* („fosilă umană din Sahel, Ciad"). Craniul incredibil de complet era mic, cu dinți mici și o față scurtă, dar fața superioară are arcade oculare proeminente, iar dinții au smalț gros. Aceasta este o combinație nemaivăzută la nicio altă maimuță antropoidă fosilă, care au în general fețe alungite, lipsindu-le arcadele oculare proeminente, și molarii și caninii mai mari. Mai e și o combinație nemaiîntâlnită la ultimele hominine, după cum vom observa.

Comparabilă ca vârstă este o altă fosilă recent

(Dreapta) Colecția de fosile hominine găsite pe dealurile Tugen, Orrorin tugenensis. *Morfologia internă a extremității apropiate a celor două oase de femur indică posibile adaptări bipede, deși morfologia externă e similară celei prezente la maimuțele antropoide din Miocen.*

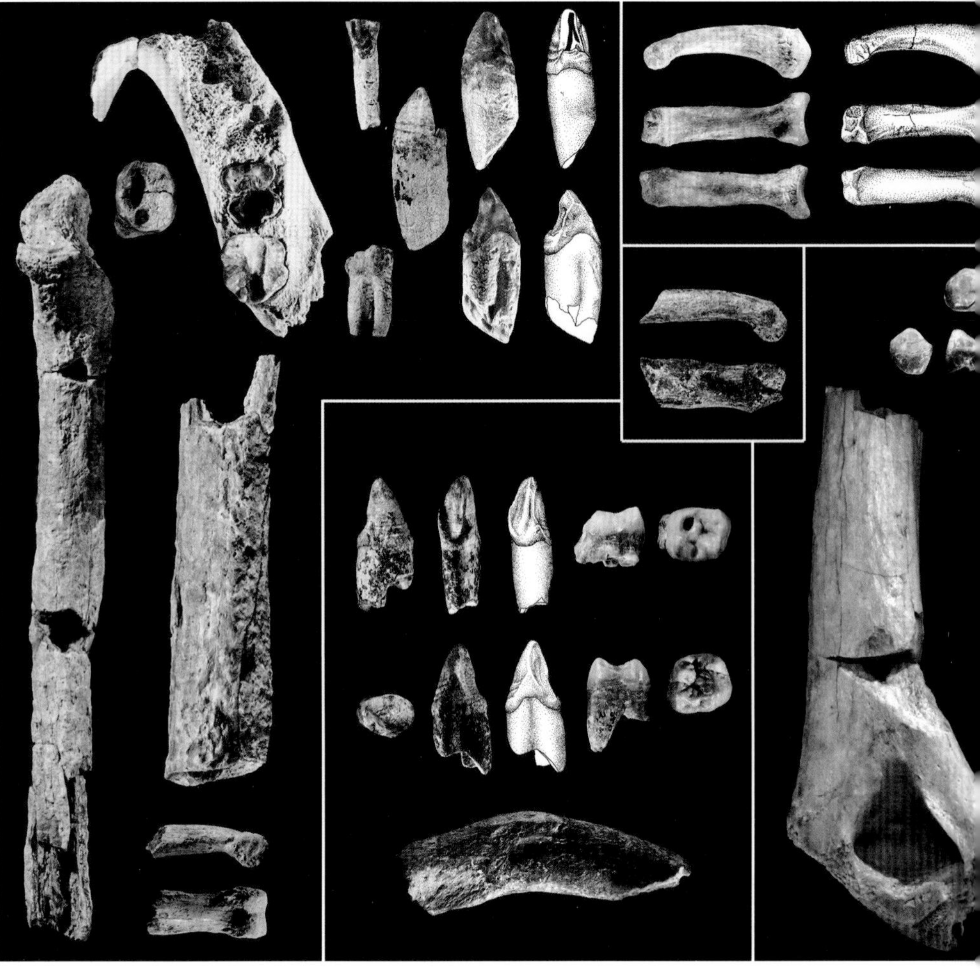

Colecția de fosile reprezentând ceea ce se identifică azi ca o specie separată de Ardipithecus, A. kadabba. *Nu există vreun indiciu clar dacă această specie avea mers biped sau nu.*

descoperită, *Orrorin tugenensis* („bărbat originar din dealurile Tugen"), găsită în nordul Kenyei. Aceasta e datată între acum 6 și 5,8 mil. de ani și e reprezentată de câțiva dinți și oase ale membrelor, care ilustrează câteva diferențe interesante față de *Sahelanthropus*. Dinții au smalțul gros, asemenea hominінului din Ciad și homininelor mai târzii (și unei din grupele de maimuțe antropoide fosile), dar caninul este mare și ascuțit, precum cel al maimuțelor antropoide, ambele situații fiind opuse celei observate la *Sahelanthropus* și homininelor mai târzii. Femurul are o epifiză mai mare decât la homininele din Pliocenul Superior, fapt adus ca dovadă a mersului biped, deși în privința acestui caracter este similar cu cel al maimuțelor antropoide fosile de aceeași mărime, precum și al cimpanzeilor actuali.

Alte noi genuri și specii au fost descrise cu câțiva ani în urmă, dintr-un sit din Aramis, Etiopia. Acesta este *Ardipithecus ramidus* („maimuță antropoidă terestră la origine"), dar în 2004, noi rămășițe de *Ardipithecus* au fost atribuite speciei *A. kadabba,* odinioară o subspecie de *A. ramidus.* Provine din sedimentele din Etiopia (Asa Koma), datată acum 5,8-5,2 mil. de ani, și se distinge în principal pe baza unui canin superior cu coroană mai înaltă, prezentând un vârf funcțional vizavi de cel de-al treilea premolar de jos. Prin acest caracter se aseamănă cu *Orrorin tugenensis,* cu care mai avea în comun molari relativ mici, deși nu e clar dacă aceasta este o trăsătură primitivă moștenită sau un caracter derivat împărtășit de ambele. În mod similar, densitatea smalțului este și ea ambiguă, fiindcă ultimul strămoș al hominizilor putea avea fie dinți mari cu smalțul gros, fie dinți mici cu smalțul subțire (vezi mai sus). Unele aspecte ale dinților ce au apărut mai târziu la *A. ramidus*, datat cu 4,4 mil. de ani în urmă, sunt asemănătoare cu cele ale *A. kadabba*, mai ales molarii și premolarii relativ mici, dar îi lipseau dovezile unui canin ascuțit. Niciunul din acești hominizi timpurii nu au molarii și premolarii măriți ai australopitecilor mai târzii (vezi mai jos) și, în special, unul din dinții de lapte mărit la toți australopitecii e mic și similar cu al maimuțelor antropoide în cazul fosilei de la Aramis. Din moment ce în majoritatea altor aspecte fosila de la Aramis era remarcabil de asemănătoare cu maimuțele antropoide, a fost separată de oamenii fosili mai târzii la nivelul generic.

Aceste trei grupe taxonomice, toate având peste 5 mil. de ani vechime, au fost atribuite la trei genuri diferite, deşi fiecare se bazează pe materiale incomplete, care nu permit comparaţia. Acolo unde apar părţi comune, precum caninii şi molarii, sunt asemănătoare între ele, arătând că toate ar putea de fapt reprezenta acelaşi lucru, dar lipsesc dovezile privitoare la speciile cu care se pot înrudi, maimuţe antropoide sau oameni. Păstrarea caracterelor primitive, ca al treilea premolar ascuţit, nu indică prin ele însele afinităţi cu maimuţele antropoide, dar nici dovezile insuficiente ale mersului biped nu demonstrează afinităţi cu oamenii. Juriul nu s-a decis încă asupra acestui ultim aspect.

Australopitecii

Din Kanapoi, Kenya, au fost recent descrise câteva maxilare aproape complete şi un craniu parţial al unui individ tânăr. Maxilarele inferioare în special sunt cât se poate de asemănătoare cu cele ale maimuţelor antropoide din Miocenul Superior, având dinţi cu smalţ gros şi provenind din Europa şi Africa, dar oasele membrelor, care includ o parte din articulaţia cotului şi o parte din piciorul inferior, ilustrează faptul că fosila de la Kanapoi mergea în două picioare. Situl a fost datat cu 4,2-4,1 mil. de ani în urmă, iar pe baza diferenţelor anatomice a fost recunoscută o nouă specie de *Australopithecus* („maimuţă antropoidă sudică"), numită *A. anamensis.* Australopitecii au fost printre cei dintâi hominizi fosili din Africa descrişi, primul fiind *Australopithecus africanus* („maimuţă antropoidă sudică din Africa"), prezentat în 1925. În timp ce prezintă asemănări ale dinţilor şi maxilarelor cu maimuţele antropoide miocene, această fosilă oferă primele dovezi clare ale mersului biped, dar chiar şi aşa, dovezile adunate din aceste situri sunt răsfirate şi greu de interpretat.

Un alt craniu este cunoscut dintr-un sit numit Lomekwi, de pe malurile vestice ale lacului Turkana, din Kenya. Acesta este *Kenyanthropus platyops* („craniul cu faţa plată din Kenya") şi a fost găsit cu multe alte fragmente de dinţi şi cranii. Datează de acum aproape 3,5 mil. de ani şi prezintă o asemănare remarcabilă cu o fosilă de hominid mult mai târzie, *Homo rudolfensis,* după cum se observă îndeosebi la craniul din estul lacului Turkana, numerotat cu 1470. Nu este clar în acest stadiu dacă această asemănare are vreo semnificaţie filogenetică.

Până acum, cele mai bune dovezi ale hominizilor plioceni provin din perioada cuprinsă între acum 4 şi 3 mil. de ani. Una dintre fosilele întregi se află încă în proces de excavare în momentul scrierii acestei cărţi. Acesta este un hominid fosil cunoscut ca Little Foot, descoperit aproape întâmplător şi în condiţii extrem de vitrege. În 1994, antropologul Ron Clarke a găsit un număr de oase ale picioarelor provenind de la hominizi, care au fost omise din materialele colecţionate anterior de la Sterkfontein. Aceste oase etalau un amestec de caracteristici ale maimuţelor antropoide şi ale oamenilor, arătând că această specie putea şi să meargă pe sol, şi să se caţere în copaci. Trei ani mai târziu, el a identificat o porţiune de os ieşită în afară din brecie, care se potrivea cu unul din oasele piciorului ce fusese colecţionat cu 65 de ani înainte. Little Foot este un schelet aproape complet al unui hominid timpuriu (încă nu a primit un nume ştiinţific), având braţe şi degete scurte, mai degrabă similare oamenilor moderni. Era în mod clar biped, însă degetul mare de la picior este separat de celelalte degete, ceea ce i-ar fi permis să apuce crengile pentru a se căţăra în copaci.

Au mai fost şi alte descoperiri importante din aceeaşi perioadă de timp, cum ar fi cea a unui hominid numit *Australopithecus afarensis* („maimuţă antropoidă sudică din Afar") din Tanzania şi Etiopia. Cea dintâi descoperire din Etiopia a fost o rotulă de genunchi din Hadar, numai cu extremităţile celor două oase ale femurului şi tibiei, însă datorită structurii particulare a genunchiului la oamenii bipezi, acest lucru a fost suficient pentru a ilustra că această descoperire timpurie provenea de la un strămoş uman biped. În următorii cinci ani după această descoperire, multe alte fosile au

Craniu cu faţa plată de Kenyanthropus platyops. *Pe lângă faţa aplatizată, acest hominid prezintă asemănări cu* A. afarensis *şi nu e clar în acest stadiu dacă este într-adevăr diferit de această specie.*

fost recuperate de la Hadar, inclusiv scheletul faimos denumit Lucy și oase de la alți 13 indivizi, despre care s-a presupus că ar fi rămășițele unui grup social ucis printr-un eveniment catastrofal. Majoritatea fosilelor din Hadar sunt datate între acum 2,8 și 3,3 mil. de ani, deși există câteva fragmente mai vechi de 4 mil. de ani. În această vreme, regiunea era un lac cu zone mlăștinoase și râuri, oferind un mediu cu vegetație luxuriantă, foarte diferit de mediul arid și ostil de azi.

Puțin mai târziu în timp apare un sit în Tanzania, numit Laetoli. Cercetările din anii 1930 scoseseră la iveală ceea ce reprezenta de fapt prima fosilă a unui australopitec găsită în Africa de Est și multe altele au fost descoperite de atunci. Sedimentele de la Laetoli sunt datate între acum 3,5 și 4 mil. de ani și sunt așezate aproape de defileul Olduvai, iar mediul din acea vreme era probabil similar celui de azi. O descoperire unică la Laetoli au constituit-o urmele de picioare conservate în cenușa vulcanică depusă în regiune în urma erupțiilor, ambele atribuite acum lui *A. afarensis.* Olduvai și Laetoli se situează aproape de marginea vestică a Riftului Est-African, care are un șir de vulcani de-a lungul său, iar unul din acești vulcani era activ în acest timp. Depunerea cenușii vulcanice a coincis cu ploi ușoare și, fiindcă cenușa era bogată în săruri, se întărea repede când era umedă, conservând astfel urmele de picioare ale multora din animalele ce trăiau în zonă, inclusiv urmele unor *A. afarensis.* Acestea ilustrează dincolo de orice îndoială că *A. afarensis* mergea în două picioare, deși absența de la Laetoli a oricăror oase adulte ale membrelor ne face să nu putem fi siguri de natura exactă a adaptării bipede prezente la acea vreme.

Printre alte descoperiri atribuite lui *Australopithecus afarensis* se numără o mandibulă din Lothagam, nordul Kenyei, datată din Miocenul Superior, între acum 5 și 5,5 mil. de ani. Specimenul a fost identificat inițial ca *Australopithecus africanus*, dar odată cu descoperirea lui *A. afarensis,* ar putea fi atribuit acestei specii pe baza vârstei sale. Caracterele lui de australopitec sunt maxilarul robust și dinții mari, ambele, după cum am observat, caractere ale uneia dintre grupele de maimuțe antropoide fosile din Miocenul Superior. O altă mandibulă găsită după mai mulți ani în situl de la Tabarin, datată acum 4,1 mil. de ani, este identificată cu *A. afarensis* din aceleași motive. În mod asemănător, un set de oase ale picioarelor din situl Sterkfontein din Africa de Sud are aceeași vârstă ca *Australopithecus afarensis* din estul Africii, de acum 3,5-3,3 mil. de ani. Acestea par a avea degetul mare al piciorului opozabil, similar cu cel al maimuțelor antropoide pentru apucarea crengilor, dar rămășițe aproape complete sunt excavate în prezent de la Sterkfontein, iar acestea ar trebui să ofere informații suplimentare valoroase.

Acest lucru ne întregește retrospectiva strămoșilor oamenilor din Pliocen de acum 6-3 mil. de ani. Ei sunt cunoscuți mai ales din Africa de Est, dar în mod clar au locuit și în Africa Centrală și Sudică și au fost un grup larg răspândit. În următorul capitol vom descrie stadiile mai târzii ale evoluției umane, incluzând diversificarea australopitecilor și originea genului *Homo*, dar, în primul rând, pentru a demarca timpul și locul de origine a descendenței umane, trebuie detaliată descrierea anatomiei unora din aceste fosile pliocene.

Anatomia primilor australopiteci

Articulația umărului: articulația umărului este slab cunoscută din dovezile fosile. Acest lucru se-ntâmplă fiindcă oasele umărului sunt relativ slabe, iar dezvoltarea considerabilă a mușchilor din jurul umărului îl transformă într-o parte atractivă pentru consumatorii de carne. Drept rezultat, umărul e printre primele părți ale corpului ce se distruge după moarte și doar în schelete relativ complete,

Reconstituirea habitatului și a modului de viață a speciei Australopithecus afarensis. *Habitatul lor preferat era probabil pădurea, unde-și procurau hrana de pe sol și din copaci, într-o manieră asemănătoare cu a cimpanzeilor de azi, dar s-au aventurat aproape sigur și în zone mai deschise, unde au mers probabil pe două picioare.*

care n-au fost distruse de eroziune sau mâncate de prădători, umărul se conservă ca fosilă. Un specimen e cunoscut din Pliocen, umărul lui *Australopithecus afarensis* din scheletul Lucy de la Hadar, Etiopia. Acesta prezintă un amestec de trăsături de maimuță antropoidă și umane: ultimele se observă în forma mai puțin rotundă a suprafeței brațului unde acesta se articulează cu umărul, indicând o mai puțină mobilitate a brațului în regiunea umărului; iar primele se observă în direcția în care arată umărul, mai curând spre partea de sus, ca la maimuțele antropoide, decât în lateral ca la oameni, indicând că brațul era frecvent îndreptat în sus, ca la brahiere.

Articulația cotului: fosilele de la Kanapoi ale lui *Australopithecus anamensis* includ o parte din articulația cotului, extremitatea inferioară a brațului (humerus). Acestui os îi lipsesc cutele specia-

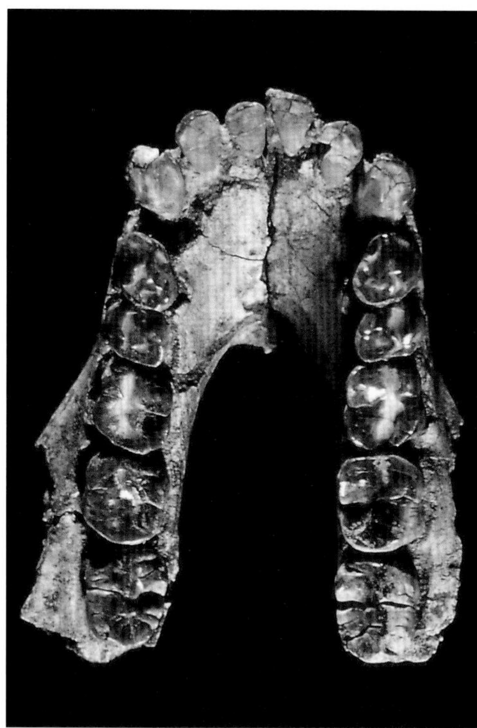

Mandibula lui Australopithecus anamensis *din Kanapoi. Maxilarele și dinții acestei specii sunt cât se poate de asemănătoare cu cele ale maimuțelor antropoide fosile, cu șiruri paralele de dinți și dinți mari, cu smalțul gros, dar asocierea lor cu oasele membrelor a ilustrat că această specie avea mersul biped.*

lizate, prezente la maimuțele antropoide, care sunt legate de mersul pe încheieturile degetelor. Așadar, nu există dovezi că speciile din Pliocen descindeau dintr-un strămoș ce mergea pe articulațiile degetelor, asemenea cimpanzeului. De fapt, acest cot fosil seamănă atât de mult cu coatele oamenilor moderni, încât a fost inițial clasificat în genul *Homo*. Datele foarte timpurii pentru sedimentele din Kanapoi au venit așadar ca o oarecare surpriză, fiindcă având aproape 4 mil. de ani, specimenul din Kanapoi e mult mai vechi decât orice alte mărturii cunoscute ale lui *Homo*. Probabil mai ales ca rezultat al vechimii, acest os e acum grupat cu noile fosile din Kanapoi ca *A. anamensis*.

Mâna: oasele mâinii reprezintă o altă parte a corpului neconservată adesea ca fosilă. În orice caz, multe din oasele mâinii sunt conservate în scheletul lui *A. afarensis* (Lucy) și ilustrează puține adaptări similare cu oamenii moderni. Dimensiunile degetului arătător în relație cu celelalte degete e principala asemănare cu mâna umană, dar în multe alte privințe mâna lui Lucy seamănă cu o mână de maimuță antropoidă, deși fără trăsăturile specializate ale mersului pe articulațiile degetelor ale cimpanzeilor și ale gorilelor. Degetele erau alungite și curbate, indicând o mână adaptată pentru apucare, ca la maimuțele antropoide, deși nu în aceeași măsură ca la urangutan. Mâna lui Lucy nu era adaptată pentru a lucra cu „finețe", cu toate că datorită lungimii relativ mari a degetului mare (de reținut că maimuțele antropoide au degetul mare foarte scurt în comparație cu celelalte părți ale palmei lor), ar fi fost mai adaptabilă decât mâinile maimuțelor antropoide. Așadar, imaginea de ansamblu e că mâna unui *A. afarensis* era încă, înainte de toate, adaptată pentru apucare și, din moment ce articulația cotului din același schelet arată că brațul era în mod obișnuit îndreptat în sus deasupra capului, dovezile unui stil de viață implicând suspendarea frecventă prin crengile copacilor sunt foarte convingătoare.

Osul șoldului – dovezi ale mersului biped: dacă brațele oferă dovezi pentru capacitățile de cățărare ale primilor australopiteci, dovezile furnizate de oasele picioarelor ilustrează că acesta putea merge și pe două picioare. Unul din cele mai caracteristice oase în acest sens este șoldul, fiindcă oamenii se deosebesc foarte mult de maimuțele antropoide prin acest os, datorită formei lor unice de locomoție. Acest os al șoldului la maimuțele antropoide este înalt și îngust și este îndreptat înainte; osul șoldului la oameni este curbat spre părțile laterale ale corpului, pentru a oferi susținere când stau drept, astfel că e mult mai lat decât oasele șoldului la maimuțele antropoide și e de asemenea mult mai scurt. Încă o dată, scheletul lui Lucy, *A. afarensis*, este cel care oferă dovezi în acest stadiu timpuriu al evoluției umane, iar șoldul lui Lucy este similar celui al oamenilor, fiind lat și scurt. De fapt, partea superioară a șoldului, osul iliac, e chiar mai lat decât la oamenii moderni, dar osul iliac al lui Lucy nu se curbează spre părțile laterale ale corpului, ci e orientat spre spate și îndreptat înainte, ca la maimuțele antropoide. De vreme ce curbarea laterală a șoldului asigură inserția mușchilor care ne permit să ne păstrăm echilibrul când stăm în poziție verticală, pare probabil că absența lui la australopiteci însemna că le-ar fi fost greu să stea drept când nu se mișcau. Se crede că pentru a sta în poziție dreaptă, ar fi trebuit să continue să se miște sub o formă ce-ar fi reprezentat puțin mai mult decât un mers târșâit.

Zona în care cele două părți ale osului șoldului se leagă de osul spatelui, numit osul sacru, relevă o altă trăsătură specific umană a australopitecilor. La maimuțele antropoide, această articulație este îngustă și e așezată în fața articulației piciorului (acetabulum), astfel încât întreaga greutate a părții superioare a corpului trece de-a curmezișul șoldului. La acest lucru ne-am aștepta din partea unor animale ca maimuțele antropoide, care se mișcă de obicei pe toate patru membrele. În orice caz, la oameni, articulația coloanei vertebrale este lată și situată în spatele articulației piciorului, astfel încât partea superioară a corpului este echilibrată când stăm în poziție dreaptă. Australopitecii aveau aceeași structură ca a oamenilor, cu excepția că osul sacru era chiar mai lat decât la oameni. În vreme ce acest lucru ilustrează că *A. afarensis* putea sta drept, totuși i-ar fi fost încă greu să se echilibreze atunci când nu mergea.

Osul femur: La *A. afarensis*, epifiza femurului (osul coapsei) este şi ea alungită, o trăsătură care are legătură probabil cu oasele foarte late ale şoldului. Partea superioară a femurului leagă partea lungă a piciorului superior de articulaţia şoldului. Maimuţele antropoide şi oamenii au mai degrabă dimensiuni similare pentru zona de sus a femurului, iar australopitecii mai târzii se deosebesc de ambele grupe prin lungimea mare a gâtului şi diametrul mic al epifizei ce formează articulaţia cu şoldul. *A. afarensis* se situează între ele, dar specia mai timpurie *Orrorin tugenensis* are un gât femural mai scurt şi un cap mai mare, similar celor ale maimuţelor antropoide miocene. Pare foarte mult a fi cazul australopitecilor mai târzii., *A. africanus* şi *Paranthropus robustus,* care sunt adaptaţi, fiindcă se pare că cu cât e mai mare lăţimea şoldului, cu atât mai lung e gâtul femurului. Aceste specii mai târzii sunt, în orice caz, asemănătoare, având picioare relativ scurte, întocmai ca maimuţele antropoide.

Articulaţia genunchiului (rotula): articulaţia genunchiului este o altă suprafaţă articulară importantă în locomoţia bipedă. Genunchiul a fost şi prima fosilă găsită, care ilustra că *A. afarensis* era fără îndoială biped. Pentru ca un om să stea cu picioarele şi cu genunchii apropiaţi, femurul trebuie să se încline puternic fiindcă părţile de sus ale picioarelor sunt foarte distanţate în zona şoldului. Oasele femurale formează astfel un unghi ascuţit la articulaţia genunchiului, iar acesta e total diferit de genunchiul maimuţelor antropoide. Maimuţele antropoide merg şi stau cu picioarele şi cu genunchii depărtaţi, astfel încât piciorul superior şi cel inferior să fie în linie dreaptă, dar *A. afarensis* este identic cu omul în privinţa unghiului genunchilor. Oricum, sub multe alte aspecte, genunchiul său păstrează morfologia maimuţelor antropoide, astfel încât este în mod fundamental o încheietură tipică maimuţelor antropoide, cu adaptări primare pentru viaţa arboricolă, dar modificată pentru mersul biped.

Piciorul: piciorul de *A. afarensis* prezintă şi el un amestec al caracterelor maimuţei antropoide şi ale omului. Unghiul piciorului, cu referire la piciorul inferior al lui *A. Afarensis,* este perpendicular, aşa cum ar fi la oamenii bipezi, şi există unele dezvoltări ale arcurilor piciorului. Pe de altă parte, degetele sunt lungi şi curbate, asemeni degetelor de la mână, şi există nişte indicii că degetul mare ar fi fost opozabil şi putea fi folosit pentru apucare. Oasele degetului mare sunt incomplete şi distruse la *A. afarensis,* iar astfel ultima concluzie este nesigură, dar există un picior de aceeaşi vechime, provenit din situl african sudic Sterkfontein, numit Little Foot, care pare să indice acelaşi lucru.

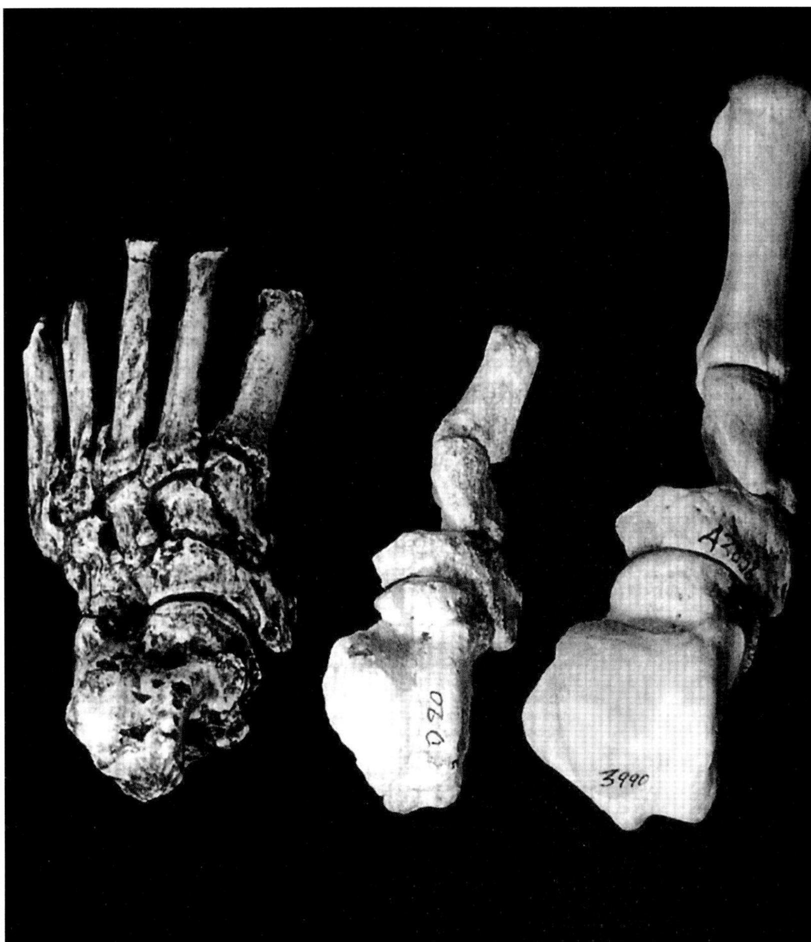

Degetul mare al piciorului, aparent opozabil, al unei fosile de la Sterkfontein (mijloc), comparat cu degetele mai drepte ale unui picior de om modern (dreapta) şi piciorul unui Homo habilis *din defileul Olduvai.*

Dovezi atât ale vieţii arboricole, cât şi ale mersului biped: aceste dovezi sugerează că *A. afarensis* a păstrat adaptări surprinzătoare ale vieţii arboricole, mai ales piciorul adaptat pentru apucare şi mobilitatea din zona încheieturilor genunchiului şi ale şoldului, în vreme ce prezenta deopotrivă adaptări clare ale mersului biped în toate trei zonele, adică şold, genunchi şi picior. Oricum, niciuna dintre aceste adaptări nu este chiar la fel cu cele identificate la oameni, şi majoritatea lor sunt exact adaptările care s-ar aştepta de la orice maimuţă antropoidă fosilă care era deja parţial terestră şi trăia în medii împădurite. Cu alte cuvinte, nu este sigur că dovezile adaptărilor bipede sunt prin ele însele concludente pentru faptul că aceşti australopiteci plioceni erau strămoşii oamenilor. Poate fi pus la îndoială faptul dacă combinaţiile adaptărilor bipede la australopitecii timpurii sunt omoloage (aceeaşi descendenţă din punct de vedere genetic, dintr-un singur strămoş comun) cu cele ale hominizilor mai târzii, deoarece funcţiile aparent similare se pot dezvolta convergent prin diferite traiectorii evolutive.

Maxilarele şi craniul: craniul şi maxilarele sunt de

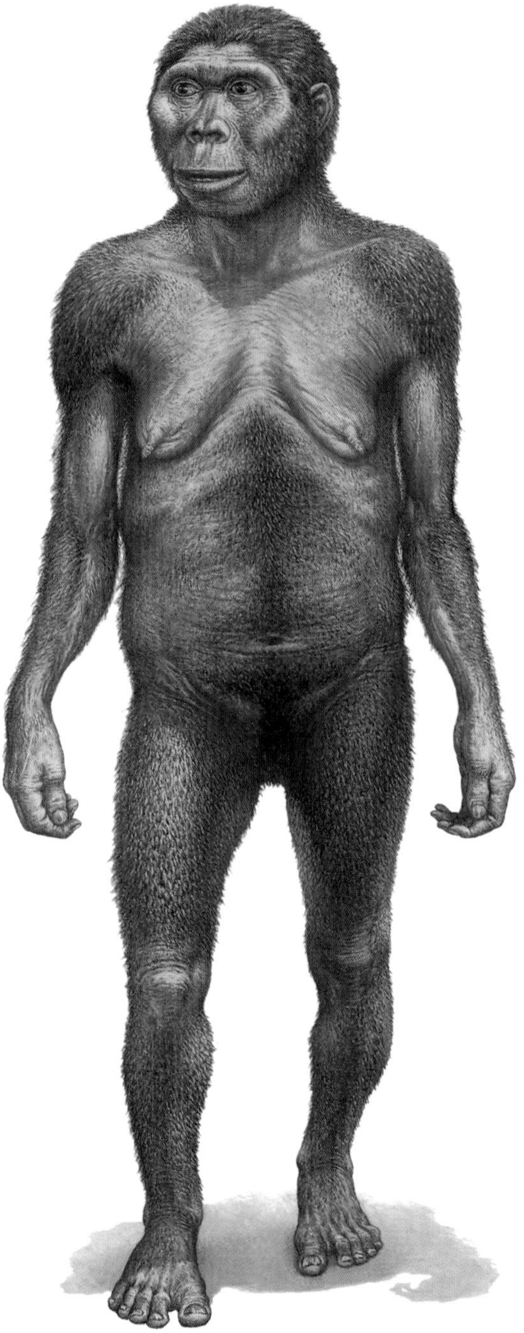

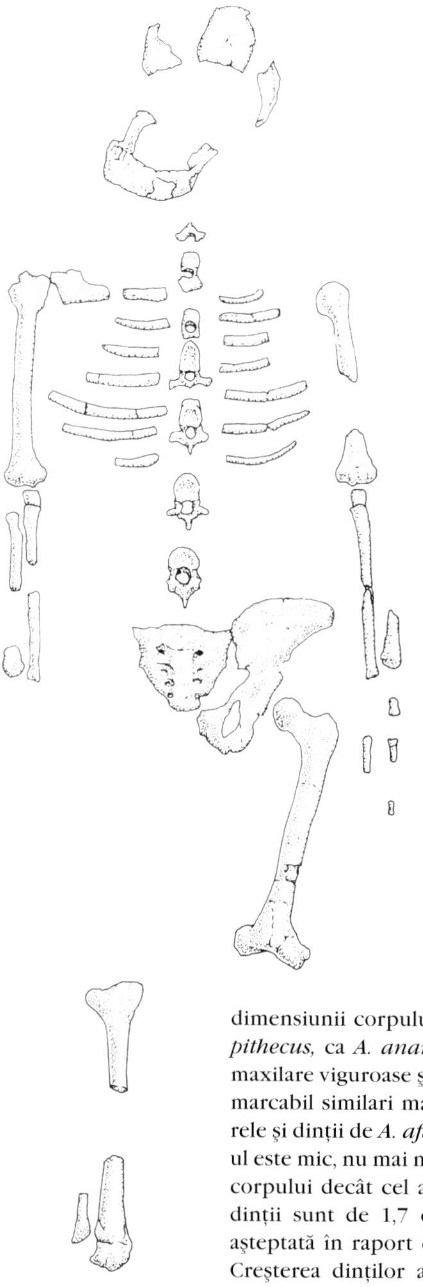

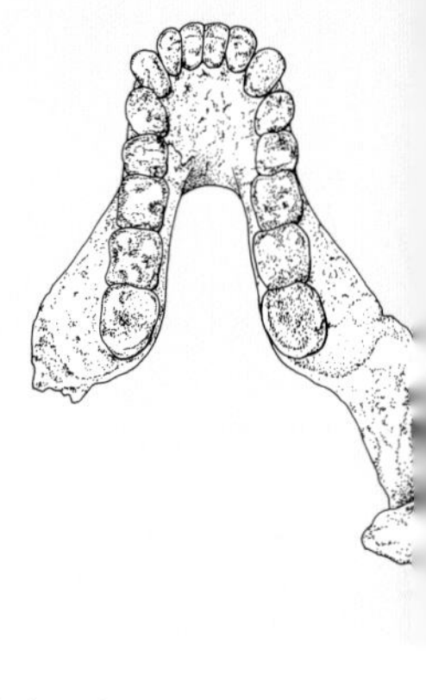

(Stânga) Scheletul parțial al lui Australopithecus afarensis *din Hadar, Etiopia, poreclit Lucy de către Don Johanson, descoperitorul ei, cu o reconstituire ilustrată în partea stângă. Morfologia e limpede cea a unui individ biped, dar picioarele relativ scurte filustrează faptul că e puțin probabil ca Lucy să fi mers ca oamenii de azi.*

departe cele mai frecvente părți ale corpului găsite ca fosile. Maxilarele de *Ardipithecus* sunt fragile, iar dinții nu sunt măriți, spre deosebire de maimuțele antropoide fosile din Miocenul Superior, dar sunt asemănători cimpanzeilor de azi. Dinții celorlalți hominizi timpurii, ca *Sahelanthropus* și *Orrorin,* sunt de asemenea mici, dar e greu să spunem cât de mici. Mărimea dinților ar trebui văzută în comparație cu mărimea corpului, dar fosilele acestor hominizi timpurii sunt prea fragmentate pentru a face niște estimări asupra dimensiunii corpului. Speciile vechi de *Australopithecus,* ca *A. anamensis,* sunt total diferite, cu maxilare viguroase și dinți mari ce sunt în mod remarcabil similari maimuțelor antropoide. Maxilarele și dinții de *A. afarensis* se aseamănă, iar craniul este mic, nu mai mare în raport cu dimensiunea corpului decât cel al maimuțelor antropoide, iar dinții sunt de 1,7 ori mai mari decât mărimea așteptată în raport cu dimensiunea corpului lor. Creșterea dinților a continuat la australopitecii mai târzii, ajungând de până la de două ori și jumătate mai mari decât era de așteptat. Australopitecii mai târzii și-au dezvoltat un sistem complex de susținere a craniului pentru a amortiza presiunile cauzate de dinții lor imenși în timpul mestecării hranei, dar aceste adaptări nu apar la *A. afarensis* (și nu se cunosc pentru alte specii pliocene).

Într-o paralelă interesantă cu maimuțele antropoide fosile din Miocenul Superior, par să existe două grupe de strămoși plioceni ai omului. Unii au dinți mici și maxilare mai fragile, ceilalți au maxilare uriașe cu dinți mari având un strat gros de smalț. Ultima grupă, toate specii de *Australopithecus,* combină un amestec de adaptări bipede cu

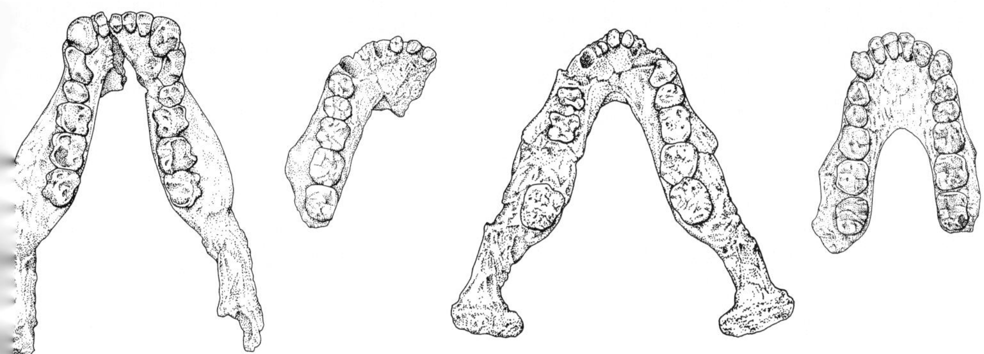

(Stânga) Forma și structura mandibulei par să se fi schimbat puțin de la maimuțele antropoide miocene la hominizii din Pliocen. De la stânga, două maxilare de maimuță antropoidă, Ankarapithecus meteai *și* Sivapithecus indicus, *ambele cu maxilare viguroase și rânduri drepte de dinți. Spre dreapta, două maxilare de australopitec,* Australopithecus afarensis, *„Lucy" și* Australopithecus anamensis, *care prezintă maxilare de asemenea puternice și rânduri drepte de dinți.*

puține adaptări tipice maimuței antropoide pentru viața arboricolă. Nu se cunoaște nimic despre capacitățile locomotoare ale primei grupe, *Ardipithecus ramidus*, deși s-a presupus că și aceștia aveau mers biped, dar acest lucru trebuie verificat, din moment ce presupunerea se baza doar pe fragmente de craniului.

Ne rămân astfel mai multe întrebări decât răspunsuri: a fost *Ardipithecus* strămoșul lui *Australopithecus*? A fost *A. anamensis* strămoșul lui *A. afarensis*? Sau au fost ambii strămoșii speciilor mai târzii de *Australopithecus*? Nu există niciun fel de dovezi în acest stadiu care să ateste la ei o cultură a uneltelor din piatră, dar vor fi făcut ei unelte din materiale perisabile, așa cum procedează cimpanzeii astăzi? A fost într-adevăr vreunul din ei atât strămoșul australopitecilor mai târzii, cât și al genului *Homo*?

Nu dispunem de surse suficiente pentru a răspunde acestor întrebări în prezent, dar cercetările actuale din Africa de est și de sud sperăm să aducă noi date prin descoperirea altor dovezi fosile. Sperăm că ele vor oferi răspuns la unele dintre aceste chinuitoare întrebări.

Ce e într-un nume?

În acest capitol, hominidul pliocen *Australopithecus afarensis* a apărut frecvent, dar există multe controverse în legătură cu numirea acestui hominid fosil. Acesta e un subiect ezoteric, dar unul de importanță considerabilă, fiindcă numirea fosilelor are legătură cu relațiile lor evolutive. Este *A. afarensis* un membru al genului *Australopithecus* sau este el strămoșul lui *Australopithecus* și *Paranthropus*? (în care caz trebuie să aparțină unui gen diferit); este el același cu alte specii precum *A. anamensis*? Cum este el înrudit cu membrii mai târzii ai tribului Hominini ca *Homo, Paranthropus* sau *Australopithecus*? Acestea sunt probleme ce apar odată cu numirea acestor specii fosile.

Genul *Australopithecus* a fost botezat de Raymond Dart în 1925, iar denumirea speciei *afarensis* a dat-o Don Johanson și alții în 1978. Specimenul de *A. afarensis* este un eșantion din Laetoli, Tanzania, ilustrat aici, dar există o specie denumită anterior din acest sit, ce reprezintă aproape sigur același grup taxonomic. Acesta este *Praeanthropus africanus,* botezat de antropologul german Hans Weinert în 1950. S-a recunoscut că noile fosile erau aceleași cu specia lui Weinert din 1950, dar fiindcă exista deja o specie cu numele de *africanus* în genul *Australopithecus,* denumit de Dart în 1925, un nou nume de specie trebuia inventat, adică *afarensis.*

În orice caz, există o oarecare îndoială că specia *afarensis* aparține de *Australopithecus,* și dacă s-ar întâmpla să nu fie, numele genului *Praeanthropus* ar deveni iar disponibil. Numele speciei *africanus*, dat de Weinert în 1950, ar fi trebuit să fie și el disponibil, fiindcă denumirea lui a fost dată înainte de 1978, când a apărut *afarensis.* Oricum, într-un regulament din 1999 făcut de Comisia Internațională pentru Denumirile Zoologice, numele speciei *africanus Weinert 1950* a fost suprimat, astfel încât numele corect ar trebui să fie *Praeanthropus afarensis.*

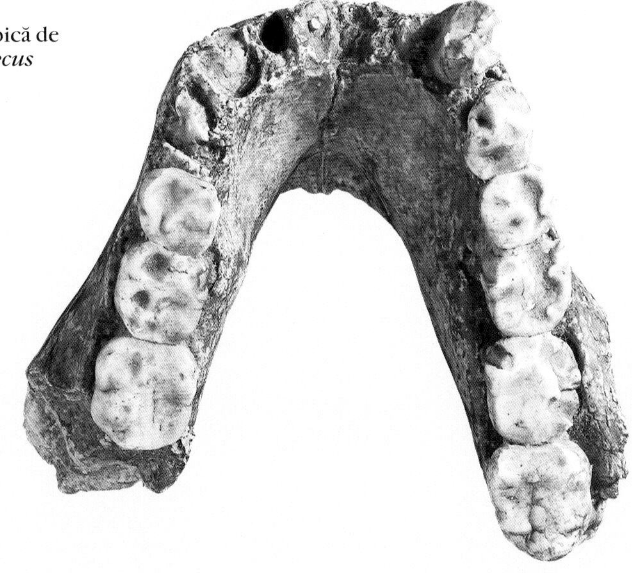

Mandibulă tipică de *Australopithecus afarensis*

Australopithecus africanus

(Sus) Acest craniu al unui hominid tânăr, găsit la Taung în Africa de Sud, i-a fost transmis lui Raymond Dart în 1924 și el l-a publicat ca reprezentând o nouă specie numită Australopithecus africanus. *Mulți din cei mai distinși savanți ai lumii n-au fost convinși de presupunerile lui Dart că* Australopithecus *era o rudenie apropiată a oamenilor, considerându-l o maimuță antropoidă fosilă mai înrudită cu gorila și cimpanzeul. Însă s-a dovedit că Dart avea în mare parte dreptate.*

La începutul secolului XX nu se descoperiseră încă niciun fel de dovezi fosile pentru a susține presupunerea erudită a lui Charles Darwin că Africa a fost patria ancestrală a oamenilor. Primele fosile umane au fost recuperate din Europa și Java, dar n-au existat descoperiri importante în Africa. Lucrurile au început să se schimbe odată cu descoperirea unui craniu uman fosilizat într-o mină din apropiere de Broken Hill, pe atunci nordul Rhodesiei (acum Kabwe, Zambia), în 1921. Pe atunci, la sfârșitul lui 1924, un craniu fosilizat a fost găsit într-o carieră de calcar din Taung, în Africa de Sud. A fost studiat de Raymond Dart, care în 1925 a publicat o lucrare în jurnalul științific *Nature*, făcând niște presupuneri remarcabile despre fosilă. Ea consta din față și partea frontală a craniului unui individ care nu ajunsese încă la maturitate, de vreme ce maxilarele sale conțineau o combinație de dinți de lapte și permanenți. Odată cu craniul a fost descoperită și o copie aproape completă a interiorului calotei craniene, ce fusese creată de sedimentul de calcar care a umplut cavitatea creierului.

Dart a argumentat că fosila ilustra o combinație de trăsături tipice maimuțelor antropoide și oamenilor și că dinții săi și forma creierului erau îndeosebi umane. Credea despre creierul acestuia că era mare și avansat ca structură și că probabil își ținea capul drept pe coloana sa vertebrală, lucru ce însemna că făptura avea mers biped, asemenea nouă. Dart a numit-o *Australopithecus africanus* („maimuța antropoidă sudică din Africa") și a declarat că era probabil strâns înrudită cu oamenii și putea chiar reprezenta un strămoș al omului. Mai mult, credea că acești australopiteci erau carnivori și că își duceau prada cu ei în peșterile în care trăiau.

Presupunerile lui Dart au fost tratate cu mare scepticism de cercurile științifice, mai ales în Anglia. Acest lucru se datora, pe de-o parte, prejudecăților despre tinerețea și lipsa relativă de experiență a lui Dart și, pe de altă parte, naturii imature a fosilei înseși, deoarece maimuțele antropoide tinere pot arăta mai umane decât maimuțele antropoide adulte. În plus, în ciuda opiniei lui Darwin, unii savanți înclinau să creadă că mai degrabă Asia și nu Africa era patria oamenilor. Alții au considerat că „omul din Piltdown" (cunoscut azi drept fals) demonstra rolul suprem al Europei în geneza omului, și acesta era un strămoș total diferit față de *Australopithecus africanus* în evoluția timpurie a omului. Până la urmă, s-a crezut că fosila din Taung era de numai circa 500.000 de ani vechime și era așadar văzută ca prea recentă pentru a fi un strămoș uman veritabil. În schimb, era considerată a reprezenta un anumit tip de maimuță antropoidă, asemănându-se cu oamenii în unele privințe.

Dart e în mare parte răzbunat

Dart a sperat să găsească mai mult material fosil pentru a-și susține presupunerile, dar au trecut alți zece ani înainte ca siturile de calcar din Africa de Sud să scoată la iveală descoperiri ulterioare importante. Apoi, săpăturile într-o peșteră de calcar numită Sterkfontein au scos la lumină un craniu adult de australopitec. La început a fost identificat ca fiind o specie diferită, dar în timp a fost recunoscută ca aparținând aceleiași specii ca individul tânăr al lui Dart. Deși de la Taung nu s-au scos niciodată la iveală alte fosile de hominizi, Sterkfontein conținea cu sutele, iar în ultimii câțiva ani o parte mai veche din acest sistem de peșteri a adus la lumină un schelet aproape complet de australopitec, având cam peste 3 milioane de ani vechime. Lui Sterkfontein i s-a adăugat în curând un alt sit numit Makapansgat, unde majoritatea descoperirilor au fost reprezentate de maxilare și dinți. Asemenea descoperiri suplimentare au demonstrat că Dart a avut dreptate cu unele din

(Dreapta) Situl de la Sterkfontein, din Africa de Sud, a fost înscris în Patrimoniul Universal UNESCO. Este unul dintre cele mai bogate situri din Africa în multe specii de fosile datând de acum 2-3 milioane de ani, cum ar fi Australopithecus. *Deși Dart credea că australopitecii au locuit în peșteri, e mai posibil ca fosilele să fi ajuns acolo prin procese naturale sau în urma acțiunii carnivorelor.*

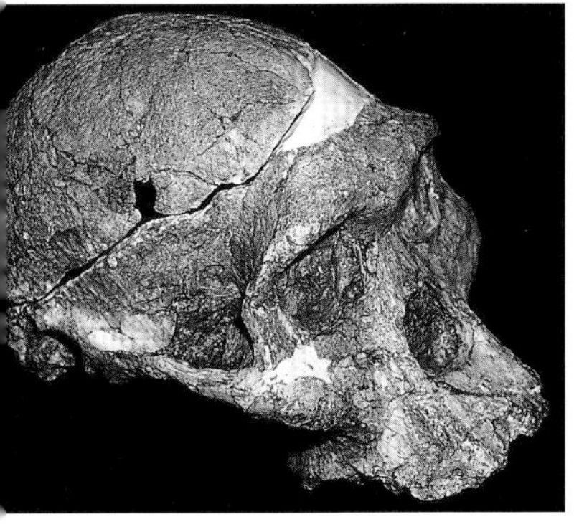

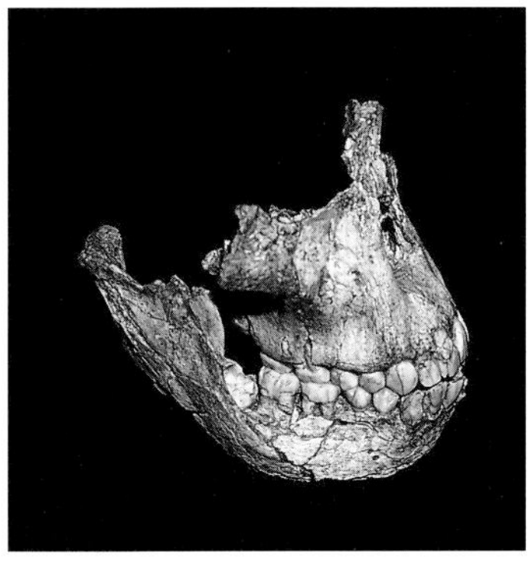

(Sus) Două dintre cele mai bine conservate fosile de australopiteci din Sterkfontein. Craniul „D-nei Ples" (inițial numită „Plesianthropus transvaalensis") e ilustrat în stânga, iar maxilarele eșantionului descoperit cu numărul Sts53, conținând una din cel mai bine conservate dentiții superioare și inferioare ale speciei, în dreapta.

presupunerile sale despre *Australopithecus*. Acești hominizi timpurii ilustrau într-adevăr trăsături umane în maxilarele și dinții lor, de exemplu dinții din față, cum ar fi caninii, erau relativ mici în comparație cu cei ai maimuțelor antropoide. Oasele șoldului și ale picioarelor arată că acești australopiteci erau mici de statură, dar mergeau în poziție verticală, ca oamenii. Totuși, în alte privințe Dart a greșit în presupunerile sale. Cavitățile creierului australopitecilor erau de fapt la fel de mici ca și ale maimuțelor antropoide, iar în forma de ansamblu a corpului, ele încă semănau cu maimuțele antropoide cu picioare scurte, și oasele membrelor, ale mâinilor și picioarelor sugerau că stăteau încă și prin copaci.

Vânători sau vânat

E posibil, de asemenea, să fi fost în principal vegetarieni și nu erau vânători activi. Multe dovezi sugerează că australopitecii constituiau vânat și nu vânători. Oasele lor s-au adunat probabil în peș-

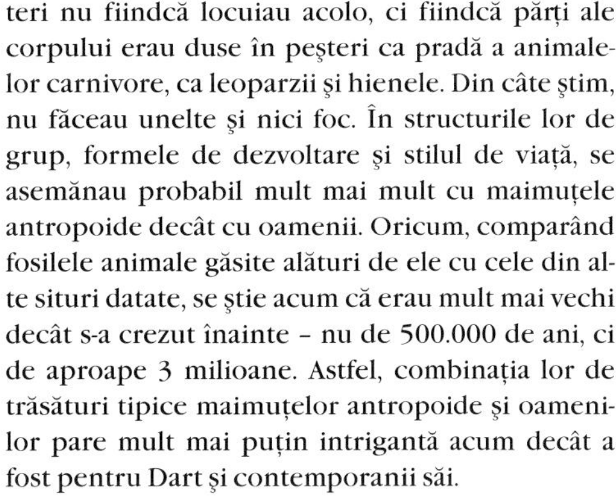

teri nu fiindcă locuiau acolo, ci fiindcă părți ale corpului erau duse în peșteri ca pradă a animalelor carnivore, ca leoparzii și hienele. Din câte știm, nu făceau unelte și nici foc. În structurile lor de grup, formele de dezvoltare și stilul de viață, se asemănau probabil mult mai mult cu maimuțele antropoide decât cu oamenii. Oricum, comparând fosilele animale găsite alături de ele cu cele din alte situri datate, se știe acum că erau mult mai vechi decât s-a crezut înainte – nu de 500.000 de ani, ci de aproape 3 milioane. Astfel, combinația lor de trăsături tipice maimuțelor antropoide și oamenilor pare mult mai puțin intrigantă acum decât a fost pentru Dart și contemporanii săi.

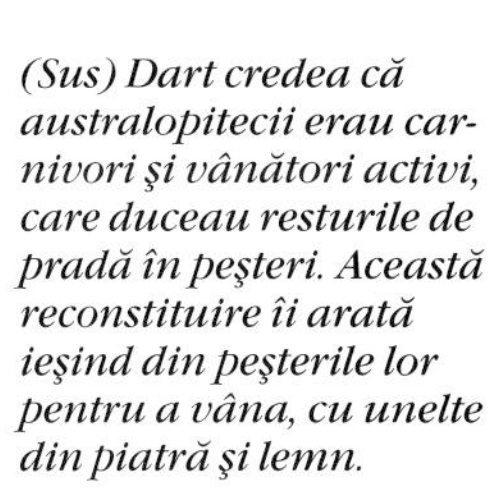

(Sus) Dart credea că australopitecii erau carnivori și vânători activi, care duceau resturile de pradă în peșteri. Această reconstituire îi arată ieșind din peșterile lor pentru a vâna, cu unelte din piatră și lemn.

(Jos) La Sterkfontein s-au descoperit mai multe schelete parțiale de Australopithecus. *S-a sugerat recent că acestea, numerotate Sts 14, ar putea fi corpul „D-nei Ples".*

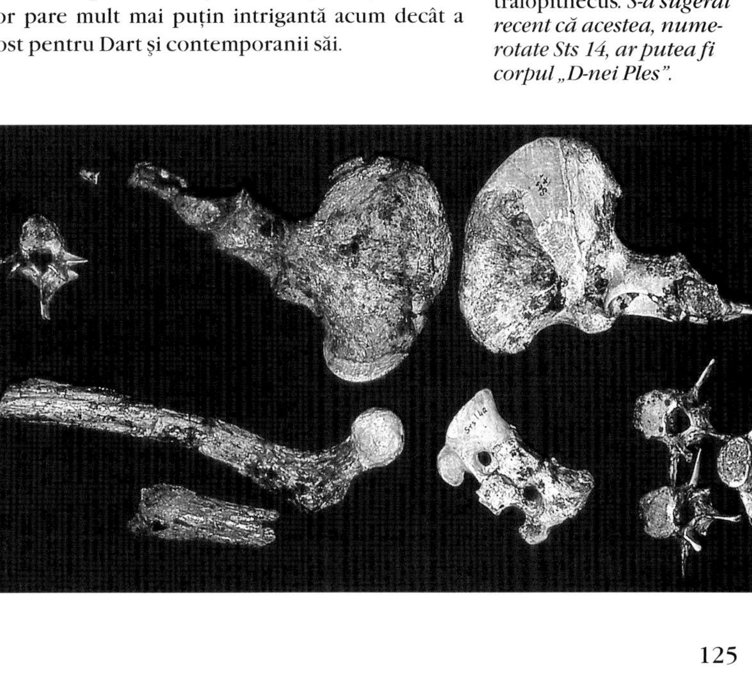

Australopitecii robuşti

(Jos) Această hartă indică multe din principalele situri africane unde există descoperiri de fosile ale primilor hominizi. Siturile pot fi împărţite în cele asociate cu bazinele sedimentare ale Riftului Est-African, întinzându-se din Etiopia în nord până la lacul Malawi în sud, şi cele găsite în peşterile de calcar din Africa de Sud, ca Swartkrans (dreapta).

Pe măsură ce s-a extins căutarea mai multor australopiteci de-ai lui Dart înspre noi situri din Africa de Sud, dovezile că existau mai multe tipuri din aceste creaturi au început să se adune. Siturile de la Swartkrans şi Kromdraai conţineau fosile, clar înrudite cu cele pe care le descrisese Dart, dar craniile păreau mult mai solide, iar molarii erau mai mari decât cei de *A. africanus*. De fapt, în unele cazuri, exista o creastă de os întinzându-se de-a lungul părţii de sus a craniului, similară celor găsite la gorilele şi cimpanzeii mari. Această creastă s-a dezvoltat spre a oferi o zonă de inserţie cât mai mare pentru muşchii mari ai maxilarelor. În vreme ce unii cercetători simţeau că variaţia ar putea reflecta pur şi simplu diferenţele de sex – cu alte cuvinte, tipurile mai mici reprezentate de individul tânăr al lui Dart erau femele, iar indivizii solizi erau masculi – alţi savanţi argumentau că de fapt se descoperise o altă specie de australopitec. Punctul lor de vedere a triumfat în cele din urmă, iar noua specie a fost numită *Australopithecus robustus*: astfel, aceste forme cu cranii şi maxilare mai solide şi dinţi puternici au devenit cunoscute drept „robuste", diferite de australopitecii „gracili". Iar în privinţa australopitecilor robuşti, oase-

Bahr el Ghazal
Awash
Bouri
Omo
Koobi Fora
Turkana de Vest
Chesowanja
Peninj
Defileul Olduvai/
Olduvai Gorge
Matema
Dealul Broken/
Broken Hill
Makapansgat
Drimolen
Kromdraai
Sterkfontein
Swartkrans
Taung
0 500 mile
0 500 kilometri

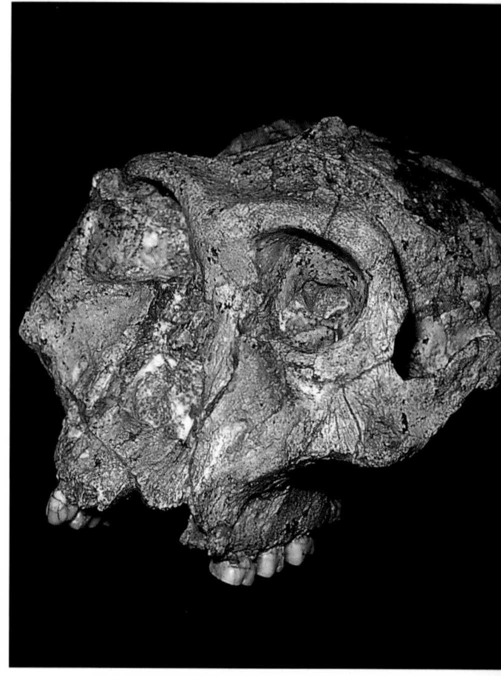

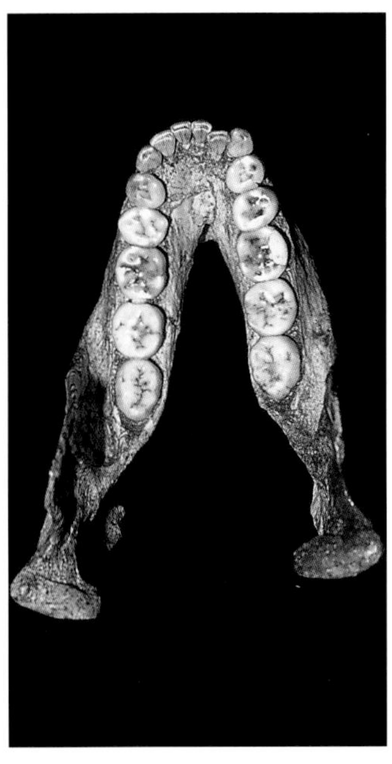

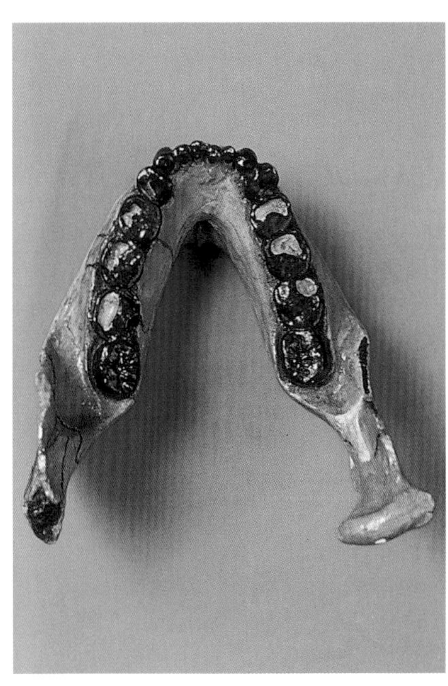

le scheletului sugerau că aceste făpturi mergeau și ele în mod regulat în poziție bipedă. Dimensiunea corpului lor era cu siguranță mai mare decât cea a exemplarelor gracile și aveau și creiere ceva mai voluminoase. În vreme ce speciile mai mici aveau un volum al creierului de aproape 400 ml, similar celui al cimpanzeilor, dimensiunea creierului formei mai robuste era comparabilă cu cea a gorilei, aproximativ 500 ml. În ultimii câțiva ani au fost descoperite mai multe situri noi conținând australopiteci robuști în Africa de Sud, de exemplu în localitatea Drimolen, care a scos la iveală un craniu aproape complet al acestei specii.

Fiindcă cele două specii au fost găsite în peșteri separate, nu era posibil să se precizeze dacă ele au fost sau nu contemporane. În orice caz, datarea sugerează acum că *A. africanus* a trăit cu aproape 3-2,5 mil. de ani în urmă, în vreme ce speciile robuste au trăit probabil între acum aproape 2 și 1,3 mil. de ani. Acest lucru a condus la sugestia că forma gracilă s-a dezvoltat în cea robustă, poate fiindcă uscăciunea sporită a mediului a determinat adaptarea la un regim alimentar mai bogat în nuci, alune, semințe, rădăcini și tuberculi. Deși

(Sus) Această comparație ilustrează mandibulele australopitecilor din Africa de Sud și de Est, cu oase groase caracteristice, dinți din față mici și măsele foarte mari. Mandibula din partea stângă (ușor sfărâmată) provine din Swartkrans, fiindu-i atribuită lui Paranthropus robustus, *iar cea din partea dreaptă este din Peninj, Tanzania, atribuită lui* Paranthropus boisei.

(Pagina alăturată) Acest craniu aproape complet din Swartkrans (descoperirea numărul SK 48), găsit în 1952, a fost unul din cele care au stabilit în cele din urmă existența a două forme de australopiteci în sedimentele peșterilor din Africa de Sud. Acestea constituiau specia definită de Dart, Australopithecus africanus *(„australopiteci gracili"), iar cea de-a doua îi reprezenta pe australopitecii robuști, atribuiți acum adesea unui gen separat, numit* Paranthropus. *SK 48 ilustrează craniul cu creastă, o față netedă mare și măsele mari, caracteristice pentru acest grup.*

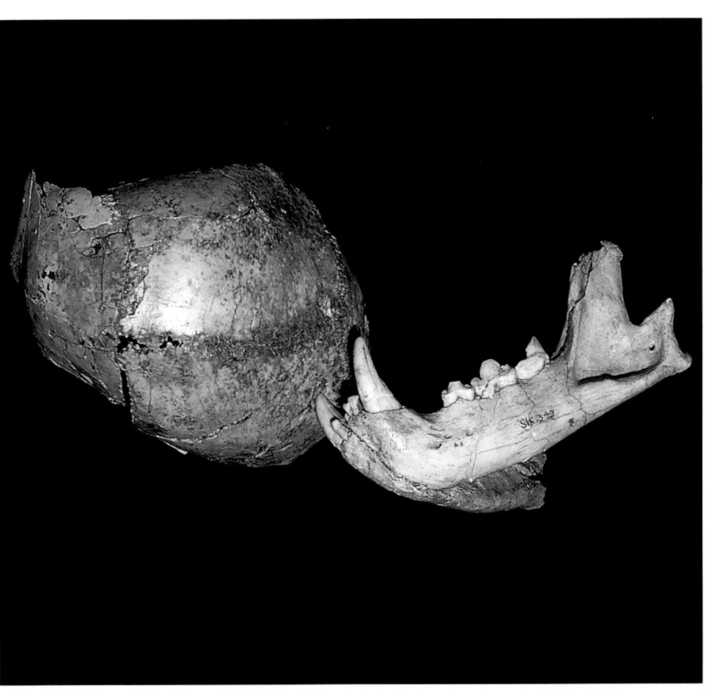

(Stânga) Această imagine ilustrează craniul unui australopitec robust tânăr (SK 54) din Swartkrans, care are adâncituri în partea din spate, similare cu dimensiunea și distanța înțepăturilor făcute de dinții canini ai unui leopard. Acea comparație e validată aici folosind o mandibulă fosilă a unui leopard din același sit.

(Sus) Situl peşterii din Swartkrans, din apropiere de Sterkfontein, a început să scoată la iveală fosile importante în 1948, când Robert Broom a găsit o parte dintr-un maxilar tipic uman, urmată curând după aceea de fragmente de craniu, cunoscute azi ca reprezentând australopiteci robuşti. A fost săpat într-un mod mai sistematic din 1965 de către C.K. („Bob") Brain, care a studiat întregul proces prin care resturile fosile s-au acumulat în peşteră.

Dart a susţinut ideea că australopitecii din Africa de Sud erau vânători carnivori, dovezile sugerează că ei erau de fapt vânat, prada animalelor carnivore. Un australopitec robust tânăr poartă chiar însemnele caninilor leopardului în spatele craniului său. Oricum, cercetările recente asupra compoziţiei chimice a dinţilor lor sugerează că regimul alimentar al australopitecilor robuşti includea probabil carne sau insecte precum termitele.

Australopitecii robuşti din Africa de Est

Pe măsură ce se dezvoltau săpăturile de-a lungul Văii Riftului Est-African, au început să fie descoperite acolo şi fosile ale australopitecilor. Mary Leakey a găsit un craniu în unele din cele mai vechi sedimente din defileul Olduvai, Tanzania. Numit iniţial „*Zinjanthropus boisei*", a devenit specimenul-tip al unei noi specii de australopitec robust, care era chiar mai robust decât forma din Africa de Sud, cu maxilare mai groase şi molari mai mari. Această formă a fost şi ea ulterior descoperită şi în Etiopia, în situri ca Omo, şi în Kenya, în situri precum Koobi Fora. Mai recent, mulţi savanţi au acceptat că diferenţele dintre formele gracile şi cele robuste sunt chiar mai importante şi au favorizat o distincţie mai mare decât nivelul speciei. Ei au reînviat un vechi nume pentru formele robuste din Africa de Sud – *Paranthropus* („Omul de alături"), şi astfel, speciile de australopiteci robuşti au fost numite în continuare *Paranthropus robustus* şi *Paranthropus boisei*. Datarea exemplarelor robuste din Africa de Sud şi de Est sugerează că sunt contemporane, având între cca 2 şi 1,3 mil. de ani vechime, deşi s-ar părea că forma est-africană era mai specializată prin dinţii săi, reflectând o adaptare sporită la masticaţia hranei dure. Mulţi experţi presupun că cele două specii s-au dezvoltat dintr-un strămoş comun mai vechi, iar acesta va fi probabil descoperit în Kenya, Etiopia şi Malawi, din moment ce un australopitec robust mai primitiv, numit *Paranthropus aethiopicus,* a fost găsit acolo. Are un creier mai mic şi o faţă mult mai ieşită în afară decât specia mai târzie şi posibil descendentă, însă creasta caracteristică din partea superioară a craniului e deja bine dezvoltată.

Relaţia dintre australopitecii robuşti şi primii oameni a fost mult discutată. Cele două forme s-au suprapus în mod clar în timpul existenţei lor, atât

(Dreapta) Louis Leakey alături de craniul hominidului 5 de la Olduvai (cunoscut echipei conduse de Leakey drept „Băiatul drag", dar poreclit și „Spărgătorul de nuci"), la Londra în 1959. În acest stadiu, el credea încă despre „Zinjanthropus" boisei *că era adevăratul creator al celor mai vechi unelte din piatră excavate din sit și era un strămoș al omului. Curând după aceea, descoperirea fosilelor de* Homo habilis *la Olduvai a determinat renunțarea la această ipoteză.*

cu *Homo habilis,* cât și cu *Homo erectus* în Africa, iar apoi australopitecii robuști au dispărut. S-a sugerat că, odată ce *Homo erectus* a devenit un vânător desăvârșit, australopitecii au devenit pradă și au fost în cele din urmă vânați până la dispariție de către rudele lor. Acest lucru e cu siguranță posibil, dar e la fel de posibil ca schimbarea mediului sau competiția pentru hrană să fie responsabile pentru dispariția lor. Oricare le-ar fi fost soarta, australopitecii robuști au reprezentat unul dintre cele mai remarcabile experimente evolutive din familia hominizilor.

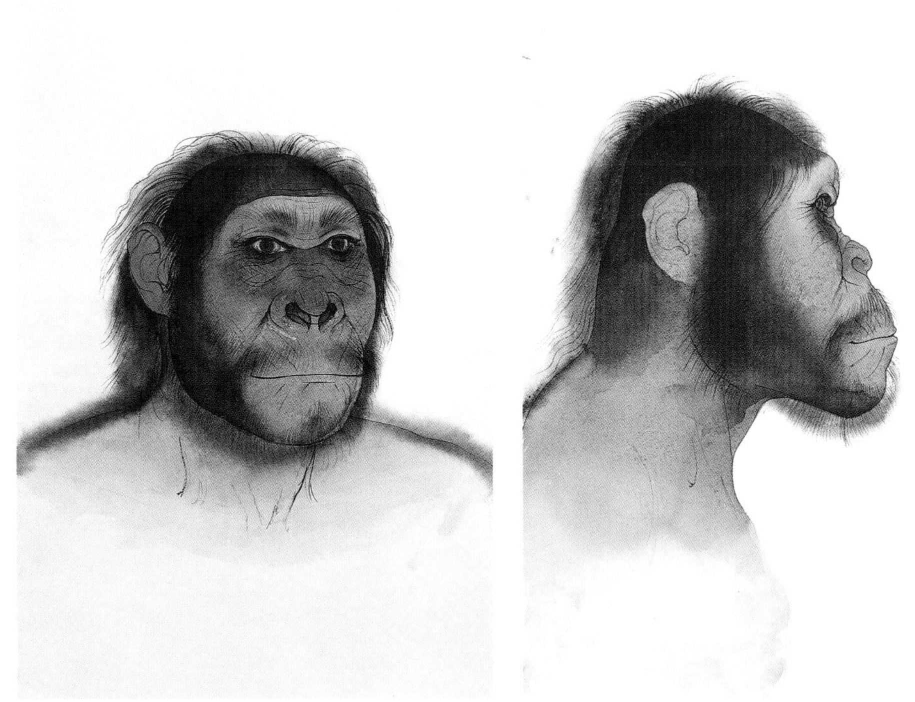

(Stânga) Reconstituirile fizionomiei unui Paranthropus boisei, *bazate pe materialul fosil de la Olduvai și Peninj. Deși forma urechii și a părului sunt ipotetice, nasul și fața foarte aplatizate și maxilarele proeminente sunt fără îndoială precise.*

Originea oamenilor

(Jjos) Din observarea cimpanzeilor sălbatici reiese că aceştia folosesc unelte în scopuri ca amenințarea reciprocă, prinderea termitelor şi spargerea nucilor. Aceste comportamente variază de la grup la grup, sugerând că cimpanzeii duc mai departe acest comportament ca pe un fel de „cultură".

(Jos, dreapta) Tractul vocal al cimpanzeului e de aşa natură încât nu pot scoate sunetele produse de om.

Definirea termenului de „om" nu este o sarcină uşoară. Oamenii sunt catalogați drept „făuritori de unelte" și apariția uneltelor de piatră în depozitele sedimentare preistorice a fost privită ca dovadă-cheie a evoluției spre umanitate. Totuşi, s-a descoperit apoi că cimpanzeii, rudeniile noastre cele mai apropiate, utilizau bețe pentru „a pescui" termitele din muşuroaiele lor și mulți antropologi au acceptat de-atunci că diferența dintre crearea uneltelor de către oameni și maimuțele antropoide este una mai degrabă cantitativă decât calitativă.

Limbajul ca trăsătură caracteristică

Limbajul este un sistem complex de comunicare, și e unanim acceptat faptul că aceasta e una din trăsăturile noastre definitorii. În timp ce animalele pot comunica unele cu altele prin gesturi sau sunete, acestea nu sunt de obicei aranjate în secvențe complexe, și pot face față numai la evenimente imediate. Au fost multe tentative în trecut de a le învăța pe maimuțele antropoide să vorbească, dar acestea au eşuat și știm azi că n-ar fi putut reuşi deoarece gâtul la maimuțele antropoide este structurat diferit și, pur și simplu, nu poate produce gama de sunete specifice omului. Totuşi, s-a descoperit mai târziu că cimpanzeii puteau învăța să folosească simboluri sau tablouri de comandă pentru „a le vorbi" oamenilor și altor cimpanzei. Puteau învăța un vocabular de până la 200 de „cuvinte" și le puteau aranja pe acestea în secvențe simple, de exemplu pentru a cere mâncare sau a descrie obiecte. Totuşi, nicio maimuță antropoidă n-a putut stăpâni un vocabular mai complex, n-a putut înțelege conceptele abstracte sau să vorbească despre trecutul îndepărtat sau viitor, lucru de care oamenii sunt capabili.

Astfel, limbajul uman este cu siguranță unic, iar identificarea momentului nașterii sale ar fi esențială pentru înțelegerea evoluției noastre. Suprafața exterioară a creierului uman ilustrează într-adevăr câteva trăsături structurale importante în producerea vorbirii, iar dacă acestea ar fi afectate, capacitatea de a vorbi s-ar reduce sau ar fi pierdută complet. Oricum, încercarea de a recunoaşte trăsături asemănătoare cu ale suprafeței creierului uman pe endocaste (cópii luate din cavitățile creierului craniilor fosile) e dificilă și de valoare discutabilă. E probabil mai realist să încercăm a evalua prezența limbajului din gradul de complexi-

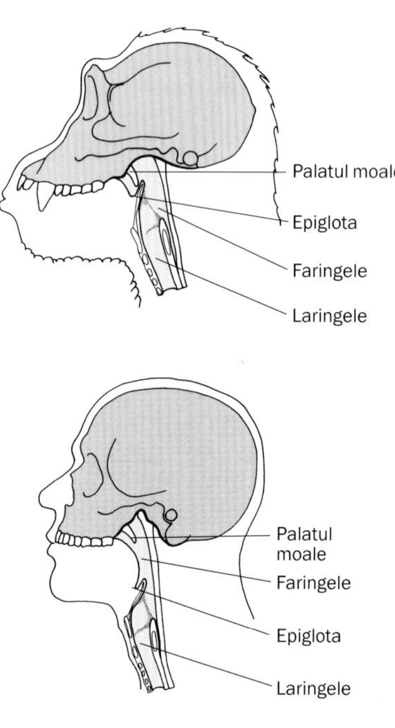

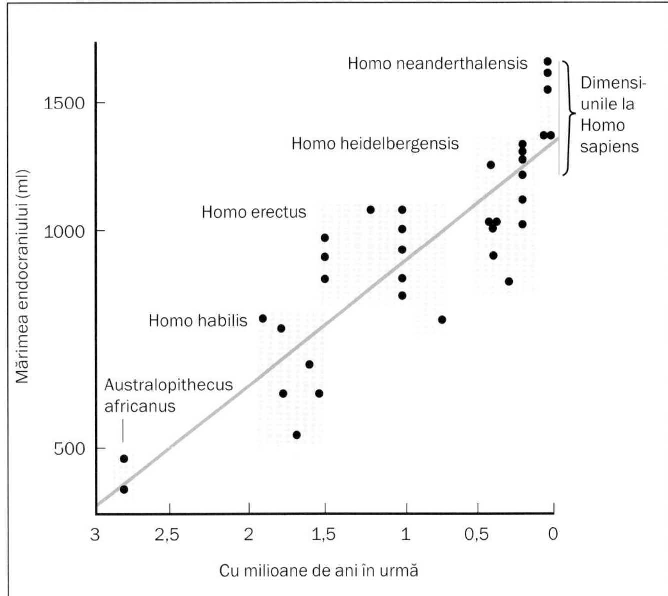

tate comportamentală pe care-l putem deduce din mărturiile arheologice și, pe acea bază, mulți savanți cred acum că limbajul nu a apărut devreme în evoluția umană.

Trăsăturile corpului luate drept caracteristici definitorii

Deoarece comportamentul nu „se fosilizează" direct, mulți savanți au ales să identifice oamenii după trăsăturile corpului, care într-adevăr se păstrează. Mersul biped este o adaptare umană unică, dar acum știm că s-a dezvoltat devreme în evoluția umană, când multe alte trăsături umane nu existau încă, astfel că majoritatea specialiștilor nu folosesc această trăsătură pentru recunoașterea oamenilor adevărați. Forma noastră corporală cu picioare lungi e și ea distinctă, dar acest lucru pare să-și aibă originea mai târziu în timp, poate cu circa 1,8 milioane de ani în urmă. Un creier mare reprezintă o altă trăsătură umană specială, iar mărimea cavității creierului poate fi măsurată destul de precis la craniile fosile. Dimensiunea creierului trebuie să fie și ea în raport cu mărimea corpului din moment ce, alte lucruri fiind egale, un animal mai mare va avea în general un creier mai mare. Astfel, gorilele au de obicei dimensiuni mai mari ale creierelor decât cimpanzeii, deși nu există dovezi că acest lucru le conferă o inteligență mai mare - de fapt, opusul ar putea fi adevărat în acest caz.

Dimensiunea relativă a creierului pare să fie un indiciu mai bun, iar pe baza acestuia se pare că primii membri ai descendenței noastre evolutive abia aveau creiere mai mari decât maimuțele antropoide de azi. Nu s-a întâmplat decât acum 2 milioane de ani să se dezvolte creierele relativ mari în neamul nostru, și pentru mulți savanți, acest lucru marchează adevărata origine a umanității. Totuși, alte caracteristici au fost propuse pentru a marca apariția adevăraților oameni, de exemplu mărimea relativă și ieșirea în afară a feței, evoluția unui nas proeminent sau apariția unei perioade extinse de creștere și maturitate întârziată, care îi caracterizează astăzi pe oameni.

În realitate, multe dintre aceste trăsături s-au dezvoltat treptat și în diferite grade, și nu se putea aștepta ca ele să fi evoluat deodată ca un „pachet". Astfel, recunoașterea primilor „oameni" rămâne probabil o chestiune foarte controversată și azi ca și în secolul anterior.

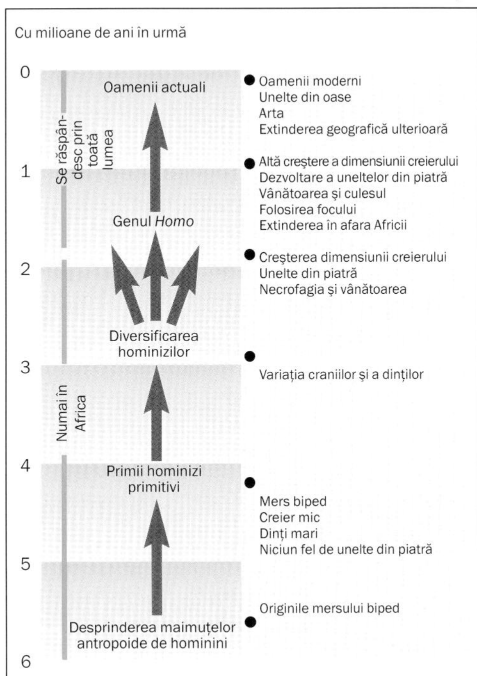

(Sus, stânga) Deși marile maimuțe antropoide nu pot imita sunetele umane, ele au o capacitate surprinzătoare de a folosi cuvinte când acestea sunt codificate sub forma obiectelor, a simbolurilor computerizate sau a semnelor făcute cu mâna. Așadar, creierele lor sunt structurate (probabil) spre a crea și a folosi un vocabular destul de extins.

(Sus, dreapta) Mărimea creierului s-a triplat mai mult sau mai puțin în timpul evoluției omului în ultimii 3 milioane de ani, și deși a mai existat o creștere a dimensiunii globale a corpului în acea perioadă, acesta nu a crescut la fel de mult precum creierul (ca proporție).

(Stânga) Cursul evoluției umane și apariția caracteristicilor umane în ultimii 6 milioane de ani.

Omul timpuriu

Reconstituirea speciei Homo habilis *la vânătoare. Schelete parțiale de mamifere de dimensiuni mari și mijlocii, înconjurate de unelte din piatră au fost scoase la suprafață în siturile din Tanzania, Kenya și Etiopia, datând de acum aproape 2 milioane de ani. Oasele de animale sunt adesea marcate de tăieturi sugerând tranșarea, iar spargerea lor semnifică extragerea măduvei osoase. Nu e întotdeauna clar însă dacă animalele erau vânate de oameni, sau mâncate după ce acestea fuseseră ucise de alte animale.*

După cum am observat la pagina 68, unelte din piatră au fost găsite în sedimentele străvechi din defileul Olduvai din Africa, cu mult înainte ca orice semne ale celui care le-a creat să fi fost depistate. Dar în 1960, după mulți ani de cercetare, echipa lui Leakey a găsit în cele din urmă fosile ce păreau să-i reprezinte pe cei dintâi creatori de unelte de la Olduvai. Peste câțiva ani s-a adunat suficient material care demonstra că hominidul în cauză era net diferit de australopitecul robust ce fusese găsit acolo în 1959. Colecția de fosile includea fragmente de maxilare, părți de craniu, oase ale mâinilor și picioarelor. Dinții maxilarelor erau diferit proporționați față de cei ai australopitecilor, de vreme ce erau relativ mai mari în față și mai mici în spate și, astfel, mai asemănători cu cei ai oamenilor. Oasele craniului erau subțiri, craniile nu prezentau niciun fel de creste osoase și erau suficient de mari pentru a sugera că mărimea creierului era semnificativ mai mare decât cea a oricărui australopitec. Louis Leakey a decis că materialul era suficient de uman pentru a fi inclus în propriul nostru gen *Homo* ca o nouă specie numită *habilis*, ceea ce înseamnă „îndemânatic", datorită presupusei sale capacități de creare a uneltelor.

Descoperiri fosile la Koobi Fora

Homo habilis n-a fost bine primit de comunitatea științifică. Unii savanți au simțit că materialul nu era destul de complet pentru emiterea unor opinii clare și sigure, alții au considerat că reprezenta pur și simplu un nou australopitec, în timp ce alții credeau că acesta consta dintr-un amestec de australopiteci și fosile umane timpurii veritabile. Cu toate acestea, *Homo habilis* a câștigat treptat credibilitate științifică, și noi fosile au fost găsite la Olduvai și în alte locuri. Fiul lui Louis, Richard, a început un nou proiect de cercetare în nordul Kenyei, la Koobi Fora, în partea estică a lacului Turkana (înainte se numea lacul Rudolf). El a fost curând recompensat prin descoperirea unor unelte de piatră asemănătoare celor găsite în primele straturi din defileul Olduvai, precum și cu resturile australopitecilor robuști, datând de acum aproape 2 mil. de ani. Astfel că au existat speculații imediate despre faptul că *Homo habilis* s-ar putea găsi și acolo. Descoperirirea craniului fosil cunoscut prin numărul său de catalog KNM-ER 1470 părea să confirme aceste așteptări, din moment ce

(Stânga) S-a discutat mult despre diferențele dintre fosilele atribuite lui Homo habilis. *Această comparație ilustrează un hominid cu creier mic (numărul KNM-ER 1813 din Muzeul Național din Kenya), în dreapta, și un hominid cu creier mai mare (numărul KNM-ER 1470), în stânga. S-ar putea ca craniul mare să aparțină unui mascul și cel mic unei femele, sau e posibil ca ele să provină de la specii diferite – poate* Homo habilis *(1813) și* Homo rudolfensis *(1470)?*

(Dreapta) Lacul Malawi e situat în capătul sudic al Riftului Est-African și s-a presupus că hominizii timpurii au trăit acolo. Acest lucru a fost confirmat în 1993, când a fost descoperită o mandibulă groasă la Uraha de o echipă condusă de paleontologul Friedemann Schrenk. Numărul părții descoperite, UR 501 (ilustrată aici), veche de cca 2,4 milioane de ani, seamănă foarte bine cu o mandibulă găsită în Kenya (KNM-ER 1802) și ambele au fost atribuite lui Homo rudolfensis.

avea în mod clar creier mai mare (volum estimat cam la 750 ml, în comparație cu cel al australopitecilor de cca 400-500 ml) și îi lipsea orice semn al crestei în partea de sus a craniului, prezentă la australopitecii robuști.

O specie sau două?

Lucrurile s-au complicat când au fost găsite alte rămășițe ale posibililor oameni timpurii la Koobi Fora. Acestea includeau cranii cu fețe și dinți mai curând umani, cu calote craniene mici, dar nu mai mari decât cele ale australopitecilor, și chiar un exemplu al unui aparent *habilis* cu o creastă deasupra craniului, similară celei a unei maimuțe antropoide sau a unui australopitec robust. Drept urmare, numeroși savanți au sugerat că este reprezentată mai mult de o specie în fosilele atribuite lui *Homo habilis*. Ei au sugerat că forma mai mare, reprezentată de craniul 1470, ar trebui numită *Homo rudolfensis,* în vreme ce specia mai mică ar păstra numele *habilis*. Grație acestei dileme, nu mai e clar care (sau dacă vreuna) din aceste forme timpurii de *Homo* ar putea fi străbuna oamenilor de mai târziu, care erau făuritorii de unelte. Și mai există o altă specie despre care unii specialiști cred că ar putea fi un strămoș al omului, o specie de australopiteci numită *A. garhi,* de acum aproa-

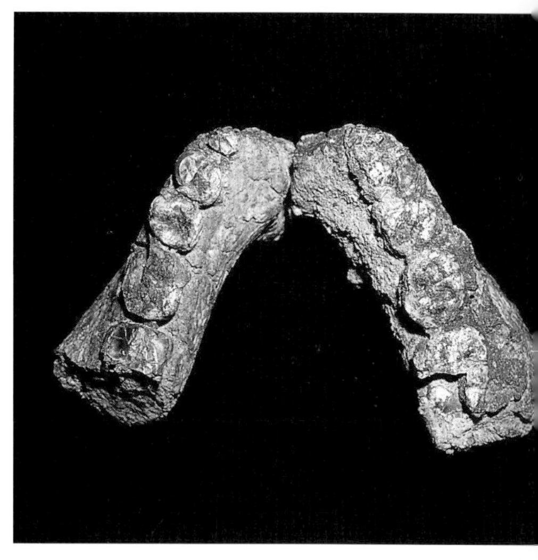

pe 2,5 mil. de ani. Găsit la Bouri în Etiopia, materialul constă din părți de craniu și maxilare, iar separat, oase ale brațelor și picioarelor cu dimensiuni mai curând umane și oase de animale marcate prin tăieturi, presupunând atât folosirea uneltelor de piatră, cât și consumul de carne la această dată timpurie.

În ciuda dovezilor sugestive de la Bouri, nu e

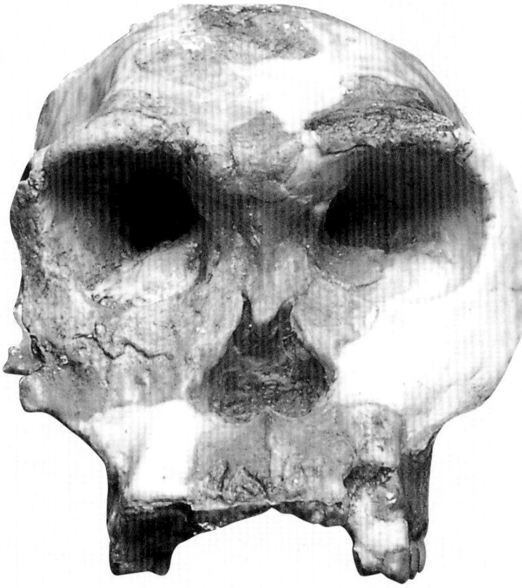

clar nici ce fel de schelete aveau aceste prime forme asemănătoare cu oamenii. Niște oase mai degrabă mari ale picioarelor au fost găsite la niveluri ce conțineau și fosile de *Homo rudolfensis*, sugerând o dimensiune a corpului și proporții tipic umane, dar o descoperire recentă făcută la Olduvai formează o imagine mai curând diferită pentru Homo habilis. Hominidul 62 de la Olduvai constă dintr-un maxilar de dimensiuni umane, însă scheletul asociat este mic, iar dimensiunile sale sunt cu siguranță non-umane. Brațele sunt relativ lungi în comparație cu oasele picioarelor, iar acest fapt presupune că dimensiunile corpului acestei făpturi erau similare maimuțelor antropoide, poate chiar mai mult decât cele ale lui Lucy, faimosul schelet de australopitec din Etiopia, care este mai vechi decât acesta cu peste un milion de ani. Statutul uman al speciei *habilis* mici rămâne așadar îndoielnic. În aceeași măsură, fața mare, măselele și maxilarele groase ale speciei *rudolfensis* nu arată neapărat umane, iar unii savanți au creat o legătură evolutivă cu forma veche de 3,5 mil. de ani, numită *Kenyanthropus platyops*, crezând că acestea ar reprezenta o descendentă hominidă total separată și dispărută. Astfel, în ciuda celor câteva trăsături tipic umane, statutul uman al speciei *„habilis"* rămâne încă un subiect de dispută.

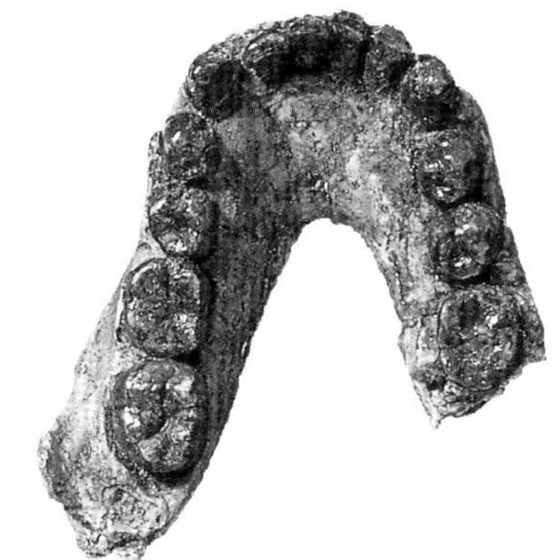

(Sus și dreapta) Homo habilis *mai ilustrează schimbarea intervenită la mandibulă. În imagine, o mandibulă din Kenya (KNM-ER 1802), în stânga, și mandibula lui* Homo habilis, *hominidul 7 de la Olduvai. Prima e acum atribuită de mulți savanți lui* Homo rudolfensis, *în vreme ce ultima rămâne ca* Homo habilis.

(Pagina alăturată) Craniul, din partea dreaptă, numerotat hominidul 24 (OH 24) Olduvai, a fost descoperit de Peter Nzube în 1968 la Olduvai, în Tanzania. Turtit, aproape plat când a fost descoperit, a fost poreclit „Subțirelul". De curând i-a fost atribuit lui Homo habilis. *Aici e comparat cu craniul mult mai mare al lui* Paranthropus boisei *– hominidul 5 de la Olduvai.*

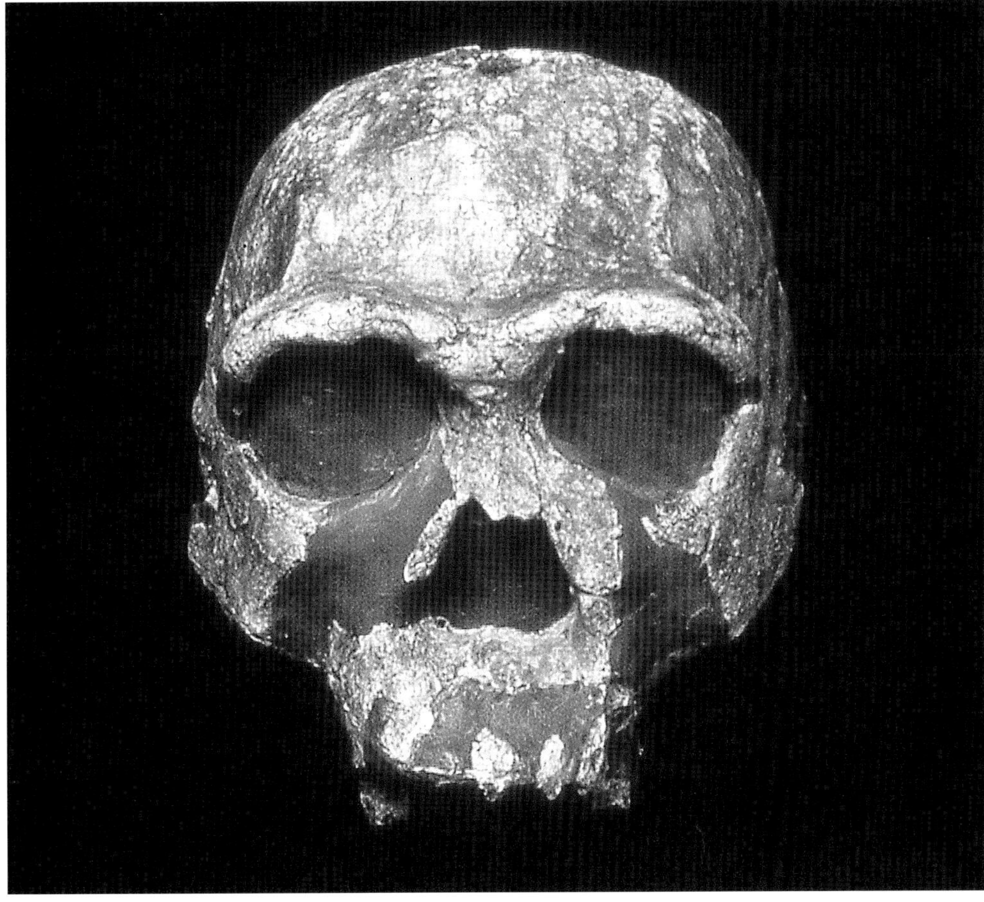

(Dreapta) Pentru unii cercetători, adevărații oameni au apărut numai cu specia Homo ergaster *(alții îl numesc* Homo erectus *timpuriu) – exemplificată de craniul KNM-ER 3733 ilustrat aici. Ei susțin că trăsăturile umane ale craniului, maxilarelor, dinților și ale formei corpului au apărut prima oară la această specie. Din acest punct de vedere, specii ca* Homo habilis *și* Homo rudolfensis *sunt într-adevăr mai strâns legate de australopiteci.*

Homo erectus

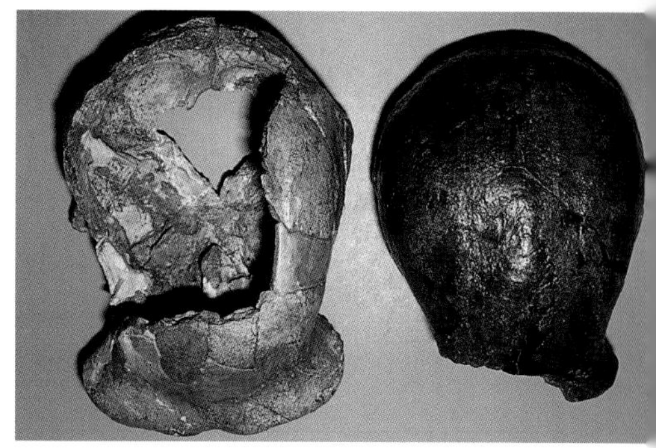

În secolul XIX, un biolog german numit Ernst Haeckel a dezvoltat o serie de etape ipotetice în evoluția umană, bazându-se pe convingerea că gibonii reprezentau cea mai apropiată ființă în viață de strămoșul nostru, maimuța antropoidă. Haeckel credea că Darwin se înșelase, și că mai degrabă Asia decât Africa era patria noastră străbună. El a numit unul din stadiile ipotetice preumane *„Pithecanthropus alalus"* („Omul-maimuță fără vorbire") și susținea că ar fi trăit în Asia Sud-Estică. În 1889, un tânăr doctor olandez numit Eugene Dubois a găsit dovezi fosile ale acestui „Pithecanthropus". El se mutase pe insula Java, în Indiile de Est Olandeze (azi Indonezia) și, în mod surprinzător, în doi ani a găsit dovezi fosile ale unui stadiu primitiv de evoluție umană. Printre descoperirile sale se număra o calotă craniană groasă, lungă și joasă, cu o arcade oculare proeminente și un os al șoldului foarte asemănător cu cel uman. În consecință, urmându-l pe Haeckel, și-a numit descope-

(Sus) O hartă cu siturile în care au fost descoperite fragmente de Homo erectus.

(Sus, dreapta) Vedere de sus a unor cranii de Homo erectus *din Africa și Indonezia. În partea dreaptă este craniul Sangiran 2 din Java, Indonezia, iar în stânga, craniul parțial al hominidului 9 de la Olduvai, din Tanzania. Diferențele de mărime și robustețe reflectă probabil diversificarea speciei în timp și spațiu, precum și o diferență de sex (craniul javanez e mai tânăr și poate fi cel al unei femei; craniul tanzanian provine probabil de la un bărbat).*

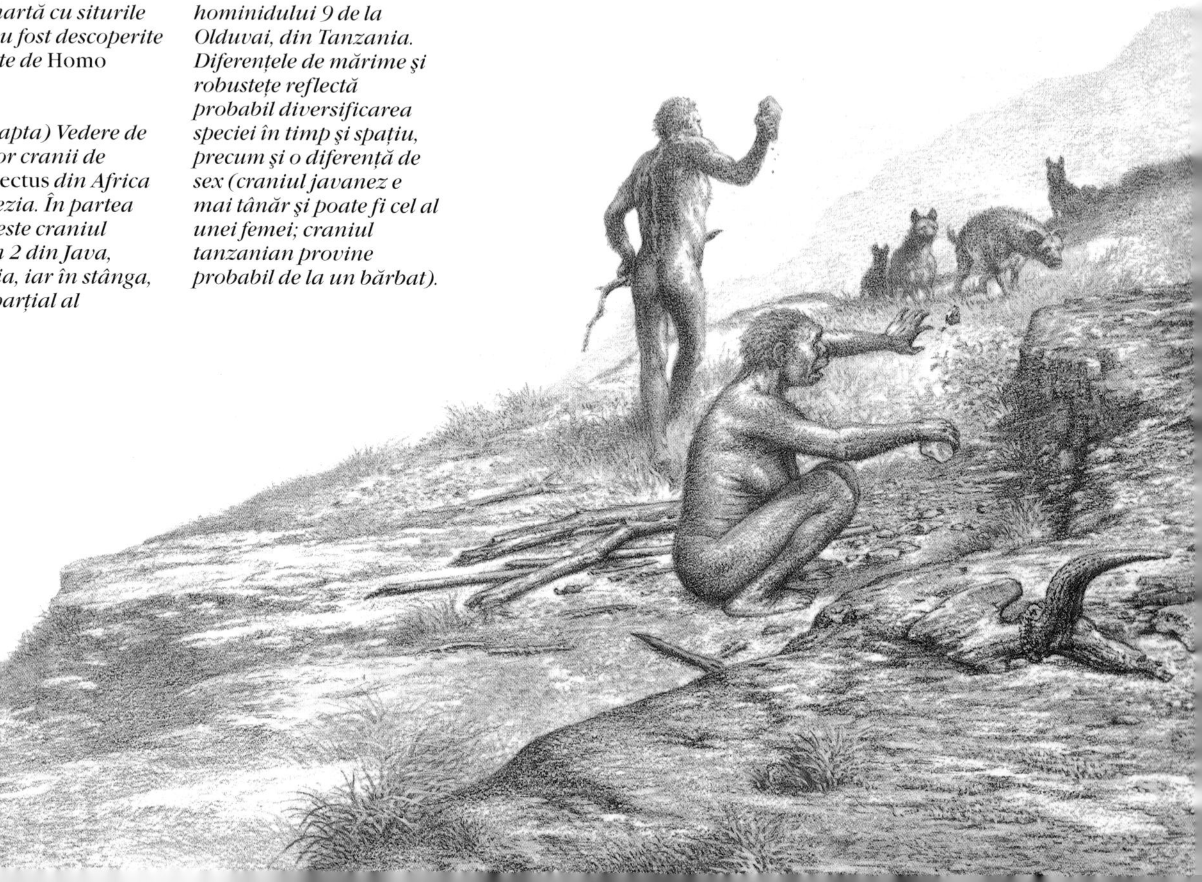

rirea *„Pithecanthropus"*, dar i-a dat un nume de specie diferit, datorită poziției sale verticale pe care a dedus-o din forma femurului – *„erectus"* („Omul drept"), fiindcă se recunoaște în general că are caracteristici umane.

Java și China

Până în 1940, mult mai multe resturi ale acestei specii au fost găsite în Java și în noi regiuni precum China. Acolo, situl de la Cioukoutien, din apropiere de Beijing, a scos la iveală numeroase fosile de ființe bipede, care i-au fost inițial atribuite lui *„Sinanthropus pekinensis"* („Bărbatul chinez din Peking"), dar care au fost mai târziu asociate cu fosilele „Omului de Java", atribuite lui *Homo erectus*. Caracteristicile acestei specii erau

Un craniu al lui Homo erectus *din Java (dreapta) comparat cu un craniu african timpuriu (stânga), atribuit adesea lui* H. ergaster, *și cu craniul de la Petralona mai recent (centru), atribuit lui* H. heidelbergensis.

(Jos) O reconstituire a sitului Cioukoutien (China) ilustrând un grup ce fabrică unelte din bambus și cuarțit și gătind carnea la foc. În fundal, hienele periculoase sunt alungate; probabil că oamenii și hienele se luptau frecvent atât pentru adăpost, cât și pentru mâncare. Există însă îndoieli asupra producerii și utilizării focului la Cioukoutien.

(Stânga) Dealul „Oasele de Dragon", locația peșterilor din Cioukoutien, în apropiere de Beijing, China. Fosilele, despre care se credea că erau rămășițele dragonilor, au fost adunate de aici și măcinate pentru leacuri tradiționale.

acum clare. Craniul era relativ alungit, dar cu o frunte netedă. Era foarte lat la bază și îngust mai sus. Exista o fâșie puternică de os deasupra alveolelor ochilor (creasta netedă supraorbitală a osului) și alta întinzându-se de-a lungul părții din spate a capului (creasta occipitală). Cutia craniană era destul de voluminoasă în comparație cu cele ale hominizilor mai timpurii, atingând o capacitate de cca 1000 ml, 75% din cea de azi, dar pereții săi erau groși și întăriți de oase suplimentare (creste). Oasele restului de schelet erau dure, cu pereți groși, sugerând că specia *erectus* avea un stil de viață care a suprasolicitat scheletul. Dinții erau mari, dar ca ai omului, deși erau așezați în maxilare puternice.

Dubois nu avea o idee reală despre vechimea fosilelor javaneze, dar știm acum că primele datează cam de 1,5 mil. de ani, pe când cele mai tinere pot fi surprinzător de recente, poate chiar sub 100.000 de ani vechime. Fosilele chineze ale lui *erectus* se întind pe o perioadă similară de timp, de la aproximativ 1 milion, poate înspre 250.000 de ani. În acest răstimp, specia a ilustrat o creștere moderată a dimensiunii creierului (evaluată din interiorul craniului), poate corelată cu o creștere a mărimii corpului, dar cu puține alte modificări importante. Unii savanți cred că *Homo erectus* din Asia s-a dezvoltat treptat în oamenii moderni, aceasta fiind teza evoluției multiregionale (vezi pp. 140-143)

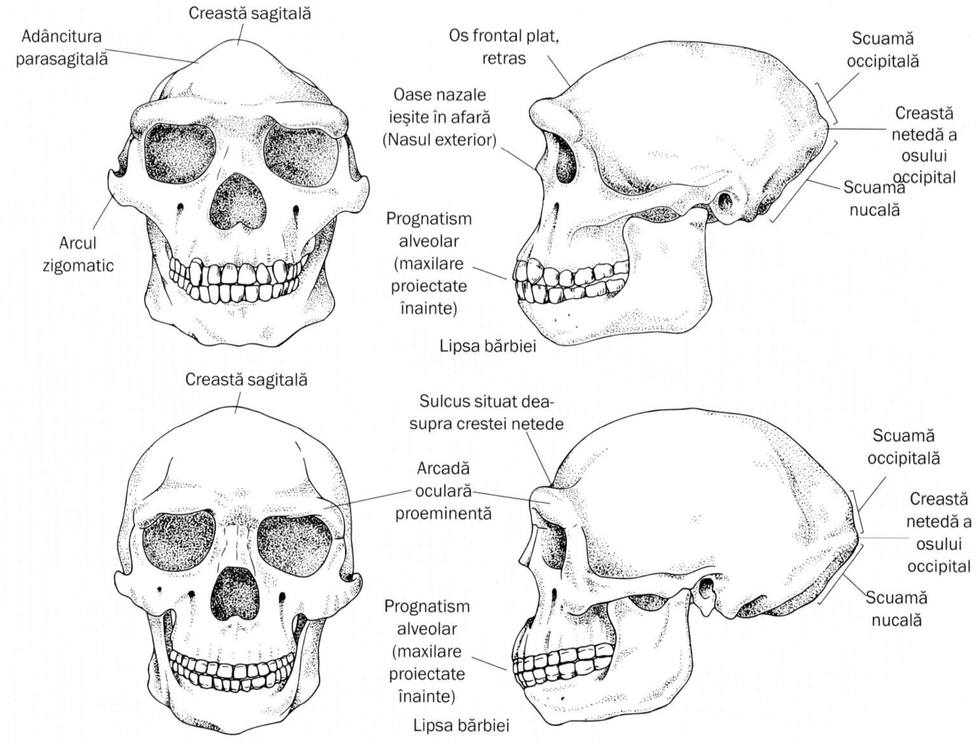

(Dreapta) Această comparație ilustrează reconstituirea craniilor lui Homo erectus *din China și Java, dirijată de paleoantropologul german Franz Weidenreich. Reconstituirea de sus se bazează pe fosile mai vechi din Sangiran, Java, probabil masculi, iar cea de jos pe material mai recent din Cioukoutien, China, probabil femele. Fosilele javaneze sunt în general mai robuste, cu cranii mai groase și mai puternice, indivizii chinezi mai târzii au o constituție mai firavă și au creiere oarecum mai mari. Weidenreich credea despre craniile javaneze că ar avea legătură cu strămoșii aborigenilor autralieni, pe când fosilele de la Cioukoutien ar reprezenta strămoșii populațiilor orientale recente.*

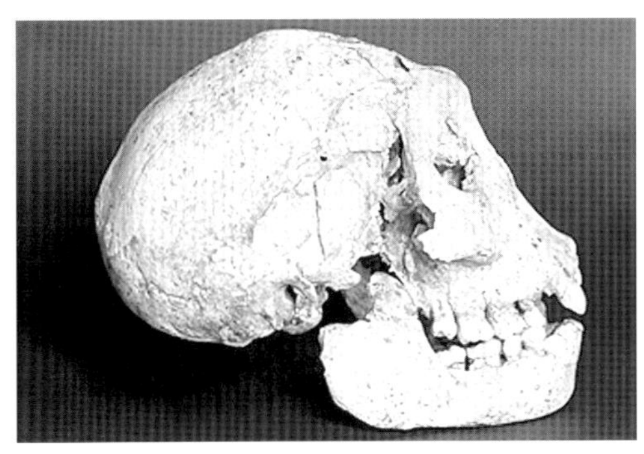

Originile lui *Homo erectus*

Originile acestei specii sunt nesigure. După cum se poate demonstra, există exemple foarte timpurii ale speciei *erectus* în afara Africii, în Caucaz (situl georgian de la Dmanisi), unde au fost descoperite câteva cranii, maxilare și părți de schelete de cca 1,8 mil. de ani. Unii cercetători le privesc ca o formă timpurie a lui *erectus*, în timp ce alții văd legături cu speciile africane mai primitive, cum ar fi *H. habilis*. Recent, s-a sugerat că fosilele din Georgia ar reprezenta o nouă specie *„Homo georgicus"*. În orice caz, există o varietate considerabilă în colecția de fosile de la Dmanisi, așa că e posibil să fie prezentă mai mult de o specie a omului timpuriu. Fosilele din Java ale lui *erectus* sunt estimate a avea tot 1,8 mil. de ani. Majoritatea specialiștilor cred că *erectus* își are originile în Africa probabil cu 1,9 mil. de ani în urmă. O calotă craniană atribuită acestei specii a fost găsită de echipa lui Leakey la Olduvai și datată de aproape 1,2 mil. de ani, însă au fost făcute chiar descoperiri mai timpurii în apropierea lacului Turkana, din nordul Kenyei. Cranii similare celor ale lui *erectus* au fost scoase la suprafață de la Koobi Fora și apreciate ca având în jur de 1,8-1,7 mil. de ani vechime și, cel mai spectaculos, a fost descoperit un schelet aproape complet al unui băiat la Nariokotome, pe malul vestic al lacului.

Băiatul din Nariokotome

Scheletul său e datat de acum cca 1.5 mil. de ani și reprezintă scheletul uman străvechi cel mai complet descoperit până acum. Băiatul a murit la aproape 11 ani, judecând după standardele de dezvoltare ale omului modern, dar studiile microscopice ale liniilor de evoluție ale dinților săi sugerează că se dezvoltase foarte repede și avea aproape 8 ani când a murit. Trebuie să fi fost înalt de mai bine de 1,5 m pe atunci. Dacă ar fi atins vârsta adultă, ar fi atins probabil 1,83 m, iar fizicul său era comparabil cu cel al populațiilor africane de azi prezente în regiune – era înalt, cu picioare lungi, și zvelt, cu șolduri și umeri înguști. Această formă corporală este ideală pentru oameni ce trăiesc într-un mediu secetos, din moment ce mărește suprafața corpului și ajută astfel la protejarea împotriva supraîncălzirii. Avea niște particularități ale coloanei vertebrale pe care unii savanți le consideră a fi determinate de boală sau rănire, iar cutia toracică era diferit structurată de a noastră. Capul indica deja trăsături caracteristice lui *erectus* prin lipsa bărbiei, fața mare, aplatizată dar proeminentă și nasul lat, arcade oculare în formare, dar puternice, și o capacitate a creierului de cca 900 ml (în comparație cu media modernă de aproape 1.350 ml). Totuși, unii specialiști susțin că formele africane timpurii atribuite de obicei lui *erectus* sunt suficient de diferite pentru a fi clasificate ca o specie distinctă, *Homo ergaster* („Omul întreprinzător"). În acest scenariu, *ergaster* a apărut în Africa probabil din *Homo habilis* și s-a răspândit apoi rapid în Asia tropicală și subtropicală.

(Sus, stânga) Acest mic craniu tipic uman e numerotat cu D 2700 și a fost descoperit la Dmanisi, Georgia, în 2001. Vechimea sa evaluată e apropiată de 1,8 mil. de ani și ilustrează cât de primitivi erau acești dintâi oameni asiatici. Trăsături precum dimensiunea creierului de numai aproximativ 600 ml au sugerat că materialul de la Dmanisi reprezintă un stagiu mai timpuriu al evoluției umane decât H. ergaster *și* H. erectus, *poate mai apropiat de speciile africane* H. habilis *și* H. rudolfensis. *Totuși, o altă teorie e că materialul reprezintă o nouă specie* – „Homo georgicus".

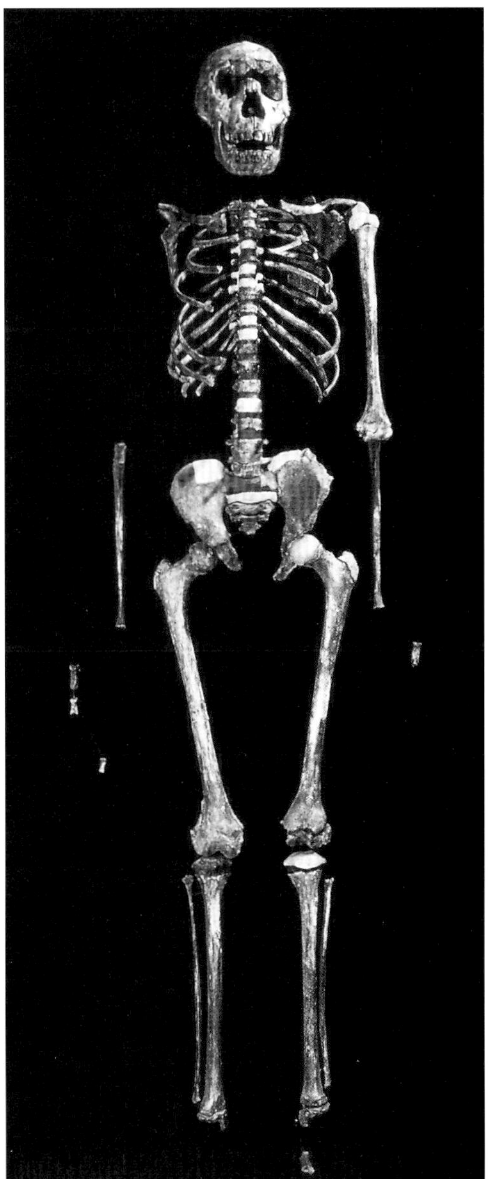

(Dreapta) Acest schelet, numerotat KNM-WT 15.000 a fost descoperit la Nariokotome, în vestul lacului Turkana, Kenya, în 1984. A fost datat cam la 1,5 mil. de ani și a fost atribuit lui H. ergaster *sau* H. erectus *timpuriu. În vreme ce scheletul are într-adevăr niște trăsături neobișnuite, este esențialmente uman în forma sa de la gât în jos, cu o ținută corporală înaltă, liniară, bine adaptată la condițiile de căldură și secetă. Deasupra gâtului, craniul și maxilarele ilustrează deja trăsăturile caracteristice lui* H. ergaster/H. erectus.

Modele ale evoluției omului

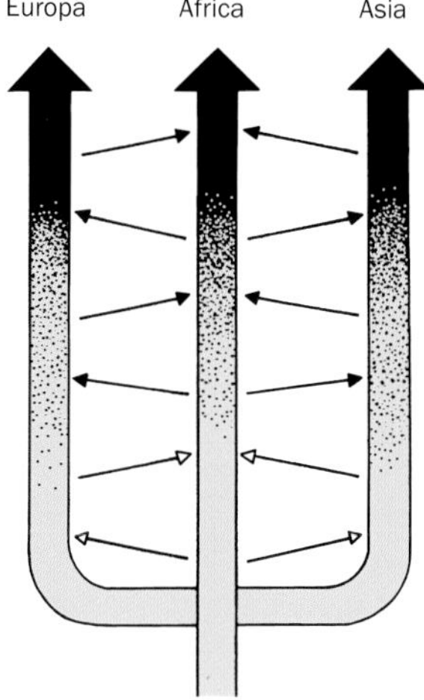

Discutarea originii speciei noastre implică o înțelegere a evoluției caracterelor speciale pe care le împărtășesc oamenii actuali, de exemplu un schelet mai gracil în comparație cu alte specii umane, o cavitate craniană mai înaltă și mai rotundă, o față retrasă, arcade oculare care nu ies în relief și o bărbie mai proeminentă. Dar mai trebuie să cercetăm evoluția caracterelor ce disting diferite populații geografice azi, carcateristicile regionale sau „rasiale", precum nasul mai proeminent al multor europeni sau fața mai aplatizată a majorității orientalilor.

Există două puncte de vedere diametral opuse asupra felului în care specia noastră *Homo sapiens* s-a dezvoltat din presupusul ei strămoș *Homo erectus*, cu multe opinii intermediare între aceste extreme. Cele două puncte de vedere diferă destul de mult în privința determinării locului și a perioadei în care ne-am dezvoltat trăsăturile „moderne" speciale și când am început să ne dezvoltăm diferențele regionale.

Modelul Multiregional

Susținătorii unui punct de vedere extrem, Modelul Multiregional (acum un punct de vedere minoritar în foarte mare măsură) cred că *Homo erectus* a dat naștere lui *Homo sapiens* în mai multe regiuni, care acum cca 1 mil. de ani includeau Africa,

(Dreapta) Această imagine frontală a craniului Sangiran 17 din insula Java ilustrează trăsături tipice ale lui H. erectus *asiatic: o calotă craniană relativ mică și joasă, arcade oculare proeminente și o față mare, ieșită în afară, cu un nas turtit și lat.*

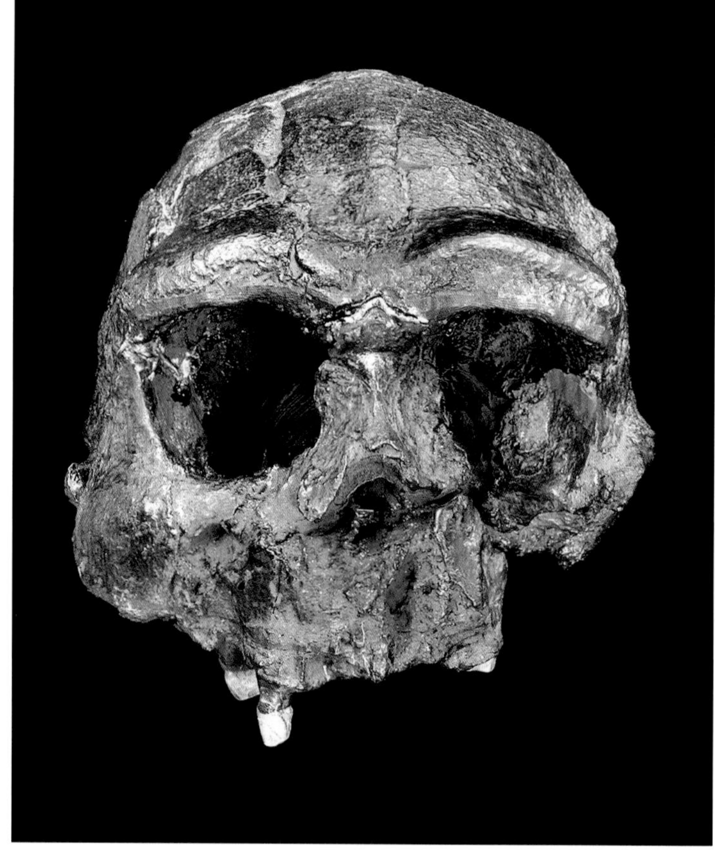

(Pagina alăturată) Această comparație facială a unui craniu uman modern (stânga) cu unul neanderthalian din Franța (La Ferrassie) ilustrează câteva din trăsăturile lor comune avansate în comparație cu Homo erectus*: un craniu mai înalt, mai rotund, conținând un creier mai mare și o față mai îngustă. Totuși, craniile se deosebesc prin forma arcadelor oculare (încă mari la neanderthalian) și aspectul părții mijlocii a feței: omul de Neanderthal are pomeți umflați și un nas mare, proeminent.*

China, Indonezia și, poate, Europa. Conform acestui punct de vedere, după ce *Homo erectus* s-a răspândit în „Lumea Veche" (Africa, Asia, Europa), cu aproape 1 mil. de ani în urmă, a început treptat să-și dezvolte atât trăsăturile moderne, cât și diferențele regionale ce stau la baza variației „rasiale" moderne. Trăsăturile specifice într-o regiune dată s-au dezvoltat de timpuriu și persistă la populațiile locale urmașe de azi. De exemplu, specimenele din China ale lui *Homo erectus*, vechi de 400.000 de ani, aveau aceleași fețe plate, cu pomeți proeminenți, ca și populațiile orientale moderne. *Homo erectus* indonezian, vechi de 700.000 de ani, avea pomeți viguros structurați și fețe care ieșeau proeminent din cutia craniană, caracteristici găsite la aborigenii australieni moderni. În Europa, o altă linie de evoluție a dat naștere oamenilor de Neanderthal, care, potrivit acestui punct de vedere, au fost strămoșii europenilor moderni. Trăsăturile continuității în această descendență europeană includ nasuri proeminente și fețe mijlocii. Susținătorii recenți ai evoluției multiregionale, ca Milford Wolpoff și Alan Thorne, au subliniat importanța fluxului de gene (încrucișarea) dintre neamurile regionale, care le împiedica să se diversifice și să se transforme în specie și au permis răspândirea unor caracteristici noi de la o populație la alta în lumea locuită. De fapt, ei cred

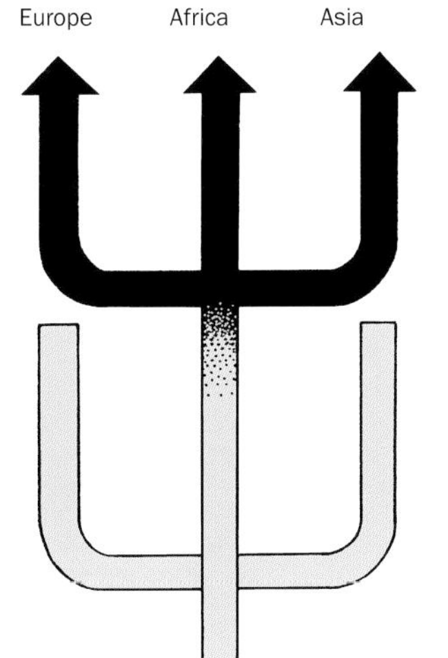

Modele ale evoluției omului

(Stânga și pag. alăturată) Aceste diagrame ilustrează două modele contrastante ale evoluției omului. Alături, Evoluția Multiregională, în special evoluția unei singure specii – Homo sapiens – de-a lungul a 2 mil. de ani, la stânga modelul „Out of Africa" (Migrației din Africa), cu evoluția recentă și răspândirea lui Homo sapiens *din Africa, și înlocuirea imediată a mai multor specii din afara Africii.*

că toate aceste forme variate ale lui *Homo erectus* și urmașii lor regionali au evoluat în aceeași direcție, spre actualul *Homo sapiens*.

Modelul „Out of Africa" (Migrației din Africa)

Punctul de vedere opus e că *Homo sapiens* avea o origine restrânsă în timp și spațiu. Promotorii moderni ai acestei idei, ca Gunter Bräuer și Chris Stringer, se concentrează asupra Africii, conside-

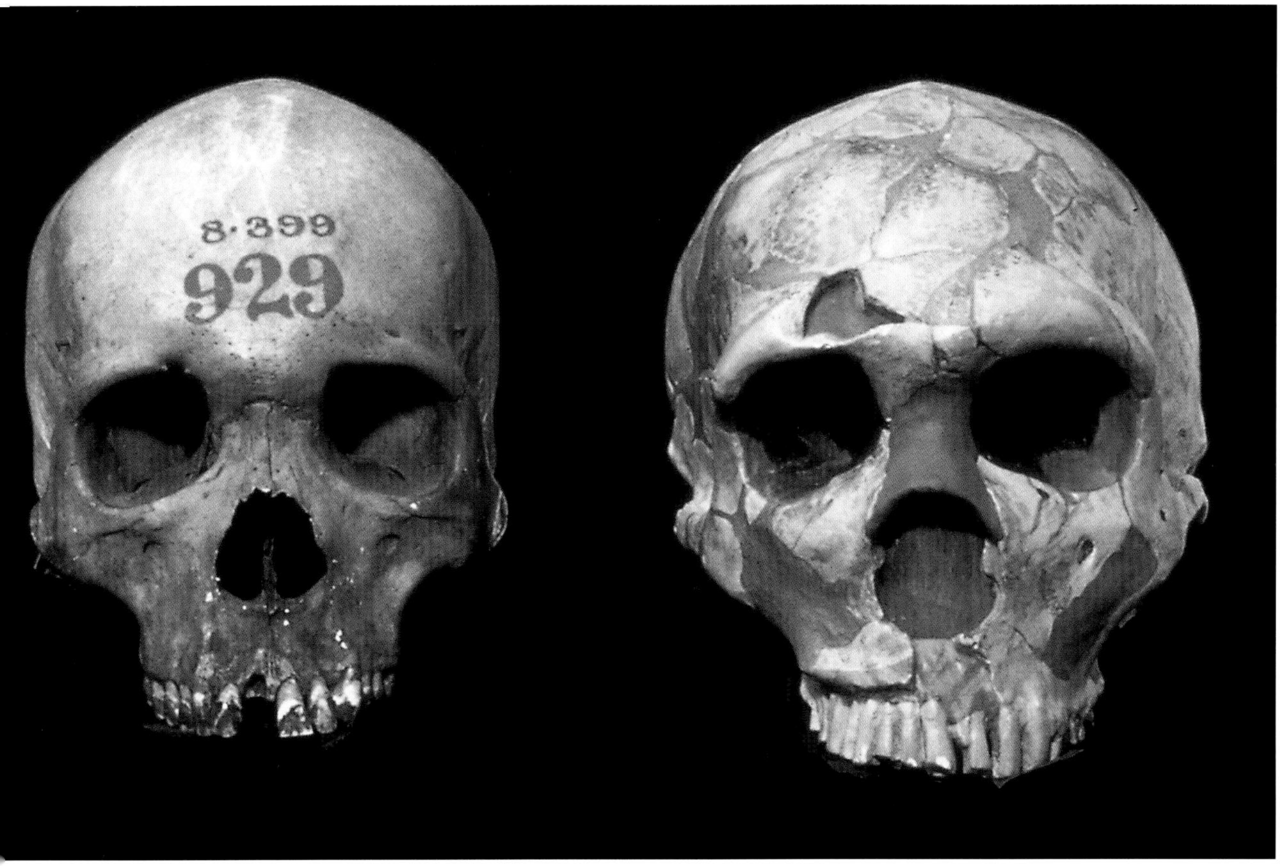

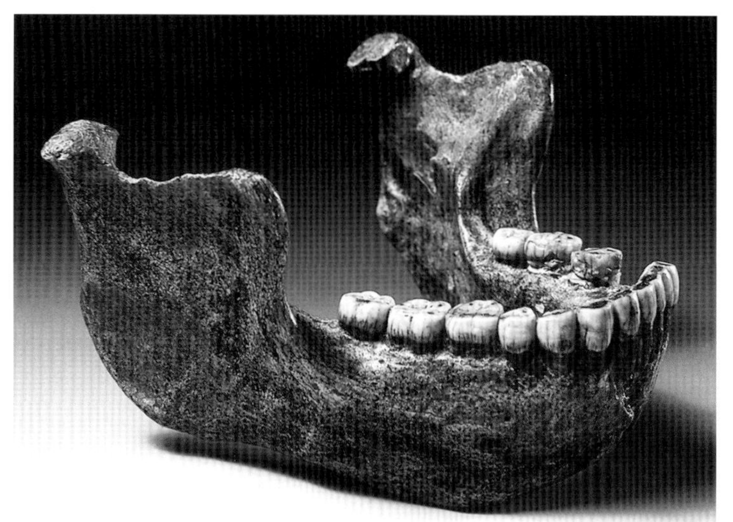

Mandibula de la Mauer a fost descoperită într-o carieră de nisip de lângă Heidelberg, Germania, în 1907. Un an mai târziu, a fost desemnată ca reprezentând o nouă specie umană, Homo heidelbergensis. *Vreme de mulți ani, acest os uriaș și lipsit de bărbie al maxilarului a fost în schimb privit ca un exemplu european al lui* Homo erectus, *dar recent, numele său inițial a reintrat tot mai mult în uz pentru populațiile umane europene de acum aproape 500.000 de ani.*

rând-o cea mai importantă regiune. Unii susțin că stadiile mai târzii ale evoluției umane, asemenea celor mai timpurii, erau caracterizate prin ramificații evolutive și coexistența speciilor separate. Ei recunosc o specie intermediară între *Homo erectus* și *Homo sapiens*, numit *Homo heidelbergensis.* În baza acestei perspective, cu aproape 600.000 de ani în urmă, unele populații reprezentând specia *erectus* din Africa și Europa își schimbaseră destul forma craniului pentru a fi recunoscute drept o nouă specie, *Homo heidelbergensis*, numită după maxilarul vechi de 500.000 de ani găsit la Mauer, lângă Heidelberg, în Germania. Membrii acestei specii aveau o față mai puțin ieșită în afară, un nas mai proeminent și o cutie craniană mai extinsă decât fosilele de *erectus. Homo heidelbergensis* e cunoscut din Africa, Europa și, probabil, China, din situri având o vechime între 600.000 și 300.000 de ani.

Din punctul de vedere al modelului „Out of Africa", după aproape 400.000 de ani, *heidelbergensis* a dat naștere la două specii descendente, *Homo sapiens* și *Homo neanderthalensis*, prima dezvoltându-se în Africa, iar ultima, în Europa și vestul

(Jos) În această imagine, două vestite fosile din Franța sunt comparate pentru a indica trăsăturile caracteristice ale populațiilor din care provin. Ele îi reprezintă pe „Bătrân" (un neanderthalian târziu) din La Chapelle-aux-Saints (stânga) și un om de Cro-Magnon (un om modern timpuriu). Conform modelului multiregional, aceste populații ar fi schimbat gene între ele destul de mult, ceea ce este în dezacord cu modelul „Out of Africa", conform căruia oamenii moderni au luat locul neanderthalienilor.

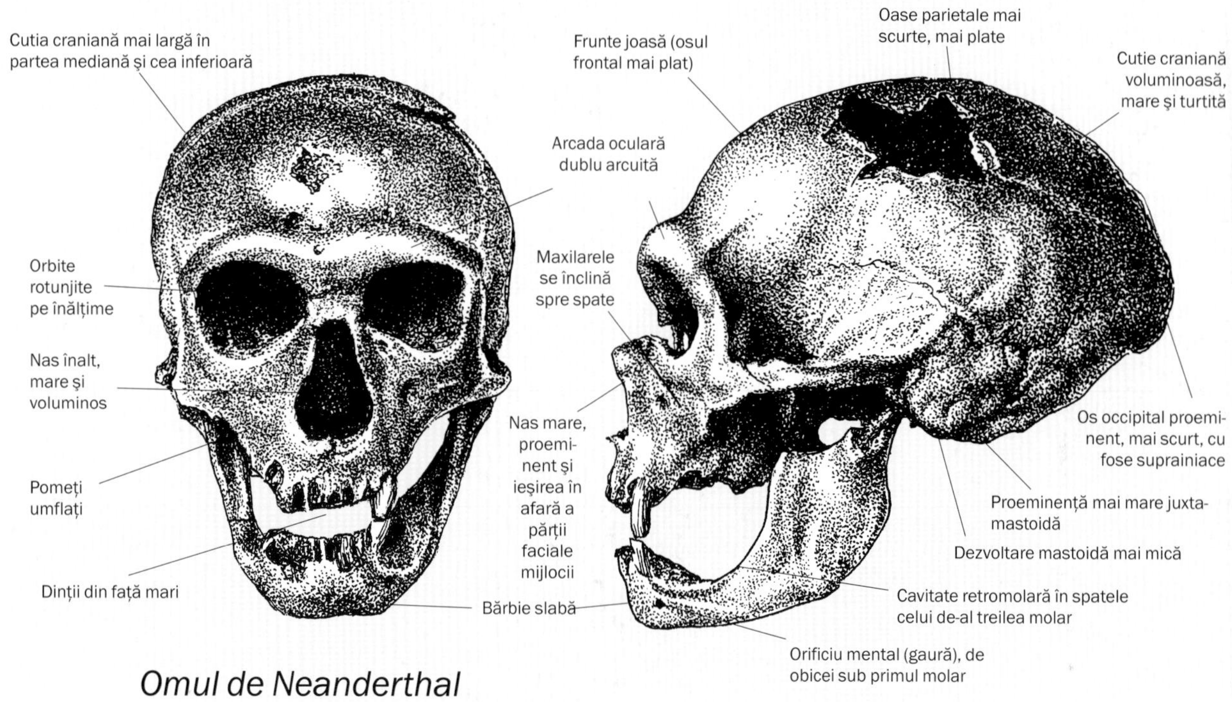

Asiei. Cu aproximativ 100.000 de ani în urmă, neamul african de oameni moderni timpurii a început să se răspândească din Africa în regiunile învecinate și a ajuns în cele din urmă în Australia, Europa și cele două Americi (probabil până la 60.000, 40.000 și respectiv 15.000 de ani în urmă). Variațiile rasiale ar fi apărut deci numai în timpul migrației și după stabilirea în noile teritorii, astfel încât nu a existat vreo continuitate a trăsăturilor regionale între *Homo erectus* și locuitorii actuali din aceleași regiuni.

Asemenea Modelului Multiregional, acest punct de vedere acceptă că fosilele atribuite lui *Homo erectus* s-au dezvoltat în noi forme umane în regiunile locuite din afara Africii, dar susține că aceste linii de descendență non-africane au dispărut fără a evolua în oameni moderni. Unii, ca neanderthalienii, au fost înlocuiți prin răspândirea oamenilor moderni în regiunile lor. Gunter Bräuer a demonstrat că înlocuirea nu a fost absolută, astfel încât *Homo sapiens* care a venit din Africa s-a încrucișat într-o măsură mai mare sau mai mică cu speciile arhaice ce locuiau acolo, de exemplu în Europa cu neanderthalienii sau în Java cu urmașii lui *Homo erectus*.

Puncte de vedere intermediare

Există și păreri intermediare despre originile speciei noastre. Unii cercetători, precum Fred Smith și Erik Trinkaus cred că, în vreme ce Africa a predominat în povestea evoluției umane, trăsăturile moderne s-au răspândit treptat de acolo prin încrucișarea dintre populațiile învecinate. Astfel, de exemplu, populațiile din Africa de Nord au schimbat gene cu cele din Orientul Mijlociu și ele, la rândul lor, s-au încrucișat cu oamenii din Asia Mică. De acolo, răspândirea genelor a pătruns la populațiile neanderthaliene din Europa.

Așadar, noi gene răspândindu-se din Africa s-au amestecat cu cele ale neanderthalienilor băștinași, catalizând o trecere evolutivă gradată spre oamenii moderni, fără invazii masive sau înlocuiri.

Acest model de evoluție este dificil de demonstrat și are puțini adepți.

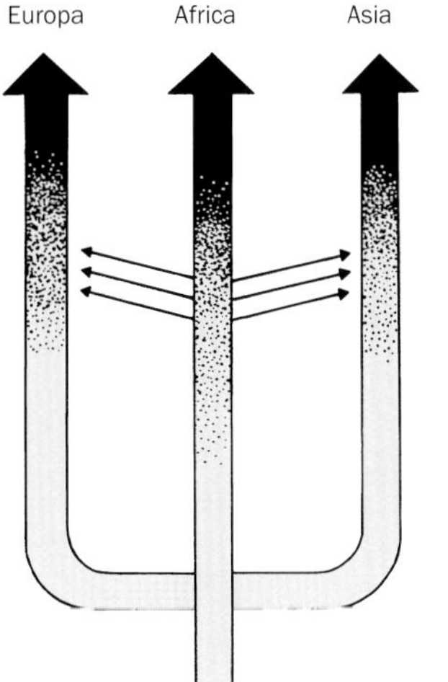

Modele ale evoluției omului

Există alte modele de evoluție umană recentă în afara Modelului Multiregionalismului sau a celui „Out of Africa". Această diagramă reprezintă Modelul Asimilării, al paleoantropologului american Fred Smith și descrie o răspândire treptată a trăsăturilor umane moderne din Africa, însoțită de amestecul reciproc cu nemurile umane locale din Europa și Asia.

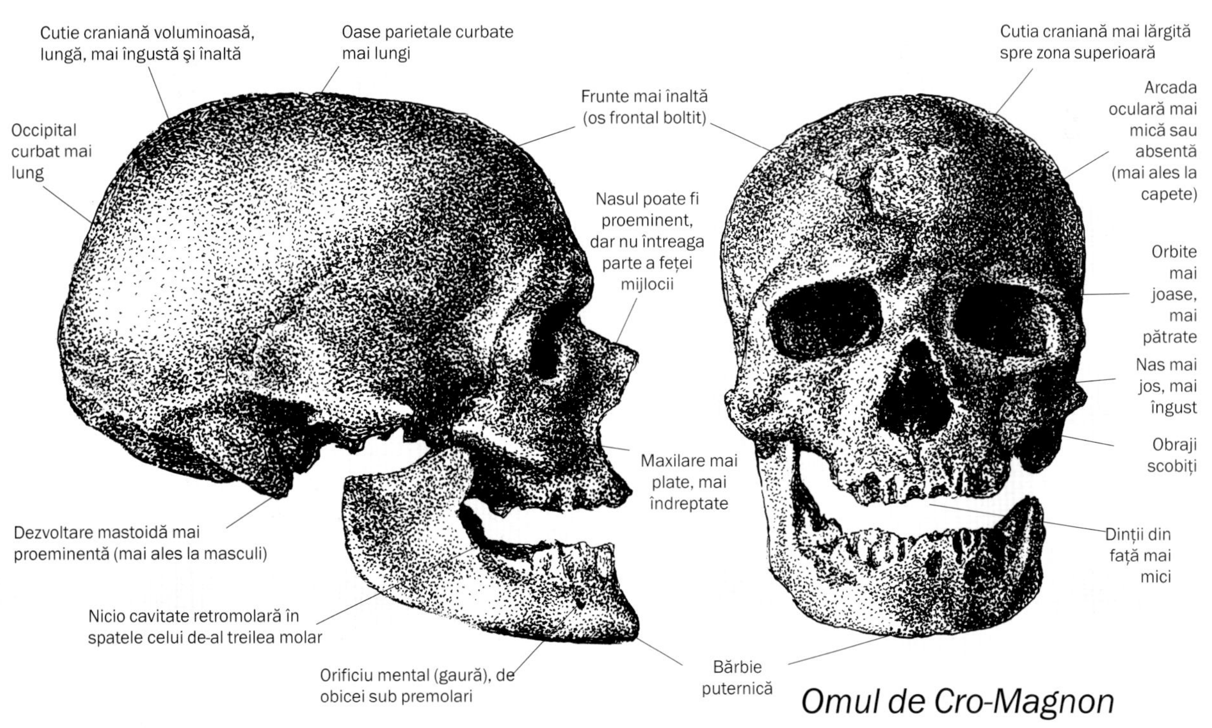

Omul de Cro-Magnon

Primii oameni din Europa: Gran Dolina

Perioada sosirii primilor oameni în Europa e încă nesigură. După cum am văzut, *H. erectus* (sau *H. ergaster*) plecase din Africa cu aproape 1,8 milioane de ani în urmă, dar la început această specie a rămas probabil în mediile tropicale sau subtropicale. Mutarea în Europa şi nordul Asiei ar fi fost interesantă, fiindcă mai aproape de poli durata zilei variază mai mult, anotimpurile sunt mai bine conturate şi iernile îndeosebi sunt mai lungi şi mai aspre, iar perioadele de creştere a vegetaţiei sunt mai scurte. Toţi aceşti factori ar fi pus probleme pentru ceea ce reprezenta încă o maimuţă antropoidă tropicală şi mutarea ar fi fost posibilă numai când oamenii erau deja vânători pricepuţi sau necrofagi ca să supravieţuiască iernilor nordice, când resursele de plante ar fi fost mai puţin sigure sau indisponibile. Întrebuinţarea focului ar fi fost de mare ajutor adaptării la acest mediu, însă dovezile folosirii timpurii a acestuia (de exemplu la Cioukoutien în China) au fost recent puse sub semnul întrebării. Cu toate acestea, cam acum 1 milion de ani, probabil că oamenii se găseau cel puţin la marginile Europei.

Dinspre Africa spre Europa: trei rute posibile?

Au fost propuse trei rute de migraţie străvechi înspre Europa: cea mai evidentă este prin Levant, şi anume coridorul ce leagă Africa Nord-Estică şi Asia Vestică, unde se găsesc azi ţări ca Israel şi Libia. Altă posibilă rută ar fi condus mai direct din Africa Nordică spre Europa Sudică, pe un traseu ce se găseşte acum sub apele Mării Mediterane. Cea mai vestică rută ar fi fost din Maroc înspre Spania, prin Gibraltarul de azi. Aceste ultime două rute ar fi fost mai uşoare dacă nivelul mării era scăzut datorită creşterii periodice a calotelor glaciare. În orice caz, nu se crede c-au existat vreodată poduri continue de pământ între Africa şi Europa în aceste două regiuni, astfel că le-ar fi trebuit nişte plute oricăror pionieri umani timpurii care au râvnit la o asemenea călătorie. Din moment ce există numai dovezi contestate ale unei astfel de întrebuinţări a unor mijloace de navigaţie primitive (din insula Java spre insula învecinată Flores, cu aproape 800.000 de ani în urmă), majoritatea specialiştilor cred că ruta estică spre Europa prin Asia Vestică era cea mai viabilă. Iar această regiune chiar prezintă dovezi ale locuirii umane cu cel puţin un milion de ani în urmă. În Israel, situl arheologic de la Ubeidiya este apreciat ca având 1,54 milioane de ani vechime şi, mult mai în nord, după cum am văzut, situl de la Dmanisi, Georgia, are fosile umane bine conservate, de o vechime chiar mai mare.

Dovezi timpurii din Europa

Dovezile timpurii din Europa sunt fie absente, fie, în cel mai bun caz, foarte discutabile. S-a susţinut că artefactele din siturile franceze şi din sudul Spaniei datează de acum aproximativ 1 milion de ani, dar sunt numeroase probleme nerezolvate cu aceste situri. În orice caz, există acum dovezi consistente că oamenii se găseau într-adevăr în sudul Europei cu aproape 800.000 de ani în urmă. Dintr-un sit aflat în centrul Italiei, numit Ceprano, o calotă craniană asemănătoare celor ale lui *H. erectus*

(Jos) Craniul de la Ceprano, Italia, poate avea o vechime de 800.000 de ani. Îi seamănă atât lui H. erectus, *cât şi lui* H. heidelbergensis, *dar a fost propus ca o nouă specie* H. cepranensis. *În orice caz, o altă posibilitate e că reprezintă varianta adultă a craniului parţial al copilului de aceeaşi vârstă de la Gran Dolina, atribuit lui* H. antecessor.

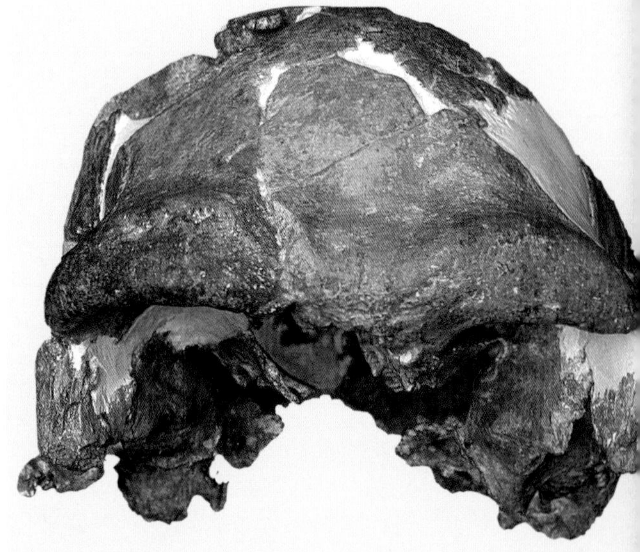

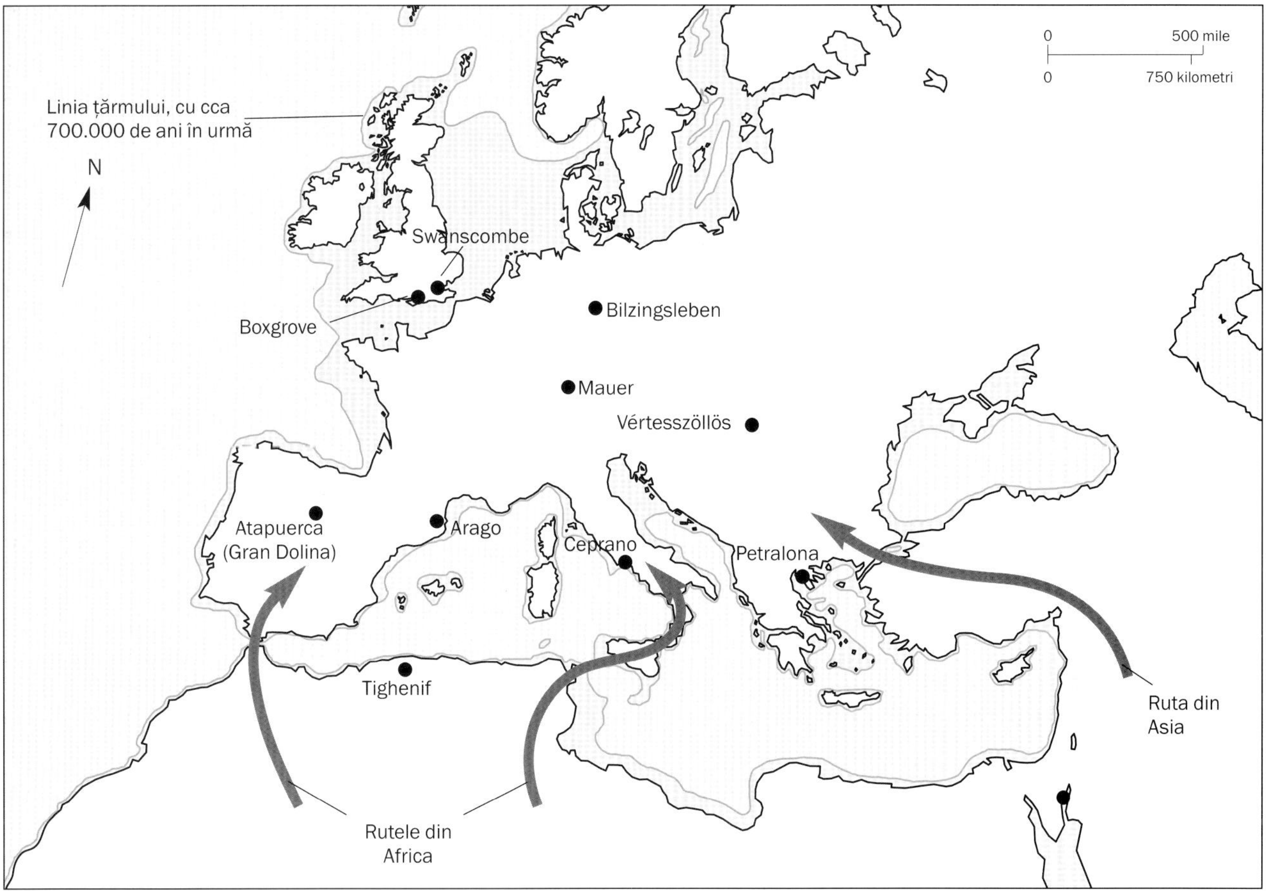

și *H. heidelbergensis* (pp. 148-151) a fost descoperită și datată ca având o vechime de circa 800.000 de ani. Din aceeași perioadă, un sit din nordul Spaniei numit Atapuerca a scos la iveală oasele rupte ale mai multor indivizi. Sierra de Atapuerca este un deal calcaros ce a fost secționat pentru amenajarea unui traseu feroviar. În timpul săpăturilor au fost descoperite numeroase peșteri sau deschiză-

(Sus) Această hartă prezintă câteva din siturile timpurii europene care conțin fosile umane. Unii cercetători au sugerat că animalele și oamenii au intrat în Europa din Africa prin strâmtoarea Gibraltar sau peste un pod străvechi de pământ ce lega Africa de Sicilia, dar cea mai probabilă rută a migrației umane este prin vestul Asiei.

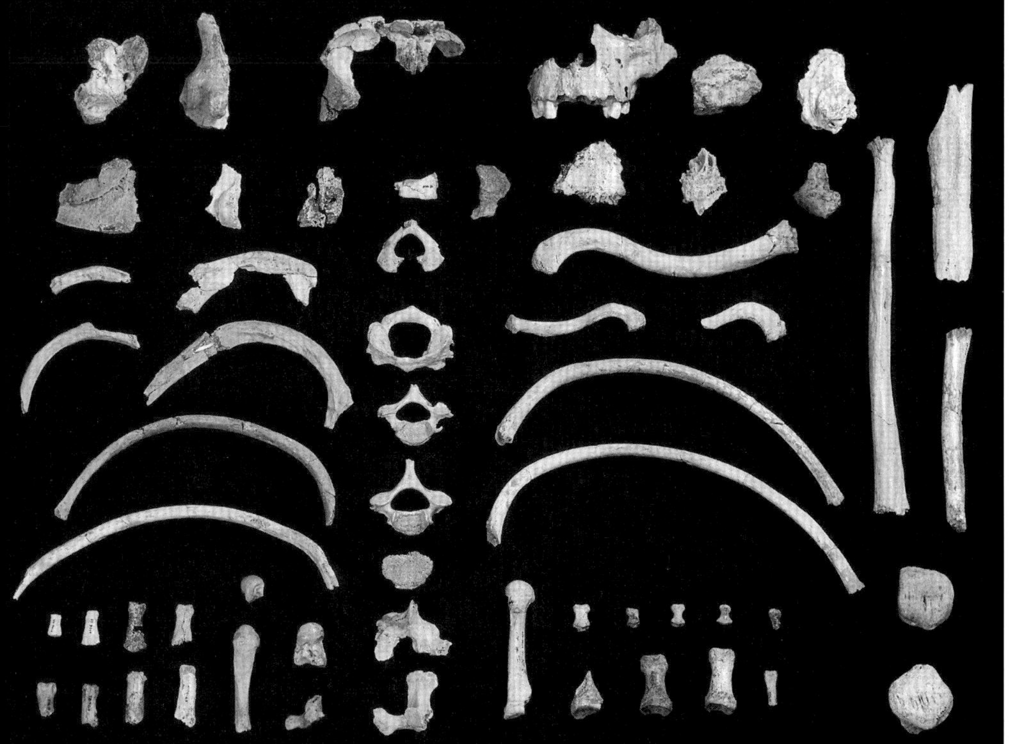

(Stânga) Colecția de oase umane din nivelul TD6 de la Gran Dolina datează de acum aproape 800.000 de ani. Ele provin de la mai mulți indivizi adulți și tineri, și ilustrează semne de tăiere, indicii ale canibalismului. Au fost atribuite speciei H. antecessor, *dar au mai fost observate și asemănări cu materialul uman fosil.*

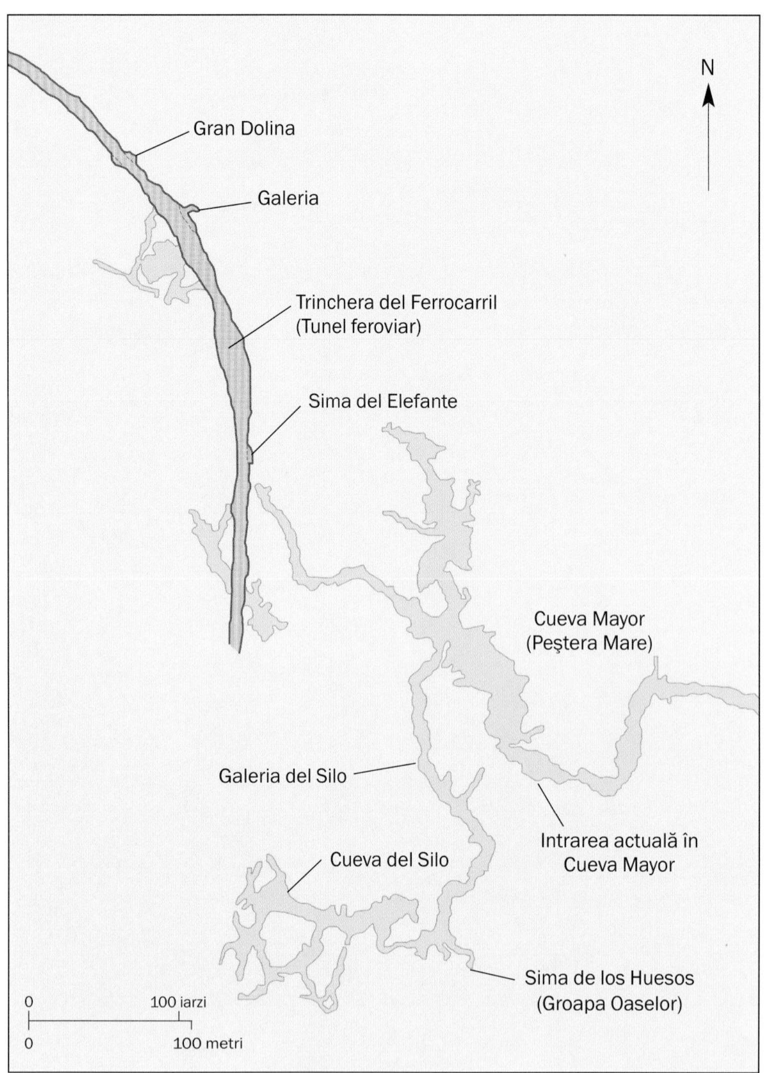

(Stânga) Un plan al siturilor din Sierra de Atapuerca de lângă Burgos, din nordul Spaniei. Unele dintre cele mai vechi situri care conţin dovezi ale activităţii umane, cum e Gran Dolina, au fost scoase la suprafaţă în urma lucrărilor pentru un traseu feroviar („Trinchera del Ferrocarril"), în timp ce situl mai recent şi extraordinar de bogat din Sima de los Huesos (Groapa Oaselor) e aşezat adânc înăuntrul sistemului de peşteri („Cueva Mayor")

turi umplute cu sedimente de pământ, iar una din acestea, numită Gran Dolina, a scos la iveală resturi umane străvechi. Ele se aflau imediat sub un nivel ce înregistrează ultima dată când polii magnetici ai Pământului au suferit o schimbare majoră a orientării, schimbare ce-a fost datată cu cca 780.000 de ani în urmă.

Oasele provin de la mai mulţi indivizi şi sunt în cea mai mare parte de copii. Ele includ oase ale unei frunţi, ale unei feţe, o mandibulă, dinţi, oase ale braţelor şi picioarelor şi o rotulă. Multe din ele sunt acoperite cu semne ce sugerează că au fost tăiate cu unelte din piatră. O astfel de deteriorare s-ar putea datora practicilor de înmormântare în cazul oamenilor moderni, dar un asemenea comportament ritualic pare improbabil pentru oamenii timpurii, ducând la sugestia că aceşti indivizi au fost victimele canibalismului.

În timp ce câţiva din dinţii de la Gran Dolina ilustrează trăsături ancestrale găsite la fosilele africane de peste 1,5 mil. de ani vechime, osul frontal

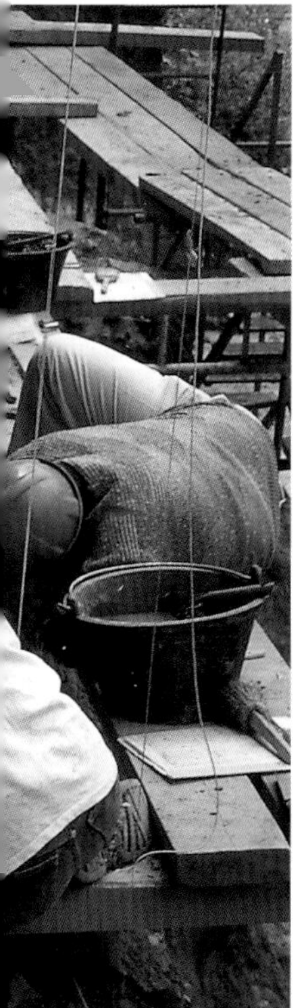

(Sus, și stânga) Săpăturile de la Gran Dolina au scos la iveală oase de animale, unelte din piatră și fosile umane datând de acum 800.000 de ani.

(fruntea) sugerează o dimensiune mai degrabă mare a creierului pentru copilul de *H. erectus*, iar fața pare extrem de modernă după forma nasului și a maxilarelor. Acest lucru a determinat echipa spaniolă ce a studiat oasele să propună o specie umană total nouă, pe care au numit-o *H. antecessor* („Omul pionier"). Ei cred că această specie se trăgea din Africa și s-a răspândit apoi în Europa. În Africa a dat naștere în cele din urmă speciei noastre, cât și neanderthalienilor, sugerând o foarte veche desprindere a celor două ramuri. După cum vom vedea, există alte dovezi că desprinderea nu a fost la fel de veche ca aceasta. Mai mult, unii cercetători au observat că dinții lui *antecessor* seamănă cu cei ai maxilarului din situl algerian Tighenif (care au aceeași vârstă). Cum acestea au fost atribuite unei specii numite *Homo mauritanicus*, atât fosilele spaniole, cât și cele algeriene ar putea fi denumite astfel dacă reprezintă într-adevăr o specie umană diferită.

Homo heidelbergensis

(Dreapta) Minerul Tom Zwigelaar ținând în mână craniul de la Broken Hill în zona descoperirii din 1921. O tibie umană și un fragment de femur uman au fost găsite în aceeași zi în vecinătate și pot proveni de la același individ (mascul?) ca și craniul.

(Jos) Mina de la Broken Hill în 1921.

În 1907, o mandibulă ciudată a fost găsită de muncitori într-o groapă cu nisip la Mauer, lângă Heidelberg, în Germania. Dinții erau în mod clar umani ca număr și formă, dar maxilarul era foarte gros și-i lipsea complet bărbia. După cum era obiceiul în acele vremuri, a fost atribuit unei specii total noi, *Homo heidelbergensis* („Omul din Heidelberg"), dar puțini savanți au luat acest nume în serios. Pe măsură ce secolul înainta, a ajuns să fie considerat ca reprezentând probabil o formă europeană a lui *Homo erectus*, iar după resturile de mamifere descoperite în jur, i-a fost estimată o vechime de circa o jumătate de milion de ani.

Fosilele de la Broken Hill

Paisprezece ani mai târziu, în 1921, Africa a scos la iveală prima sa fosilă umană importantă din mina de la Broken Hill (acum Kabwe), acolo unde se afla pe atunci colonia britanică Rhodesia de Nord, astăzi Zambia. Minerii au săpat printr-un sistem întins de peşteri şi au aruncat periodic oase fosile în furnal. Dar cu această ocazie, descoperirea a fost atât de remarcabilă, încât muncitorii au păstrat-o alături de alte fosile diverse. Acestea includeau oase umane deteriorate. Craniul de la Broken Hill a fost adus rapid în Marea Britanie şi a fost atribuit unei alte noi specii, *Homo rhodesiensis*. Probabil că trăsătura sa cea mai surprinzătoare o constituiau arcadele proeminente situate deasupra alveolelor ochilor, însă deşi cutia craniană era lungă şi joasă, creierul dinăuntru era probabil de mărimea omului modern. O tibie găsită aproape de craniu era lungă şi dreaptă, sugerând un individ înalt, bine făcut.

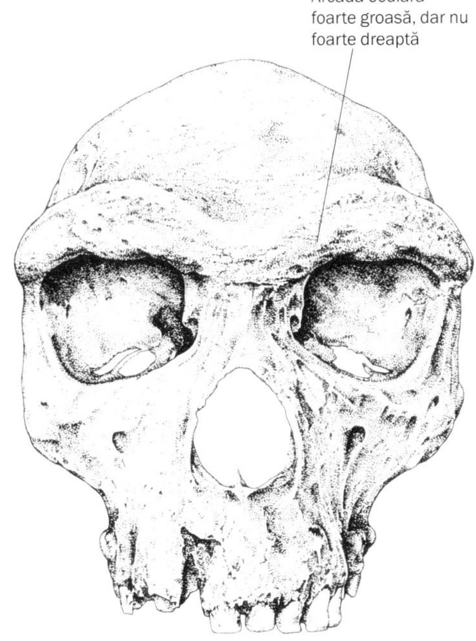

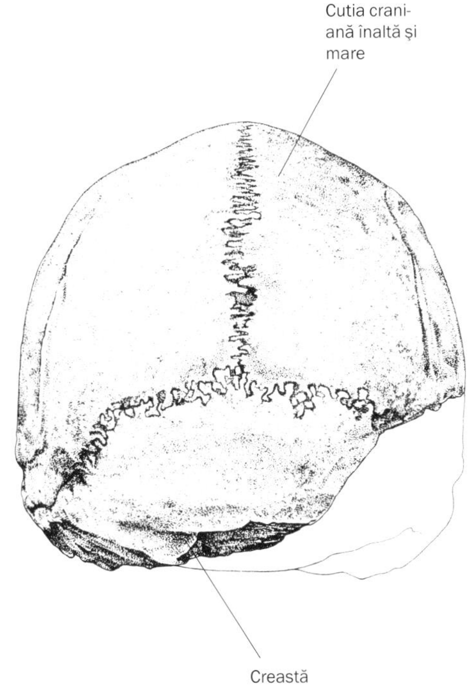

(Sus şi stânga) Craniul Broken Hill 1 este unul dintre cele mai bine conservate dintre toate fosilele umane străvechi. Are în comun cu fosilele de H. erectus *o arcadă oculară proeminentă şi una de-a lungul spatelui ascuţit al craniului, dar cu oamenii mai târzii are în comun o dimensiune relativ mare a creierului, reflectată în înălţimea sa corespunzătoare.*

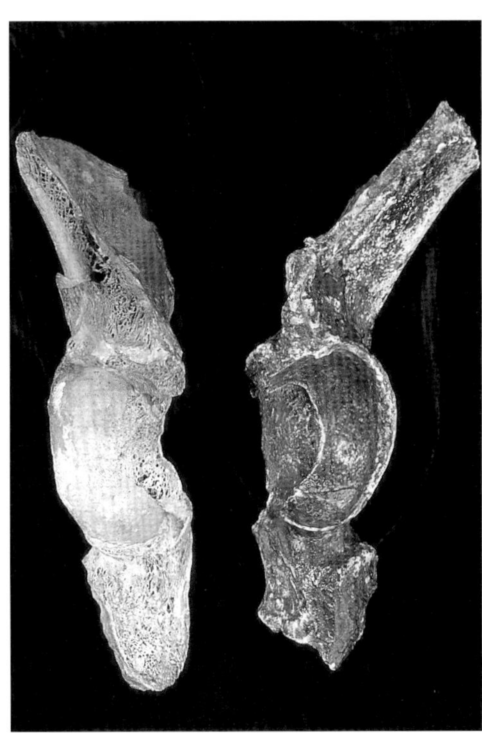

(Dreapta) Oase umane fosile ale şoldului, găsite la Broken Hill (stânga) şi la Olduvai (hominidul Olduvai 28). Ambele sunt mari şi solide, cu o cută puternică întărită, deasupra cavităţii şoldului. Aceasta pare să fie prezentă la H. erectus *şi* H. heidelbergensis, *dar e pierdută la neanderthalieni şi* H. sapiens.

(Jos) Această reconstituire îi arată pe indivizii H. heidelbergensis *alungând hienele din jurul unui hoit de rinocer, pe câmpia de coastă de la Boxgrove, în sudul Angliei. Nu se știe dacă aceste animale periculoase erau vânate sau dacă au murit din alte cauze și au fost apoi mâncate de oamenii primitivi (necrofagie). Oricum, locuitorii umani de la Boxgrove aveau cu siguranță primii acces la corpurile lor (ale animalelor) pentru a-și asigura carnea.*

Alte descoperiri

Numeroase alte descoperiri au fost făcute în Europa și Africa, care erau în mod clar mai primitive decât oricare din neanderthalieni sau oamenii moderni. În Europa, acestea au inclus specimene din Arago, Franța; Bilzingsleben, Germania; Vértesszöllös, Ungaria; Boxgrove, Anglia și Petralona, Grecia. Fosila de la Petralona a fost deosebit de surprinzătoare, fiind asemănătoare cu craniul de la Broken Hill. În Africa, descoperiri comparabile includeau cranii din Bodo, Etiopia; Ndutu, Tanzania, și Elandsfontein, Africa de Sud precum și mandibule din Baringo, Kenya. Un punct de vedere era că toate aceste fosile reprezentau forme târzii ale lui *Homo erectus,* precum maxilarul descoperit la Mauer, dar s-a conștientizat treptat că existau suficiente trăsături distinctive la aceste fosile pentru a le distinge de *erectus*. În special cutia craniană era mai înaltă și mai umflată, îndeosebi pe margini, iar acest lucru reflectă o dimensiune a creierului mai mare, mai apropiată de cea a ființelor umane actuale. În plus, întăririle osoase ale craniului, trăsătură specifică pentru *Homo erectus*, erau reduse la acest grup de fosile. Fața era și ea retrasă sub cutia craniană în comparație cu fața proeminentă a lui

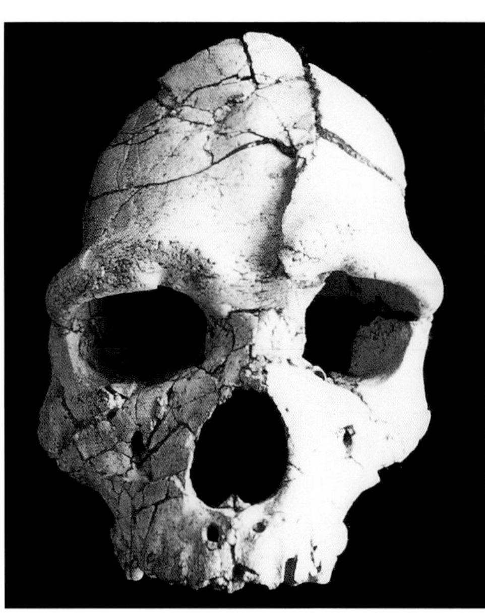

erectus. Drept rezultat al acestor comparații, mulți savanți au acceptat asocierea acestor fosile africane și europene cu descoperirea de la Mauer din 1907 și au recunoscut în cele din urmă validitatea numelui speciei *Homo heidelbergensis*. Specia ilustrează astfel trăsături derivate în comparație cu *erectus*, dar trăsături primitive când e comparată atât cu neanderthalienii, cât și cu oamenii mo-

(Pagina alăturată) Fosila 21 de la Arago, descoperită în 1971 într-o peşteră de lângă Tautavel, sudul Franţei. Reprezentat printr-un craniu cu o parte frontală şi una laterală oarecum deformate, specimenul a fost uneori clasificat drept H. erectus, *dar asemănările sale cu specimene din situri ca Petralona şi Atapuerca au dus la clasificarea lui ca* H. heidelbergensis *sau chiar o formă timpurie de* H. neanderthalensis.

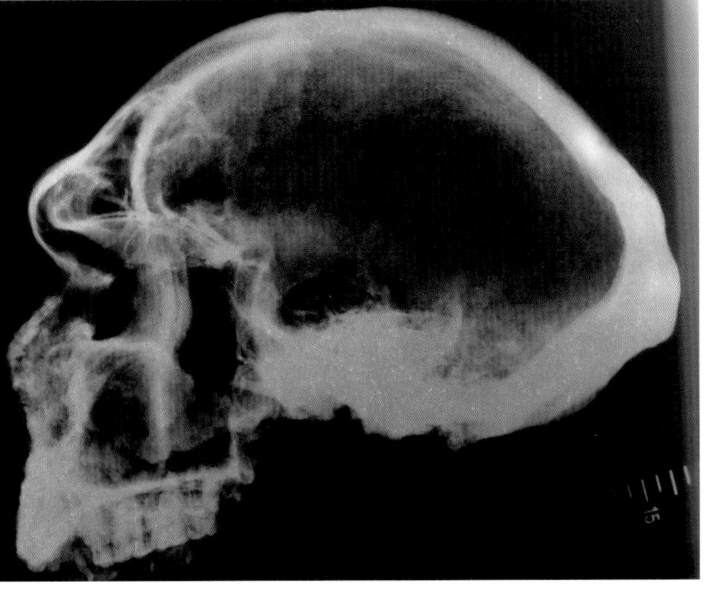

(Stânga) Această radiografie (cu raze X) a craniului fosil de la Petralona, Grecia, ilustrează combinaţia sa interesantă de trăsături. În vreme ce spatele lung, cu formă joasă, ascuţit şi masiv, şi arcada oculară proeminentă amintesc de H. erectus, *craniul relativ înalt, faţa retrasă şi spaţiile mari goale dintre ochi se regăsesc la* H. heidelbergensis *şi* H. neanderthalensis.

derni. Este privită de promotorii săi ca reprezentând strămoşul comun al celor două specii urmaşe ale sale, neanderthalienii şi oamenii moderni. În urma studierii rămăşiţelor sitului de la Bodo, s-a concluzionat că *heidelbergensis* îşi are originea undeva în Africa, Europa sau într-o regiune dintre ele, cu cel puţin 600.000 de ani în urmă. Specia s-a răspândit prin aceste regiuni şi apoi a început să se diferenţieze. Caracteristicile „rasiale" locale s-au dezvoltat şi au fost accentuate de barierele geografice şi diferenţele climatice, astfel că populaţiile din Europa şi Africa s-au diferenţiat treptat. În nord, *heidelbergensis* a dat naştere în cele din urmă neanderthalienilor, iar în Africa, lui *Homo sapiens*. Un punct de vedere alternativ îl recunoaşte pe *heidelbergensis* ca singura specie europeană, strămoaşa directă a neanderthalienilor, în cazul cărora formele africane contemporane ar fi numite *H. rhodesiensis*, după descoperirea din 1921 de la Broken Hill. Relaţia dintre fosilele atribuite lui *heidelbergensis* şi materialul găsit mai repede, numit *H. antecessor* (Atapuerca Gran Dolina) şi „H. mauritanicus" (Tighenif) e încă neclară. Sunt fosilele mai timpurii doar variante mai primitive ale lui *heidelbergensis,* reprezentând strămoşi săi posibili? E posibil, având în vedere forma craniului aproape întreg de la Ceprano, Italia, similar ca vârstă cu fosilele de la Gran Dolina şi Tighenif.

(Jos) O comparaţie improvizată a craniului original de la Bodo, Etiopia (stânga) cu o formă de ghips a celui din Petralona (dreapta). Ele sunt ambele adesea atribuite lui H. heidelbergensis *şi au în comun o faţă lată şi foarte mare şi o deschizătură considerabilă a nasului. În orice caz, e posibil ca specimenul de la Petralona să fie strămoşul neanderthalienilor.*

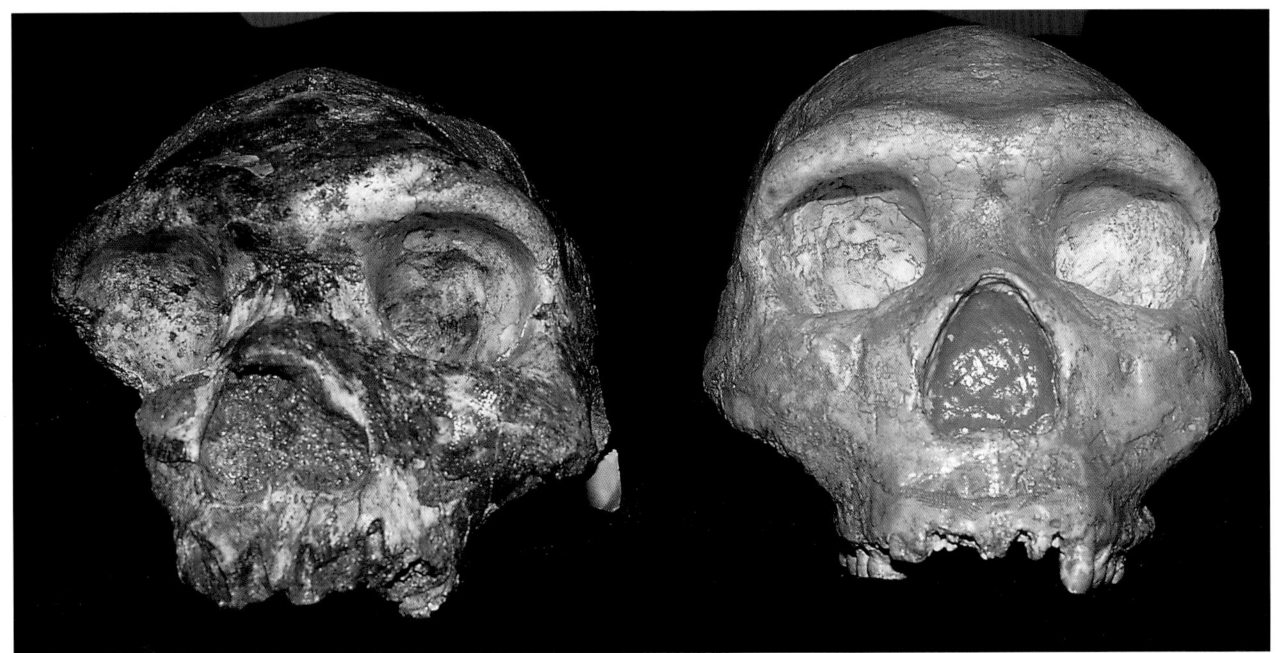

Atapuerca şi originea neanderthalienilor

Sima de los Huesos (Groapa Oaselor) din Atapuerca. Această mică încăpere dintr-o peşteră conţine cea mai bogată concentraţie de fosile umane străvechi din lume. Nu e deocamdată clar cum au ajuns oasele umane în încăpere – au fost corpurile aruncate intenţionat în fundătură, sau au ajuns aici prin procese naturale?

Sierra de Atapuerca de lângă Burgos din nordul Spaniei este o o zonă calcaroasă înaltă. După cum am văzut la p. 145, aici au avut loc o serie de descoperiri importante privind evoluţia umană timpurie din Europa. Oricum, a mai adus la lumina zilei o altă serie de comori dintr-o perioadă mai târzie, care ilustrează trecerea evolutivă de la oamenii arhaici ai speciei *Homo heidelbergensis* la neanderthalieni. Situl în discuţie de la Atapuerca se află la mare adâncime într-un sistem de peşteri, pe fundul unei prăpăstii numite, pe bună dreptate, Sima de los Huesos – Groapa Oaselor. Pentru a ajunge în această zonă e necesară o pătrundere adâncă în peşteră, uneori prin târâre pe burtă, alteori utilizând frânghii. În cele din urmă, se ajunge la un puţ vertical de 13 metri în care se coboară pe o scară metalică. În fundul puţului se găseşte o mică încăpere mlăştinoasă şi neplăcută, dar acea încăpere conţine cea mai densă acumulare de oase umane fosile găsite vreodată. Săpăturile nu sunt nici pe departe terminate, dar Sima a scos deja la iveală peste 2.000 de fosile a cel puţin 32 de indivizi, bărbaţi, femei şi copii. Ce caută oasele în această mică încăpere din fundul sistemului de peşteri rămâne un mister încă neelucidat, de vreme ce rezultă din lipsa vetrelor de foc, a resturilor de mâncare sau a uneltelor din piatră că această zonă inaccesibilă n-a fost niciodată locuită de oameni. Un frumos topor din piatră, făcut din rocă trandafirie, a fost găsit printre oase, dar e neclar faptul dacă acesta avea legătură cu fosilele.

Descoperirea sistemului de peşteri de la Atapuerca

Sima trebuie să fi fost cunoscută de sătenii locului de secole, fiindcă există foarte multe dovezi ale vizitelor bărbaţilor tineri spre a-şi impresiona iubitele prin coborârea la mare adâncime în peşteră pentru a recupera dinţi fosili de urs, pe care li-i dăruiau la întoarcere. În căutarea acestor fosile, sedimentele de la Sima au fost în mod repetat şi serios

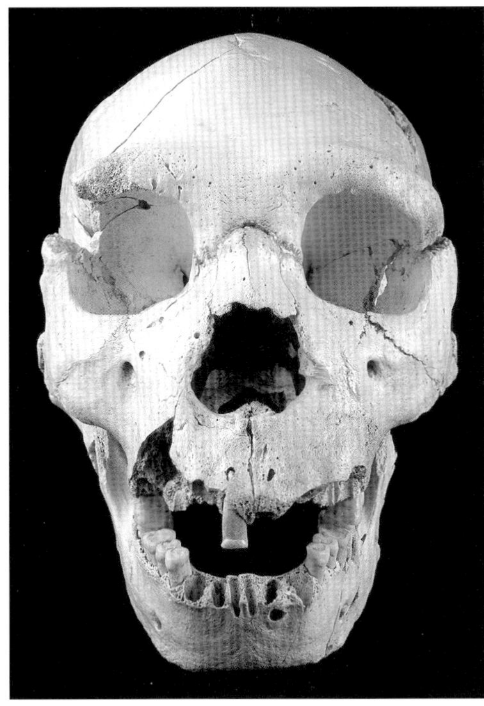

deranjate, și numai în 1976 un paleontolog interesat de urșii ce trăiau în peșteri a vizitat fundătura. Atunci a fost recuperat un maxilar uman din sedimentele deranjate, iar sitului i s-a acordat atenția științifică cuvenită. A fost nevoie de mulți ani de activitate laborioasă pentru a curăța și a tria sedimentele. Exista loc doar pentru câțiva muncitori, iar aerul era sărac în oxigen. Mai mult, fiecare sac de sediment excavat trebuia ridicat din fundătură și purtat prin peșteră la suprafață. Numeroase oase de urși de peșteră și oase umane au fost recuperate, acestea purtând adesea semne de sfărâmare recentă datorată vânătorilor de fosile. În cele din urmă s-a ajuns la depunerile intacte, iar în 1992 a început să se recupereze o colecție bogată de fosile, incluzând cranii aproape complete de adulți și copii.

Studierea fosilelor

Materialul fosil uman excavat la Sima include numeroase exemple ale fiecărei părți de schelet, până la cele mai mici oase ale mâinilor și picioarelor, dar sunt în general complet amestecate în sediment. Cel mai numeros element împrăștiat în toate direcțiile îl reprezintă dinții, iar aceștia arată că majoritatea indivizilor erau adolescenți sau adulți tineri. Unele oase pot fi potrivite spre a demonstra că ele provin de la aceeași persoană, de exemplu, o mandibulă poate fi asociată cu un craniu, dar în alte cazuri, precum oasele individuale ale mâinilor, e mult mai dificil să le asociem. Studiul acestei uriașe colecții e în continuă desfășurare, dar e clar deja că oasele ilustrează un amestec de caracteristici. De exemplu, un craniu cât se poate de întreg are o mandibulă asociată cu el, ce seamănă cu varianta micșorată a celui de la Mauer, Germania, specimenul-tip al lui *H. heidelbergensis*, în timp ce fața sa relevă proeminența din jurul nasului, un lucru specific neanderthalienilor. Osul temporal (care include regiunea urechii) are o formă mai asemănătoare celei tipice oamenilor moderni, pe când zona din spate a craniului prezintă o mică depresiune centrală, identificabilă la toți neanderthalienii cunoscuți.

Asemenea combinații de trăsături străvechi și derivate apar în întreaga colecție, într-un fel aproape întâmplător, astfel că e dificil să se decidă asupra celui mai bun mod de clasificare a eșantionului ca un tot unitar.

Echipa spaniolă susține atribuirea materialului unei forme târzii a lui *heidelbergensis*, în timp ce noi optăm pentru atribuirea lor neanderthalienilor timpurii, *H. neanderthalensis*, dar importanța acestor fosile e aceeași. Ele demonstrează modificările evolutive produse la populațiile europene de acum aproximativ 400.000 de ani (vârsta estimată a materialului din Sima), spre *Homo neanderthalensis*.

(Sus, stânga) craniul celui mai în vârstă membru al colecției din Sima, craniul 5, poreclit Miguelón, un individ masiv, dar al cărui sex este nesigur. Dinții sunt foarte uzați și prezintă semne de infecție ce s-a răspândit în susul feței și a fost probabil cauza morții. Craniul păstrează numeroase semne de rănire.

(Sus) Sima a scos la iveală peste 2.500 de fosile umane, reprezentând cel puțin 30 de bărbați, femei și copii ce-au murit cu mai bine de 300.000 de ani în urmă. Majoritatea eșantioanelor constau în adolescenți și adulți tineri, cu puțini oameni bătrâni. Fiecare parte a scheletului e conservată, oferind informații bogate despre oamenii premoderni.

Neanderthalienii

Oamenii de Neanderthal - *Homo nenderthalensis* („Bărbat din valea Neander") sunt cei mai cunoscuți oameni preistorici. Există două motive principale pentru acest lucru. În primul rând, ei trăiau în regiunea care a fost explorată mai mult decât oricare alta pentru preistoria sa - Europa. În al doilea rând, mulți dintre ei trăiau în peșteri și au adoptat obiceiul de a-și îngropa morții chiar în peșterile în care locuiau. Asta înseamnă că trupurile neanderthalienilor aveau o șansă mai mare de a se fosiliza, de vreme ce erau protejate prin îngropare împotriva distrugerii prin eroziune, zdrobire sau consumare ulterioară de către animalele de pradă.

Au fost descoperiți peste 500 de indivizi de Neanderthal și, cu toate că marea majoritate a acestora sunt foarte fragmentați - au fost găsite adesea numai un dinte sau o bucată de maxilar - aproape 20 dintre acești bărbați, femei sau copii sunt reprezentați prin schelete destul de întregi. Folosindu-le pe acestea, ne putem crea o imagine destul de completă asupra corpului tipic al neanderthalienilor. Mormintele mai sugerează și complexitatea gândirii și a modului de viață al neanderthalienilor, din moment ce par să ilustreze o anumită grijă și atenție față de îngrijirea corpului. În Israel, unui bărbat i s-a îndepărtat craniul după toate probabilitățile după îngropare, pe când în Siria și Franța au fost așezate lespezi de piatră în mormintele copiilor de neanderthalieni.

(Sus) Deși unii savanți o contestă, în general e acceptată ideeea că neanderthalienii își îngropau morții, iar unele dintre cele mai bune exemple au fost depistate în Israel. Acesta e scheletul unui copil de Neanderthal (Amud 7), cu maxilarul unei căprioare așezat aparent intenționat lângă el.

(Dreapta) Amud înseamnă „stâlp" sau „coloană" atât în arabă, cât și în ebraică, iar acest stâlp de piatră i-a dat numele său peșterii învecinate. Cercetat de o echipă japoneză în anii 1960 și de o echipă israeliană în 1990, situl a etalat dovezi bogate de oase animale, unelte din piatră din Paleoliticul Mediu și mai multe fosile ale omului de Neanderthal.

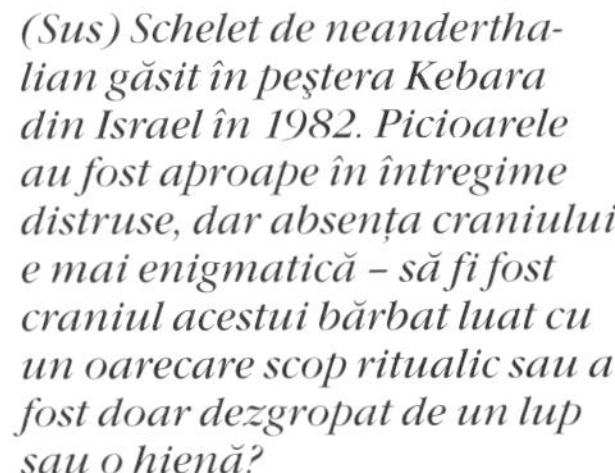

(Sus) Schelet de neanderthalian găsit în peştera Kebara din Israel în 1982. Picioarele au fost aproape în întregime distruse, dar absenţa craniului e mai enigmatică – să fi fost craniul acestui bărbat luat cu un oarecare scop ritualic sau a fost doar dezgropat de un lup sau o hienă?

Anatomia omului de Neanderthal

Neanderthalienii aveau un creier de dimensiuni mari, adăpostit în cutii craniene relativ lungi, întinse şi turtite, cu feţe lungi, dominate de o deschizătură nazală voluminoasă şi cu o arcadă oculară proeminentă. Judecând după interiorul cutiei craniene, creierul mare al neanderthalienilor era oarecum diferit structurat faţă de al nostru – ceva mai mare la spate (lobii occipitali), dar e imposibil de apreciat calitatea creierelor lor din asemenea informaţii limitate. Întreaga parte mijlocie a feţei era împinsă înainte, iar pometii se întindeau spre lateral. Dinţii din faţă erau mari şi ilustrează adesea o uzură severă, arătând că materiale precum pielea, mâncarea sau fibrele vegetale erau regulat trase printre ei. Mandibula era lungă, cu puţine semne ale unei bărbii împinse în faţă. Scheletele lor sugerează un fizic relativ scund, îndesat, cu muşchi puternici, iar oasele picioarelor aveau arti-

(Sus) Această femeie ilustrează construcţia scundă şi îndesată tipică neanderthalienilor, cu umeri şi coapse late, un trunchi voluminos şi antebraţe şi tibii relativ scurte. Diferenţele de mărime a corpului dintre masculii şi femelele de Neanderthal erau oarecum mai mari decât la oamenii de azi, dar femeile de Neanderthal erau cu siguranţă puternice şi musculoase. Nu se ştie precis dacă neanderthalienii se îmbrăcau, dar cu siguranţă prelucrau piei de animale.

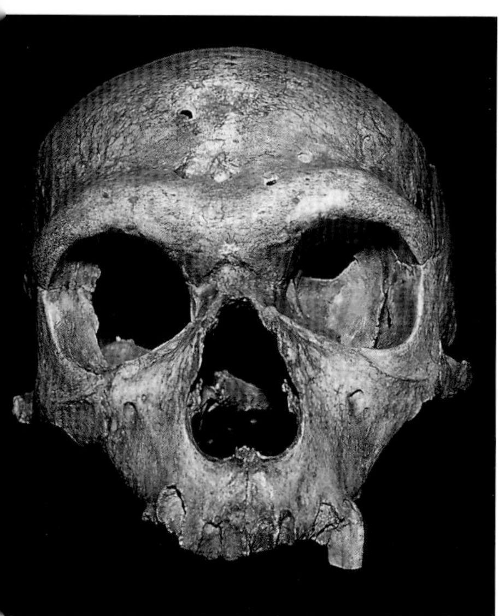

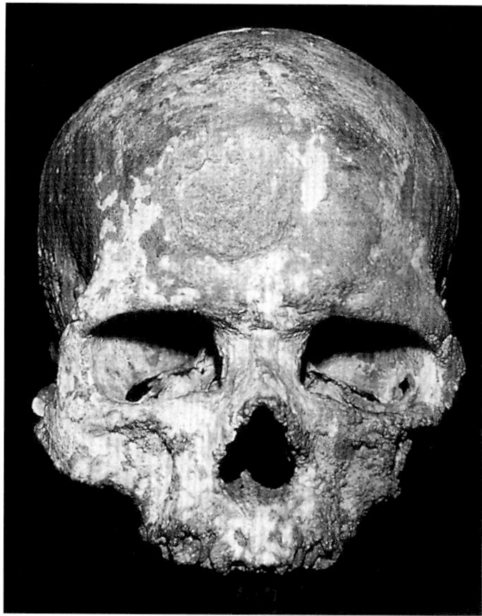

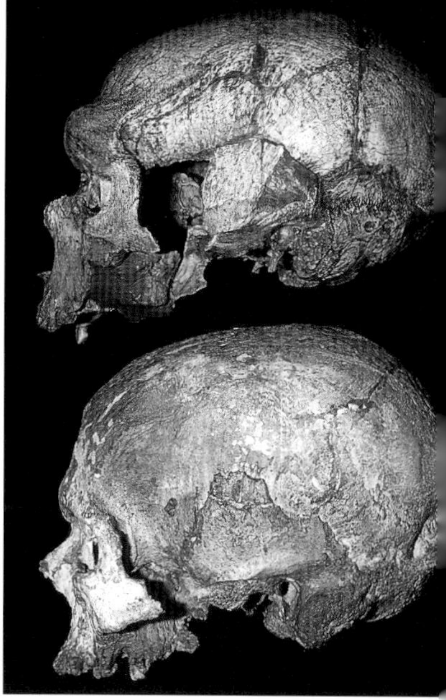

(Jos) Situri cu resturi fosile de Neanderthal. Nu se cunosc încă oameni de Neanderthal din Africa sau Orientul Îndepărtat, dar răspândirea geografică vastă a uneltelor din Paleoliticul Mujlociu (făcute probabil de neanderthalieni) sugerează că această hartă reprezintă probabil doar extinderea lor minimă în Eurasia.

culații solide și pereți groși. Cei mai cunoscuți, sau neanderthalienii „clasici", au trăit în perioada dintre acum 70.000 până la 35.000 de ani și au fost adesea asociați cu animalele adaptate la frig, ca renul sau mamutul.

O specie eurasiatică

Acești oameni târzii de Neanderthal erau adaptați la rigorile climatice de viață din decursul ultimei Epoci Glaciare din Europa. Forma lor corporală îndesată păstra căldura, micșorând suprafața corpului expusă la frig, iar volumul intern mare al nasului proeminent putea încălzi și umezi aerul rece și uscat inhalat. Dar neanderthalienii au trăit și în perioadele mai calde din Europa – de exemplu, cei din situl italian Saccopastore erau asociați cu fosile de elefant și hipopotam vechi de 125.000 de ani. Și, cu toate că cei mai cunoscuți neanderthalieni sunt cei din situri ca valea Neander (Germania), Spy (Belgia) și La Chapelle-aux-Saints și La Ferassie (Franța), acești oameni au trecut prin vestul Asiei în țările de azi: Irak, Siria, Israel, Georgia, Rusia, Ucraina și în Orientul Îndepărtat, până în Uzbekistan. Ei au creat unelte din piatră caracteristice în Paleoliticul Mijlociu (Epoca Pietrei vechi mijlocii sau Musteriană de la situl Le Moustier din

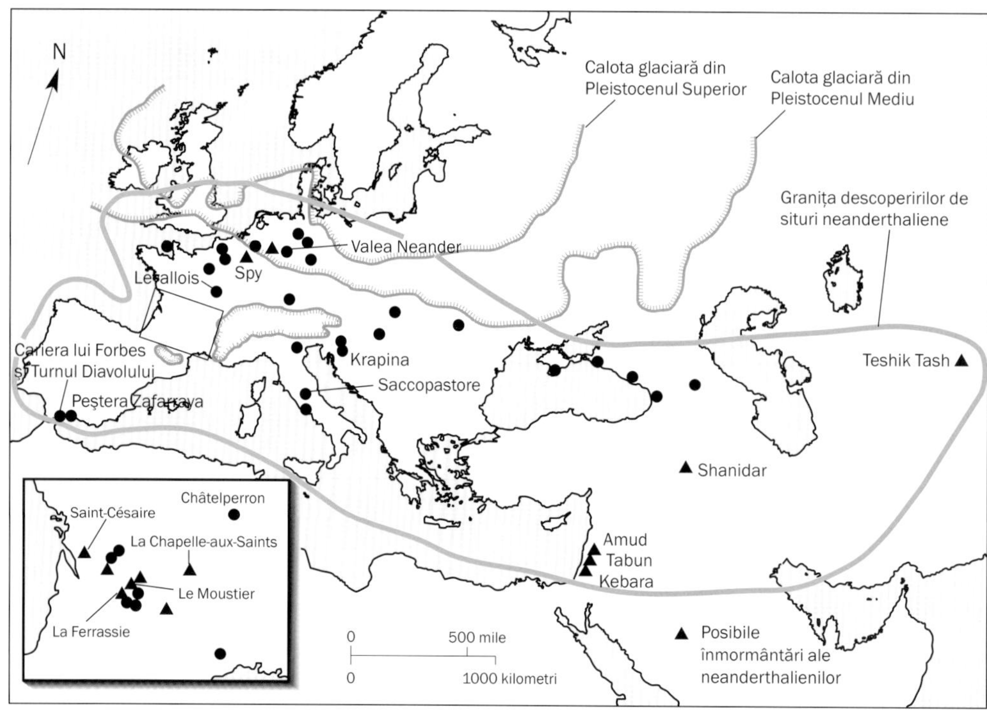

(Pagina alăturată) Aceste imagini înfățișează cranii din La Chapelle-aux-Saints (stânga, planul îndepărtat și sus, dreapta), un neanderthalian târziu și al unui Cro-Magnon, un om modern timpuriu. Ele sunt poate despărțite de 20.000 de ani, dar ilustrează câteva din cele mai izbitoare contraste în forma cutiei craniene și a feței identificate la oamenii fosili.

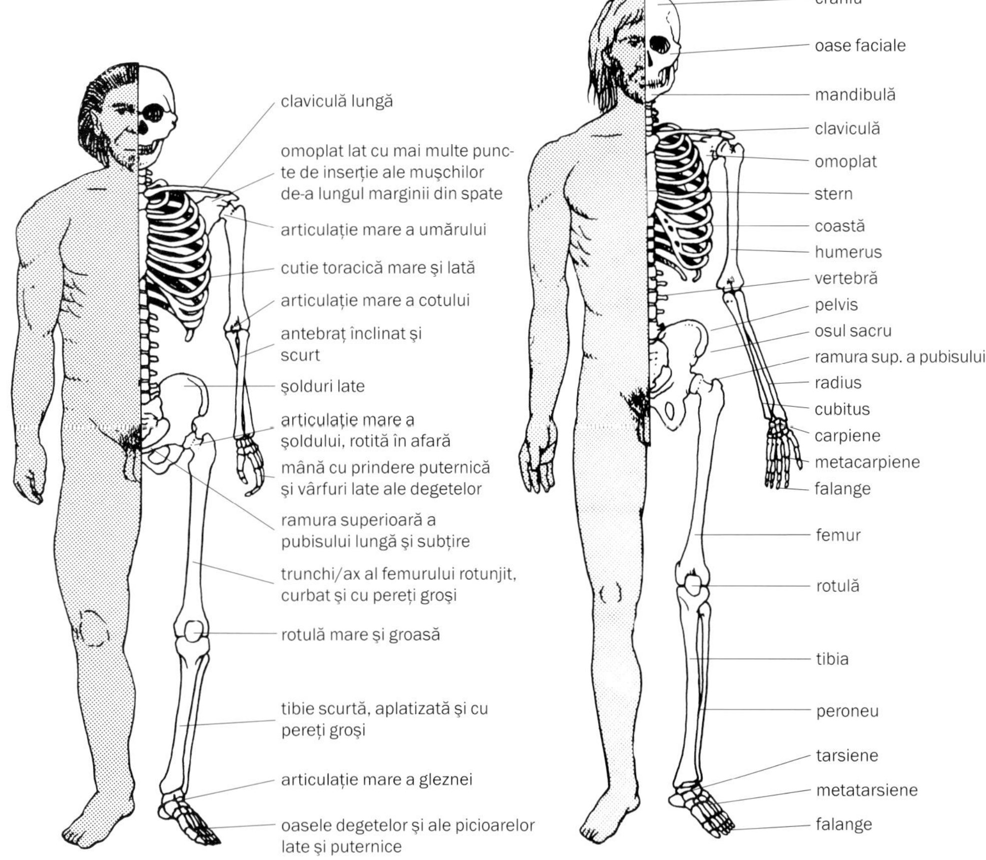

(Sus) Această comparație a scheletului și a formei corporale reconstituite a unui neanderthalian european (stânga) cu a bărbatului de Cro-Magnon ilustrează aspectul lor uman fundamental comun, dar pune în contrast trupul scund, lat al omului de Neanderthal cu fizicul mai înalt și mai liniar al oamenilor de Cro-Magnon. Oricum, ambele grupe au fost diferite în timp și spațiu, cu neanderthalienii din vestul Asiei relativ mai înalți și mai puțin robuști, iar oamenii mai târzii de Cro-Magnon, mai scunzi și mai îndesați decât predecesorii lor.

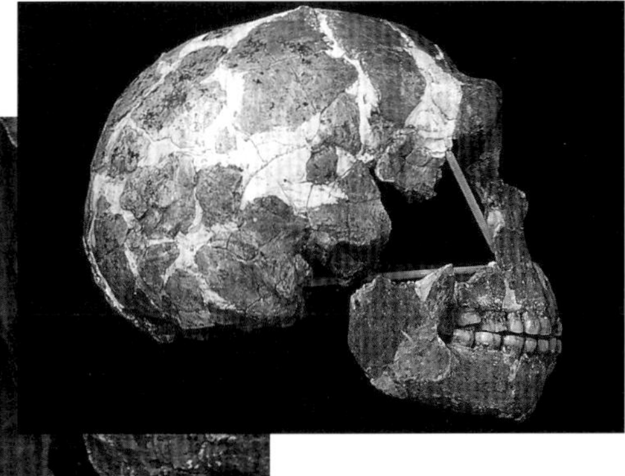

(Sus) Cel mai vechi mormânt cunoscut al unui neanderthalian (și poate cel mai vechi mormânt cunoscut al oricărui om) a fost scos la iveală din peștera Tabun („Cuptor") (stânga), din zona ce reprezintă azi Israelul, în 1932. Este al unei femei mici de statură. Pelvisul ei a fost primul după care s-a identificat forma caracteristică neanderthalienilor. A fost estimat ca având 120.000 de ani vechime.

Franța), iar acestea se găsesc în zone chiar mai depărtate ale Asiei. În orice caz, nu există niciun fel de dovezi fosile ale neanderthalienilor din Orientul Îndepărtat, nici din Africa – alți oameni au locuit acolo, având propriile lor istorii evolutive.

Adaptați pentru o viață dură

Studiul scheletelor de neanderthalieni dezvăluie viața dură pe care o duceau și felul în care reacționau corpurile lor. Multe indică fracturi și răni, majoritatea cărora s-au vindecat. Acestea au rezultat poate din conflicte interpersonale, sau mai degrabă de accidente de vânătoare, provocate de confruntări cu animale sălbatice periculoase. Unele răni erau destul de grave încât să-i lase imobilizați pe indivizi – un bărbat îngropat într-o peșteră din Irak a fost orb de ochiul stâng și a fost probabil paralizat pe jumătate, cu un braț distrus, neputându-și utiliza mâna dreaptă. Cu toate acestea, a supraviețuit în această stare pentru cel puțin câteva luni, ceea ce sugerează că era îngrijit de tovarășii săi neanderthalieni.

Ca răspuns la viața lui solicitantă și uneori periculoasă, scheletul omului de Neanderthal era puternic întărit cu oase groase, mai ales oasele picioarelor. Fizicul lui poate fi descris ca unul ce combină aspectul unui luptător solid cu rezistența unui alergător de maraton!

Africa – patria lui Homo sapiens?

Continentul african nu s-a grăbit să dezvăluie dovezi pentru ultimele stadii de evoluție umană, în comparație cu bogăția relativă a fosilelor din stadiile mai timpurii. Mai mult, Africa a fost mulți ani privită ca fiind săracă în comparație cu mărturiile din Europa și Asia. Pe când arheologii se bazau numai pe datarea cu radiocarbon, se părea că încă mai supraviețuia fabricarea toporașelor de mână din piatră primitive în Africa subsahariană, în timp ce tehnicile noi de prelucrare a pietrei specifice Paleoliticului Mijlociu s-ar fi dezvoltat mai mult în nord. În plus, Paleoliticul Mijlociu din Africa a fost considerat contemporan cu Paleoliticul Superior din Europa și părea mai simplu din punct de vedere tehnologic, lipsindu-i în același timp trăsături ca arta reprezentării și înmormântările complexe. Mărturiile de fosile umane africane erau risipite, dar se credea că specimenele primitive, asemenea craniului de la Broken Hill din Zambia și craniului parțial de la Florisbad din Africa de Sud aveau numai aproximativ 50.000 de ani vechime și erau astfel contemporane cu neanderthalienii.

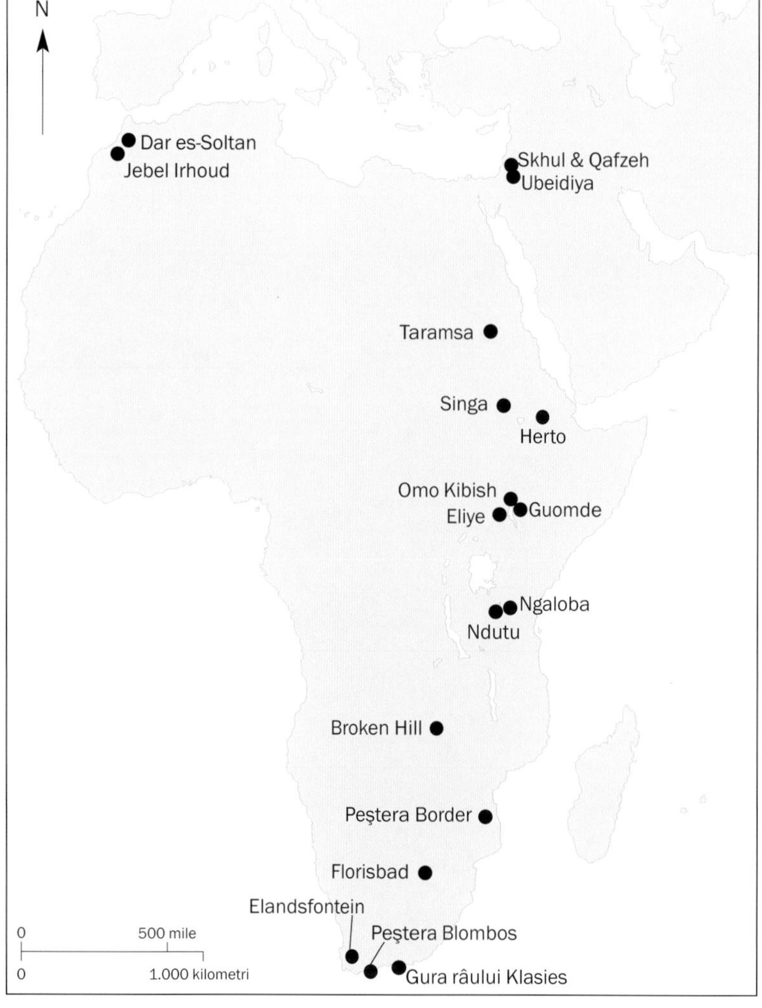

Redatarea fosilelor africane

Totuși, noile descoperiri și aplicarea noilor tehnici de datare ce puteau ajunge în timp dincolo de limitele datării cu radiocarbon ne-au schimbat mult perspectiva asupra lanțului evolutiv de evenimente din Africa. Credem acum că oameni asemănători strămoșilor europeni ai neanderthalienilor au trăit acolo cu aproape 400.000 de ani în urmă, fiind reprezentați de fosile precum cele de la Broken Hill, Elandsfontein și Ndutu, iar acestea sunt atribuite speciei *Homo heidelbergensis* sau *H. rhodesiensis* (vezi pp. 148-151). Astfel, craniul de la Broken Hill părea relativ primitiv în comparație cu neanderthalienii, fiindcă era de fapt mult mai vechi decât ei. În perioada de acum 400.000-

(Stânga) Harta ilustrează extinderea geografică mare a siturilor africane reprezentative pentru stadiile mai târzii ale evoluției umane. Cu toate acestea, există o lipsă de material din zonele centrale și vestice ale continentului.

(Dreapta) Sistemul complex de peșteri de la gura râului Klasies, de pe coasta sudică a Africii de Sud, a fost important în readucerea în discuție a Africii în ceea ce privește evoluția omului modern. Fosilele umane fragmentare, unele din ele ilustrând caracteristici moderne clare, datează de acum 75.000-110.000 de ani. Tot aici au fost descoperite unelte compozite, lame de piatră și resturi de viețuitoare marine, ceea ce indică existența pescuitului.

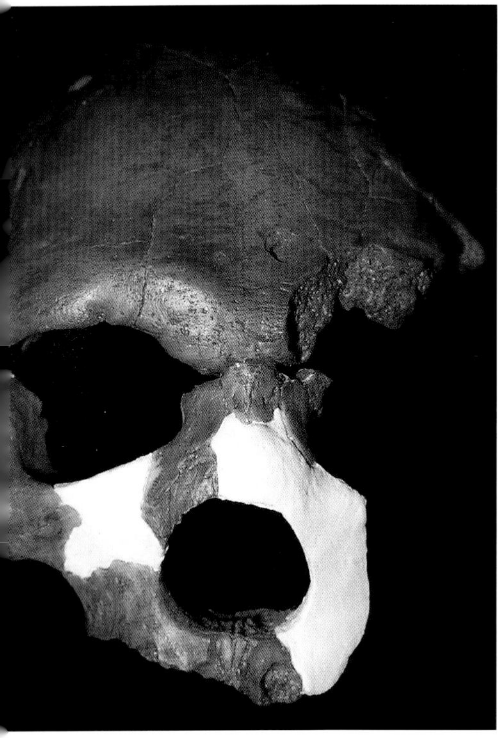

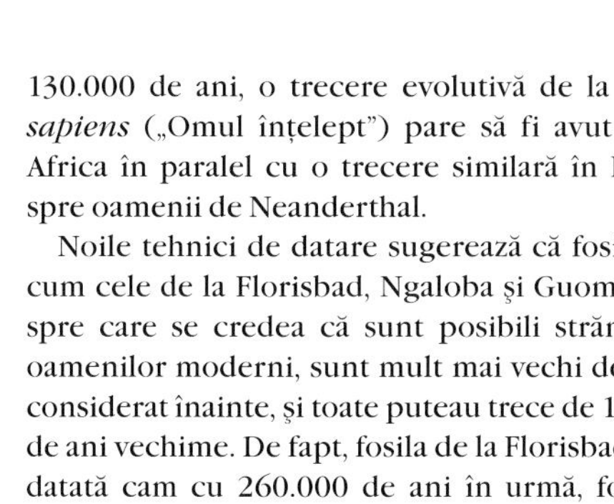

130.000 de ani, o trecere evolutivă de la *Homo sapiens* („Omul înțelept") pare să fi avut loc în Africa în paralel cu o trecere similară în Europa spre oamenii de Neanderthal.

Noile tehnici de datare sugerează că fosile precum cele de la Florisbad, Ngaloba și Guomde, despre care se credea că sunt posibili strămoși ai oamenilor moderni, sunt mult mai vechi decât s-a considerat înainte, și toate puteau trece de 150.000 de ani vechime. De fapt, fosila de la Florisbad a fost datată cam cu 260.000 de ani în urmă, folosind metoda rezonanței deplasării electronilor pe smalțul unui molar, și e asociată cu „industria" locală de toporașe de mână din piatră, pe când specimenele de la Ngaloba și Guomde sunt oarecum mai recente, dar au fost găsite în situri cu unelte specifice Paleoliticului Mijlociu. Astfel, secvența arheologică din Africa poate fi acum redatată și nu mai pare înapoiată în comparație cu mărturiile de altundeva.

Primii oamenii moderni se răspândesc pe continent

Până acum 160.000 de ani, oamenii moderni se răspândiseră în multe zone ale continentului african – fosilele lor sunt acum cunoscute din peșteri

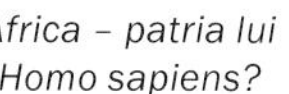

Africa – patria lui Homo sapiens?

(Stânga) Craniul de la Florisbad a fost descoperit într-un sit deschis din Africa de Sud în 1932 și i-a fost dat numele „Homo helmei"*. Mulți ani s-a crezut că avea numai 40.000 de ani, iar fața sa mare, fruntea retrasă și arcadele oculare puternice sugerau că era o rămășiță africană târzie a unui stadiu mai timpuriu de evoluție. În orice caz, datarea directă a unui fragment din smalțul unui dinte în 1996 a dus la o apreciere a vârstei de aproximativ 260.000 de ani, sugerând că putea fi un membru timpuriu al liniei evolutive ce ducea spre* H. sapiens.

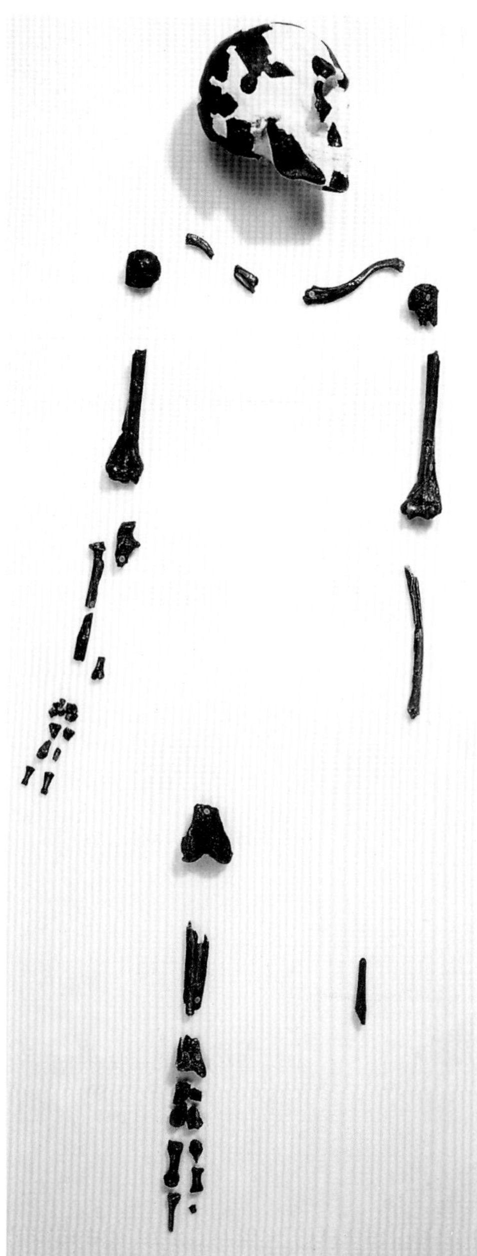

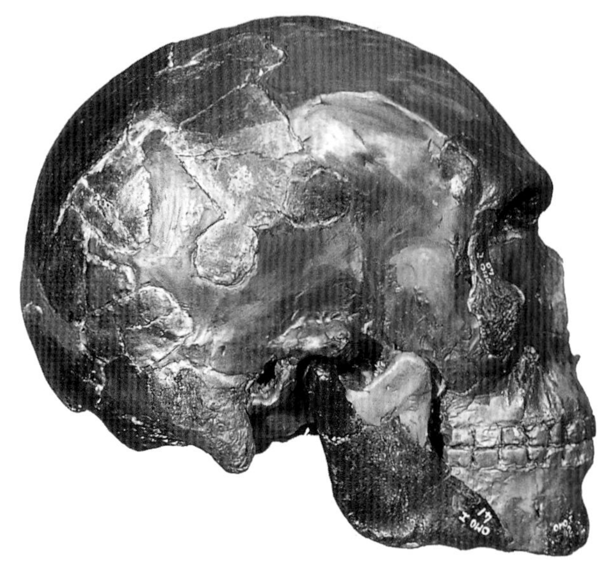

(Mai sus) Oasele craniene ale lui Omo 1 pot fi reconstituite pentru a ilustra o formă mai degrabă modernă. Oasele boltei craniene sunt înalte și rotunjite, iar baza craniană este relativ îngustă, nu largă. Arcada oculară nu mai are proeminența tipică speciilor vechi de hominizi.

copii ce prezintă trăsături moderne, având o vechime de circa 160.000 de ani, iar acestea pot fi considerate cele mai vechi exemple sigure de oameni moderni găsite până acum. Acestea prezintă și ele semne de tăiere, interpretate în această situație ca posibile dovezi ale comportamentului ritual. Mai spre vest, o cutie craniană fosilă cu formă ciudată a fost găsită la Singa, în Sudan. Studiul amănunțit a arătat că individul în cauză suferea probabil de o gravă infecție ce afecta dezvoltarea oase-

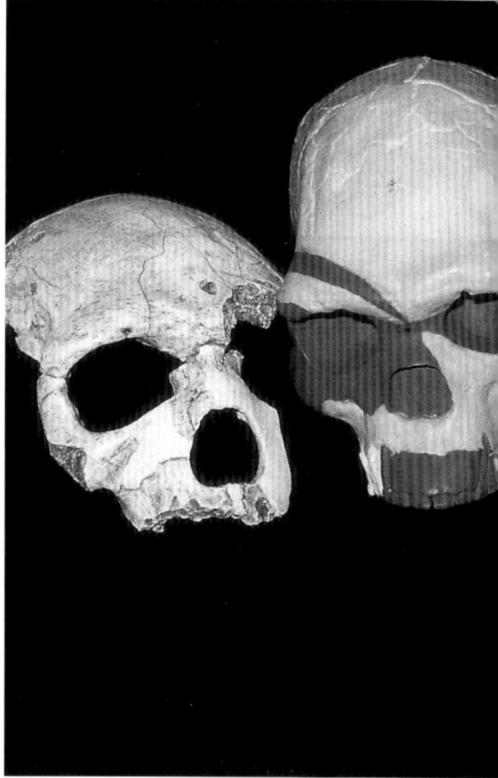

(Sus) În 1967, o echipă condusă de Richard Leakey a recuperat rămășițele parțiale a trei oameni fosili din formațiunea Kibish, din regiunea râului Omo, sud-vestul Etiopiei. Omo 1 era un schelet parțial al unui individ înalt și bine făcut, aparent bărbat, cu trăsături moderne clare ale părților conservate. Vechimea acestui schelet este estimată la circa 130.000 ani.

din sudul Africii, precum cele de la gura râului Klasies și din situri etiopiene ca Omo Kibish și Herto. O mandibulă ce pare modernă a fost datată prin metoda ESR (rezonanței deplasării electronilor), rezultând o vârstă de circa 75.000 de ani, dar există îndoieli legate de proveniența unora dintre oase și e posibil ca ele să fi fost îngropate în nivelurile Paleoliticului Mijlociu, la o dată mult mai târzie. Nu există îndoieli cu privire la proveniența scheletului uman modern fragmentat de la Omo, dar o a doua cutie craniană fosilă izolată din sit pare mai primitivă și provine probabil din niveluri mai vechi. Recent, au fost scoase la suprafață din sedimente de la Herto, Etiopia, cranii de adulți și

(Dreapta) Forma de gips a endocraniului de la Singa e modernă ca dimensiune, dar aspectul său sugerează că individul de la Singa era neobişnuit printre oamenii fosili, prin faptul că era probabil stângaci. Forma ciudată a craniului şi lipsa oaselor urechii pe o parte mai sugerează că individul suferea de o boală ce afecta dezvoltarea oaselor.

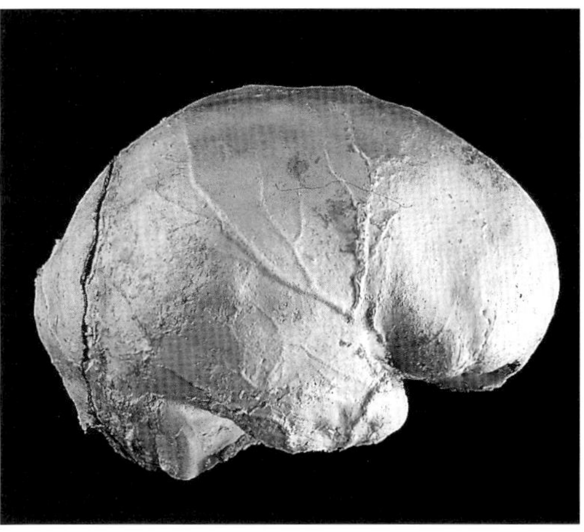

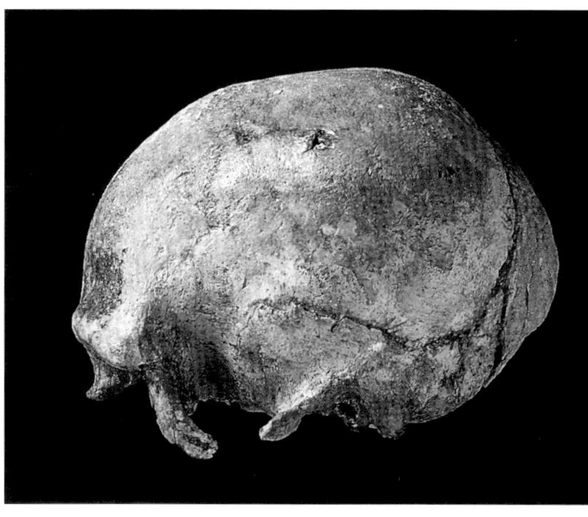

(Sus) Craniul de la Singa, Sudan, a fost găsit în albia fluviului Nil în 1931. Amestecul său ciudat de trăsături primitive şi moderne a fost observat în studiile mai vechi, dar până recent se credea că avea o vechime de doar 20.000 de ani. E relativ scund şi foarte lat, cu oase parietale scurte şi neobişnuit de îngroşate. Totuşi, fruntea e înaltă şi rotunjită, iar arcada oculară e relativ mică. În ultimul deceniu, datarea prin ESR şi izotopi de uraniu a arătat că acesta e probabil vechi de 130.000 de ani şi poate fi o relicvă foarte timpurie a lui Homo sapiens.

lor şi a cauzat surzenia cel puţin a unei urechi. Noi încercări de datare ilustrează că fosila craniană de la Singa are o vechime de mai mult de 130.000 de ani şi ar putea aşadar reprezenta un alt specimen protomodern.

Africa de Nord a scos la lumină mai multe fosile primitive de *Homo sapiens*, incluzând două cranii adulte şi mandibula unui copil din Jebel Irhoud, Maroc, datând probabil de acum 150.000 de ani. Specimene care păreau mai moderne au fost găsite în situl marocan de la Dar es-Soltan şi la Taramsa, în Egipt. Această descoperire recentă a scheletului unui copil care a fost îngropat în vârful unui deal lângă fluviul Nil cu aproape 70.000 de ani în urmă, e încă studiată.

În general, imaginea pe care o avem despre Africa de acum 300.000-130.000 de ani este uimitor de incompletă. Este exact perioada în care credem că se năştea specia noastră, dar lipsesc multe piese din acest puzzle.

Africa avea probabil cea mai mare şi mai variată populaţie umană din această perioadă, dar eşantioanele noastre fosile se limitează la porţiuni mici din acest vast continent. Topoarele din piatră şi uneltele tipice Paleoliticului Mijlociu arată că oamenii trăiau şi în Africa Centrală şi Vestică, dar despre înfăţişarea lor fizică sau poziţia lor evolutivă nu avem nicio informaţie.

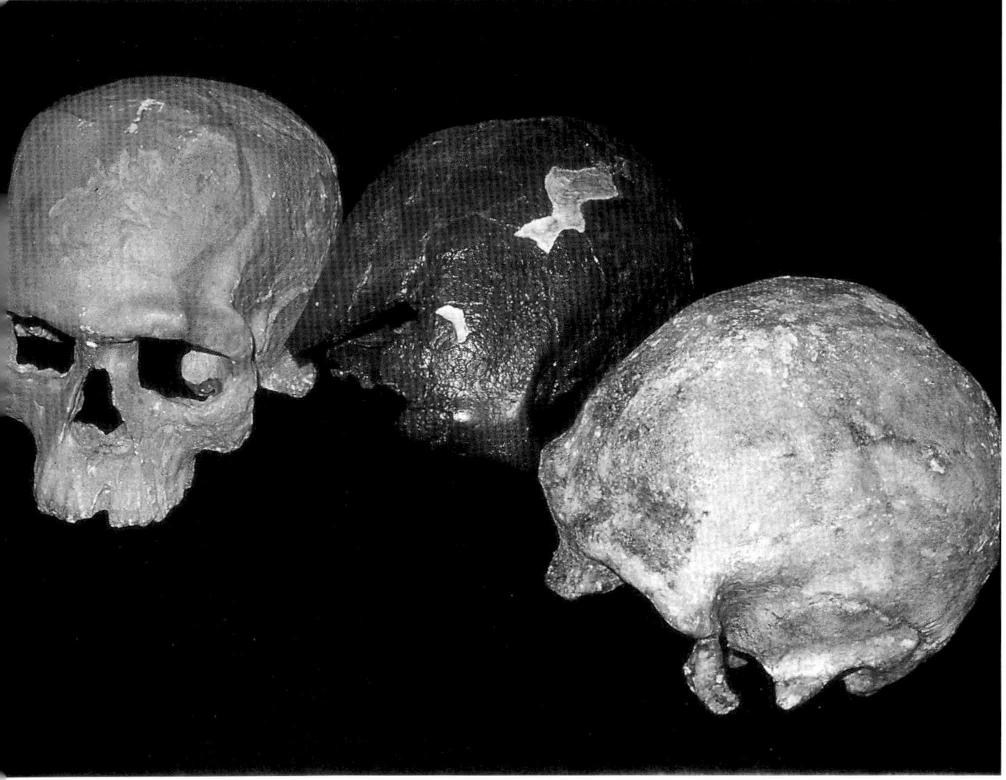

(Stânga) Această multitudine de cranii fosile din Africa ilustrează gama de strămoşi umani posibili în timp şi spaţiu. Craniile şi vârstele lor estimate sunt (de la stânga): Florisbad, 250.000 de ani (Africa de Sud); Ngaloba – Hominidul 18 de la Laetoli (Tanzania), 140.000 de ani; Jebel Irhoud 1 (Maroc), 150.000 de ani; Omo Kibish 2 (Etiopia), 200.000 de ani şi Singa (Sudan), peste 130.000 de ani vechime.

Asia – coridor sau fundătură?

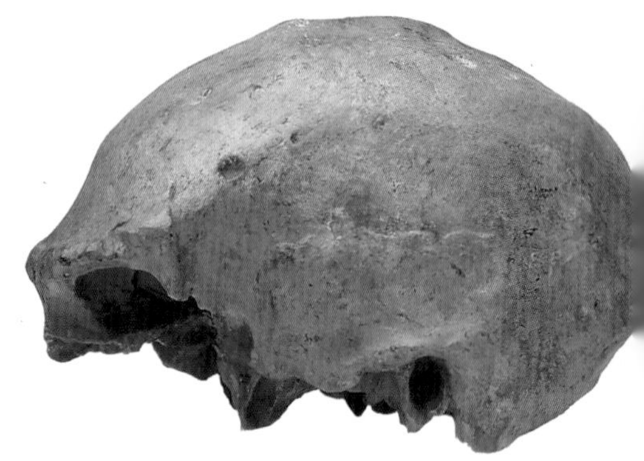

(Dreapta) E posibil ca craniile lui H. erectus, *din Ngandong, Java, să aibă o vechime de numai 50.000 de ani. Acest craniu îi aparține unei femei.*

(Jos) Craniul din Dali, China, are poate o vechime de 300.000 de ani și pare să fie diferit de Homo erectus. *Unii cred că este o verigă între populațiile locale de* Homo erectus *și popoarele orientale de astăzi. În orice caz, seamănă cu fosilele mai vechi din Africa și Europa, ceea ce i-a determinat pe unii savanți să-l clasifice ca* Homo heidelbergensis.

(Jos, dreapta) Tehnicile moderne de datare au revoluționat viziunea noastră vizavi de succesiunea neanderthalienilor și a oamenilor moderni în Orientul Mijlociu. Se consideră acum că oamenii moderni apar în zonă acum circa 100.000 ani și coexistă cu nenderthalienii.

După cum am văzut, *Homo erectus* s-a răspândit în regiunile mai calde ale Asiei cu peste un milion de ani în urmă și e bine cunoscut din fosile din regiuni precum China și Java. Specia s-ar fi extins chiar mai mult dacă judecăm după distribuția artefactelor, iar noi date sugerează că *erectus* a utilizat plute pentru a ajunge pe insula Flores, dincolo de Java, cu 800.000 de ani în urmă (vezi pp. 174-175). Oricum, nu pare posibil ca *erectus* să fi ajuns vreodată în Australia, în ciuda unor păreri contrare, iar Australia și cele două Americi deopotrivă au rămas necolonizate până la sosirea oamenilor moderni. Savanții sunt împărțiți în a considera cât de izolat era estul Asiei în comparație cu vestul. Există dovezi arheologice pentru diferențele tehnologice sau comportamentale dintre popoarele din Orientul Îndepărtat și cele din lumea occidentală locuită, iar aceste diferențe s-au păstrat aproximativ un milion de ani.

Asia de Sud și de Est

Ar fi fost bine să avem mărturii fosile viabile din regiunile cuprinse între Orientul Extrem și Orientul Apropiat, dar există puține în afară de o cutie craniană fosilă din Narmada, vestul Indiei, care datează probabil de circa 300.000 de ani. Acest specimen poate reprezenta o specie mai avansată decât *erectus* și sunt fosile comparabile din situri chineze precum Yunxian, Dali și Jinniushan. E neclar dacă acestea reprezintă progrese evolutive ale lui *erectus* sau dovezi ale răspândirii unei variante de *Homo heidelbergensis* în regiune. Dar în Java, se pare că *erectus*, după cum e reprezentat prin fosilele de la Ngandong și Sambungmacan, a rămas acolo cu puține schimbări în ultimii 200.000 de ani. Aceste fosile prezintă cutii craniene oarecum mai mari, dar etalează încă trăsăturile caracteristice ale craniului de *erectus* robust ale predecesorilor săi mai vechi.

Asia de Vest

În vestul Asiei e altă poveste, fiindcă această regiune reprezintă un coridor între continentele Africa și Asia (și astfel, indirect, și Europa). Există dovezi ale așezărilor umane în Levant (regiunea ce mărginește Mediterana Estică, care include Libanul și Israelul) de acum circa 1,5 milioane de ani, în situl israelian de la Ubeidiya. Un sit arheologic mai recent, de la Gesher Benet Yacov din Israel, conține un os uman fragmentat al piciorului, multe topoare de mână din piatră, dovezi ale măcelăririi elefanților și chiar bucăți de lemn prelucrate, datate acum circa 800.000 de ani. Există și un posibil fragment de craniu al lui *Homo erectus* în Siria și

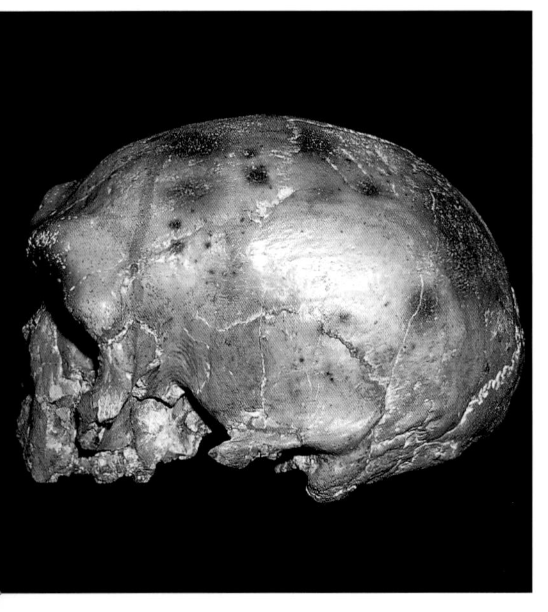

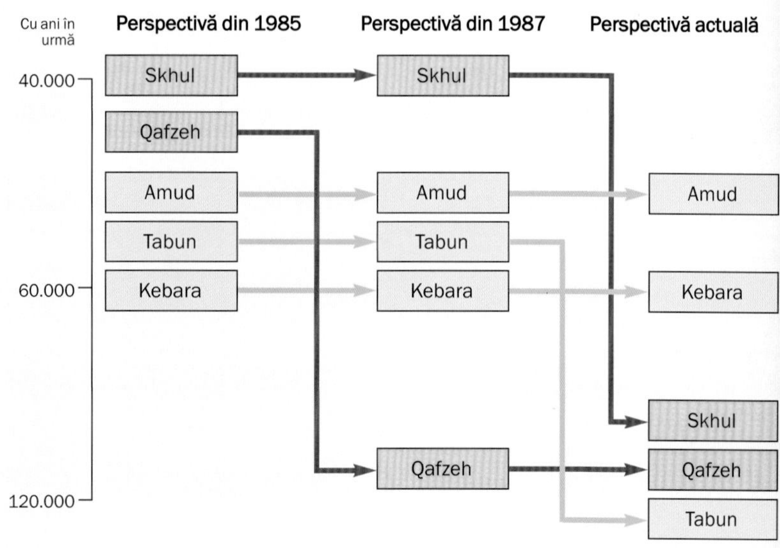

un posibil fragment de craniu al lui *heidelbergensis* la Zuttiyeh, Israel. Dar mărturiile fosile sunt lacunare apoi până în ultimii 125.000 de ani.

Atunci regiunea pare să fi format o zonă de suprapunere între teritoriile neamului neanderthalian și neamul *sapiens*. Cercetările recente sugerează că oamenii moderni timpurii nu numai că trăiau în Israel cu mult înainte ca indivizii de Cro-Magnon (oamenii moderni) să ajungă în Europa, dar că populațiile neanderthaliene au fost acolo după ei. Tehnicile de datare aplicate asupra dinților de animale și uneltelor din silex ars, găsite în aceleași niveluri ca fosilele indivizilor de *Homo sapiens* din peșterile Skhul și Qafzeh, sugerează că acești oameni au fost intenționat îngropați acolo, acum între 120.000 și 80.000 de ani. Scheletele în discuție ilustrează câteva caracteristici primitive, dar și multe alte trăsături moderne în forma craniului, dezvoltarea bărbiei și construcția zveltă a corpului, mai ales a picioarelor. În orice caz, un mormânt al unui neanderthalian din situl israelian Tabun a fost datat cam din aceeași perioadă, pe când cele din Kebara și Amud au fost datate acum numai 60.000-50.000 de ani și se pare că oamenii de Neanderthal fie s-au suprapus în zonă cu populațiile *sapiens* timpurii, fie au alternat cu acestea în ocuparea zonei, din moment ce oamenii moderni erau din nou prezenți acum 40.000 de ani.

O idee ar fi că oamenii moderni timpurii veniseră din Africa în timpul scurtei perioade interglaciare care a început cu aproximativ 125.000 de ani în urmă. Oricum, când a debutat ultima Epocă Glaciară oamenii moderni au dispărut ori s-au mutat altundeva, iar neanderthalienii adaptați la frig au venit în regiune din nordul îndepărtat, fie datorită schimbărilor de mediu ce au făcut regiunea mai potrivită pentru ei, fie deoarece au fost obligați să meargă spre sud datorită condițiilor vitrege. Dacă oamenii moderni din Skhul-Qafzeh au reprezentat doar o călătorie scurtă și prematură „Out of Africa", sau au reușit de fapt să pătrundă în Asia și Arabia pentru a da naștere oamenilor moderni mai târzii precum cei care au ajuns în Australia, rămâne încă neclar.

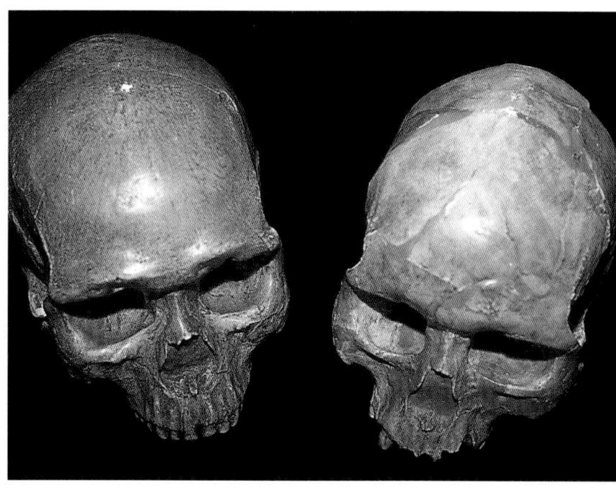

(Dreapta) Aceste cranii moderne timpurii provin din Peștera Superioară de la Cioukoutien, China, și pot avea cam 30.000 de ani vechime. Probabil al unui bărbat (stânga) și al unei femei (în dreapta), ele ilustrează o variație semnificativă, care i-a determinat pe unii cercetători să susțină că au legături cu populațiile locale actuale. În orice caz, ele reprezintă mai probabil o străveche populație umană din Asia de Est.

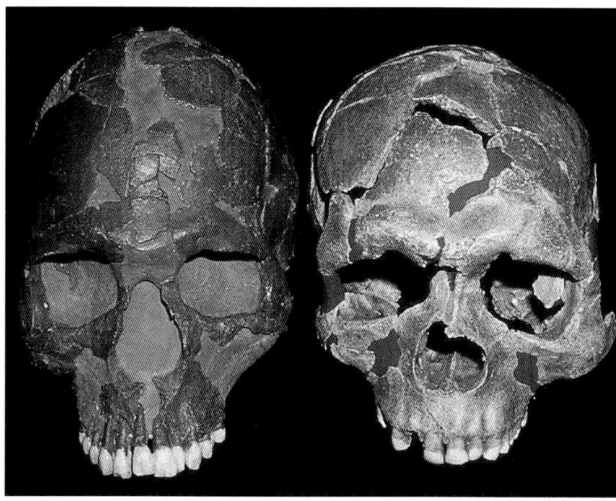

(Jos) Aceste cranii din Qafzeh ilustrează trăsături timpurii tipice, ca o față plată lată, alveole ale ochilor mai degrabă turtite și pătrate și o capacitate foarte mare a creierului.

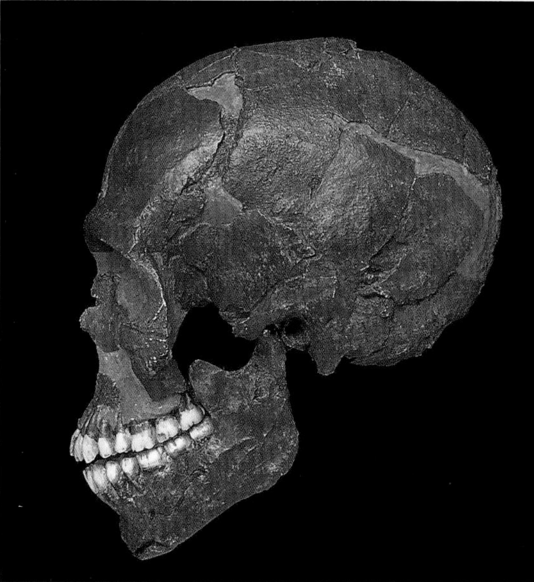

(Jos, stânga) Situl peșterii din Qafzeh, în apropiere de Nazaret, Israel. Individul Qafzeh 9 (jos, dreapta), din care aici avem craniul, avea un schelet înalt care a fost scos la suprafață împreună cu scheletul unui copil (Qafzeh 10) la picioarele sale.

Ce s-a întâmplat cu neanderthalienii?

(Jos, stânga şi dreapta) Peştera Zafarraya dintr-o zonă montană de lângă Malaga, Spania, a fost poate unul din ultimele refugii ale neanderthalienilor. Dovezile sugerează că oamenii moderni au migrat spre Europa Centrală din est, în timp ce neanderthalienii se puteau menţine mai mult în zone periferice ca insulele britanice, sudul Peninsulei Iberice şi sudul Italiei, sau erau absorbiţi de noii-veniţi. Datările arată că neanderthalienii ar fi putut supravieţui până acum 27.000 de ani, însă nu sunt precise, nefiind făcute direct pe oase.

Avem foarte puţine informaţii despre motivele dispariţiei speciilor umane timpurii. Dar în cazul neanderthalienilor, mărturiile fosile şi arheologice sunt destul de relevante pentru a face nişte presupuneri juste. După cum am observat, neamul lor poate fi depistat prin modificările numeroase ale cutiei craniene, ale feţei şi chiar ale oaselor urechii, de aproximativ 300.000 de ani vechime în Europa. Dar au dispărut într-o perioadă de mai puţin de 20.000 de ani. Ei au trăit în vestul Asiei până acum cel puţin 50.000 de ani, iar în vestul Europei vor fi supravieţuit în regiunile marginale până acum circa 30.000 de ani. Între acum 40.000 şi 30.000 de ani, se pare că ultimii neanderthalieni şi primii oameni moderni din Europa (indivizii de Cro-Magnon – vezi pp. 166-169) au coexistat de fapt, dar e neclar dacă se întâlneau în mod regulat, erau în conflict sau dacă s-au încrucişat. Metodele noastre de datare sunt încă prea imprecise pentru a stabili dacă aceste popoare coexistau în regiuni separate, în aceleaşi regiuni, dar în locaţii diferite sau poate în aceleaşi locuri în acelaşi timp. Dovezile fosile nu indică o tranziţie evolutivă de la neanderthalieni la primii oameni moderni, dar este în discuţie existenţa dovezilor pentru fenomenul hibridizării.

Neanderthalienii care au supravieţuit până târziu

Săpăturile dintr-un sit spaniol de la nord-est de Gibraltar, numit peştera Zafarraya, au dezvăluit recent fosile de neanderthalieni, uneltele lor de piatră şi resturile de mâncare arată că ei au supravieţuit în această regiune mult mai târziu decât s-ar fi bănuit înainte. Probele din Franţa au sugerat că neanderthalienii dispăruseră de aproximativ 32.000 de ani, conform datelor obţinute prin metoda radiocarbonului. Dar aceeaşi metodă datează ultimul nivel neanderthalian din peştera Zafarraya cu doar 27.000 de ani în urmă. Dacă această dată e precisă, înseamnă că neanderthalienii au supravieţuit în sudul Spaniei cu mult după ce-au dispărut din nordul îndepărtat şi chiar mai mult după apariţia primilor oameni moderni în Europa, cu vreo 40.000 de ani în urmă. Date suplimentare din alte situri din Gibraltar, sudul Spaniei şi Portugalia par să susţină acest scenariu al supravieţuirii târzii a neanderthalienilor în zone mai retrase, iar în acest context, regiuni ca lanţurile muntoase şi chiar Anglia (pe atunci nefiind o insulă) ar fi putut oferi refugii. Există date comparabile din regiuni precum Croaţia, Crimeea şi Caucaz.

Pe când neanderthalienii din sudul Peninsulei Iberice au continuat să creeze artefacte tipice Paleoliticului Mijlociu (p. 210), alte grupe de neanderthalieni au început să producă unelte din piatră mai avansate, unelte din oase şi coliere şi pandative în timpul perioadei de coexistenţă cu oamenii de Cro-Magnon – de exemplu, uneltele de tip Châtelperronian din Franţa şi sudul Spaniei şi de tip Uluzzian, Italia. Unii specialişti cred că aceasta e o reflectare a contactului sau a comerţu-

(Dreapta) Craniu de neanderthalian târziu din Saint-Césaire, Franța, vechi de de cca 37.000 de ani, și un craniu și o mandibulă ale unui om timpuriu de Cro-Magnon (nu de la același individ) cam de aceeași vârstă, din Cehia. Unii arheologi cred că ultimii neanderthalieni ilustrează dovezi ale schimbării comportamentale, indicând contactul cu oamenii moderni.

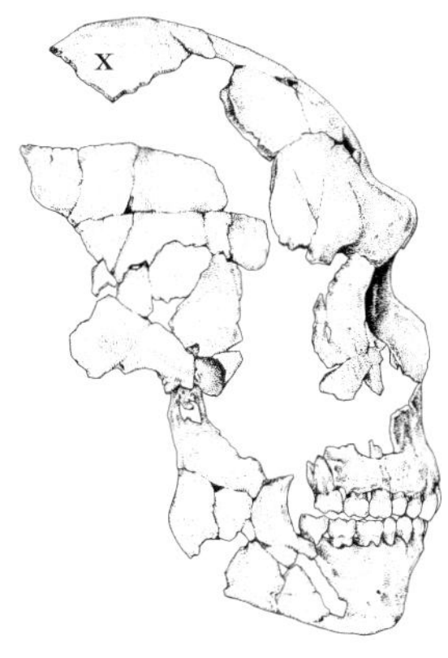

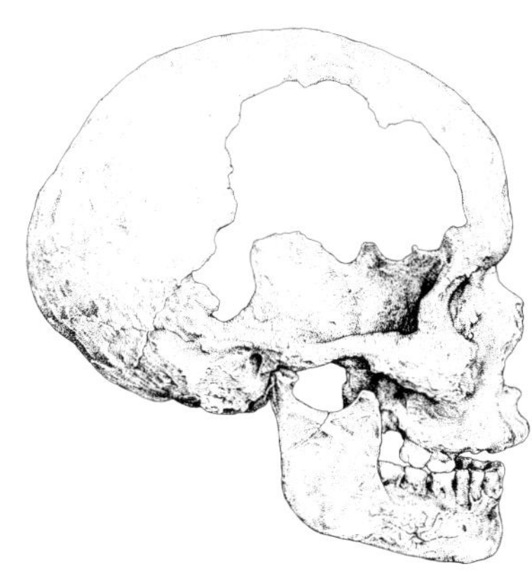

lui dintre două populații, în timp ce alții cred că demonstrează întrecerea tehnologică dintre ei pentru resursele disponibile, întrecere care i-a condus pe neanderthalieni spre inovare și schimbare socială. Totuși, alții argumentează că neanderthalienii își dezvoltau independent aceste inovații, chiar înainte de sosirea oamenilor de Cro-Magnon.

Relațiile dintre oamenii de Neanderthal și Cro-Magnon

Într-o zonă geografică atât de vastă ca Europa, și pe o asemenea întindere temporală, multe tipuri de interacțiuni ar fi fost posibile. Date fiind informațiile pe care le avem azi despre comportamentul uman, oricare din acestea ar fi putut apărea, și poate într-adevăr așa a fost, în anumite perioade și locuri.

Nu putem spune dacă cele două populații s-au încrucișat cu succes. Chiar dacă erau specii separate, diferențele genetice dintre ele nu puteau fi mari și erau probabil tot atât de strâns înrudite ca speciile distincte de mamifere de azi, care se pot încrucișa. Astfel că principalii factori ce controlau posibilul fenomen al hibridizării erau probabil de natură comportamentală, culturală și socială. Poate că urmașii aveau o fertilitate redusă sau erau evitați. Studierea ADN-ului de la europeni recenți și de la o fosilă de Neanderthal (vezi pp. 180-181) se pronunță împotriva supraviețuirii genelor neanderthaliene astăzi în Europa.

Dispariția neanderthalienilor putea fi provocată de factori multipli: rapiditatea oscilațiilor climatice din acest timp și mediile rezultate, coroborate cu prezența nou-veniților care erau poate mai flexibili și inovatori în a se adapta la aceste schimbări rapide. În vreme ce neanderthalienii au supraviețuit de multe ori înaintea unor asemenea presiuni ale mediului, retrăgându-se în refugii mai ascunse și apoi revenind când lucrurile se îmbunătățeau, de data asta poate nu a existat suficient spațiu atât pentru ei cât și pentru oamenii de Cro-Magnon spre a supraviețui pe termen lung. Cu 25.000 de ani în urmă, această linie de descendență umană dispăruse pentru totdeauna, supraviețuind doar *Homo sapiens*.

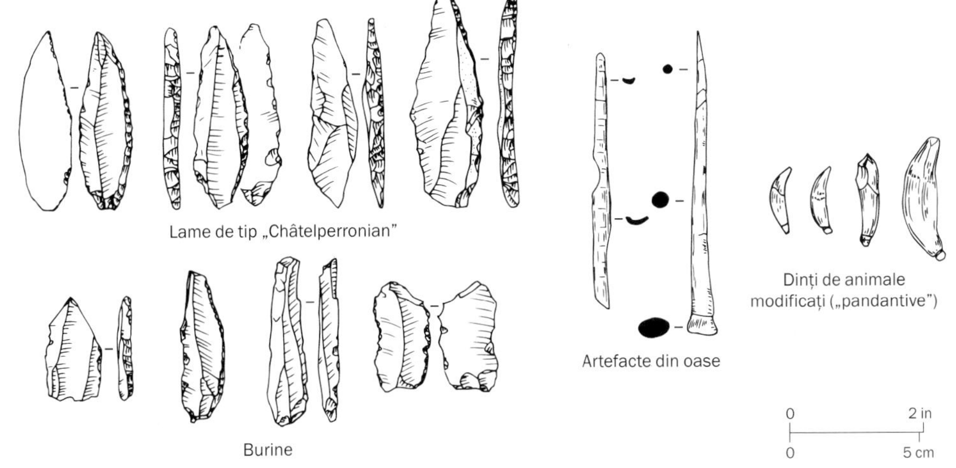

(Stânga) Peștera Renului (Grotte du Renne) din Arcy-sur-Cure, Franța, este una dintre cele mai interesante și mai controversate în studiile despre neanderthalieni. Artefacte litice de tip Châtelperronian sunt asociate cu fosile de Neanderthal, ca la Saint-Césaire, și s-au găsit și unelte din os și resturi de coliere făcute din dinții animalelor, datate acum cca 35.000 de ani. Unii arheologi au susținut că industria litică Châtelperroniană datează din Paleoliticul Mijlociu, alții că este din Paleoliticul Superior, creată cu sau fără influența oamenilor de Cro-Magnon asupra meșteșugarilor neanderthalieni, în vreme ce alții contestă unitatea artefactelor grupate după denumirea sitului francez Châtelperron.

Oamenii de Cro-Magnon

În 1868, trei cranii umane și părți de schelete au fost găsite în adăpostul de sub stâncă numit „Cro-Magnon" („Gaură mare" în franceza veche). Ele au fost găsite lângă uneltele din piatră pe care le atribuim acum culturilor aurignaciană și gravettiană din Paleoliticul Superior, cam de 30.000 de ani vechime, și lângă scoici ce fuseseră străpunse pentru a face un colier. În timp, aceste fosile au dat numele întregii populații umane a Paleoliticului Superior din Europa. Indivizi mai timpurii de Cro-Magnon sunt cunoscuți din situri din țări ca România, Germania și Republica Cehă, datând de acum aproximativ 35.000 de ani. Datorită apropierii în timp de ultimii neanderthalieni, unii cercetători au văzut urme neanderthaliene în anatomia lor, cum ar fi arcade oculare mai proeminente, fețe și dinți mai mari și părțile din spate ale craniilor umflate. Totuși, majoritatea dovezilor sugerează că primii indivizi de Cro-Magnon erau total diferiți de neanderthalieni. De exemplu, fețele lor erau relativ scurte, plate și late, iar nasurile lor, deși mai mari decât cele ale europenilor moderni, erau mult mai mici decât cele ale neanderthalienilor. Mai mult, există dovezi atât arheologice, cât și antropologice că erau intruși în Europa. Cultura aurignacianră pare total diferită de predecesoarele sale europene din Paleoliticul Mijlociu, și mulți

(Jos) Aceste două cranii provin de la indivizi de Cro-Magnon, probabil femei. Cel din partea stângă este din Abri Pataud, probabil de 22.000 de ani vechime, asociat cu unelte de piatră, iar cel din partea dreaptă este chiar din Cro-Magnon, poate de 30.000 de ani vechime, asociat fie cu unelte aurignaciene, fie cu unelte de tip gravettian. Ambele cranii par în întregime moderne în forma feței și a boltei, dar cel din Pataud are maxilare viguroase cu dinți mari, cu un aspect neobișnuit.

(Sus) Acest bărbat de Cro-Magnon ilustrează conformația îndesată și puternică a populațiilor umane din Paleoliticul Superior, după apogeul ultimei glaciațiuni. El este reprezentat cu un colț de mamut, o sursă durabilă de material pentru crearea de adăposturi și unelte. În mâna stângă duce un „sceptru", despre care se crede că era un simbol al conducătorului sau al șamanului, dar mai probabil a fost o unealtă practică.

arheologi cred că a venit în Europa din Asia.

O specie adaptată la căldură?

Scheletele timpurii de Cro-Magnon arată că oamenii aveau forme corporale liniare, asemenea celor ale oamenilor moderni care trăiesc în zone calde, spre deosebire de cele ale neanderthalienilor, care erau mai scunzi și mai lați, asemenea popoarelor moderne adaptate la frig, cum ar fi poporul inuit. Se pare că, prin forma corpului și a feței lor deopotrivă, oamenii de Cro-Magnon se deosebeau clar de neanderthalieni, și au început să se diferențieze între ei (să apară trăsături locale) numai după apogeul ultimei Epoci Glaciare, cam în urmă cu aproape 20.000 de ani. Când indivizii de Cro-Magnon au intrat în Europa, acum peste 40.000 de ani, climatul era relativ blând, însă au urmat câteva perioade scurte foarte reci. Faptul că acești oameni au venit cu forme corporale adaptate la căldură, pe care le-au păstrat, arată că au avut o protecție extraordinară împotriva frigului, sub aspectul îmbrăcăminții și al adăposturilor. De fapt, există dovezi că oamenii de Cro-Magnon din nordul Europei chiar ardeau oase de mamuți și extrăgeau cărbune pentru a-l folosi drept combustibil.

Viața și arta oamenilor de Cro-Magnon

După cum vom discuta mai târziu (p. 212), oamenii de Cro-Magnon etalau complexitatea vieții pe

(Sus) Un aruncător de sulițe funcționează adăugând o lungime suplimentară brațului aruncător. În mâini dibace, o suliță poate fi lansată până la o distanță de 4 ori mai mare decât o aruncare cu brațul.

(Stânga) Aruncătorul de sulițe de la Maz D'Azil (Franța). Făcut din corn de ren între acum 13.000 și 17.000 de ani, reprezintă un ibex tânăr cu două păsări așezate pe marginea sa. Cârligul pe care era plasat capătul gros al suliței este format de una dintre păsări. Delicatețea cu care a fost realizat sugerează că nu a fost destinat folosirii sale efective.

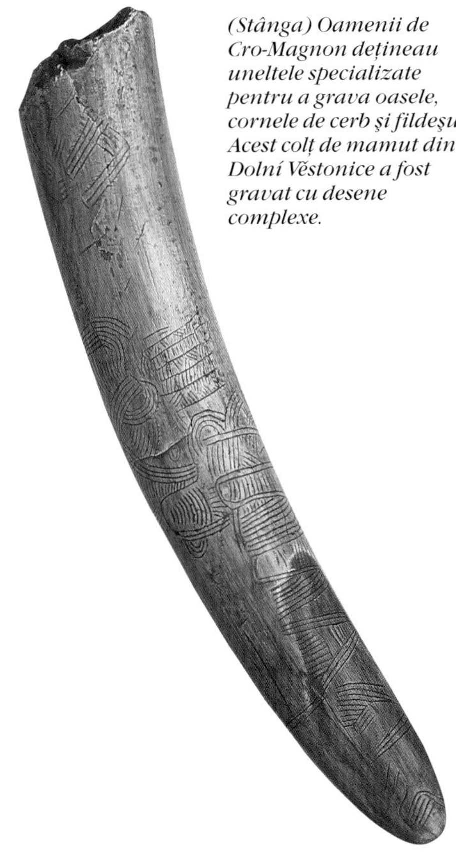

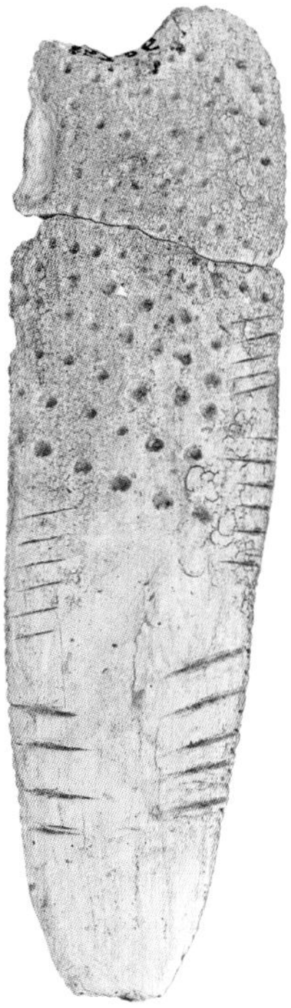

(Stânga) Oamenii de Cro-Magnon dețineau uneltele specializate pentru a grava oasele, cornele de cerb și fildeșul. Acest colț de mamut din Dolní Věstonice a fost gravat cu desene complexe.

(Dreapta) Placa osoasă de la Les Eyzes, Franța. Are o vechime cuprinsă între 25.000 și 30.000 de ani și e gravată cu rânduri de găuri și crestături – s-a speculat că asemenea plăci reprezintă calendare străvechi, înregistrând zilele, lunile și anotimpurile.

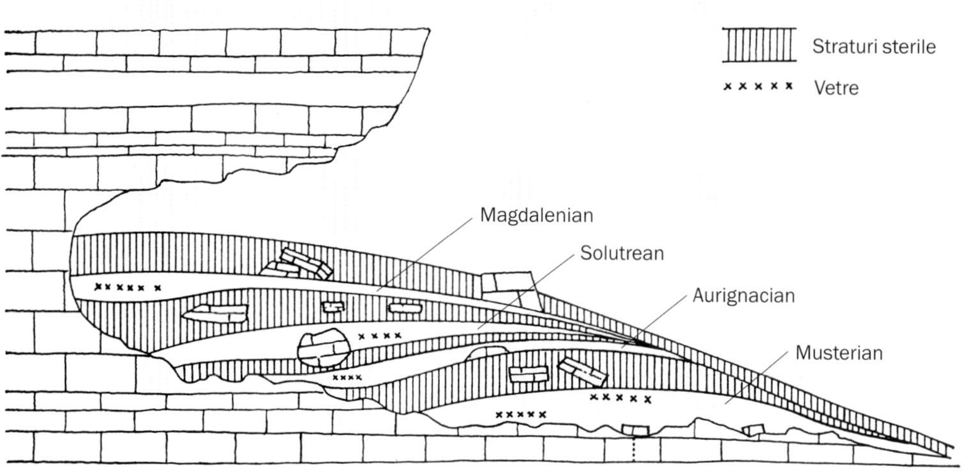

(Stânga) Această secțiune schematică a unui abri din Franța (adăpost sub stâncă) ilustrează o secvență stratigrafică arheologică idealizată a culturilor din Paleoliticul Mijlociu și Superior, acoperind aproximativ 40.000 de ani.

care o găsim la vânătorii-culegători moderni. Ei vânau, pescuiau, făceau schimb de produse, creau artă și, se pare, măsurau și timpul. Credem că ei marcau oasele pentru a ilustra zilele, lunile și anotimpurile, iar acest lucru i-a ajutat fără îndoială să facă planuri, fie pentru vânătoare, pescuit (de exemplu puteau marca migrația somonilor), recoltare, stocarea proviziilor sau mutarea taberelor, fie pentru îndeplinirea ceremoniilor. Acești oameni inventivi au supraviețuit în Europa aproximativ 25.000 de ani și se presupune că reprezintă strămoșii europenilor moderni, cu toate că, așa cum am observat mai sus, nu arătau exact ca ei. Nu avem dovezi directe pentru înfățișarea fizică a acestor oameni, dincolo de ceea ce putem noi reconstitui din fosilele și arta lor. Femeile erau ade-

(Dreapta și pag. alăturată) Una dintre cele mai vestite creații ale oamenilor de Cro-Magnon era arta lor, reprezentată uneori sub forma gravurilor sau a picturilor pe pereții peșterilor, alteori sub forma statuetelor de animale sau oameni. Trei statuete faimoase din Paleoliticul Superior sunt ilustrate aici. În partea stângă, Venus din Galgenberg, Austria, sculptată din gresie verde și veche de aproape 30.000 de ani. Înfățișează aparent o femeie dansând. În mijloc e Venus din Lespugue, Franța, sculptată în fildeș, dar deteriorată din păcate în timpul săpăturilor și veche probabil de 25.000 de ani. În partea dreaptă, Venus din Willendorf, găsită în 1908 în apropiere de orașul Willendorf din Austria. A fost sculptată în calcar și are o vechime de aproximativ 25.000 de ani.

(Stânga) Reprezentările faciale sunt rare în arta paleolitică. Această schiță a unei plachete gravate din La Marche înfățișează fața unui bărbat cu barbă, care a fost reconstituită dintr-o mulțime de alte semne.

(Jos) Acest schelet aproape complet din Předmosti, Cehia (Předmosti 3), a fost descoperit în 1894 într-un mormânt multiplu din perioada gravettiană, datat cu aproximativ 27.000 de ani în urmă. Individul are forma înaltă și liniară a corpului multor oameni timpurii de Cro-Magnon. Mormintele conțineau numeroase obiecte și unelte decorative, multe din ele făcute din fildeș de mamut.

sea ilustrate în așa-numitele figurine Venus, durdulii, cu sâni, abdomen și fese mari, dar trăsăturile faciale sunt de obicei slab marcate. Există puține gravuri și picturi realiste ale fețelor oamenilor din Paleoliticul Superior; unele par să ilustreze bărbați cu bărbi negre, păr lung și nasuri proeminente.

Oameni precum cei de Cro-Magnon trăiau și în Africa de Nord și Levant, probabil și mai departe. Artefacte de tipul celor din Paleoliticul Superior au fost descoperite în asociere cu material fosil și la Sri Lanka (Batadomba Lena) și în China (Peștera Superioară de la Cioukoutien), ambele situri datând cam de 30.000 de ani. În ultimul caz au fost găsite ace din oase, coliere de scoici și ocru roșu, obiecte ce amintesc foarte mult de Paleoliticul Superior european. Dar Java și Australia au fost probabil colonizate de popoare diferite, care au ajuns acolo înainte ca oamenii de Cro-Magnon și Paleoliticul Superior să apară în Europa. Africa de Sud avea și ea populații diferite în acest timp, dintre care unele par să fie strămoșii popoarelor khoisan actuale.

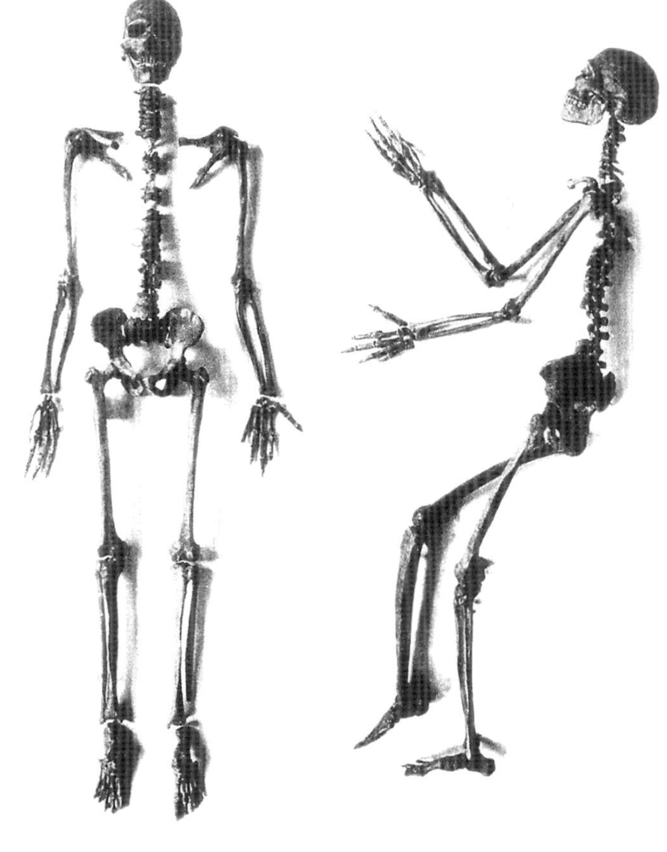

Primii australieni

(Jos) În ciuda nivelurilor mult mai joase ale mării din trecut, nu a existat niciodată o legătură de pământ între Java și Borneo și Australia. Primii australieni puteau veni doar cu bărci pe noul continent.

Chiar și atunci când marea înregistra cele mai scăzute niveluri, în timpul perioadelor glaciare recente, n-a existat niciodată o porțiune pământ care să lege Australia de insulele Indoneziei, deși Noua Guinee și Tasmania făceau parte dintr-un continent australian mărit în acea vreme. După cum am văzut deja, oamenii colonizaseră insulele Indoneziei în Pleistocenul Inferior (acum aproximativ 1,5 milioane de ani), dar par să nu fi ajuns în Australia până în Pleistocenul Superior, adică până acum 70.000 de ani. Există dovezi viabile că *Homo erectus* a supraviețuit în Pleistocenul Inferior și Mijlociu în Java, fără o schimbare evolutivă foarte semnificativă.

Datări mai recente sugerează că *Homo erectus* a trăit încă în Java până acum 50.000 de ani, după cum reiese din studiul fosilelor din situri ca Ngandong și Sambungmacan, de pe malurile râului Solo. Dacă aceste date sunt exacte, atunci această specie străveche a supraviețuit în sud-estul Asiei tot atât de mult ca neanderthalienii în Europa.

Migrația maritimă

Oamenii au putut ajunge în Australia numai cu bărcile pe apă, iar acest lucru s-ar fi putut face cu

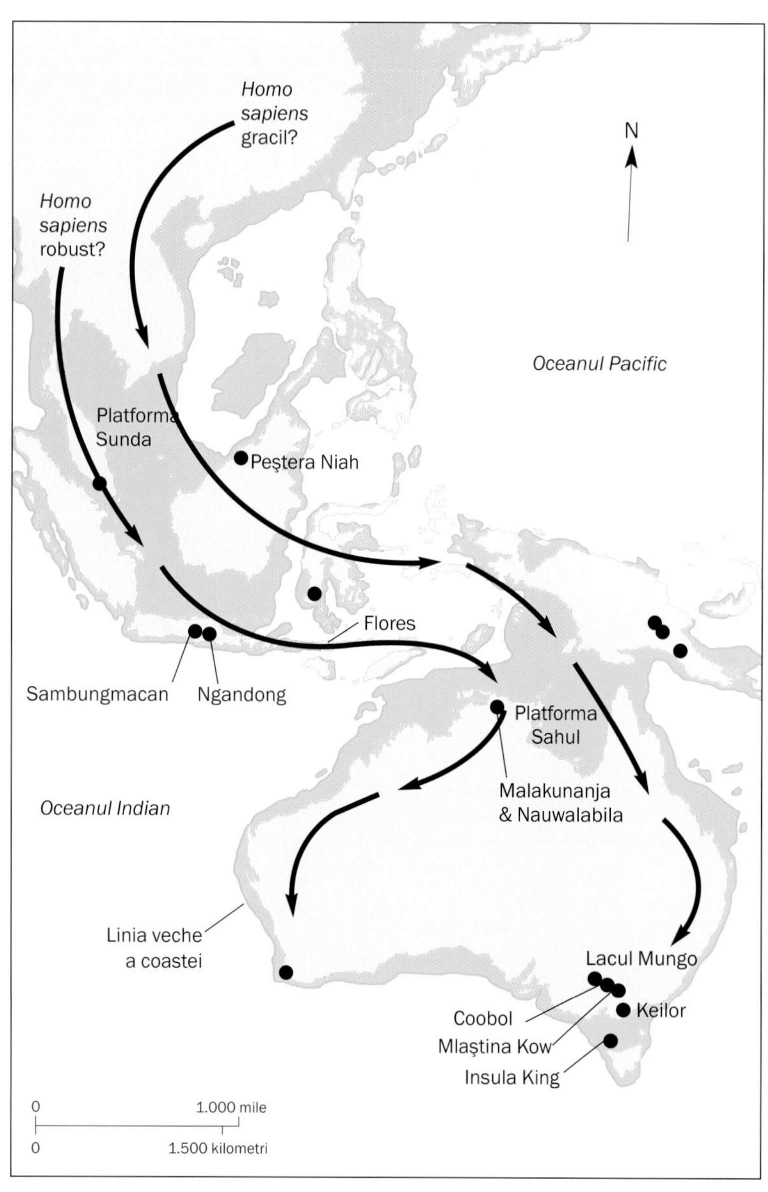

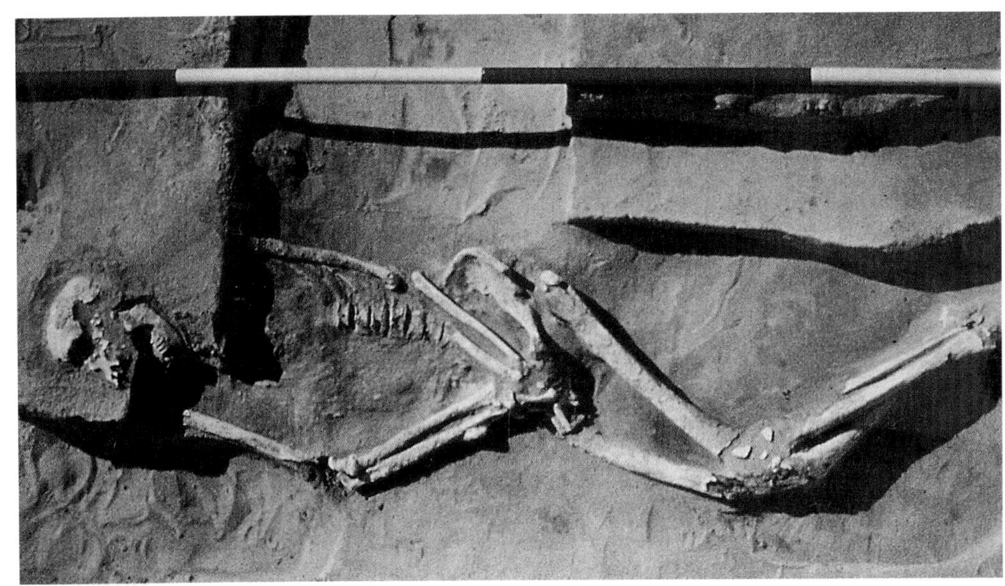

(Stânga) Scheletul de la Mungo notat cu numărul 3, din regiunea lacului Willandra, sud-estul Australiei, are o vechime de cel puțin 40.000 de ani. Sexul său e nesigur, însă în mormânt a fost pus ocru roșu. Reconstituit mai jos, acesta e cel mai vechi ceremonial de înmormântare cunoscut la care a fost folosit ocru roșu. Azi o regiune aridă de deșert, în zonă exista un lanț de lacuri acum 40.000 de ani, dată în jurul căreia aici trăiau primii australieni ce vânau canguri și strângeau scoici din lacuri.

Un tânăr din tribul Worora vâslește pe o plută din bușteni pe apele râului George, vestul Australiei. Plute mai mari din bambus au fost probabil utilizate în primele călătorii dinspre Asia spre Noua Guinee și Australia.

scurte opriri pe insule. Primii australieni erau probabil coloniști fără voie, purtați de vânturi neprielnice sau curenți maritimi de pe insula pe care doreau s-o viziteze spre alta pe care n-o văzuseră înainte. Ruta exactă adoptată de acești primi coloniști este necunoscută. Au existat cel puțin două rute posibile: una estică prin Timor, spre Noua Guinee, sau una vestică prin Java, spre nord-vestul Australiei. Siturile arheologice din Noua Guinee au fost datate cu cca 30.000 de ani în urmă, dar mai recent, ocuparea de către oameni a adăposturilor de sub stânci din interiorul Australiei nordice, Malakunanja II și Nauwalabila, a fost datată cu cel puțin 50.000 de ani în urmă. În sud-estul Australiei, regiunea lacului Willandra prezintă și ea urme ale așezărilor umane, datând de acum cca 50.000 de ani.

Teorii ale colonizării

Nu avem încă dovezi ale înfățișării fizice a primilor colonizatori ai Australiei, de vreme ce primele fosile cunoscute provin din situri din sud-estul continentului, regiunea lacului Willandra, și datează dintr-un stadiu puțin mai târziu al colonizării. Rămășițele de acolo provin de la un schelet parțial și altul incinerat, ambele fiind gracile și probabil ale unor femei, datate cu cel puțin 40.000 de ani în urmă. Oricum, au mai fost descoperiți indivizi mult mai mari și mai robuști. Cea mai simplă idee e că doar o singură populație fondatoare a ajuns în Australia, apoi s-a împrăștiat pe un continent lipsit de oameni, și astfel au apărut diferențe fizice regionale.

Un scenariu mai complex, legat de modelul abandonat acum în mare măsură al evoluției multiregionale sugerează că existau două populații fondatoare distincte. Cea mai robustă a colonizat Australia venind din vestul Indoneziei, descinsă din oamenii *Homo erectus*, precum cei cunoscuți din Ngandong. Ceilalți nou-veniți, mai gracili, au sosit pe ruta prin Noua Guinee și se presupune că se trăgeau din urmașii proveniți din China ai lui *Homo erectus*.

Ar fi util să testăm aceste idei pentru a cunoaște vârsta tuturor acestor fosile importante, dar multe sunt în prezent nedatate și e astfel imposibil să știm gradul și direcția schimbărilor robusteții. Oricum, dovezile care există sugerează că populațiile gracile le-au precedat pe cele robuste. Mai mult, interpretarea materialului fosil însuși pune probleme, fiindcă se pare că unele din specimenele cele mai robuste au fost modificate prin deformarea nefirească intenționată sau neintenționată a capului în timpul vieții. Acest lucru le-a modificat oasele frontale plate, sporind asemănările cu presupușii lor strămoși, oamenii *erectus* târzii din Java. Problema a fost complicată, deoarece multe fosile au fost acum returnate custozilor aborigeni pentru reîngropare, făcându-le astfel imposibil de studiat în amănunt.

Câteva cranii fosile descoperite recent în Australia prezintă trăsături ce seamănă cu cele găsite la popoarele mai vechi, cum ar fi o față relativ mare, plată, cu orbite și nas joase și un craniu relativ lung. Oricum, aceste trăsături se mai găsesc la primii oameni moderni din Africa și Israel, și e posibil ca acest fapt să reflecte sosirea timpurie a oamenilor moderni în Australia, urmată de izolarea lor față de restul lumii.

Aceasta e o comparație a craniului 50 de la Willandra, Australia (stânga) și a craniului XI de la Ngandong (Solo), din Java. Unii cercetători văd legături evolutive între aceste cranii, sugerând o origine javaneză pentru unii australieni timpurii. Totuși, analizele sugerează că craniul australian reprezintă un om modern mare și robust, în vreme ce specimenul de la Ngandong este în mod fundamental similar lui Homo erectus.

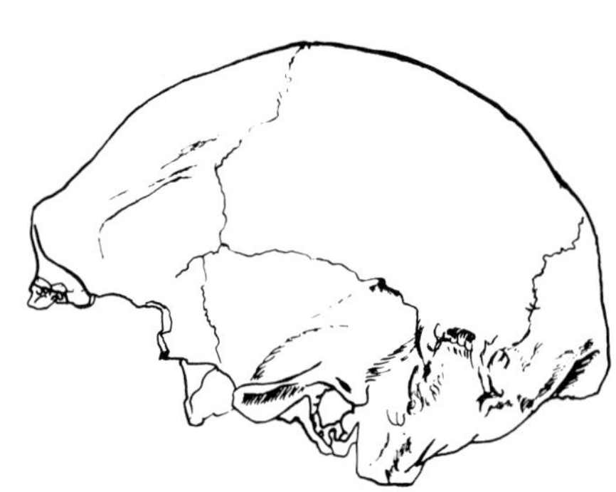

(Dreapta) Un model pentru originea australienilor (stânga) sugerează că aveau o origine dublă – o linie „robustă" de descendență se trăgea din strămoși javanezi, în timp ce linia „gracilă" provenea din predecesori chinezi. Aceștia s-au amestecat pentru a da naștere populațiilor aborigene. În orice caz, datarea unora din fosilele australiene timpurii ilustrează că formele robuste se situează relativ târziu în timp, iar acest lucru favorizează modelul originii unice, în care diversificarea fizicului uman s-a produs în interiorul Australiei (dreapta).

Modelul Originii Duble

Java
WLH-50
Coobol
Mlaștina Kow

China
Mungo
Keilor
Insula King

Băștinașii moderni

Modelul Originii Unice

Africa apoi sudul Asiei
Mungo 3
WLH-50
Coobol
Mlaștina Kow
Keilor
Insula King
Băștinașii moderni

Pe când sosirea oamenilor moderni în Europa coincide cu schimbarea tehnologiei de prelucrare a pietrei (adusă de ei) din Paleoliticul Superior, mărturiile arheologice din Australia par să nu ilustreze dezvoltări comparabile ale uneltelor din piatră până în ultimii 10.000 de ani.

Totuși, alte semne ale comportamentului „modern", ca folosirea bărcilor sau a plutelor, incinerarea morților, crearea artei, împodobirea corpului și prelucrarea oaselor, au fost prezente devreme în preistoria australiană și demonstrează modernitatea comportamentală ce a fost introdusă în teritoriu odată cu primii australieni, cu cel puțin 50.000 de ani în urmă.

(Jos) „Zidurile Chinei" sunt creste de gresie ce se întind de-a lungul malului estic al lacului secat Mungo din Australia.

Homo floresiensis

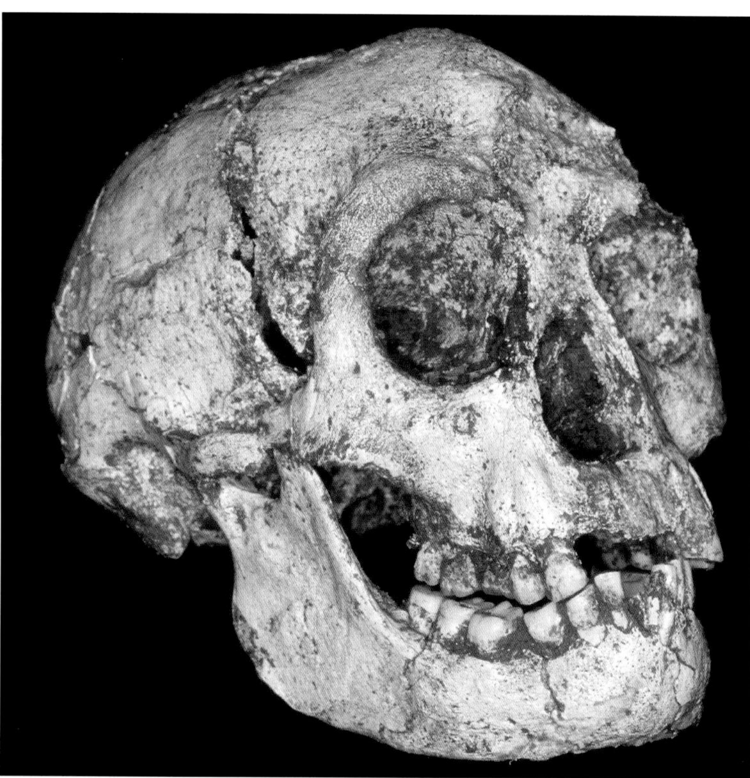

Craniul lui Homo floresiensis, *acesta fiind probabil un specimen feminin.*

Se presupune că *Homo erectus* trăia în sud-estul Asiei înainte ca oamenii moderni să ajungă acolo. Mai mult, până acum, fosile de *Homo erectus* au fost identificate în insula Java, din Indonezia. La est de Java, spre Noua Guinee și Australia, se credea că apele adânci îi împiedicaseră pe oameni să se aventureze mai departe, până când strămoșii băștinașilor australieni au folosit bărcile pentru a face scurte escale pe insule, cu vreo 60.000 de ani în urmă. Această teorie a fost pusă la îndoială când s-a anunțat cu câțiva ani în urmă că unelte din piatră vechi de 800.000 de ani fuseseră găsite pe insula Flores, cam la 450 kilometri de mile est de Java, dar majoritatea specialiștilor doreau mai multe dovezi pentru a se putea susține ipoteza că oamenii străvechi migraseră atât de departe.

Acele dovezi atât de căutate s-au transformat acum într-o descoperire extraordinară făcută în insula Flores. Scheletul (incluzând un craniu bine conservat) al unui „om" de un metru înălțime, cu o capacitate a creierului de aproximativ 380 ml (cam aceeași cu a unui cimpanzeu) a fost scos la suprafață din peștera Liang Bua, împreună cu unelte de piatră și resturi ale unui elefant dispărut, numit *Stegodon*. Mai sunt și oase de animale mai mici, dintre care unele au fost arse. Ceea ce este șocant este că nivelul unde a fost găsit scheletul a fost datat cu numai 18.000 de ani în urmă, astfel că oamenii moderni s-ar fi putut întâlni cu această făptură ciudată. Ce reprezenta ea, ce căuta pe insula Flores și ce s-a întâmplat cu ea?

„Botezarea" noii specii

Descoperirea din insula Flores e atât de neașteptată, încât a decide ce fel de făptură reprezintă nu e un lucru ușor. Posibilitatea ca scheletul să fi aparținut un singur individ neobișnuit de mic nu poate fi luată în considerare, fiindcă alte resturi asemănătoare au fost deja găsite în peșteră. Deși picioarele și osul șoldului sugerează că mergea vertical într-o manieră esențialmente umană, în detaliile formei și ale mărimii deopotrivă osul șoldului seamănă cu cele ale australopitecilor preumani, care au trăit în Africa cu peste 2 mil. de ani în urmă. Împreună cu dimensiunea foarte mică a creierului, acest lucru poate sugera că acesta e de fapt un soi de australopitec ce a migrat din Africa cu mult înainte de răspândirea lui *Homo erectus*. Totuși, detaliile craniului, forma feței, dinții mici, uneltele și vânătoarea, toate sugerează că făptura era în mod fundamental umană. Astfel, cei care au descris scheletul au numit o nouă specie umană *Homo floresiensis* („Omul din Flores"), după patria sa insulară. Ei sugerează că ar putea fi un urmaș al lui *Homo erectus* care a ajuns devreme pe insula Flores, și, în condiții de totală izolare, și-a dezvoltat o dimensiune foarte mică – un fenomen cunoscut de la alte mamifere, numit nanism insular. Procesul de micșorare ar fi putut apărea de-a lungul rutei către Flores, pe una din insulele mai apropiate de Java, cum ar fi Lombok sau Sumbawa. Fiindcă resturile de schelet sunt abia fosilizate, există posibilitatea extragerii ADN-ului din ele, lucru ce ar oferi viziuni valoroase asupra relației

noastre cu *Homo floresiensis* şi presupusul lui strămoş *Homo erectus* deopotrivă.

Întrebări pentru cercetări viitoare

Această descoperire remarcabilă ridică multe întrebări pentru cercetările ulterioare. Una dintre acestea e cum a ajuns *Homo floresiensis* pe insula Flores? Ar fi putut strămoşii lui crea plute (poate din bambus) pentru a ajunge pe insulă? Acest lucru ar fi cu siguranţă surprinzător, deoarece un asemenea comportament se crede a-i aparţine în exclusivitate lui *Homo erectus*. Dar alternativele – un pod temporar de pământ ce a permis deplasarea, sau transportul întâmplător pe mese plutitoare naturale de vegetaţie – par şi mai improbabile.

O a doua întrebare priveşte dovezile referitoare la activităţile oamenilor din peştera Liang Bua. Câteva din uneltele de piatră descoperite sunt mici şi sofisticate, şi există dovezi ale folosirii focului şi posibila atacare a tânărului *Stegodon*. A fost *Homo floresiensis*, cu creierul său de mărimea tipică maimuţelor antropoide, capabil de asemenea comportamente? Răspunsul la această întrebare poate doar veni din săpăturile ulterioare, pentru a exclude posibilitatea că oamenii moderni timpurii foloseau şi ei peşterile din Flores.

O a treia şi cea mai interesantă întrebare e ce s-a întâmplat cu *Homo floresiensis*. Schimbările climatice de la sfârşitul Pleistocenului îi vor fi afectat habitatul sau oamenii moderni îl vor fi anihilat direct sau i-au consumat resursele din care trăia. Există şi dovezi ale unei erupţii vulcanice uriaşe, care a devastat insula Flores cu aproape 12.000 de ani în urmă. În orice caz, există fascinanta posibilitate că a mai supravieţuit (sau specii asemănătoare) şi această ipoteză formează o sursă pentru legendele foarte răspândite despre „oamenii sălbatici" care trăiau în junglele din sud-estul Asiei. Oricare ar fi adevărul, însăşi existenţa sa ilustrează cât de puţine lucruri ştim încă despre evoluţia umană în Asia.

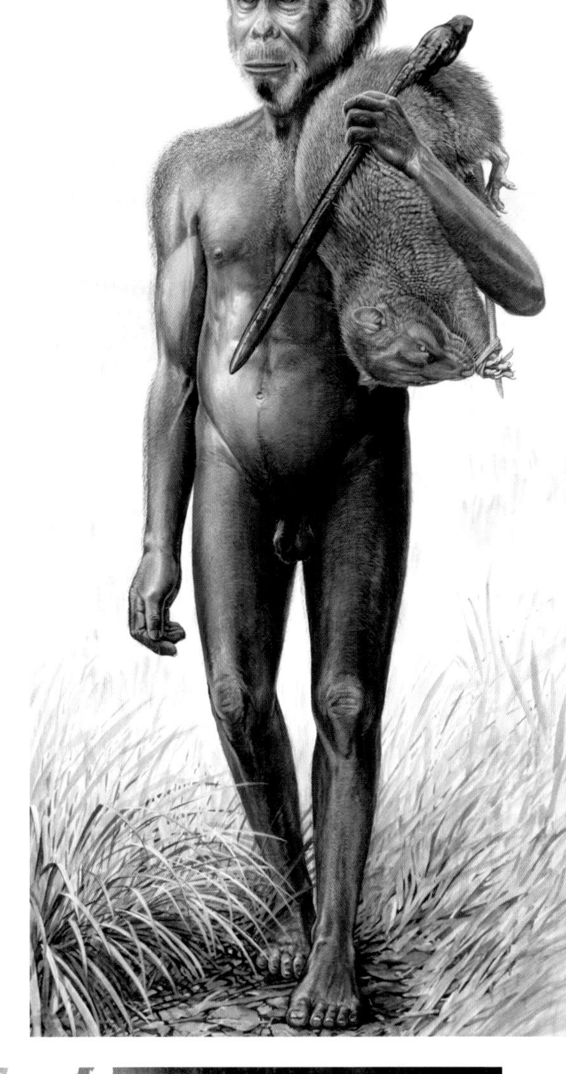

(Dreapta) Homo floresiensis *întorcându-se de la vânătoare. Animalul aruncat pe umărul său este şobolanul uriaş din Flores* (Papagomys armandvillei)*, care mai trăieşte pe insulă, dar, fiind vânat şi de modernul* Homo sapiens*, e ameninţat cu dispariţia.*

(Jos) Cercetări în desfăşurare din peştera Liang Bua. Scheletul mic al lui Homo floresiensis *a fost găsit în zona de săpături adânci din partea dreaptă îndepărtată de sub peretele peşterii. Săpăturile au ajuns aici la o adâncime de 11 metri, lucru ce înseamnă că trebuiau folosite schele de siguranţă, platforme multiple la diferite adâncimi şi caschete de protecţie.*

(Pagina alăturată) Coordonatorii săpăturilor arheologice din peştera Liang Bua, R.P. Soejono (stânga) şi Mike Morwood (mijloc), discută rezultatele cercetărilor cu un membru al echipei tehnice Sri Wasisto.

Informații genetice despre evoluția umană

O mare cantitate de informații ușor de dedus despre evoluția umană pot fi reconstituite din ADN (acidul dezoxiribonucleic al oamenilor actuali). Fiindcă ADN-ul este copiat în mod repetat, fiind transmis de la părinți la copiii lor, se fac greșeli de copiere, iar dacă schimbările nu sunt fatale, aceste mutații sunt apoi copiate și ele mai departe. Astfel, mutațiile se acumulează în timp și ne permit să urmăm anumite linii de evoluție genetică și să apreciem și timpul implicat în acumularea lor. Pentru scopurile noastre există trei tipuri de ADN ce pot fi studiate.

(Jos) Fiecare dintre noi are istoria evoluției sale cuprinsă în ADN-ul propriu, care are o structură caracteristică dublu spiralată.

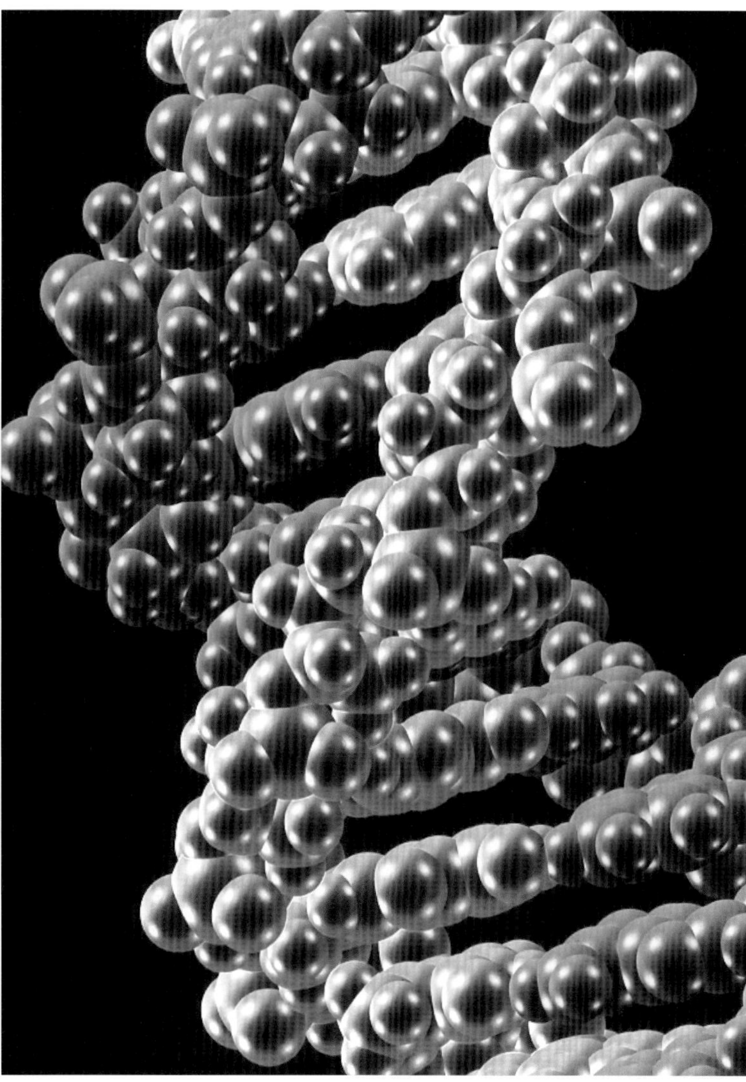

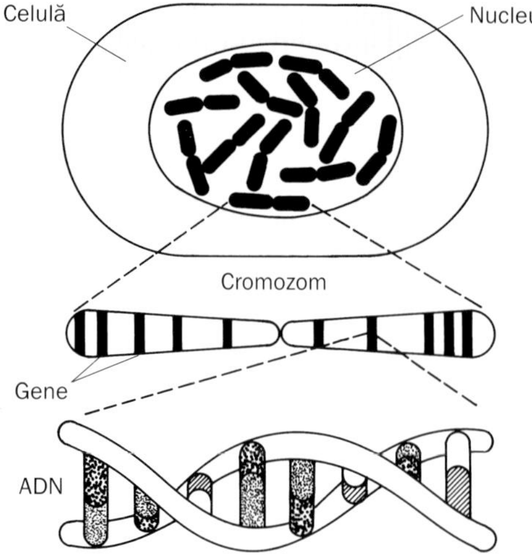

Trei feluri de ADN

Primul fel e ADN-ul ce alcătuiește cromozomii tipici conținuți în nucleul celulelor noastre, numit ADN nuclear. Acest ADN conține schițele pentru majoritatea structurilor noastre corporale, și moștenim o combinație a acestuia de la ambii părinți. ADN-ul nuclear mai conține multe segmente ale așa-numitului „ADN deșeu", care nu se codifică pentru trăsături ca nuanța ochilor sau tipul grupei sanguine. Cu toate acestea, sunt copiate împreună cu ADN-ul cifrat și suferă mutații în timp și ne pot astfel oferi informații despre relațiile evolutive. Al doilea tip este ADN-ul cromozomilor Y, care se bazează pe cromozomii ce determină sexul masculin la oameni. ADN-ul de pe acest cromozom poate fi utilizat pentru a studia numai liniile de evoluție la bărbați, fără complicația moștenirii de la ambii părinți, care apare odată cu studiul ADN-ului nuclear normal. Al treilea tip este ADN-ul mitocondrial (ADN mt), care se găsește în afara nucleului celulelor și care se moștenește numai pe linie maternă (p. 178). Deși ultimul tip de ADN a atras

(Sus) Aceste diagrame ilustrează relația dintre celule și ADN-ul lor. ADN-ul nuclear este conținut în cromozomi, iar regiunile active (de codificare) de pe cromozomi sunt numite gene.

(Dreapta) Diferențele dintre genele populațiilor umane pot reflecta istoria evoluției lor. Măsurătorile „distanței genetice" se potrivesc aproximativ cu perioadele de separare a populațiilor, potrivit informațiilor antropologice și arheologice.

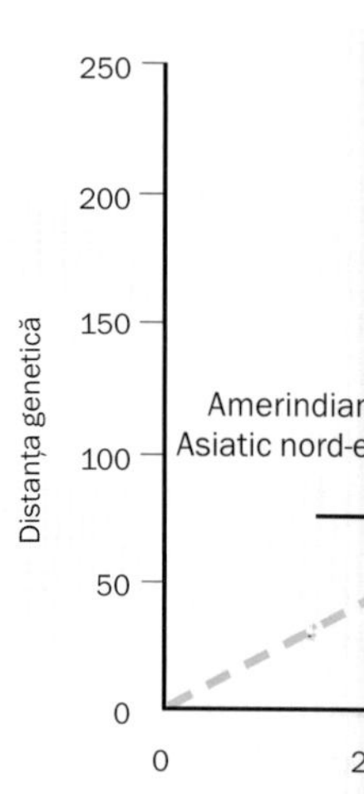

cel mai mult atenția în ultima vreme, analiza ADN-ului nuclear și produsele sale (majoritatea substanțelor chimice din corpurile noastre) au o istorie mult mai lungă în studiile despre evoluție.

Studierea ADN-ului nuclear

De exemplu, studiul proteinelor din sânge ale maimuței antropoide și ale oamenilor a dus, cu peste 30 de ani în urmă, la prima sugestie a unei divergențe evolutive târzii între oameni și maimuțele antropoide africane. Acum, studiile pot utiliza combinațiile de informații din numeroase sisteme genetice diferite sau pot vedea schimbarea dintr-un anumit segment de ADN în foarte mare detaliu. De exemplu, analiza variațiilor globale din trăsătura ADN-ului nuclear, numit locul CD4 de pe cromozomul 12, ilustrează că populațiile africane etalează diverse structuri de variație, pe când cele din restul lumii au în principal doar o singură structură. Rezultatele sugerează că populațiile non-africane se trag din strămoși care au emigrat din nordul sau estul Africii cu cca 90.000 de ani în urmă. Multe alte studii ale ADN-ului nuclear au acordat sprijin asemănător modelului „Out of Africa", dar există excepții, cum ar fi unele cercetări recente ale unei substanțe din sânge numită beta-globină, a cărei codificare ADN se găsește pe cromozomul 11. În acest caz, sunt tipuri de beta-globină descoperite la asiaticii moderni, dar nu la africani, care par să-și fi dezvoltat structurile lor distinctive pentru cel puțin 200.000 de ani. Acest lucru ar sugera o continuitate locală în Asia, eventual din vechii *Homo erectus* de aici.

Studierea ADN-ului cromozomilor Y

În cazul ADN-ului cromozomilor Y a durat mai mult pentru a stabili structurile evolutive, dar au fost obținute acum rezultate foarte detaliate. Cercetările recente sugerează că variația din ADN-ul cromozomilor Y este relativ scăzută, iar un ipotetic „Adam", strămoșul bărbaților de azi, ar fi trăit într-o perioadă chiar mai timpurie decât ipotetica „Eva" mitocondrială. Oricum, deși pare stabilit că „Adam" și „Eva" în discuție au trăit amândoi în Africa, regiunea(ile) exactă(e) implicată(e) nu este (sunt) clară(e) încă.

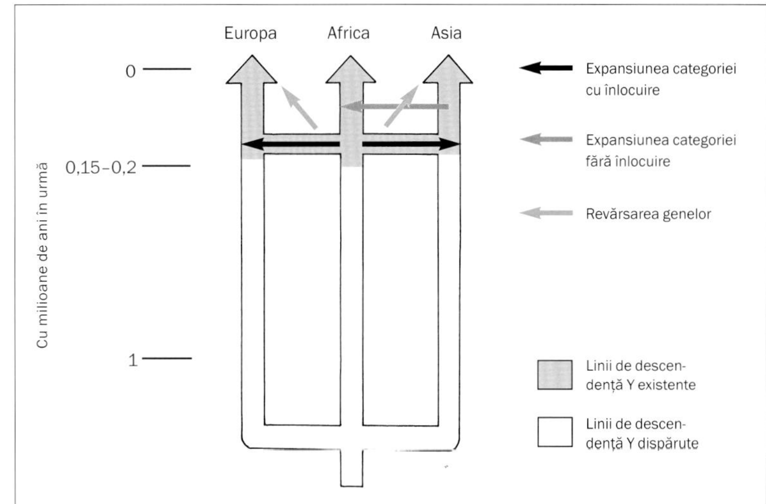

Diagrama evoluției diversității cromozomilor Y la bărbații recenți. În decursul ultimilor 150.000 de ani, cromozomii Y ai populațiilor africane s-au răspândit din locul lor de origine pentru a înlocui linii de descendență mai vechi în și din afara Africii. În orice caz, au existat migrații reverse ale ADN-urilor cromozomilor Y din Asia în Africa.

Istoriile populațiilor

Gradul de variație a ADN-ului din cadrul populațiilor moderne mai poate fi folosit pentru reconstituirea câtorva lucruri din istoria străvechilor populații. De exemplu, un savant japonez numit Naoyuki Takahata, utilizând estimări ale vârstei strămoșilor comuni pentru anumite tipuri de ADN, a susținut din variația relativ crescută a ADN-ului nostru nuclear că populația inițială, ale cărei gene la purtăm cu toții, era de circa 100.000 de indivizi. Acesta poate să nu pară un număr prea mare în comparație cu populația uriașă a lumii de acum, dar era o populație semnificativă pentru o specie mamiferă cu corp mare. În orice caz, din variația mult mai scăzută inerentă ADN-ului uman mitocondrial, Takahata a argumentat că acest număr s-a diminuat la aproximativ 10.000 de indivizi în trecutul nostru evolutiv recent, creând un „drum îngustat" care a scos la iveală ceva din variabilitatea noastră genetică anterioară.

Această reducere numerică poate reflecta divizări ale populației străvechi comune, neanderthalienilor și a oamenilor moderni. Distanțele întinse, extremele climatice repetate și intruziunea barierelor geografice, precum calotele glaciare și deșerturile din decursul ultimilor 400.000 de ani, ar fi izolat treptat populațiile umane unele de celelalte, ducând la diferențierea crescută și la o separare ulterioară ca specii. Poate a fost doar unul din aceste grupuri izolate, în număr de cca 10.000 și limitat la Africa, care a dat naștere la toți indivizii existenți *Homo sapiens*. Pare probabil că cea mai importantă barieră fizică era deșertul Sahara, care și-a mărit dimensiunile în fiecare perioadă rece din ultimii 500.000 de ani.

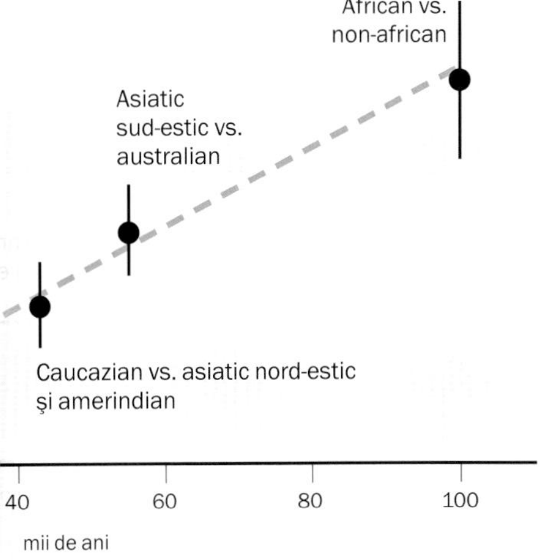

ADN-ul mitocondrial

(Dreapta) Micrograful transmisiei cu electroni (TEM) a falselor culori ale ADN-ului mitocondrial.

După cum îi sugerează numele, ADN-ul mitocondrial (ADN mt), care se găsește în afara nucleului celulelor, se află în mitocondrii. Acestea sunt mici corpuri ce furnizează energia pentru fiecare celulă. ADN-ul lor e transmis ovulului mamei când devine prima celulă a copilului ei, iar puțin sau niciun fel de ADN din sperma tatălui pare să nu fie încorporat în cursul fertilizării. Acest lucru înseamnă că ADN-ul mitocondrial trasează în mod esențial evoluția prin intermediul femelelor (mame către fiice), de vreme ce ADN-ul mt al fiului nu va fi transmis copiilor săi. Molecula ADN-ului mitocondrial este modelată într-o buclă și constă din cca 16.000 de perechi-bază. Numai unele din acestea sunt funcționale, iar restul de ADN este așadar mult mai predipus la mutații. ADN-ul mitocondrial pare să sufere mutații într-o măsură mult mai mare decât ADN-ul nuclear.

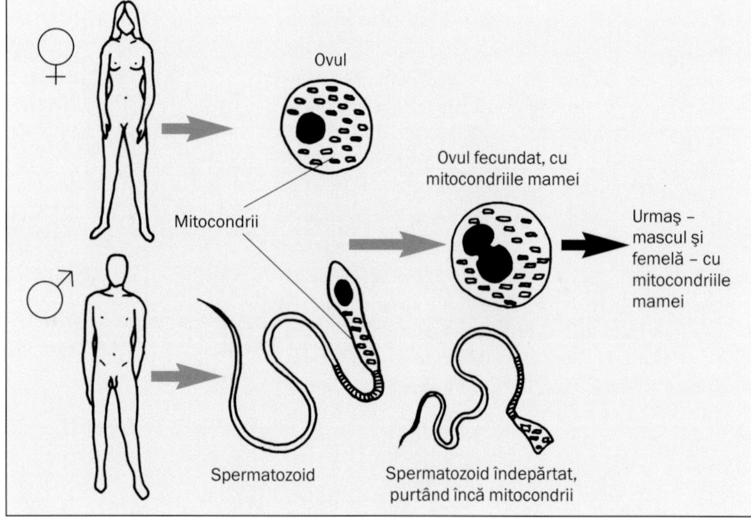

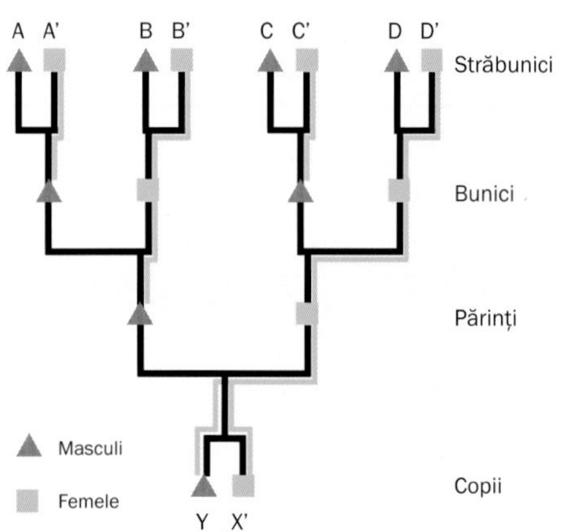

(Sus, stânga) Mitocondriile sunt neobișnuite prin aceea că au propriul lor ADN distinct, care e transmis separat prin intermediul mamei. Astfel, copiii vor moșteni ADN-ul nuclear aproximativ egal de la ambii părinți, dar ADN-ul mitocondrial numai de la mamă. Asta înseamnă că depistarea liniilor mitocondriale de descendență și evoluția lor prin mutații unice este posibilă prin strămoșii materni.

Nașterea „Evei mitocondriale"

Înainte de recuperarea ADN-ului neanderthalian (p. 180), cel mai mare impact al cercetărilor genetice asupra cercetării evoluției umane a venit în 1987, odată cu publicarea unui studiu despre variația ADN-ului mitocondrial la oamenii moderni. Au fost cercetate cam 150 de tipuri de ADN mitocondrial de peste tot din lume și a fost determinată variația lor. Apoi a fost utilizat un program de calculator pentru a lega toate tipurile actuale într-un arbore evolutiv, reconstituind strămoși ipotetici. Programul i-a legat pe acești strămoși unii de alții, până când a fost creat un singur strămoș ipotetic pentru toate tipurile moderne.

Răspândirea acestor strămoși a sugerat că singurul strămoș comun a trăit în Africa, iar numărul de mutații care s-au acumulat din perioada strămoșului comun sugera că acest proces evolutiv a durat cam 200.000 de ani. Aceasta a reprezentat apoi nașterea vestitei „Eve mitocondriale" sau a mamei norocoase, din moment ce strămoșul comun mitocondrial a fost o femeie. Aceste rezultate păreau să ofere sprijin solid pentru modelul „Out of Africa" al originii oamenilor moderni, fiindcă cercetarea sugera că avusese loc o expansiune relativ recentă din Africa, înlocuind populațiile străvechi ce locuiau altundeva și liniile lor ADN mt de descendență.

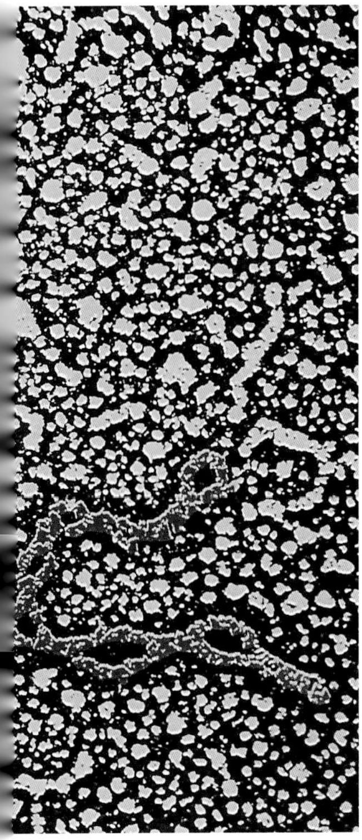

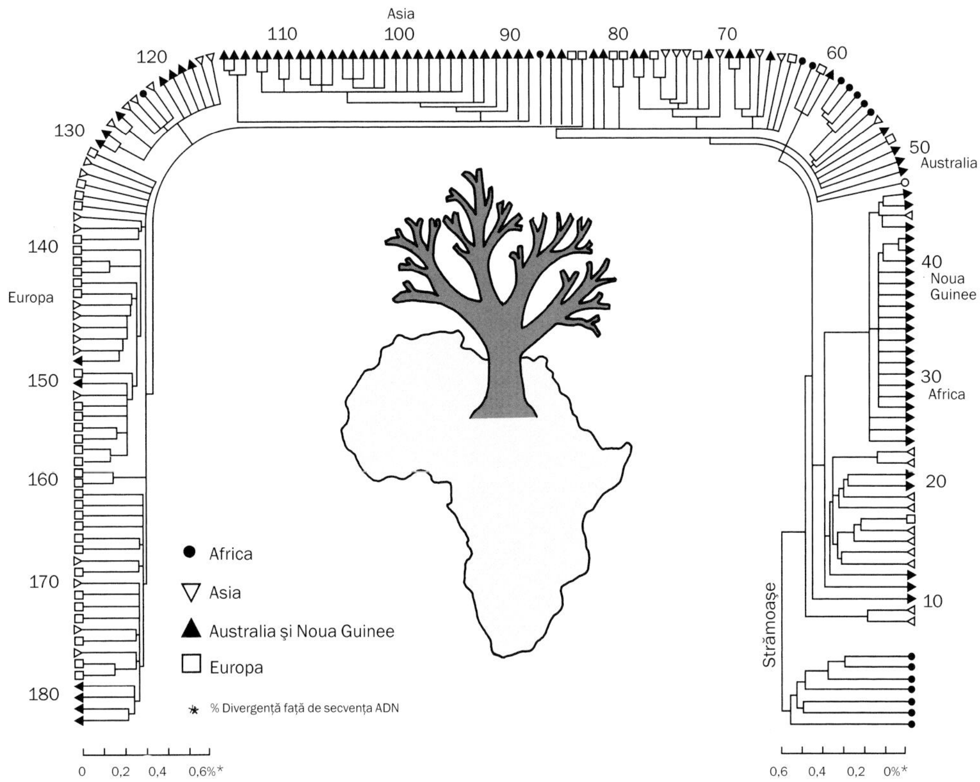

Eva atacată

În orice caz, teoria a fost imediat foarte criticată. S-a arătat că genul de program computerizat folosit putea de fapt crea mii de arbori care erau mai mult sau mai puțin plauzibili, precum cel publicat, și nu toți acești arbori își aveau rădăcinile în Africa. Mai mult, alți cercetători au criticat identificarea timpului când trăia Eva, pe când alții au pus la îndoială constituția eșantioanelor moderne analizate. Echipa implicată în activitatea inițială a admis că acestea erau neajunsuri în analizele lor, dar ei și alți cercetători au continuat să folosească ADN-ul mitocondrial spre a reconstitui evoluția umană recentă.

Rezultatele mai detaliate obținute de atunci sugerează că, și dacă concluziile din 1987 erau premature, erau în mod esențial corecte, iar o origine africană pentru variația ADN-ului nostru mitocondrial e clară – într-adevăr, unele calcule plasează ultimul strămoș comun în urmă cu circa 150.000 de ani. Mai mult, ADN-ul mitocondrial al oamenilor variază în lume mult mai puțin decât e cazul la maimuțele antropoide mari, ducând la ideea că recent, o scădere drastică a populației a redus variația genetică existentă înainte la specia noastră.

Alte studii ale ADN-ului mitocondrial

ADN-ul mitocondrial al oamenilor actuali e folosit acum pentru a studia o mulțime de probleme fără răspuns din evoluția umană recentă. Acestea includ datarea primei colonizări a celor două Americi, originea și răspândirea popoarelor Polineziei și factorii din spatele structurilor genetice prezente ale popoarelor Europei. În ultimul caz, rezultatele ADN-ului mitocondrial au pus la îndoială teoria că structurile genetice europene prezente reflectă în principal răspândirea populațiilor de agricultori neolitici veniți dinspre Orientul Apropiat, acum 7-8.000 de ani, și stabilirea indo-europenilor în Europa acum cca 5.000 de ani. În schimb, noile cercetări sugerează că diversitatea genetică europeană este în esență un rezultat al creșterii populației în timpul Paleoliticului Superior, cu cel puțin 20.000 de ani în urmă.

(Sus) Arborele evolutiv bazat pe ADN-ul mitocondrial moștenit de la mamă. Structura arborelui sugerează că ultimul strămoș comun, în mod necesar o femeie, a trăit în Africa. Calculele ratelor de mutație sugerează că această „Evă africană" a trăit acum aproape 200.000 de ani.

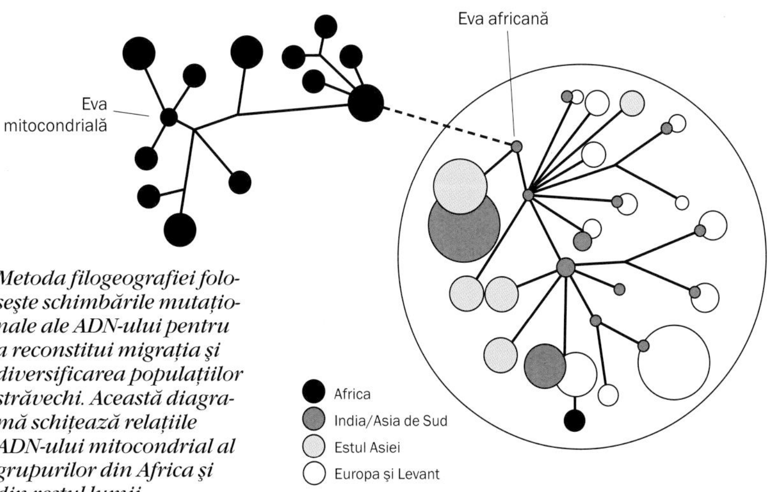

Metoda filogeografiei folosește schimbările mutaționale ale ADN-ului pentru a reconstitui migrația și diversificarea populațiilor străvechi. Această diagramă schițează relațiile ADN-ului mitocondrial al grupurilor din Africa și din restul lumii.

ADN-ul neanderthalian

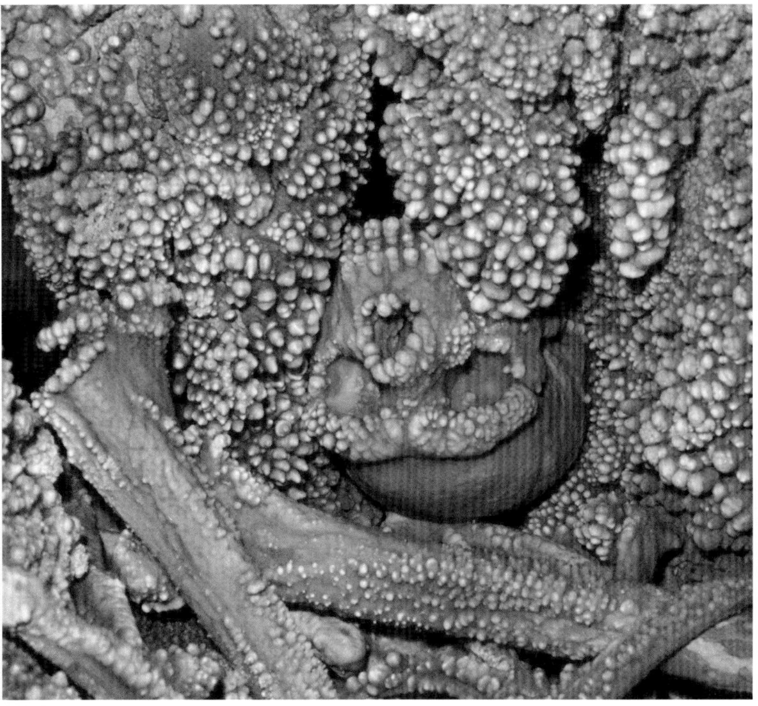

În 1983 a fost găsit un schelet uman complet într-o peşteră din Altamura, de lângă Bari, sudul Italiei. Era acoperit de stalagmite şi reprezintă aparent resturile unui individ care a murit în peşteră în timpul Pleistocenului. Un asemenea schelet complet al unui om străvechi are o mare importanţă pentru reconstituirea întregului corp şi a anatomiei sale funcţionale. În orice caz, utilizarea scheletului pentru datare sau pentru extragerea posibilului ADN străvechi n-au fost încă permise.

În 1997, echipele de savanţi care lucrau în laboratoarele universităţilor München şi Pennsylvania au contribuit la soluţionarea problemei locului neanderthalienilor în evoluţia umană, fără să studieze anatomia măcar a unei singure fosile. Au recuperat ADN-ul din osul braţului scheletului omului de Neanderthal găsit în 1856 (care a dat numele speciei), iar rezultatele analizelor lor susţin ideea că neanderthalienii erau o linie separată de descendenţă umană care a dispărut cu vreo 30.000 de ani în urmă. ADN-ul în discuţie era ADN-ul mitocondrial, care s-a dovedit o unealtă puternică în reconstituirea evoluţiei umane recente.

Desfăşurarea testelor ADN

Extragerea ADN-ului e o activitate migăloasă, desfăşurată după numeroase dezamăgiri anterioare, întrucât încercările anterioare de extragere a ADN-ului străvechi, fie de la dinozauri, frunze sau insecte fosile conservate în chihlimbar (sursa ADN-ului de dinozaur din filmul *Jurassic Park*) s-a dovedit a fi fără suces dintr-un motiv sau altul. Posibilitatea supravieţuirii lanţurilor fragile de ADN peste mii sau milioane de ani fusese pusă sub semnul întrebării de unii savanţi, pe când alţii subliniaseră dificultăţile considerabile de a distinge fragmentele posibil veritabile, dar minuscule ale ADN-ului străvechi din cantităţile mari ale contaminării mai recente, care poate veni chiar din atmosferă, în laborator sau din pielea savanţilor care mânuiau fosilele sau se ocupau de extragerea ADN-ului. Oricum, echipele de cercetători implicaţi obţinuseră excelente rezultate, atât în extragerea cu succes a ADN-ului din speciile dispărute, cum ar fi mamutul sau leneşul uriaş de pământ, cât şi în reexaminarea şi respingerea presupunerilor anterioare despre ADN, cum că acesta nu rezistă la testul timpului. ADN-ul neanderthalian a fost copiat independent în ambele laboratoare şi s-a făcut fiecare test imaginabil pentru a exclude posibilitatea contaminării, mai ales cu ADN uman recent.

Rezultate

Echipa de savanţi a reuşit prima dată să pună cap la cap aproximativ o pătrime din întregul lanţ al ADN-ului mitocondrial şi au recuperat de atunci chiar mai mult din fosilă. Au comparat structura sa de codificare genetică cu cele găsite cam la 1.000 de oameni din întreaga lume şi, ca o comparaţie mai îndepărtată, cu cele găsite la cimpanzei, cele mai apropiate rudenii existente ale noastre. ADN-ul neanderthalian e mai apropiat de secvenţele umane, dar net distinct de acestea. Structura neanderthaliană era în mod egal diferită de cele ale fiecărei populaţii moderne de pe oricare continent. Astfel, omul de Neanderthal nu era mai apropiat de un european de azi decât de un african, asiatic sau australian.

Acest rezultat nu a sprijinit ideea că neanderthalienii erau special legaţi de europeni, în calitate

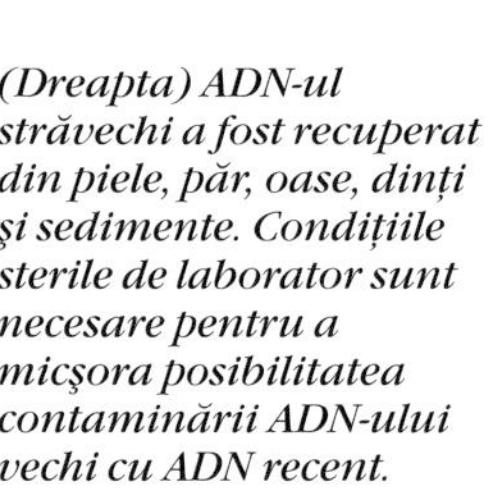

(Dreapta) ADN-ul străvechi a fost recuperat din piele, păr, oase, dinţi şi sedimente. Condiţiile sterile de laborator sunt necesare pentru a micşora posibilitatea contaminării ADN-ului vechi cu ADN recent.

de strămoşi parţiali sau totali. Dar cercetătorii au mai reuşit înainte să folosească diferenţele dintre secvenţele ADN ale oamenilor din zilele noastre, ale neanderthalienilor şi cimpanzeilor pentru a evalua perioada probabilă pe care se întinde linia de evoluţie a neanderthalienilor. Deşi fosila de Neanderthal a fost datată cam la 40.000 de ani vechime, timpul său de separare de linia umană modernă e apreciat cam la 500.000 de ani. Genele încep să se diferenţieze înainte ca populaţiile şi speciile s-o facă, dar această dată se situează înainte de începutul estimat al divergenţei tipurilor de ADN mitocondrial al oamenilor moderni, acum 200.000-150.000 de ani, şi cu siguranţă arată că acest neanderthalian nu putea fi unul din strămoşii noştri, având în vedere data sa târzie şi diferenţa genetică şi fizică.

Acesta era doar o secvenţă de ADN neanderthalian. Se poate stabili doar cu atât destinul neanderthalienilor? Autorii au afirmat în mod precaut că secvenţa de ADN mitocondrial al neanderthalienilor susţinea un scenariu în care oamenii moderni s-au ivit în Africa recent ca o specie distinctă şi i-au înlocuit pe neanderthalieni cu o încrucişare limitată cu aceştia, sau deloc. Dar au arătat că alte gene ar putea descrie nişte poveşti oarecum diferite. Acest lucru e cu siguranţă posibil fiindcă ADN-ul mitocondrial este moştenit doar prin femele. Astfel, orice moştenire genetică transmisă de la bărbaţii neanderthalieni la populaţiile actuale, de exemplu, n-ar fi înregistrată în acel ADN specific. Cu toate acestea, analiza genetică a ADN-ului neanderthalian nu a făcut decât să confirme supoziţiile elaborate de studierea materialului osteologic.

Studii ulterioare ale ADN-ului neanderthalian

Această realizare a fost un mare pas înainte în studiile privind evoluţia umană şi a dus şi la alte succese. Cel puţin încă patru neanderthalieni au „furnizat" ADN mitocondrial, demonstrând că aveau propria lor variabilitate între populaţii situate în zone îndepărtate (variaţii rasiale), comparabilă cu, dar total diferită faţă de cea a oamenilor recenţi. În orice caz, munca de identificare a ADN-ului oamenilor de Cro-Magnon a fost mai dificilă, fiindcă moleculele implicate par să fie asemănătoare sau identice cu cele ale europenilor, dând adevărată bătaie de cap în autentificarea lor. Probleme similare de autentificare intervin şi în încercările făcute pentru recuperarea ADN-ului mitocondrial al fosilelor australiene timpurii.

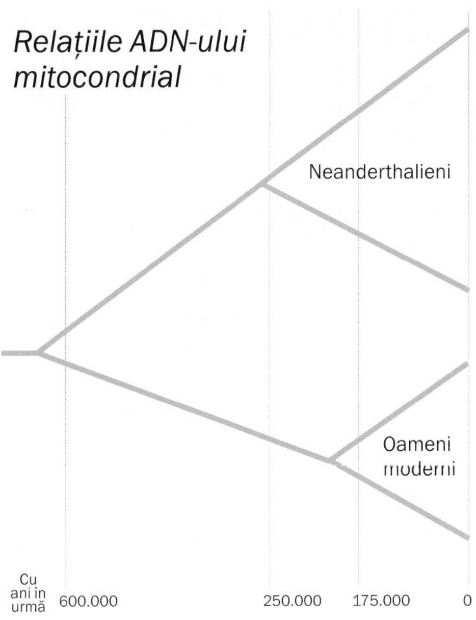

(Dreapta) Această diagramă schematică a evoluţiei ADN-ului mitocondrial al neanderthalienilor şi al oamenilor moderni ilustrează că diversitatea ADN-ului mt al neanderthalienilor era comparabilă cu cea a oamenilor de azi, dar că populaţiile de neanderthalieni prezintă linii diferite de descendenţă, care ar fi început să se separe în Pleistocenul Mijlociu, poate cu 600.000 de ani în urmă. Oricum, separarea genetică ar fi început în cadrul unei populaţii comune străvechi, astfel încât diversificarea genetică ar fi apărut după această dată.

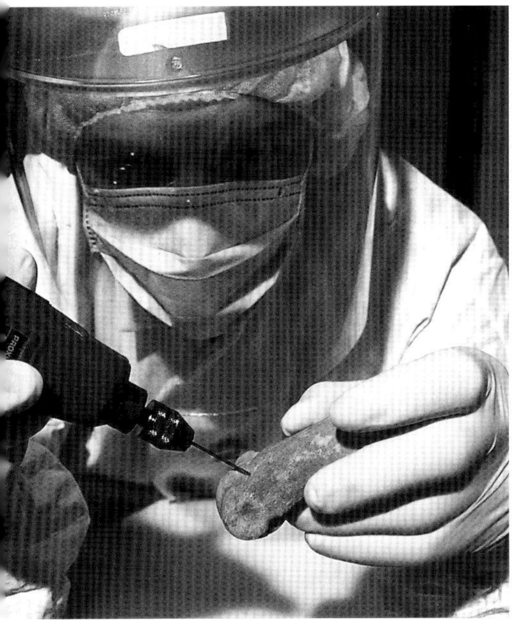

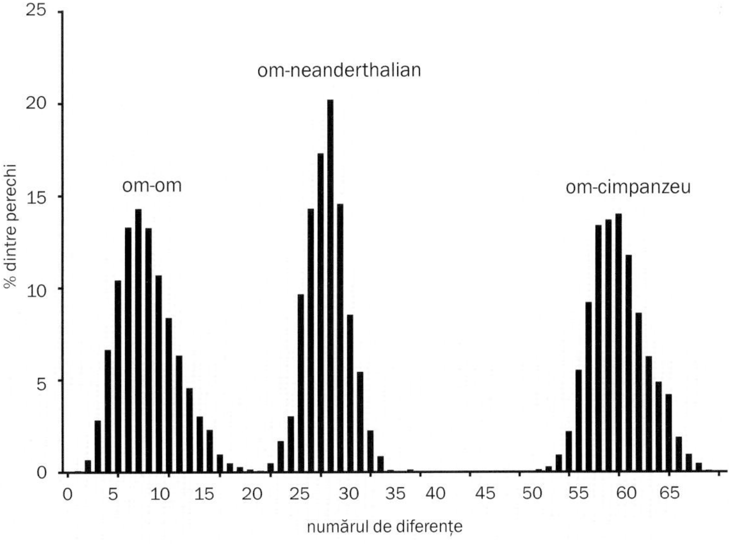

(Jos) O histogramă a extinderii diferenţelor ADN-ului mutaţional între oamenii moderni şi neanderthalieni şi între oamenii moderni şi cimpanzei. Conform ADN-ului lor mitocondrial, neanderthalienii sunt mai strâns înrudiţi cu oamenii moderni decât cimpanzeii.

Până acum am descris în această carte probele de fosile pentru strămoșii noștri maimuțe antropoide și oameni și condițiile de mediu în care ele au fost găsite. Acum le vom pune împreună pentru a interpreta toate liniile de dovezi pentru evoluția umană. În primul rând, vom lua în considerare evoluția locomoției, fiindcă este o adaptare-cheie și are un rol unic în evoluția umană. Humanoizii (maimuțele antropoide și oamenii) prezintă în general adaptări locomotoare extreme, dar niciunii mai mult decât oamenii, deoarece mersul biped este foarte rar la mamifere. Vom continua prin a lua în considerare regimul alimentar, care este și el important. În acest caz, unele din rudeniile noastre hominide mai ilustrează dovezi ale specializării maxime, cu dinți măriți și smalț gros, sugerând consumul de alimente dure, deși această trăsătură e împărtășită cu unele maimuțe antropoide dispărute. Aceste adaptări s-au dezvoltat la formele străvechi, ce erau considerabil mai mici decât maimuțele antropoide uriașe actuale și oameni, și trăiau în medii tropicale păduroase.

Am văzut mai sus că primele dovezi pentru evoluția maimuțelor antropoide și a oamenilor au fost descoperite în Africa tropicală. Maimuțele antropoide s-au diversificat rapid într-o varietate de medii, extinzându-se de la pădurile tropicale umede la păduri subtropicale și la zone cu climat sezonier, în care pădurea alterna cu spațiile deschise. Astfel era situația în depresiunea Afar, de exemplu, din Etiopia, și în Laetoli, Tanzania. Când adaptările locomotoare și alimentare ale maimuțelor antropoide fosile și ale hominizilor sunt interpretate din punctul de vedere al acestor condiții ale mediului, iese la iveală o structură distinctivă a evoluției umane.

Cunoștințele noastre despre evoluția oamenilor este constrânsă și iluminată totodată de dezvoltarea culturii. Putem reconstitui ceva din capacitățile mentale și fizice ale hominizilor timpurii studiind cele mai apropiate rudenii existente ale noastre, marile maimuțe antropoide. În orice caz, nicio maimuță antropoidă existentă nu are capacitatea de a produce unelte complexe și de a le învăța pe celelalte maimuțe acele deprinderi. Așa că dezvoltarea uneltelor sofisticate și a limbajului trebuie să fi fost un catalizator puternic în evoluția umană mai târzie. Folosind capacitatea lor unică de a produce unelte și alte bunuri integrate „culturii materiale", oamenii au putut să-și depășească limitele fizice și au colonizat în cele din urmă fiecare continent și fiecare mediu terestru de pe Pământ.

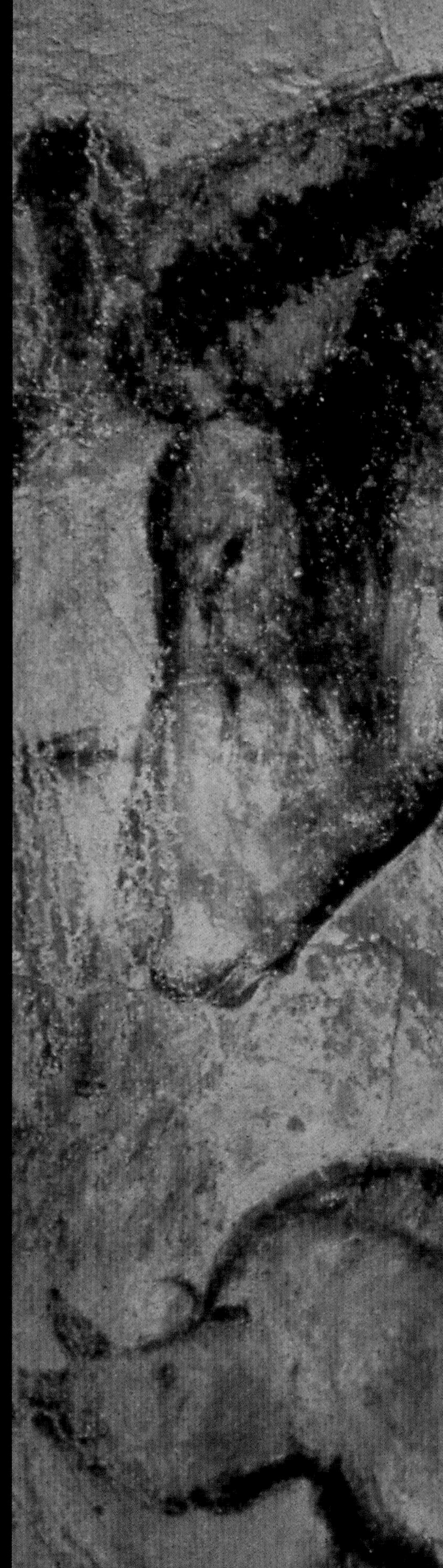

„Tabloul" cailor din peștera Chauvet, Franța, care datează de acum aproximativ 30.000 de ani. Senzația de mișcare a fost redată prin utilizarea atentă a umbrei. Unele părți mai sunt accentuate prin gravare, iar în altele se poate vedea locul unde pigmentul negru a fost împrăștiat cu atenție folosind un deget.

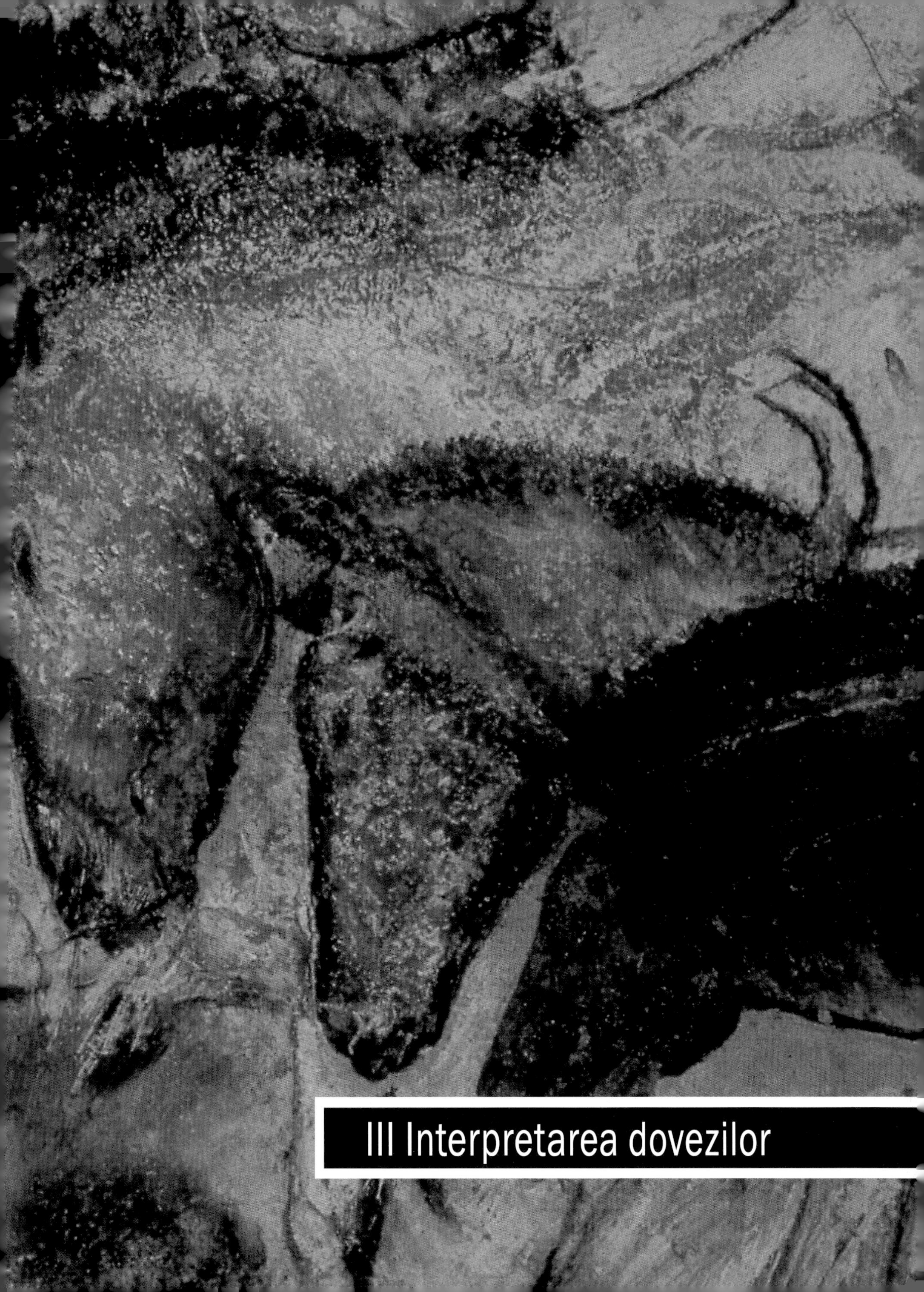

III Interpretarea dovezilor

Evoluția locomoției la maimuțe și oameni

Maimuțele antropoide și oamenii etalează o varietate extraordinară de forme de locomoție și toate sunt diferite de cele ale altor primate și de formele de locomoție ale celorlaltor animale. Gibonii au brațe musculoase lungi, cu ajutorul cărora se agață de crengile copacilor și se deplasează, balansându-se de pe o creangă pe cealaltă. Această formă de locomoție este numită brahiere și este unică la giboni. Alte maimuțe antropoide și obișnuite, cum ar fi maimuțele-păianjen din America de Sud, pot atârna de brațe în copaci, dar niciuna dintre ele nu folosește brahierea ca formă obișnuită de locomoție în păduri.

În timp ce gibonii se mișcă foarte repede printre crengile copacilor, urangutanii se mișcă încet. Urangutanii au și ei brațe lungi, dar acest lucru se datorează parțial dimensiunii lor mari. Pe măsură ce maimuțele antropoide și cele obișnuite devin mai mari, brațele lor devin mai lungi în comparație cu picioarele.

Mersul pe articulațiile degetelor la cimpanzei și gorile

Cimpanzeii și gorilele au altă formă unică de locomoție, numită mersul pe articulațiile (încheieturile) degetelor. Brațele lor sunt și ele lungi datorită dimensiunii lor mari, și își sprijină greutatea pe palme. Acest fapt le ridică părțile din față ale corpului, astfel încât atunci când merg pe sol se pot afla într-o poziție semi-dreaptă, cu umerii mai ridicați decât șoldurile. Mai petrec mult timp la sol gorilele de munte, care stau aproape tot timpul pe sol.

Mersul uman biped

Toate aceste forme de locomoție sunt neobișnuite în regatul animalelor, iar oamenii sunt în egală măsură neobișnuiți, mergând pe două picioare. Acest fenomen este numit mers biped și, în vreme ce

Mersul pe articulațiile degetelor specific cimpanzeilor (și gorilelor) are efectul de a prelungi brațele, care sunt mai lungi decât picioarele, astel încât aceștia merg într-o poziție semi-dreaptă.

Diferite poziții ale mersului biped vertical, mersul pe articulațiile degetelor și locomoția cvadrupedă. Cei care se deplasează pe încheieturi stau într-o poziție semi-dreaptă, o tendință observată la toate primatele umanoide, care se situează în această privință între cvadrupede și bipede.

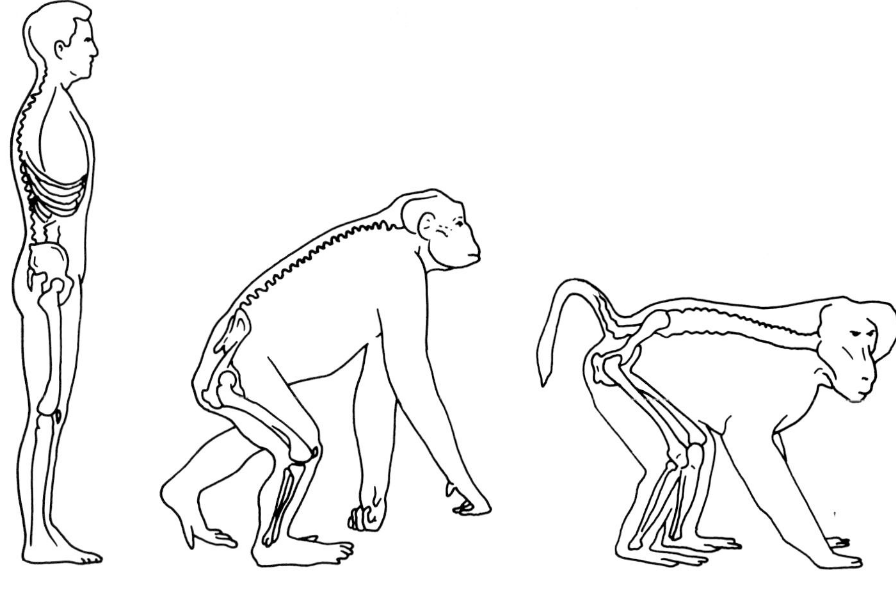

puține alte mamifere utilizează pentru deplasare două picioare, ele le folosesc pentru salturi, ca și cangurul, nu pentru mers. Mersul biped este neobișnuit pentru că ne încetinește, iar la prima vedere ne face vulnerabili în fața animalelor de pradă ce se mișcă mai repede. Așa că în urma adoptării acestei forme restrânse de locomoție, oamenii și-au dezvoltat alte mijloace de apărare împotriva atacului și se pare totuși că mersul biped a fost unul din primele atribute, dacă nu chiar primul, în mod distinctiv uman ce urma să se dezvolte. Adaptările pentru mersul biped sunt multe și se extind la toate părțile corpului. Capul trebuie să fie echilibrat în partea de sus a coloanei vertebrale, în loc să fie adus în față; coloana vertebrală și-a dezvoltat curburi pentru a suporta presiunile și a funcționa ca un arc; șoldul s-a lățit și s-a înfășurat în jurul părților laterale ale corpului, pentru a le asigura un mecanism cu pârghii mai bun mușchilor ce ne mențin într-o poziție verticală; picioarele au devenit mai lungi și îndreptate spre interior, pentru a menține centrul de greutate de-a lungul liniei mijlocii a corpului, iar părțile inferioare ale membrelor și-au dezvoltat arce și degetul mare s-a rotit în linie cu restul labei piciorului.

Un lucru e comun tuturor maimuțelor antropoide existente, cu unele consecințe asupra oamenilor: o serie de adaptări ale brațului și umărului, mai degrabă pentru suspendarea a greutății corpului pe sub crengile copacilor decât pentru mersul pe deasupra crengilor. Acest gen de suspendare necesită o poziție verticală ce este total diferită de poziția aplecată adoptată de majoritatea celorlaltor primate și a altor mamifere. Apare târziu în evoluția maimuțelor antropoide, totuși, și celor mai multe maimuțe antropoide le lipsește oricare din specializările ce disting brahierea, mersul pe articulațiile degetelor și cel biped. *Proconsul,* de exemplu, a fost o maimuță antropoidă cu patru picioare, ce trăia în copacii din pădurile tropicale ale Africii de Est, iar adaptările prezente la *Proconsul* au fost păstrate doar cu puține schimbări la multe din maimuțele antropoide mai târzii.

Adaptări ale maimuțelor antropoide fosile pentru viața la sol

O modificare ce a fost importantă pentru maimuțele antropoide fosile mai târzii era viața terestră. *Kenyapithecus* din Africa de Est și strâns înruditul *Griphopithecus* din Turcia, ambele trăind cu aproximativ 14-15 milioane de ani în urmă, prezintă schimbări ale anatomiei membrelor ce indică niște adaptări pentru viața la sol, în vreme ce păstrau majoritatea caracterelor lor străvechi tipice lui *Proconsul* pentru viața arboricolă. Cu siguranță, această schimbare s-a produs datorită faptului că habitatele în care locuiau erau mai slab împădurite. În asemenea medii e greu pentru animalele mai mari de 3-5 kg să se deplaseze exclusiv prin copaci și sunt nevoite să coboare pe pământ. Structuri anatomice similare au fost păstrate și la unele maimuțe antropoide mai târzii, mai ales la strămoșul probabil al urangutanului, *Sivapithecus,* din India și Pakistan. Se crede că *Sivapithecus* este strămoșul urangutanului datorită unor anumite trăsături craniene și faciale, dar nu prezenta niciuna din adaptările oaselor membrelor ce-l disting azi pe urangutan. Acest lucru e intrigant, fiindcă *Sivapithecus* a trăit acum 12 până la 7 milioane de ani, multă vreme după ce se crede că

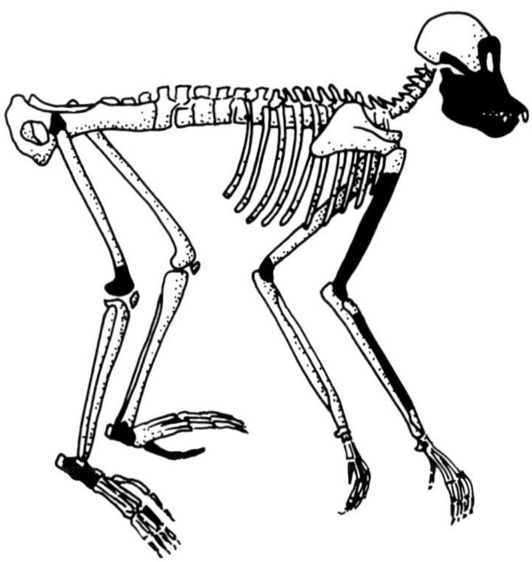

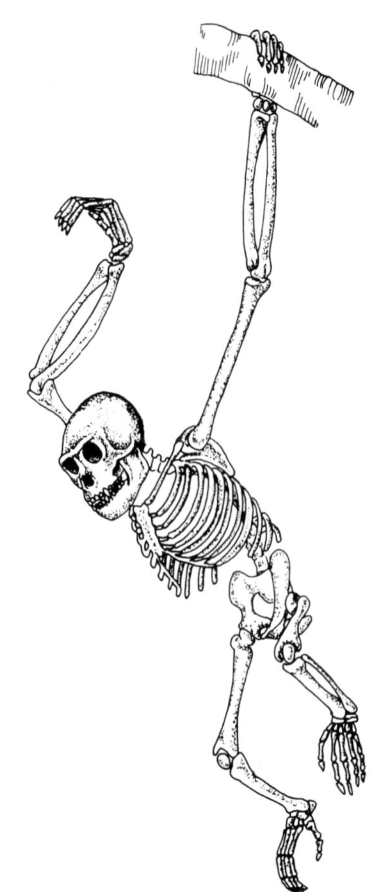

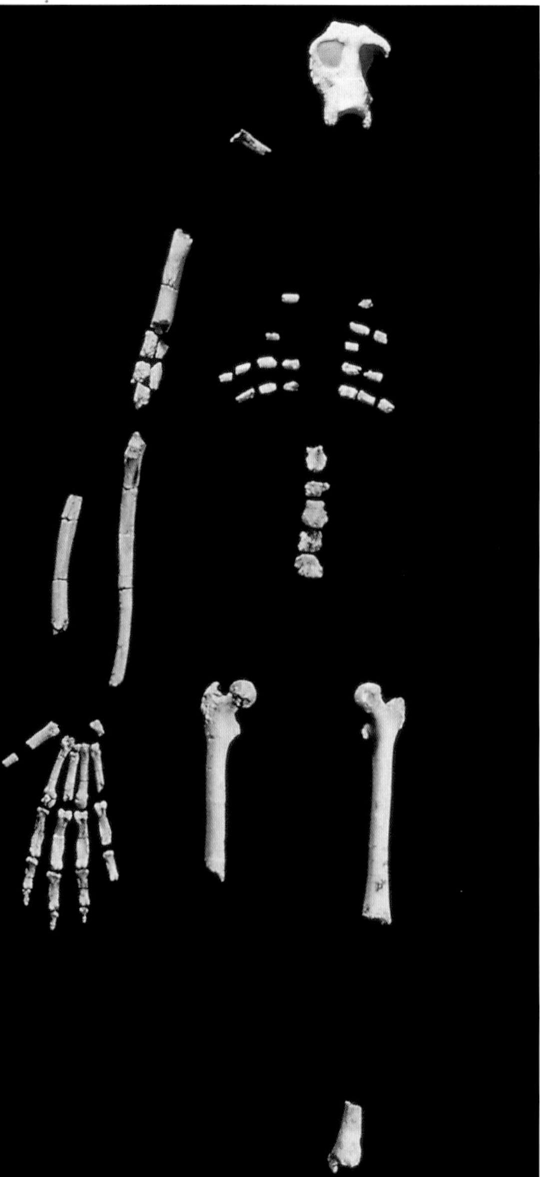

(Sus) Scheletul lui Sivapithecus *cu părți cunoscute ilustrate în negru. Poziția sa patrupedă și multe aspecte ale anatomiei sale sunt puțin schimbate față de cele ale lui* Proconsul, *ce a trăit cu cca 10 milioane de ani mai devreme, dar ambele diferă față de adaptările legate de deplasarea suspendată a lui* Dryopithecus *și* Oreopithecus.

(Dreapta) Dimensiunile membrelor lui Oreopithecus *și trunchiul său scurt ilustrează că s-a deplasat prin habitatul său forestier prin suspendarea pe sub crengi, cu brațele sale lungi și puternice.*

(Stânga)Scheletul lui Dryopithecus *din Can Llobateres, Spania, este unul dintre cele mai cunoscute. Ca și Oreopithecus, avea brațe lungi și puternice, iar forma osului șoldului indică o mare mobilitate a picioarelor. În ambele privințe e asemănător cu urangutanul din zilele noastre.*

urangutanul s-a despărțit de celelalte maimuțe antropoide, iar acest lucru ar putea arăta că *Sivapithecus* nu era de fapt un strămoș al urangutanului.

Pe lângă aceste maimuțe antropoide fosile ce trăiau la sol, mai existau două maimuțe antropoide fosile, probabil înrudite între ele, ce și-au dezvoltat un sistem de deplasare asemănător cu al gibonilor. Ele erau *Dryopithecus* și *Oreopithecus* și ambele prezentau adaptări ale brațului superior și ale umărului foarte similare cu cele ale urangutanului, și care au apărut prima dată în mărturiile fosile între acum 10 și 9 milioane de ani. Aceste caracteristici sunt apropiate de starea din care s-au dezvoltat probabil toate maimuțele antropoide existente și oamenii, dar nici ele, nici alte maimuțe antropoide fosile nu au seturile specifice de caractere ce ar indica un stadiu timpuriu de evoluție a brahierii (la giboni) sau mersul pe articulații (la cimpanzei și gorile).

S-a sugerat că *Oreopithecus* a fost parțial biped, deși aceste dovezi sunt controversate încă și nu sunt direct relevante pentru apariția mersului uman biped. Pentru acesta există dovezi foarte uimitoare, fiindcă nu numai că oasele fosile ale picioarelor antecesorilor noștri sunt similare cu ale noastre, dar mai sunt și urme fosilizate de pași ce ilustrează dincolo de orice îndoială că oamenii timpurii mergeau vertical.

(Dreapta) Urmele de paşi ale hominizilor timpurii de la Laetoli. Singura specie cunoscută din acest sit este A. afarensis, *care, după schelet, avea un mers biped. Transferul de greutate al lui* A. afarensis *e ilustrat mai jos prin conturarea adâncimii urmelor lăsate de picioare. Accentul e pus asupra scobiturii labei piciorului şi a călcâiului, şi apoi asupra părţii exterioare a labei.*

Urmele de paşi de la Laetoli

Urmele au fost descoperite în Laetoli, un sit fosilifer din Tanzania, vechi de aproape 4 milioane de ani. S-au conservat urmele a trei sau patru strămoşi umani (identificaţi drept *Australopithecus afarensis*), mergând pe o suprafaţă de teren deschis într-o vreme când un vulcan apropiat scuipa cenuşă, ce se depunea pe sol în straturi fine succesive. Aproape imediat ce urmele de paşi erau făcute în cenuşă ele erau acoperite, şi întreaga porţiune a fost solidificată de o serie de ploi uşoare ce au coincis cu căderile de cenuşă. Această diferenţă a texturii cenuşii le-a permis astăzi arheologilor să scoată la iveală aceste urme de paşi, laolaltă cu zeci de alte urme ale animalelor ce trăiau în aceeaşi perioadă, pentru a face o reconstituire unică a vieții din Africa cu aproximativ 4 milioane de ani în urmă.

Urmele de pași din Laetoli arată că A. *afarensis* mergea fără îndoială vertical, dar din păcate nu există oase fosile descoperite ale picioarelor acestor oameni fosili, spre a le reda înfățișarea. Există fragmente de maxilare și dinți, dar ele nu folosesc prea mult când suntem interesați de forma lor de locomoție. Lipsa fosilelor și dezacordurile privind interpretarea urmelor de pași i-au condus pe unii antropologi la concluzia că forma de mers biped practicată în Laetoli era diferită de cea a oamenilor de azi, pe când alți antropologi afirmă contrariul. Într-un sit mai timpuriu din nordul Kenyei, Kanapoi, există câteva oase ale membrelor ce par mai moderne decât cele ale lui *A. afarensis* și indică un mers biped.

Mersul biped al lui Lucy

Primele rămășițe fosile suficient de complete pentru a investiga mersul biped provin de la scheletul parțial al lui Lucy, din Hadar, Etiopia. Acesta e atribuit lui *A. afarensis* și ilustrează că Lucy avea proporții diferite ale corpului față de oamenii moderni, cu picioare mai scurte ca ale maimuțelor antropoide. Pe de altă parte, osul șoldului său era lat și larg, mai asemănător cu al oamenilor decât al maimuțelor antropoide. Șoldul e important în mersul biped, fiindcă una din principalele dificultăți în învățarea mersului este păstrarea echilibrului. Acest fapt se realizează atât prin dezvoltarea mușchilor ce leagă oasele șoldului de ambele picioare și coloana vertebrală, cât și prin îmbunătățirea mecanismului lor de pârghii, crescând distanța poziției lor inițiale față de picioare, dar și de coloana vertebrală. Primul lucru se face prin sprijinirea șoldului cu creste și coloane, iar al doilea prin extinderea părții superioare a șoldului, tăișul iliac. Ambele adaptări sunt prezente la australopiteci într-o anumită măsură.

Articulațiile genunchiului, chiar și la primii australopiteci, sunt foarte asemănătoare cu ale oamenilor moderni, ilustrând că mergeau cu siguranță biped. Oricum, majoritatea australopitecilor au femurul cu cap (epifiză) mic și gât lung, în contrast cu cel al oamenilor și maimuțelor antropoide totodată, iar asta pare să indice o formă diferită de suport al greutății purtate de picioarele sale. E interesant că lui *A. afarensis* îi lipsește dezvoltarea extremă a caracterelor acestor australopiteci mai târzii și s-ar putea să fie intermediar în acest sens

*(Jos, dreapta) Unghiul piciorului superior este similar la Lucy (*A. afarensis*) și oamenii moderni, și ambele diferă de ale cimpanzeilor. Acest unghi aduce centrul de greutate al părții de sus a corpului înspre axa mijlocie a șoldurilor, în loc să fie echilibrat ca la cimpanzei.*

(Jos) Lucy este foarte mic când e comparat cu un om modern (dreapta). Ambii stau perfect vertical, dar se diferențiază prin forma pelvisului și lungimea picioarelor, care sugerează că Lucy nu putea face un pas mare, ca oamenii de azi, ci avea un pas mai mult târșâit.

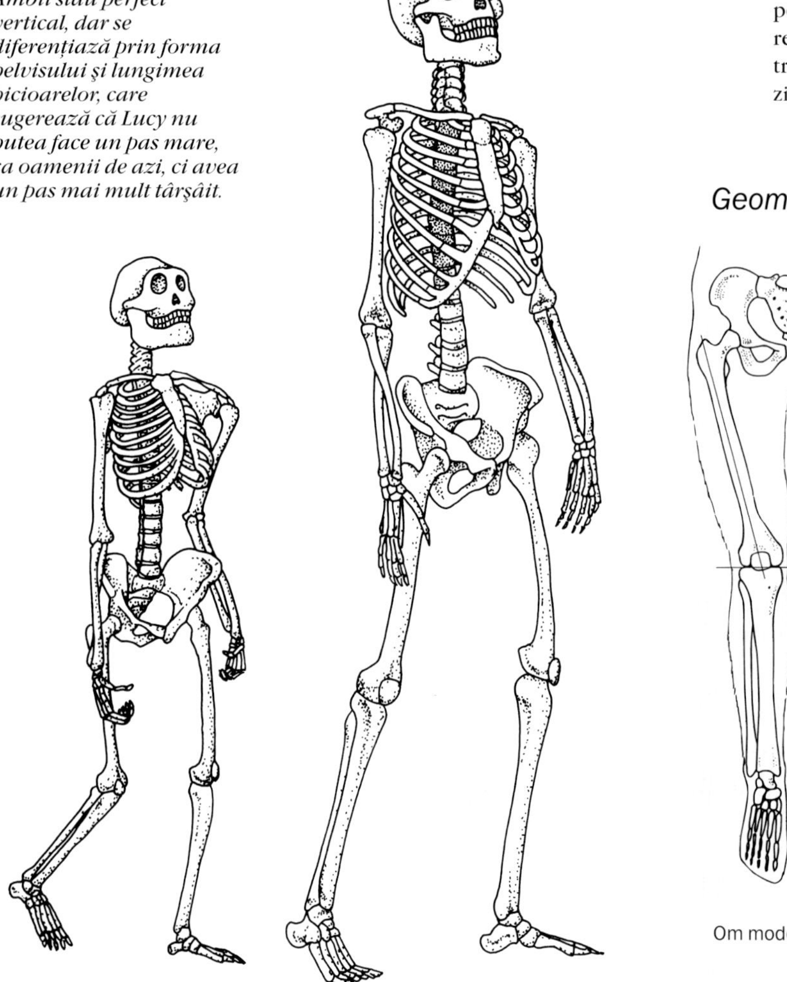

Geometria membrelor inferioare

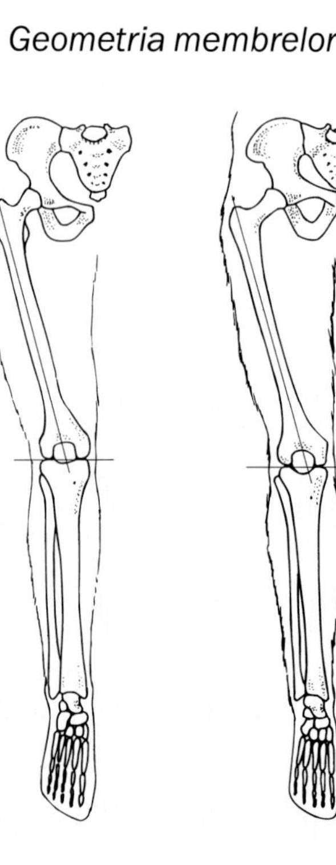

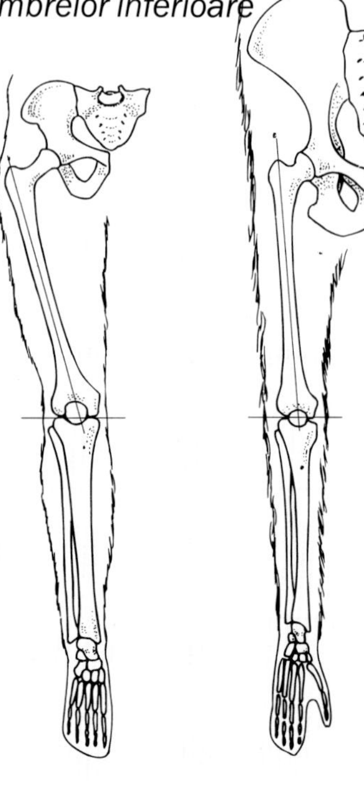

Om modern A. *afarensis* Cimpanzeu

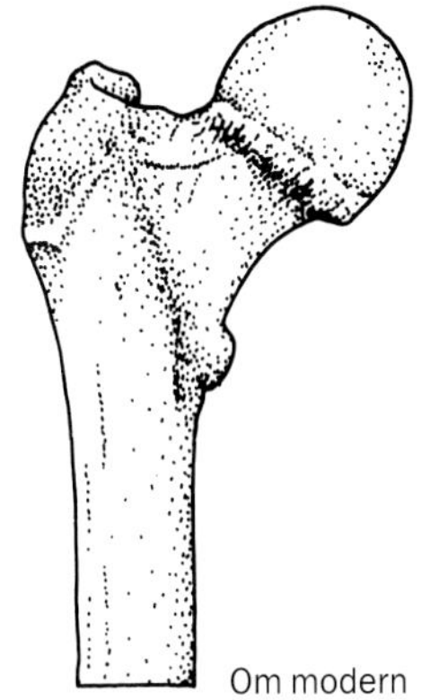

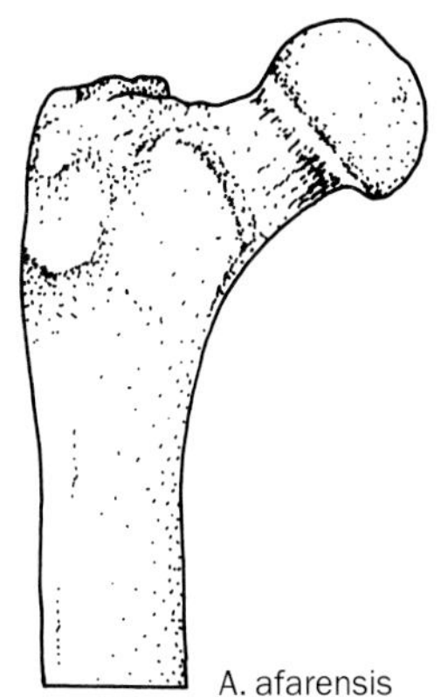

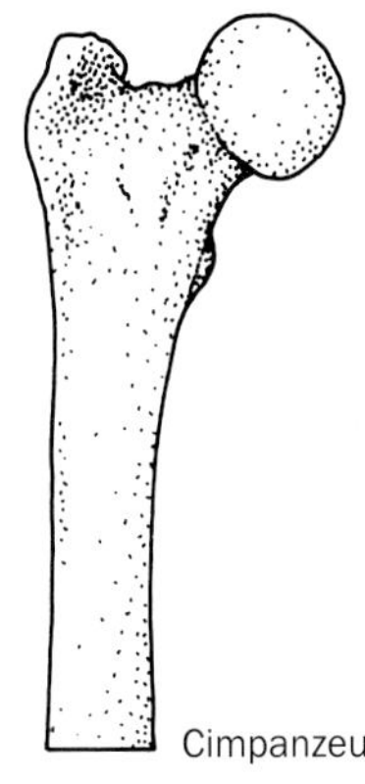

Femur de om, de A. afarensis *și cimpanzeu. Gâtul femurului este mai alungit la* A. afarensis, *spre deosebire de cel de la cimpanzei și oameni deopotrivă, dar păstrează alte caracteristici similare cimpanzeilor (și unor maimuțe antropoide miocene).*

între ei și un strămoș mai timpuriu, asemănător cimpanzeului. Acest strămoș ar putea fi *Orrorin*, cu 2-3 milioane de ani mai devreme ca *A. afarensis*, fiindcă această fosilă avea un femur cu un cap mare și un gât scurt, exact ca maimuțele antropoide din Miocenul Superior și cimpanzei. În cele din urmă, există trăsături ale mâinii, cum ar fi oasele curbate lungi ale degetelor, rezultând o mână cu capacitate de apucare, și umărul, a cărui încheietură e îndreptată în sus pentru suspendarea prin copaci, lucru ce sugerează că *A. afarensis* păstra o adaptare semnificativă la cățărarea în copaci, moștenită de la strămoșii săi, maimuțele antropoide.

Australopithecus afarensis: adaptări tipice pentru viața terestră și cățărarea prin copaci

În această fază timpurie a evoluției umane se pare că a avut loc dezvoltarea adaptărilor pentru mersul biped la picioare și păstrarea caracterelor de maimuță antropoidă ale brațului pentru suspendarea în copaci. Cu alte cuvinte, *A. afarensis* avea cele mai bune lucruri din ambele lumi: o nouă formă de locomoție pe sol, combinată cu abilități menținute pentru cățărarea în copaci. Din punct de vedere evolutiv, noua adaptare e importantă, fiindcă ea indică relația cu oamenii mai târzii, însă din punct de vedere funcțional urcarea în copaci era importantă pentru oamenii timpurii, deoarece era forma cea mai bună de apărare împotriva prădătorilor.

Două aspecte ale acestor adaptări vor fi abordate ulterior în această carte: păstrarea abilității de cățărare în copaci are sens doar când există copaci în care să se cațere și, în mod semnificativ, se va observa că oamenii timpurii se găsesc în asociere cu zone împădurite, sau măcar parțial împădurite, și nu cu câmpii deschise; iar dezvoltarea mersului biped a fost probabil asociată cu schimbările comportamentale și sociale, prin care dezavantajele mersului biped ca formă de locomoție au fost mai mult decât contrazise de avantajele rezultate din eliberarea mâinilor pentru utilizarea și făurirea uneltelor.

x

Locomoția la *Homo* timpuriu

Membrii timpurii ai genului *Homo* au ilustrat niște progrese în felul cum se mișcau în comparație cu australopitecii. Dimensiunile membrelor erau mai asemănătoare cu ale oamenilor moderni la majoritatea speciilor, deși nu în mod vizibil la *Homo habilis*, dacă identificarea lui OH62 de la Olduvai este corectă (vezi p. 135). Articulația degetului mare era tipic umană, deși mâna avea încă o capacitate de apucare puternică. Picioarele se întăriseră, piciorul și laba inferioară erau foarte asemănătoare cu ale oamenilor moderni, cum era și lățirea și dilatarea încheieturii șoldului, dar gâtul femurului (osul coapsei) era la fel de lung ca la australopiteci (păstrând proporțiile). Probabil că mersul biped specific uman s-a dezvoltat în ultimii un milion de ani.

(Jos) Doi indivizi de A. afarensis *lasă urme în cenușa vulcanică recent căzută la Laetoli, cu aproape 4 milioane de ani în urmă. Vegetația a fost decimată de vulcan, iar cei doi australopiteci ar fi fost foarte expuși prădătorilor în timp ce se aflau în câmp deschis, ca aici.*

Evoluția alimentației

Tocmai am observat varietatea remarcabilă a metodelor de locomoție exersate de maimuțele antropoide și oameni (pp. 184-189). Spre deosebire de acest fapt, comportamentul alimentar al acestor animale are multe asemănări. Toate maimuțele antropoide și oamenii sunt în primul rând consumatori de fructe, numindu-se științific frugivore, existând puține specii ce mănâncă și frunze.

Gibonii

Printre maimuțele antropoide existente, gibonii sunt frugivori, cu excepția speciei mai mari, siamangul, care este parțial folivor - consumator de frunze. Dinții săi au asperități proeminente, adaptări pentru tăierea frunzelor aspre, în vreme ce alți giboni au dinți cu coroană joasă, cu un înveliș subțire de smalț, suficient pentru zdrobirea fructelor moi.

Urangutanii, cimpanzeii și gorilele

Urangutanii sunt și ei aproape în totalitate frugivori. Dinții lor au de asemenea o coroană joasă, dar sunt foarte cutați, având un smalț mai dens decât dinții gibonilor. Funcția cutării de pe dinții urangutanului nu a fost niciodată explicată satisfăcător, dar se pare că e legată de regimul lor alimentar. Cimpanzeii sunt frugivori, având un regim alimentar similar cu al urangutanului, însă dinții lor sunt mult mai simpli și le lipsesc atât asperitățile, cât și densitatea mare a smalțului. Atât cimpanzeii, cât și urangutanii mănâncă frunze, flori și muguri, când nu găsesc fructe, dar gorilele sunt diferite prin aceea că au o concentrație de frunze mult mai crescută în regimul lor alimentar tot timpul anului, gorilele de munte mâncând aproape numai frunze. După cum s-ar aștepta dintr-o asemenea diferență uriașă, dinții gorilei sunt adaptați pentru tăierea frunzelor, având cute (asperități) mai puternic dezvoltate, ca și la siamang.

Maimuțele antropoide fosile

Cunoaștem destul de multe lucruri despre regimul alimentar al maimuțelor antropoide fosile, fiindcă dinții sunt cei pe care-i folosim pentru mestecarea hranei, iar dinții reprezintă cele mai bine conservate părți ale corpului găsite ca fosile. Tipurile de dinți găsite la maimuțele antropoide de azi au fost descrise mai sus, dar există și alte dovezi cu privire la natura regimului alimentar: când mâncăm, particulele de mâncare lasă zgârieturi microscopice pe suprafața dinților noștri. Examinând zgârieturile asemănătoare de pe dinții maimuțelor antropoide fosile, putem adesea identifica ce au mâncat.

Ca la maimuțele antropoide de azi, același lucru e valabil și pentru maimuțele antropoide fosile: mănâncă în principal fructe. Așa s-a întâmplat cu *Proconsul*, de exemplu, deși altă maimuță antropoidă fosilă din aceeași perioadă și același loc era cel puțin la fel de folivoră ca gorilele. Aceasta era *Rangwapithecus*, care în alte privințe se asemăna cu *Proconsul*. Se diferenția de ea prin faptul că dinții săi aveau cute mai dezvoltate, iar analiza uzurii dinților ilustrează că mânca mai curând frunze decât fructe. Multe maimuțe antropoide mai târzii se asemănau cu *Proconsul* în privința regimului

(Jos) Cimpanzeii își folosesc dinții mari din față pentru mărunțirea mâncării înainte de a fi ingerată. Incisivii masivi sunt caracteristici primatelor frugivore, din moment ce există o nevoie mai mare de pregătire inițială a fructelor decât pentru vegetație sau insecte.

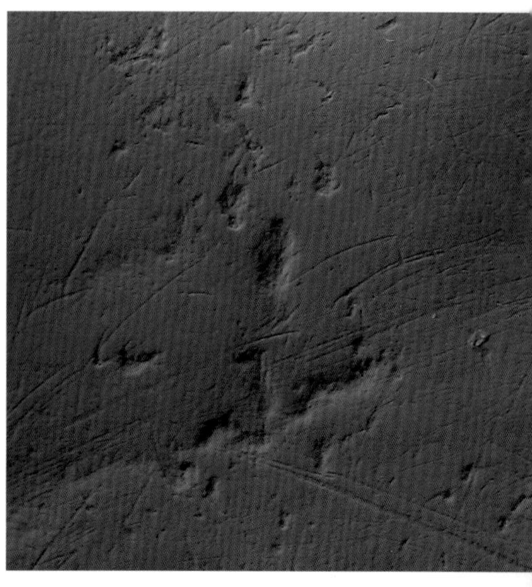

(Jos, dreapta) Microuzura de pe suprafața unui molar de urangutan. Există multe găuri mari rezultate din regimul alimentar dur al acestei maimuțe antropoide, similare cu microuzura observată la unele maimuțe antropoide fosile, ca Griphopithecus alpani *(vezi p. 102)*

lor alimentar, ca *Dryopithecus*, dar mai târziu în Miocen, a apărut o altă formă de maimuță antropoidă fosilă. Primele exemple ale acestei noi forme, *Afropithecus* și *Kenyapithecus*, au apărut în Africa, iar rudeniile lor au fost cele care au părăsit Africa pentru prima oară și s-au mutat în Europa și Asia. Ce au în comun aceste maimuțe antropoide fosile sunt dinții măriți, având coroane joase și smalț gros, iar în această privință dinții lor par tipic umani. Uzura de pe dinții lor arată că aveau un regim alimentar format din fructe dure, nuci și semințe.

Maimuțele antropoide fosile cu dinții mari și smalțul gros au dat naștere probabil oamenilor, dar o ramură a fost mai sigur strămoșul urangutanului. Se crede în general că *Sivapithecus* e înrudit cu urangutanul, și avea dinți și un regim alimentar foarte similar celui al lui *Kenyapithecus* și *Griphopithecus*. Toate aceste maimuțe antropoide fosile aveau obiceiuri alimentare ce erau probabil foarte asemănătoare urangutanului; în acestă privință, urangutanul e foarte conservator.

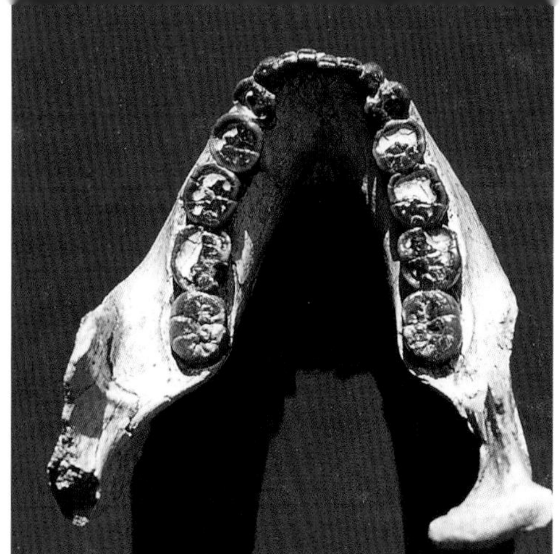

Mandibula lui Paranthropus boisei, *cu molari și premolari imenși pentru mărunțirea hranei și dinții din față foarte mici. Aceasta e o structură observată la primate ce mănâncă obiecte dure mici ca semințe ori fructe mai mici care nu necesită nicio pregătire prealabilă.*

Australopitecii

Unii dintre strămoșii omului, ca *Australopithecus afarensis* și *Orrorin tugenensis*, aveau smalț subțire pe dinți, în timp ce alții, ca *Australopithecus anamensis*, aveau dinți ce erau exact ca ai maimuțelor antropoide cu smalțul gros: erau mari, cu coroane plate și smalț dens. Urmele de uzură de pe dinții lor semănau cu cele de la maimuțele antropoide cu smalț gros. Australopitecii mai târzii au dus această adaptare mai departe și și-au dezvoltat exagerat câteva din aceste trăsături, de exemplu; sporind densitatea smalțului și reducând dimensiunea dinților frontali, i-au extins pe cei din spate.

Regimul alimentar al lui *Homo*

Dacă tendința în stadiile timpurii ale evoluției umane era spre dinți mai mari și smalț mai dens, tendința mai târzie a fost inversă. *Homo habilis* avea dinți ce nu erau foarte diferiți de cei ai australopitecilor, dar nu prezentau uzura serioasă datorată mâncărurilor dure, aspre, ce se găsea pe dinții australopitecilor. Consumau evident hrană de o mai bună calitate, cum ar fi fructele și carnea, pe care o obțineau probabil consumând hoiturile animalelor. *Homo erectus* avea totuși dinți mai mici și a devenit probabil un vânător desăvârșit; astfel, carnea era o parte sporită a regimului său alimentar. Această tendință a continuat până la revoluția agricolă de acum aproximativ 10.000 de ani, cu o micșorare ulterioară a dinților, stimulată de dezvoltarea de către om a gătitului, care face mâncarea dură sau aspră mai ușor de mestecat. O vreme după ce s-a dezvoltat agricultura, uzura dinților a crescut, inversând tendința, întrucât chiar și atunci când sunt gătite, grăunțele de cereale au particule abrazive în ele.

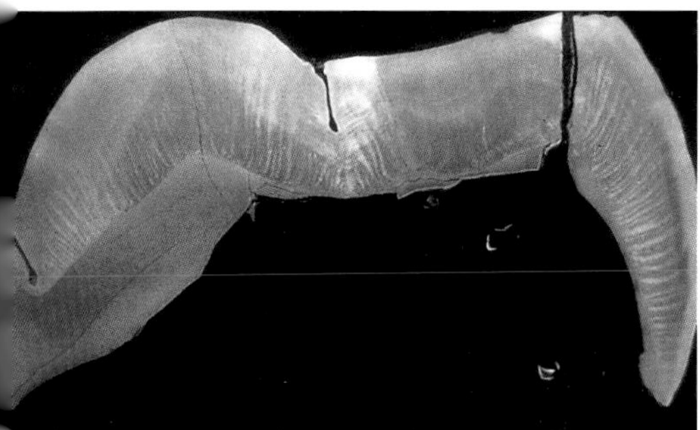

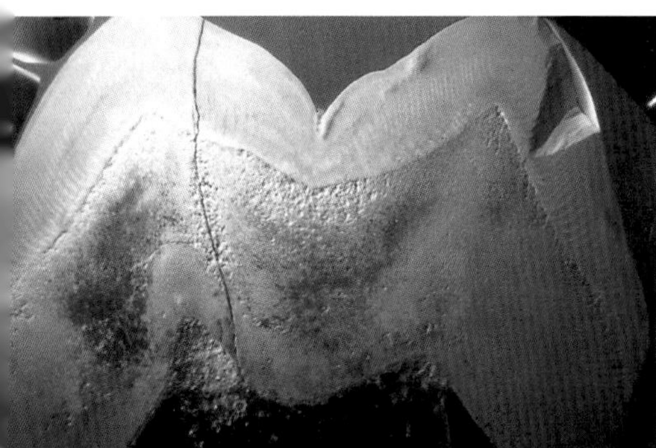

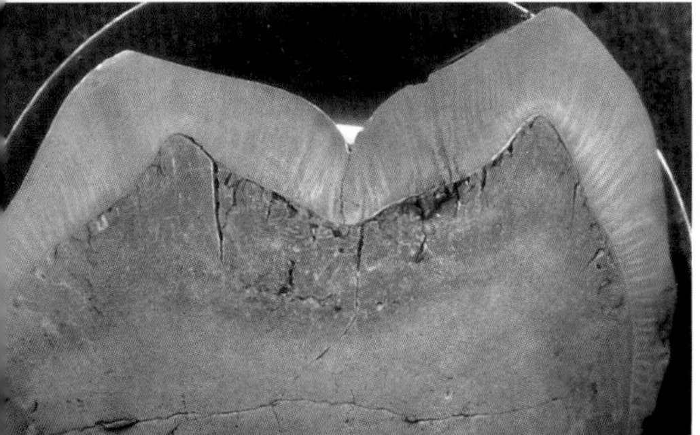

(Stânga) Secțiuni prin dinții de Graecopithecus, Australopithecus *și* Sivapithecus. *Toți au strat de smalț gros și o morfologie similară a colților molarilor, și probabil că aveau regimuri alimentare asemănătoare.*

(Jos) Două regimuri alimentare diferite, unul bazat pe fructe (frugivor) și unul pe frunze (folivor), pot crea diferențe majore între specii: de exemplu, fructele au o valoare calorică mai concentrată, mai ales carbohidrați, rezultând intestine mai scurte și diverse tipuri de dinți, dar sursa fructelor e și ea de obicei mai dispersată, astfel încât consumatorii de fructe trebuie să-și amintească de locațiile copacilor cu fructe.

Frugivore vs. folivore

	frugivore	folivore
proteine	scăzute	crescute
grăsime	scăzută	scăzută
carbohidrați	crescuți	scăzuți
intestine	mici	mari
hrana	deformatoare dură sau moale	dură fibroasă
dinții	netezi smalț gros	cutați smalț subțire

Răspândirea geografică a maimuțelor și oamenilor

În a doua jumătate a secolului XIX s-a emis ipoteza că oamenii au apărut probabil în Africa. Nu existau dovezi fosile în acest sens, însă Darwin susținea că cimpanzeii și gorilele sunt primatele humanoide cel mai strâns înrudite cu oamenii, iar din moment ce aceste maimuțe antropoide trăiesc în Africa, acesta era probabil locul în care au apărut oamenii. Acest punct de vedere a fost susținut și elaborat de zoologul și anatomistul T.H. Huxley, care a prezentat atât relația oamenilor cu maimuțele antropoide, cât și originea lor din Africa.

Destul de curios, exista de fapt o singură fosilă cunoscută pe timpul când Darwin a publicat *Originea speciilor* în 1859. Aceasta era *Dryopithecus*, descoperit în sudul Franței în 1856, dar numai la sfârșitul secolului XIX și în primii ani ai sec. XX au fost găsite mai multe maimuțe antropoide fosile, iar apoi au fost descoperite în India. Aceste maimuțe antropoide fosile sunt toate foarte târzii în timp, în sedimente de acum 12 până la 8 mil. de ani. S-a sugerat că primatele antropoide, grupul ce include toate maimuțele obișnuite și antropoide, ar proveni din Asia, deoarece au fost găsite în China în ultimii ani fosile din Eocenul Inferior, cu aparente afinități antropoide. Nu se cunosc niciun fel de antropoizi fosili din Africa în această perioadă, dar apar în America de Nord în timpul Eocenului Superior și în Oligocen, cam în urmă cu 30 de milioane de ani, în Oman și nordul Egiptului (vezi pp. 84-87). Absența descoperirilor din Africa îi împiedică pe savanți să determine dacă absența antropoizilor era reală pentru acele vremuri, sau există lacune de cercetare.

Maimuțele antropoide fosile se dezvoltă în Africa

Primele maimuțe antropoide din Africa au fost găsite în vestul Kenyei, iar când specimenul i-a fost arătat lui A. Tyndall Hopwood, pe atunci paleontolog la Muzeul de Istorie Naturală din Londra, el a vizitat Kenya în 1931, de unde a strâns mai multe specimene dintr-un sit numit Koru. Acesta era primul indiciu că existau maimuțe antropoide în Africa, dar activitatea mai târzie a lui Louis Leakey și a asistentului său Donald MacInnes avea să arate că exista o mare răspândire a maimuțelor antropoide fosile în Africa cu mult înainte ca oricare să fie prezentă în Europa și Asia. Cu alte cuvinte, Leakey a confirmat că maimuțele antropoide s-au dezvoltat în Africa și erau obișnuite acolo pentru cel puțin primii 10 milioane de ani ai istoriei lor evolutive, de acum 26 spre 14-16 milioane de ani. Multe specii de *Kamoyapithecus, Proconsul, Rangwapithecus, Nyanzapithecus, Kenyapithecus, Equatorius, Moropithecus* și *Afropithecus* sunt cunoscute acum din această perioadă în Africa de Est și au fost probabil la fel de multe și de larg răspândite ca maimuțele obișnuite de azi din Africa.

Migrarea maimuțelor antropoide fosile din Africa

Când maimuțele antropoide fosile au ajuns într-adevăr să părăsească Africa, au făcut-o probabil de cel puțin trei ori. Prima emigrare a fost pentru linia ce duce la giboni și nu se știe nimic despre aceasta, exceptând gibonii de azi din estul Asiei. Nu se cunosc niciun fel de fosile până în Pleistocen, iar datele ADN sugerează că despărțirea speciilor existente a avut loc în Miocenul Superior. A doua emigrare a fost a maimuțelor antropoide cu smalțul gros al dinților, prima dată reprezentate în afara Africii de *Griphopithecus*, din sedimentele din Miocenul Mijlociu găsite în Germania, Cehia și Turcia. Datarea acestor fosile a fost stabilită cu aproape 15 milioane de ani în urmă, similare ca vârstă cu reprezentanții africani ai grupei Kenyapithecinelor. Speciile din Miocenul Superior, ca *Sivapithecus, Gigantopithecus, Ankarapithecus* și *Graecopithecus* s-au răspândit prin estul Europei, Orientul Mijlociu și India, și e probabil ca o parte din această linie de descendență să fi dus la urangutan.

A treia emigrare, care pare să fi fost total diferită de primele două, a fost cea care ducea la *Dryopithecus* și *Oreopithecus*. Asemenea primei, aceasta a reprezentat o răspândire a maimuțelor ce trăiau în copaci, pe când maimuțele cu smalțul gros al dinților aveau probabil o oarecare adaptare și pentru viața la sol. Vor mai fi fost și alte emigrări din Africa, dar între timp se presupune că evoluția continua în Africa cu specia ce ducea la maimu-

Maxilarul lui Samburupithecus kiptalami *de pe dealurile Samburu din Kenya. Dinții acestei maimuțe antropoide fosile sunt foarte asemănători cu cei ai gorilelor și diferă de cei ai cimpanzeilor și oamenilor. Din păcate, acesta e singurul specimen cunoscut în prezent, iar dovezile sunt prea sărace pentru a stabili dacă această asemănare are importanță evolutivă.*

Există dovezi pentru cel puțin două emigrări ale speciei de maimuțe antropoide fosile în afara Africii în timpul Miocenului, dintre care niciuna nu justifică satisfăcător prezența gibonilor și a urangutanilor în Asia. Prima emigrare pentru care există dovezi e cea a maimuțelor antropoide cu smalțul gros al dinților, care au intrat în Europa și s-au extins mai târziu înspre est, cu aproximativ 15 milioane de ani în urmă, iar cealaltă este migrarea hominizilor cu abilități de deplasare suspendată pe sub crengi în Europa, cu aproape 3 milioane de ani mai târziu.

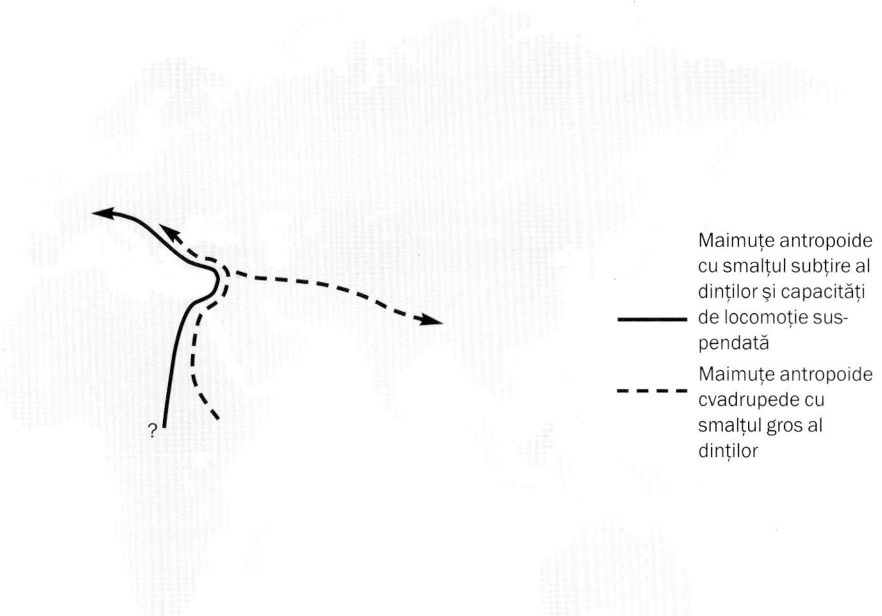

țele antropoide africane și oameni. Din păcate, există o breșă în mărturiile fosile din Africa între acum 14 și 6 milioane de ani, care este exact perioada în care oamenii și maimuțele antropoide s-ar fi despărțit, așa că dispunem de puține dovezi pentru a ști ce s-a întâmplat. Există o maimuță antropoidă fosilă numită *Samburupithecus* (maimuța antropoidă din Samburu) din sedimente vechi de 6 mil. de ani, ce seamănă cu gorila, arătând că maimuțele antropoide au fost prezente în Africa. Există și hominidul fosil de aceeași vârstă din Kenya, amintit mai sus, *Orrorin tugenensis*, care este în general similar maimuței antropoide, deși sunt dovezi ale afinităților sale cu hominizii. Același lucru se poate spune despre craniul descoperit recent în Ciad, *Sahelanthropus*, categoric un hominid. E clar că exista o oarecare diversitate a hominizilor fosili de acum 7-6 milioane de ani în Africa, trei fosile reprezentând trei genuri, dar ce fel de relație au unele cu altele sau cu hominizii ulteriori, sunt lucruri departe de a fi clare.

Strămoșii omului se dezvoltă în Africa

Dată fiind situația, știm că primele rudenii apropiate ale oamenilor au apărut din Africa, între acum 5 și 2 milioane de ani. Ei au ocupat părți mari din Africa și sunt cunoscuți în Africa de Est, de Sud, Malawi și Ciad, în timpul acestei perioade. Sunt cel mai bine cunoscute din estul Africii, mai ales Etiopia, Kenya și Tanzania, cu un fragment de mandibulă din Lothagam, de acum aproximativ 5 milioane de ani, și material din Aramis, puțin mai târziu, de acum 4,4 milioane de ani. Datând de acum 4 milioane de ani, primii australopiteci sunt cunoscuți din Kanapoi, Kenya, iar între acum 4 și 3 milioane de ani sunt cunoscuți din Ciad, Etiopia, Kenya și Tanzania. Cu 3 milioane de ani în urmă, australopitecii sunt prezenți în Africa de Sud în diferite situri. Factorul major care le-a limitat probabil răspândirea în Pliocen a fost mediul, fiindcă în acest stadiu al evoluției lor, hominizii timpurii erau încă adaptați la condițiile forestiere. Hominizii se găseau probabil și în alte părți ale Africii, dar n-au fost găsite încă niciun fel de fosile.

„Out of Africa"

Cu mai puțin de 4 mil. de ani în urmă, australopitecii s-au dezvoltat în cel puțin două grupe diferite, în formele gracile și robuste. Acum 2,5 mil. de ani, apăruse prima specie presupusă a genului *Homo*, deși e încă neclar din ce s-a dezvoltat. Atât liniile evolutive ale lui *Homo*, cât și ale australopitecilor erau încă limitate la patria lor originară, Africa. Totuși, curând după acea dată oamenii s-au răspândit din Africa, un eveniment desemnat prin expresia „Out of Africa I", deși, de fapt, aceasta a fost cel puțin a patra emigrare a humanoizilor din Africa. Acești oameni erau probabil specia *Homo erectus* (pentru unii savanți, forma lor mai primitivă, *H. ergaster*) sau poate chiar specia înrudită cu *H. habilis* și *H. rudolfensis* (vezi pp. 132-135). La început ar fi rămas în mediile tropicale sau subtropicale la care erau adaptați. Ieșirea lor inițială din Africa nu trebuie privită ca o colonizare intenționată a noilor teritorii, ci mai degrabă ca o extindere treptată a ariilor lor de căutare după mâncare. Mai târziu, pe măsură ce s-au dezvoltat abilitățile umane, urmașii lor s-au adaptat la medii noi, cum ar fi pășunile și ținuturile păduroase temperate. Totuși, și mai târziu, după cca 500.000 de ani, populațiile au reușit să supraviețuiască în nordul Europei și în Asia în timpul stadiilor climatice mai

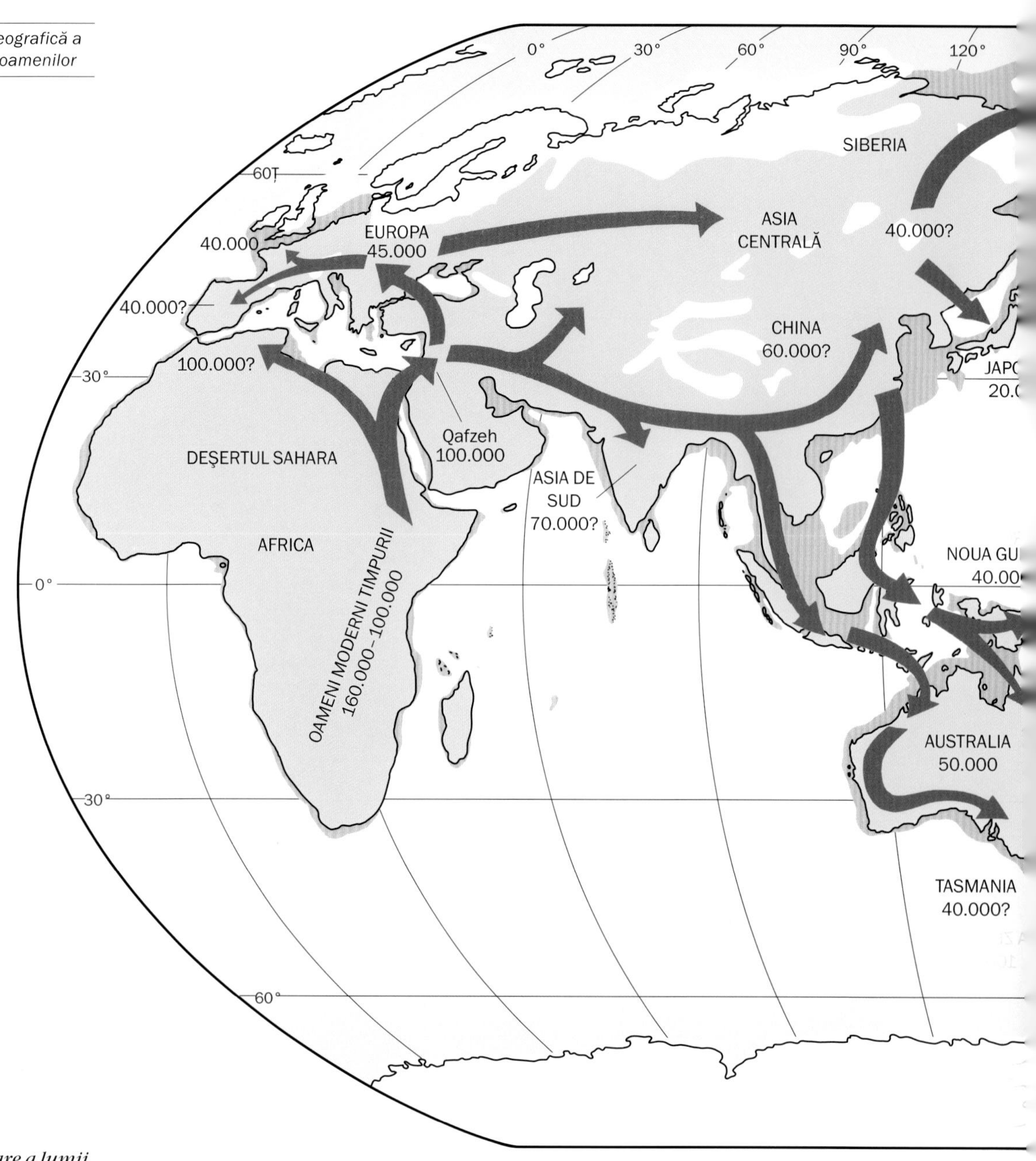

Prima colonizare a lumii de către oamenii moderni, cu date aproximative (ani în urmă) și niveluri scăzute ale Oceanului Planetar, cu aproximativ 18.000 de ani în urmă. Oamenii moderni au emigrat din Africa cu cel puțin 100.000 de ani în urmă, când resturile lor fosile apar în situri din Israel, cum ar fi Qafzeh. În urmă cu 12.000 de ani, Homo sapiens *era stabilit în regiuni îndepărtate, precum Tasmania și Chile.*

reci, adaptându-se treptat la condițiile de stepă. În orice caz, se pare că oamenii de Cro-Magnon nu au reușit să-și mențină poziția de ocupanți ai nordului Europei la apogeul ultimei Epoci Glaciare, cu aproximativ 20.000 de ani în urmă, iar regiunile din nordul Europei și Asia au fost probabil complet depopulate în asemenea perioade.

În timpul stadiilor periodice calde, când climatul era asemănător celui interglaciar de azi (Holocen), numărul oamenilor a crescut probabil la ordinul sutelor de mii, iar zone ca Africa Centrală, sudul Europei, India și Asia de Sud-Est erau probabil relativ dens populate. Dar în acea perioadă, calotele de gheață ale Pământului erau reduse, iar nivelul Oceanului Planetar era ridicat. Astfel, regiuni ca Insulele Britanice, Sicilia și Japonia erau izolate ca insule de masele învecinate mai mari de pământ, spre a li se alătura din nou, din momentul în care condițiile Epocii Glaciare reveneau. Aceste coridoare de uscat, utile pentru deplasarea oamenilor, erau periodic create și distruse, în funcție de nivelul apelor. În timpul stadiilor glaciare, nivelul mării scădea chiar cu 100 de metri, creând noi linii ale țărmurilor și poduri de uscat. Unele regiuni n-au fost niciodată legate între ele în decursul evoluției umane, oricât de tare ar fi scăzut nivelul mării. Astfel, Madagascarul a rămas separat de Africa, Noua Zeelandă de restul lumii și Australia și

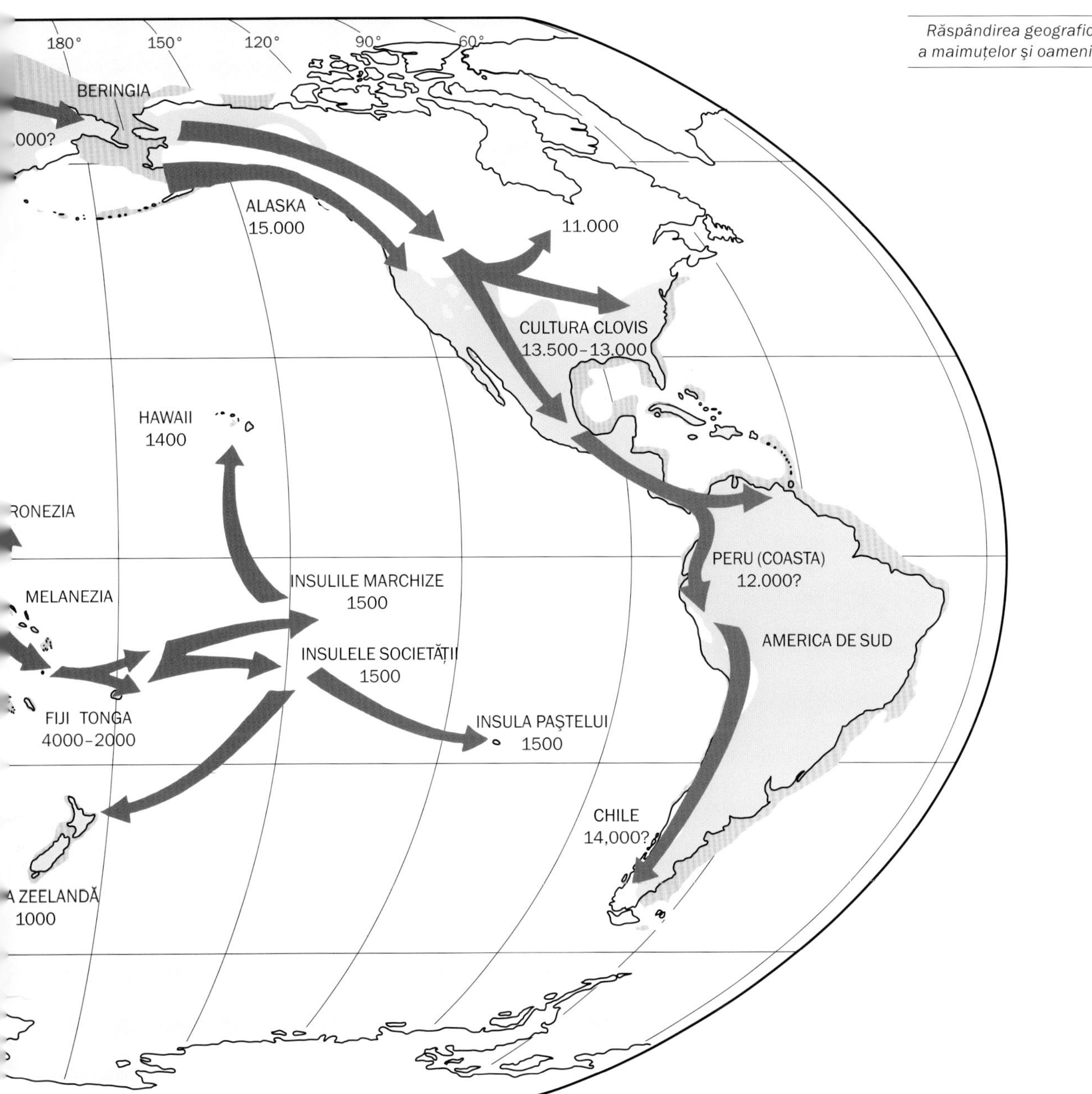

Noua Guinee de Asia Sud-Estică. Aceste regiuni n-au fost probabil colonizate niciodată de oamenii timpurii; ele au rămas nelocuite până la sosirea oamenilor moderni.

Răspândirea oamenilor moderni din Africa, așa-numita „Out of Africa II", a început cu cel puțin 120.000 de ani în urmă, cu o extindere a oamenilor timpurii din Africa nordică spre Orientul Apropiat. Se pare că s-au răspândit ulterior spre est prin regiunile subtropicale și tropicale, pentru a ajunge în cele din urmă în Australia cu plutele (vezi pp. 170-173), acum 50.000 de ani. În Europa au intrat cu aproximativ 40.000 de ani în urmă. Există dovezi ale prezenței oamenilor moderni în Sri Lanka de acum aproape 30.000 de ani, iar în Japonia, de acum cca 20.00 de ani. Oamenii moderni timpurii se aflau cu siguranță în China cu aproape 30.000 de ani în urmă și poate au ajuns mult mai devreme, dar momentul sosirii lor în cele două Americi este foarte disputat (vezi următorul capitol).

Răspândirea oamenilor în climatele extreme ale planetei, cum ar fi deșerturile polare și munții înalți, a avut loc după sfârșitul ultimei Epoci Glaciare, cam acum 12.000 de ani, și doar în această perioadă insulele mai îndepărtate, ca Madagascar, Noua Zeelandă și Polinezia, au fost atinse în cele din urmă de către colonizatorii umani.

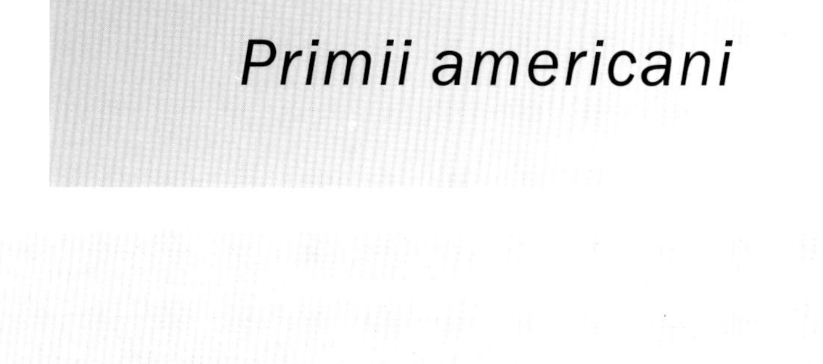

Primii americani

(Sus) Artefacte specifice culturii Clovis au apărut în descoperirile arheologice din cele două Americi cu cca 13.000 de ani în urmă. Vârfurile de lance specifice, găsite prima dată lângă Clovis, New Mexico, au fost modelate folosind un ciocan de os sau lemn și canelate la bază, pentru a se putea monta tija de lemn a suliței. Unii cercetători cred că răspândirea artefactelor culturii Clovis înregistrează prima sosire a oamenilor în America de Nord.

(Sus) Primii americani au venit probabil cu bărcile, făcând popasuri în insulele din sudul strâmtorii Bering. Ambarcațiunile mici, simple ca acest caiac eschimos de două persoane, din insula Nunivak, Alaska, au fost folosite în această regiune de mii de ani. În comparație cu ruta nesigură de pe uscat, acești marinari timpurii au putut călători repede în josul coastei vestice a celor două Americi, poate chiar până la Monte Verde din sudul satului Chile.

Într-o fază timpurie a colonizării europene a celor două Americi, s-a observat că existau asemănări fizice între americanii băștinași și popoarele din Asia de Est, la trăsături ca aspectul ochilor și forma părului. Aceste asemănări au fost confirmate de studiile antropologice, care arată că asemănările se extind la detalii ale formei dinților și ale ADN-ului. Dar când și de unde au ajuns prima dată oamenii în cele două Americi și câte etape migratorii au existat? Pentru a ajunge în cele două Americi, se presupune în general că primii colonizatori au călătorit de-a lungul strâmtorii Bering dintre Siberia și Alaska, într-o vreme când nivelul mării era scăzut. Când au ajuns, au intrat într-o lume total nouă, una ce se întindea de la Cercul Polar de Nord la Antarctica, cu aproape toate tipurile de climat și mediu de pe Pământ.

Uneltele de piatră de la Clovis

Se credea că primii americani, reprezentați de producătorii unei industrii distincte a uneltelor de piatră numite Clovis, au intrat pe continent cu circa 13.000 sau 12.000 de ani în urmă. De la acea dată, au existat dispariții majore ale mamiferelor mari, ca elefanții, caii și leneșii de pământ din cele două Americi și s-a presupus în general că disparițiile s-au datorat impactului subit al vânătorii. Totuși, unii savanți cred că schimbările climatice și de mediu sau chiar bolile au fost în primul rând responsabile pentru aceste dispariții, mai degrabă decât vânătoarea. Mai mult, există tot mai multe dovezi din situri ca Meadowcroft Rock-shelter și Monte Verde că ocupația era premergătoare culturii Clovis.

Situl Monte Verde

Siturile din America de Sud care au fost identificate ca fiind aproximativ contemporane cu Clovis sugerează că existau deja popoare diverse din punct de vedere cultural în cele două Americi până în acel moment, și astfel trebuie stabilit un moment mult mai rapid de intrare a omului în America. În plus, un sit din Chile, numit Monte Verde, pare să poarte dovezi ale prezenței umane de aproximativ 14.500

(Dreapta) O vedere de sus a săpăturilor de la enigmaticul sit de la Meadowcroft Rockshelter, Pennsylvania. Datarea cu radiocarbon a celui mai vechi nivel locuit de om din acest sit sugerează că oamenii trăiau în cele două Americi cu mult înainte de apariția culturii Clovis, poate chiar cu mii de ani în urmă. Aceste date sunt foarte controversate, iar Meadowcroft se poate dovedi a fi de fapt un sit foarte timpuriu al culturii Clovis.

de ani. Arheologii au susținut că acest fapt necesită o intrare a oamenilor în Alaska anterioară apogeului ultimei Epoci Glaciare, cu aproape 20.000 de ani în urmă, altfel n-ar fi avut suficient timp pentru a ajunge până în America de Sud.

Unii savanți cred că migrația în America ar fi avut loc în urmă cu aproximativ 30.000 de ani. Alții cred că totuși primii colonizatori s-ar fi putut deplasa rapid spre sud, de-a lungul coastei vestice a celor două Americi, începând cu aproximativ 18.000 de ani în urmă, deplasându-se ulterior numai pe continent.

(Stânga) Monte Verde, din sudul lui Chile, era o așezare în aer liber de acum cca 14.000 de ani, situată pe malurile unui golfuleț. Aceste grinzi reprezintă fundațiile unei construcții lungi de forma unui cort, ce avea un schelet de bușteni și era acoperită cu piele de animal. Gropile, vetrele, uneltele și resturile de hrană sunt asociate cu structura, sugerând că aceasta era destinată locuirii.

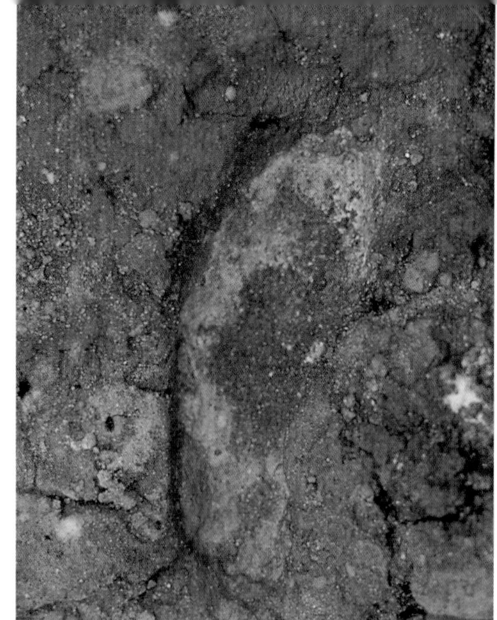

(Sus) „Setul de unelte" găsit la Monte Verde. Aceste artefacte, făcute din os, piatră și lemn, sunt foarte simple, iar unele din ele nu au fost poate prelucrate deloc. Totuși, prezența omului la Monte Verde nu este contestată, mai multe urme de pași umani ca aceasta (sus, dreapta) au fost scoase la iveală, precum și fundația unei construcții în care s-au găsit o mulțime de resturi animale. Aceasta era probabil o zonă nelocuită, destinată tranșării vânatului.

Diversitatea fizică

Mai există și fosile umane recent descoperite, care au o vârstă de cel puțin 9.000 de ani vechime din America de Nord, Centrală și de Sud, care indică faptul că locuitorii timpurii ai Americilor erau diverși din punct de vedere fizic și nu semănau foarte mult cu americanii băștinași de astăzi. Ele includ, în Statele Unite ale Americii, scheletul controversat al „omului din Kennewick" (statul Washington), vechi de cca 9.000 de ani, și scheletul vechi de 10.000 de ani parțial mumificat din peștera Spirit (Nevada), găsit împreună cu țesături și împletituri de nuiele conservate. Mai departe spre sud a fost identificat în Ciudad de Mexico (Peñon III) un schelet al unei femei, vechi de mai bine de 12.500 de ani, iar craniul unei alte femei, găsit într-o peșteră din statul brazilian Minas Gerais, a fost datat cam acum 10.500 de ani. Craniile sunt alungite și au fața joasă, iar acest lucru contrastează cu aspectul amerindienilor. Cercetările recente sugerează că asemenea populații distincte ar fi putut supraviețui în regiuni izolate ca peninsula Baja din Mexico până acum câteva sute de ani. E astfel posibil ca cele două Americi să fi fost populate de grupuri diferite de colonizatori din Asia, care au fost apoi înlocuite prin sosirea adevăraților strămoși ai

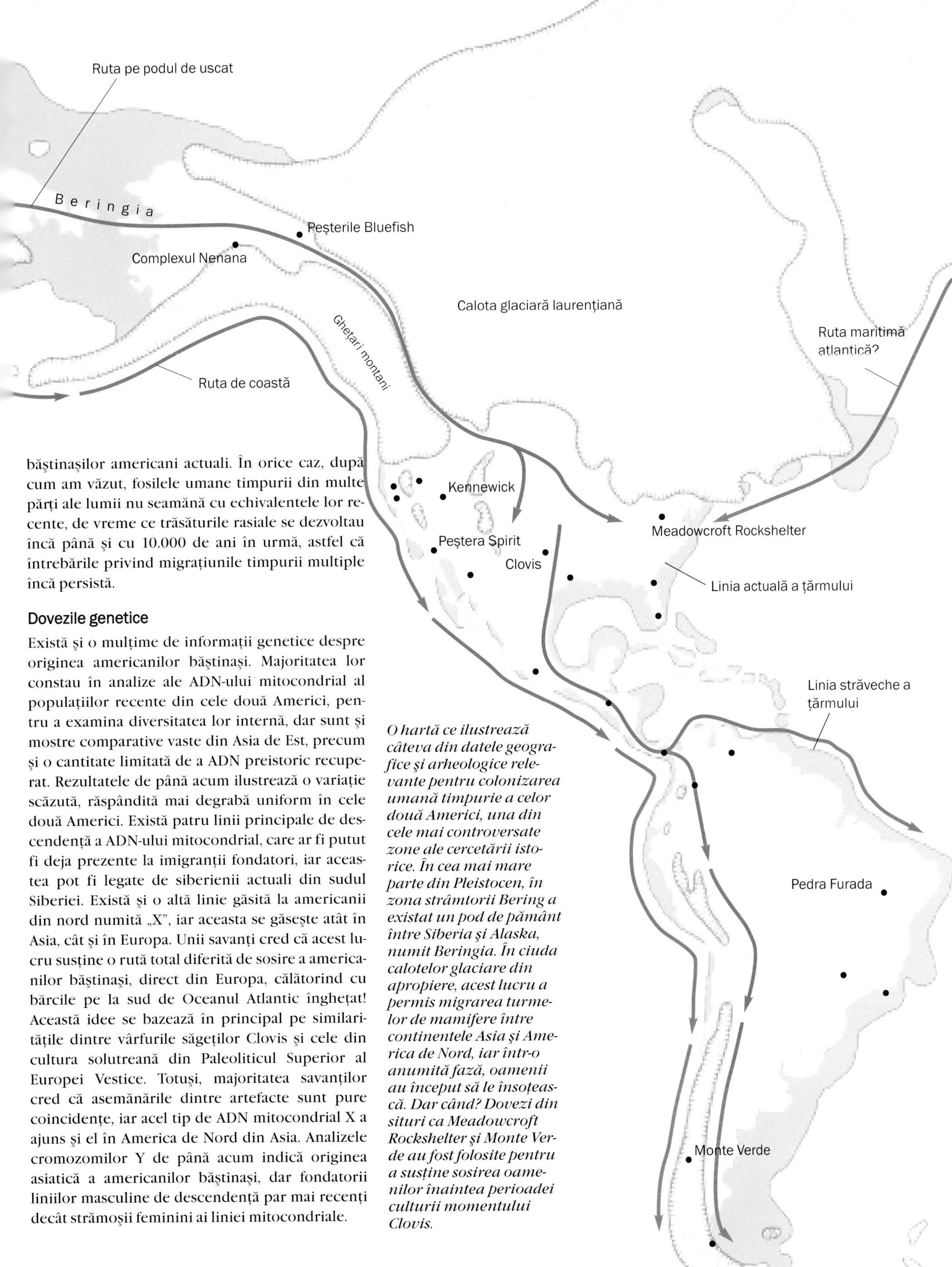

băştinaşilor americani actuali. În orice caz, după cum am văzut, fosilele umane timpurii din multe părţi ale lumii nu seamănă cu echivalentele lor recente, de vreme ce trăsăturile rasiale se dezvoltau încă până şi cu 10.000 de ani în urmă, astfel că întrebările privind migraţiunile timpurii multiple încă persistă.

Dovezile genetice

Există şi o mulţime de informaţii genetice despre originea americanilor băştinaşi. Majoritatea lor constau în analize ale ADN-ului mitocondrial al populaţiilor recente din cele două Americi, pentru a examina diversitatea lor internă, dar sunt şi mostre comparative vaste din Asia de Est, precum şi o cantitate limitată de a ADN preistoric recuperat. Rezultatele de până acum ilustrează o variaţie scăzută, răspândită mai degrabă uniform în cele două Americi. Există patru linii principale de descendenţă a ADN-ului mitocondrial, care ar fi putut fi deja prezente la imigranţii fondatori, iar acestea pot fi legate de siberienii actuali din sudul Siberiei. Există şi o altă linie găsită la americanii din nord numită „X", iar aceasta se găseşte atât în Asia, cât şi în Europa. Unii savanţi cred că acest lucru susţine o rută total diferită de sosire a americanilor băştinaşi, direct din Europa, călătorind cu bărcile pe la sud de Oceanul Atlantic îngheţat! Această idee se bazează în principal pe similarităţile dintre vârfurile săgeţilor Clovis şi cele din cultura solutreană din Paleoliticul Superior al Europei Vestice. Totuşi, majoritatea savanţilor cred că asemănările dintre artefacte sunt pure coincidenţe, iar acel tip de ADN mitocondrial X a ajuns şi el în America de Nord din Asia. Analizele cromozomilor Y de până acum indică originea asiatică a americanilor băştinaşi, dar fondatorii liniilor masculine de descendenţă par mai recenţi decât strămoşii feminini ai liniei mitocondriale.

O hartă ce ilustrează câteva din datele geografice şi arheologice relevante pentru colonizarea umană timpurie a celor două Americi, una din cele mai controversate zone ale cercetării istorice. În cea mai mare parte din Pleistocen, în zona strâmtorii Bering a existat un pod de pământ între Siberia şi Alaska, numit Beringia. În ciuda calotelor glaciare din apropiere, acest lucru a permis migrarea turmelor de mamifere între continentele Asia şi America de Nord, iar într-o anumită fază, oamenii au început să le însoţească. Dar când? Dovezi din situri ca Meadowcroft Rockshelter şi Monte Verde au fost folosite pentru a susţine sosirea oamenilor înaintea perioadei culturii momentului Clovis.

Evoluția și comportamentul în relație cu mediul

În următoarele câteva pagini vom încerca să asociem cunoștințele noastre despre evoluția locomoției, a regimului alimentar și a comportamentului la maimuțele antropoide și oameni, și să raportăm schimbările la condițiile de mediu de atunci. Primatele sunt animale sociale, și, în linii mari, maimuțele obișnuite și cele antropoide ilustrează o mare complexitate de interacțiuni sociale. Este un lucru neobișnuit, de exemplu, să întâlnești un primat solitar, fiindcă aproape întotdeauna vor exista alți membri ai grupului prin preajmă.

Maimuțele antropoide de azi

Maimuțele antropoide contemporane mănâncă fructe, trăiesc în copaci și au sisteme sociale complexe. Primele două trăsături limitează răspândirea speciilor de maimuțe antropoide. Dacă depind în principal de fructe, fructele trebuie să fie disponibile în acel mediu, și în multe medii această nevoie simplă nu este îndeplinită. Majoritatea frugivorelor trăiesc în păduri tropicale, pentru simplul motiv că aici există fructe disponibile tot timpul anului. Astfel că aria de răspândire a maimuțelor antropoide de azi se limitează doar la tropice și aproape în totalitate la pădurile tropicale. Numai cimpanzeul poate trăi în medii mai deschise, unde climatul este sezonier, și fructele se găsesc în cantități mici în unele perioade ale anului. Pot face acest lucru fiindcă, pe de o parte, sistemul lor social este suficient de flexibil spre a permite grupurilor mici de indivizi mai activi să exploreze noi teritorii și să pătrundă mai departe în zone mai puțin favorabile și, pe de altă parte, fiindcă au capacitatea de a învăța despre mediul lor, astfel încât în situații de lipsă a hranei ei știu unde să o găsească.

O a doua cerință pentru maimuțele antropoide arboricole este prezența copacilor. Majoritatea maimuțelor antropoide au nevoie de copaci atât pentru protecția lor împotriva animalelor de pradă, cât și ca sursă de hrană, dar numai gibonii folosesc de obicei copacii ca rută de deplasare. Maimuțele antropoide mari, cimpanzeii, gorilele și urangutanii coboară în general la sol când vor să parcurgă o anumită distanță, fiindcă sunt prea mari și grei pentru a sări dintr-un copac în altul. Acest lucru e valabil în pădurea densă și e o cerință absolută când trăiesc în zone cu copaci mai rari. N-ar trebui să ne surprindă așadar să găsim caracteristici legate de deplasarea la sol în timpul evoluției maimuțelor antropoide în orice fel de mediu, dar asta ar fi de așteptat mai ales la acele maimuțe antropoide care trăiau în zone mai deschise.

Sistemele sociale la maimuțele antropoide

Maimuțele antropoide au sisteme sociale diferite.

Aproape toate maimuțele antropoide de azi sunt nevoite să trăiască doar în medii de pădure tropicală, în afară de cimpanzei, care pot supraviețui în zone deschise, cum e această zonă de savană din Africa de Est.

Organizarea socială a maimuțelor antropoide de azi și a oamenilor

Bonobo

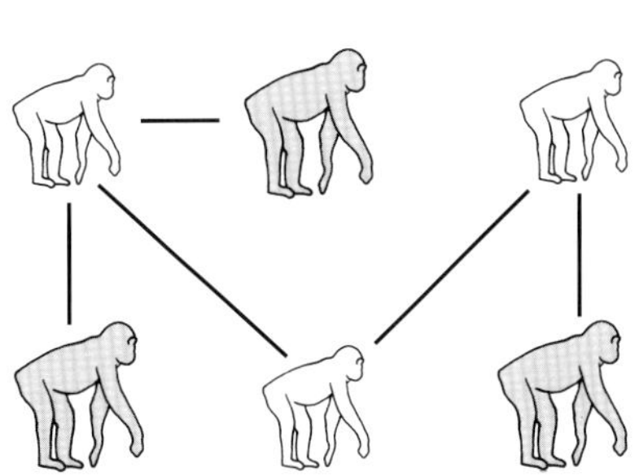

Maimuțele bonobo trăiesc în grupuri familiale, relațiile cele mai puternice de rudenie existând între femele, deși femelele se mai leagă și de masculi. Rangul unui mascul este moștenit de la mama sa, de care rămâne strâns legat. Această societate dominată de femele este unică la primate și rară la mamifere.

Cimpanzeu

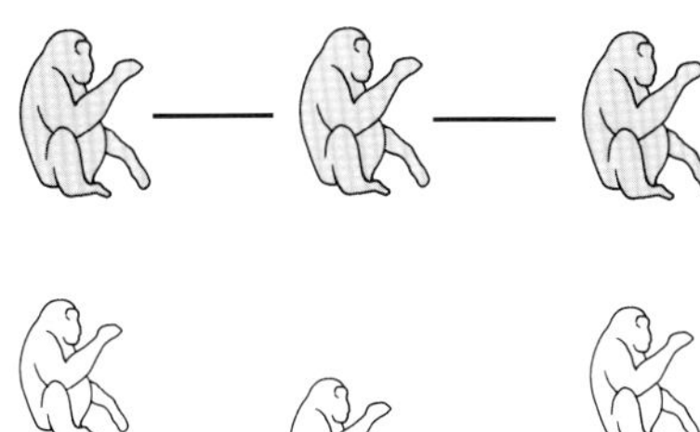

Spre deosebire de maimuțele bonobo, grupurile de cimpanzei sunt dominate de masculi. Ei apără un teritoriu în care trăiesc femelele, protejate de intrușii din afară de masculi. Masculii și femelele întrețin legături de scurtă durată, iar femelele nu sunt puternic legate de alte femele prin legături de rudenie.

Gibon

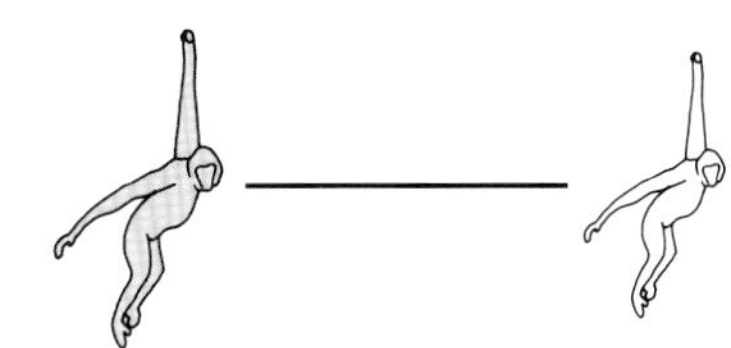

Gibonii trăiesc în grupuri familiale monogame, masculii și femelele împărțind majoritatea activităților, inclusiv apărarea teritoriului.

Om

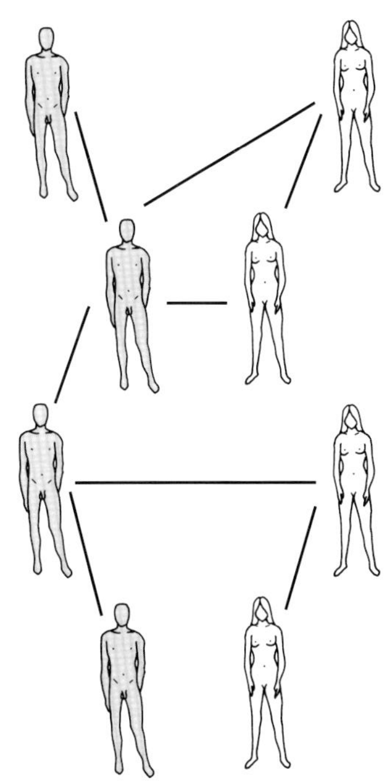

Comportamentul uman este divers și se suprapune cu multe din sistemele sociale ale maimuțelor antropoide: multe societăți umane se bazează pe monogamie, asemenea gibonilor, în vreme ce altele au poligamia drept comportament standard (ca și gorilele).

Gorilă

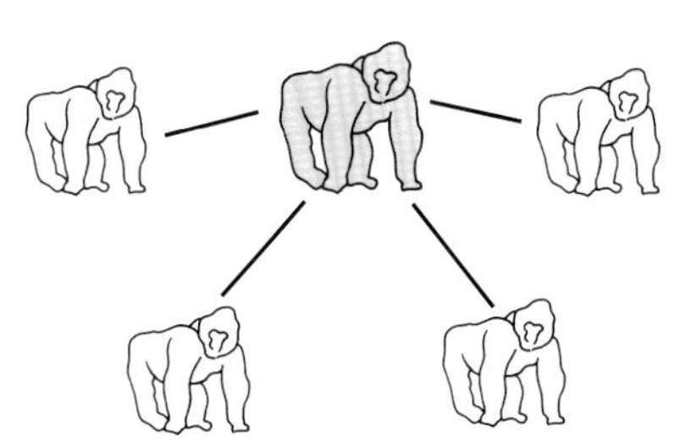

Gorilele practică poligamia, trăind în grupuri conduse de un mascul dominant. Câteva femele și puii lor sunt incluși în grup, iar urmașii masculi sunt tolerați până se maturizează suficient pentru a-l provoca pe masculul dominant.

Urangutan

Urangutanii duc o viață solitară. Există puține contacte între masculi și femele, fiecare mascul având un teritoriu, și se împerechează de obicei cu femelele din zonă.

Gibonii trăiesc în grupuri monogame formate din-tr-o pereche de adulți și puii lor. Acesta e de fapt un sistem social total neobișnuit la mamifere, fiind mai comun la păsări. Există doar o mică diferență de mărime între masculi și femele, deoarece masculii nu trebuie să se apere împotriva atacurilor altor masculi. În grupurile poligame cu un mascul și mai multe femele nu se întâmplă așa, fiindcă există întotdeauna alți masculi ce-și caută propriul harem și speculează orice slăbiciune a masculului dominant. În aceste cazuri mărimea e importantă și există o selecție puternică în ceea ce privește dimensiunea mare a trupului la masculi, pentru a se apăra pe ei și grupul lor de femele. Gorilele tră-

Structurile sociale diferite identificate la populațiile existente de maimuțe antropoide și oameni.

(Dreapta) Gibonii trăiesc în grupuri familiare monogame. Masculii și femelele sunt de aceeași mărime, deși la această specie aparte de gibon, Hylobates concolor, *femela are o culoare mai deschisă după adolescență.*

(Jos) Masculul dominant dintr-un grup de gorile se distinge prin spatele său argintiu. „Spatele argintiu" este considerabil mai mare decât la alte gorile din grup; odată ce alți masculi ajung la maturitate și încep să devină ei înșiși argintii, sunt alungați.

iesc în mici grupuri poligame, cu un mascul, mai multe femele și puii lor. Conducătorul mascul al grupului se distinge atât prin dimensiunea sa mare, uneori de două ori cât a femelelor, cât și prin părul de pe spate argintiu care sare în ochi. Puii masculi mai tineri cu spatele negru sunt tolerați până când păstrează culoarea neagră, dar imediat ce încep să devină argintii sunt alungați din grup.

Cimpanzeii au cel mai complex sistem social dintre toate cele întâlnite la maimuțele antropoide de azi. Cimpanzeii obișnuiți trăiesc în grupuri relativ unite, în care indivizii se adună în subgrupuri sau chiar se mută o vreme, în funcție de resursele de hrană sau de pericolele din zonă, ca animalele de pradă sau alți cimpanzei. Toți membrii grupului se cunosc între ei, iar uneori se pot strânge laolaltă. Nucleul societății de cimpanzei îl constituie grupurile de masculi, foarte adesea indivizi strâns înrudiți, ce au crescut împreună. Femelele pleacă din grupurile în care s-au născut și nu întrețin relații strânse cu alți indivizi, cu excepția propriilor lor pui și a momentului în care sunt receptive din punct de vedere sexual. Acesta este un sistem social foarte flexibil și pare să ofere o capacitate mai mare de a trăi în condiții de mediu mai puțin favorabile, asigurându-le o mobilitate mai mare, iar ei păstrează legătura printr-un repertoriu variat și bogat de strigăte. Regimul lor alimentar frugivor, ca la toate primatele ce mănâncă fructe, le dezvoltă o memorie bună și capacitatea de a transfera cunoștințele despre locurile cu hrană bogată puilor lor, deoarece fructele se pot afla la mare distanță în teritoriile lor, și diferiți copaci pot produce fructe în diverse perioade ale anului. În această privință, ei întâmpină aceleași probleme ca toate frugivorele, dar cimpanzeii pot trăi în

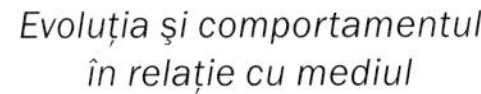

medii cu climat sezonier (cum este cel subecuatorial), unde aceste probleme sunt foarte pregnante.

Maimuțele bonobo par să ilustreze o flexibilitate sporită în utilizarea resurselor de hrană, consumând o varietate mai mare de hrană erbacee, iar acest lucru se poate raporta la diferențele din sistemul lor social prin comparație cu cimpanzeii. Femelele întrețin relații mai strânse în societățile de bonobo în comparație cu masculii, grupurile sunt mai mari, atât grupul permanent, cât şi grupurile temporare ce caută hrană, iar ultimele includ ambele sexe şi toate categoriile de vârstă.

(Stânga) Societatea de maimuțe bonobo este dominată de femele. Grupurile sunt egalitare şi ilustrează un grad mare de flexibilitate.

(Jos) Cimpanzeii au sisteme sociale foarte complexe, masculii fiind dominanți şi formând nucleul societății. Cimpanzeii cooperează bine în medii mai puțin favorabile, iar acest lucru se datorează parțial structurii lor flexibile de grup. Mai sunt capabili de a-şi suplimenta regimul lor frugivor cu alte surse de hrană şi au învățat cum să facă şi să folosească uneltele pentru a se hrăni – în acest caz (stânga), cimpanzeul caută termite într-un muşuroi, folosind un băț în acest scop.

Urangutanii duc o viață solitară, deși există o competiție acerbă între masculi pentru femele.

Această societate dominată de femele este unică la primate și rară la mamifere. Societatea umană pare să derive nu dintr-o societate asemănătoare maimuțelor bonobo, ci de la un strămoș asemănător cimpanzeului, dominat de masculi.

Urangutanii duc o viață solitară, deplasându-se și hrănindu-se pe cont propriu, dar aparțin unei populații de indivizi care se cunosc între ei, în care masculii se luptă pentru femele. Aceasta a dus la diferențe mari de dimensiune între masculi și femele, chiar mai mari decât la gorile, masculii având o greutate de două ori mai mare decât a femelelor.

E simplu să înțelegem interacțiunile dintre mediu și comportamentul maimuțelor antropoide de azi. Dar la maimuțele antropoide fosile? Pentru a răspunde acestei întrebări, vom arunca o privire asupra a trei stadii ale evoluției maimuțelor antropoide și a oamenilor, în privința cărora avem cele mai concludente dovezi. Oricum, nu corespund lucrurilor ce se știu despre maimuțele antropoide contemporane, și foarte mare parte din incertitudinile legate de evoluție sunt rezultatul mărturiilor fosile puține, neuniforme și fragmentare.

Maimuțele antropoide din Miocenul Inferior

Proconsul a trăit în Africa în timpul Miocenului Inferior, între acum 20 până la 18 mil. de ani. Se hrănea cu fructe moi găsite în pădurile tropicale și era o maimuță antropoidă cvadrupedă, arboricolă. Au existat cel puțin patru specii de *Proconsul* și, având același mod principal de viață, făceau lucruri diferite. În plus, erau maimuțe antropoide strâns înrudite, cu adaptări mai curând diferite. Cele două specii de pe insula Rusinga, de exemplu, aveau un mediu variabil și se găsesc în asociere atât cu medii forestiere închise, cât și cu zone cu copaci mai rari. Membrele lor erau mai robuste și ar fi fost mai puțin agile în copaci decât speciile din Songhor și Koru, două situri de aceeași vârstă de la cca 48 de kilometri de *Rusinga*, unde erau numai păduri tropicale. Speciile de *Proconsul* din Songhor și Koru trăiau în copaci și mâncau hrană similară de fructe, însă deosebirile dintre oasele mâinilor și ale picioarelor ilustrau că maimuțele antropoide din Songhor și Koru erau mai agile și profitau de condițiile de mediu în moduri ușor diferite. Existau și specii folivore de *Rangwapithecus* prezente în aceste medii mult mai bogate și câteva specii de primate mai mici.

Se cunosc puține lucruri despre interacțiunile sociale ale lui *Proconsul*. Niciuna dintre specii nu etalează diferențe de mărime între masculi și femele, și probabil trăiau în grupuri cu mulți masculi, așa cum se întâmplă cu multe maimuțe obișnuite de azi. Astăzi, grupurile de maimuțe obișnuite pot fi adesea mari, având 100 sau mai mulți indivizi, iar uneori grupurile includ una sau mai multe specii. Diferențele dintre masculii și femelele din speciile ce trăiesc în păduri sunt asemănătoare cu cele observate la speciile *Proconsul*. Niciuna din maimuțele antropoide de azi nu are un sistem social de acest gen, iar sub aspect anatomic, speciile lui *Proconsul* erau mai mult similare cu maimuțele obișnuite decât cu cele antropoide și e posibil ca și comportamentul lor să fi fost tipic maimuțelor obișnuite. Concluzia despre maimuțele antropoide din Miocenul Inferior și mai ales despre *Proconsul* este în mare parte cea pe care ar aștepta-o cineva de la orice strămoș al maimuței antropoide. Trăia în copaci și mânca fructe. Speciile înrudite consumau mai multe frunze. Diferențele minore dintre diversele specii nu sunt mai semnificative decât cele găsite la specii strâns înrudite de azi.

Maimuțele antropoide din Miocenul Superior

În Miocenul Superior, în urmă cu 10 până la 9 milioane de ani, maimuțele antropoide fosile erau foarte diferite. Existau cel puțin două linii separate de descendență a maimuței antropoide fosile, adaptate la stiluri foarte diverse de viață în medii diferite. Acestea sunt reprezentate de *Ankarapithecus* pe de o parte și *Dryopithecus* pe de altă parte. Un număr de caractere ale dinților și ale craniului arată că *Ankarapithecus meteai* prezenta adaptări pentru mestecarea hranei ce diferă de *Proconsul*. Acestea se referă la molari, dimensiunile maxilarelor și dezvoltarea mușchilor folosiți pentru masticație. Dinții săi aveau un strat de smalț gros, a cărui funcție era legată de mestecarea hranei dure, întărind molarul pentru presiunile impuse de spargerea fructelor dure ca nucile și fructele și semințele lemnoase. Oamenii au smalț gros, dar maimuțele antropoide de azi nu. Dinții lui *Ankarapithecus* erau și ei foarte mari, având un strat de smalț gros care mărește suprafața de lucru a dinților. Același lucru a fost observat la alți strămoși cu smalțul gros ai maimuțelor antropoide fosile și ai oamenilor, de exemplu, *Sivapithecus* și australopitecii, dar nu a fost observat la nicio altă maimuță antropoidă.

Dinții canini proeminenți din regiunea frontală a maxilarelor pot restrânge mișcarea acestora în timpul masticației, iar acest lucru poate restrânge capacitatea de procesare a hranei a speciei cu această trăsătură. *Ankarapithecus* are canini relativ mici, despre care s-a crezut odată că sunt o trăsătură-cheie în evoluția umană, dar aceștia sunt cunoscuți acum la mai multe grupuri de maimuțe antropoide fosile, de exemplu la *Graecopithecus* (cunoscut altfel ca *Ouranopithecus*).

Ankarapithecus e considerat aici ca fiind reprezentativ pentru întregul grup de maimuțe antropoide fosile care prezentau adaptări similare. Acolo unde dovezile fosile sunt disponibile, membrii acestui grup etalează toți un oarecare grad de adaptare la viața terestră. Erau fără îndoială maimuțe antropoide cvadrupede, adaptate atât la mișcarea prin și pe copaci, cât și pe pământ. S-ar fi simțit chiar în mediul lor în copaci, dar forma lor primară de locomoție pe distanțe lungi era probabil terestră.

O altă caracteristică pe care toate aceste maimuțe antropoide fosile o aveau în comun era că trăiau în locuri unde climatele erau fie non-tropicale, fie sezoniere. Multe din ele se găsesc doar în Europa și Asia, de exemplu *Graecopithecus* și *Sivapithecus* din Grecia și Pakistan, ambele foarte bine reprezentate astăzi prin fosile în afara zonelor tropicale. Oricum, în trecut, aceste zone aveau climate subtropicale și ar fi existat păduri subtropicale și ținuturi păduroase acolo unde au trăit maimuțele antropoide fosile, tot așa cum există maimuțe antropoide ce trăiesc în pădurile tropicale și subtropicale musonice din India, Birmania și sud-vestul Chinei. Climatele tropicale și subtropicale musonice sunt sezoniere, cu căderi masive de ploi în timpul lunilor de vară și cu un anotimp lung uscat după aceea. Aceste climate pot fi foarte productive, fiindcă atunci când ploaia cade în timpul verii există foarte multă apă disponibilă în cursul sezonului ploios, dar datorită sezonului secetos în care cantitățile de ploaie erau relativ scăzute,

Această pădure rară de Acacia *e un exemplu al genului de mediu pe care l-au ocupat probabil maimuțele antropoide din Miocenul Superior și hominizii din Pliocen.*

pădurile ar fi fost mai puțin dense decât majoritatea pădurilor subtropicale și tropicale de astăzi. Această situație a fost cea care a necesitat probabil adaptările la viața terestră amintite mai sus, iar schimbările survenite la dinți și maxilare le-au permis acestor maimuțe antropoide fosile să supraviețuiască din hrana slabă calitativ în timpul anotimpurilor aride lungi, ce ar fi apărut în fiecare an.

Celălalt grup de maimuțe antropoide din Miocenul Superior aparține genurilor *Oreopithecus* și *Dryopithecus,* cu diferențe interesante față de primul grup. Dinții și maxilarele lor s-au schimbat puțin față de cele ale lui *Proconsul,* iar regimul lor alimentar nu poate fi distins prin metodele actuale. Susținerea simfizelor lor mandibulare (regiunea obrazului) era diferită, iar craniile lor erau și ele mai bine susținute. Pe de altă parte, oasele membrelor lor erau foarte diferite, fiind adaptate pentru suspendarea pe sub crengile copacilor, și ele ar fi coborât rar, dacă nu chiar niciodată, pe pământ. Adaptările picioarelor și ale brațelor sunt de fapt foarte asemănătoare cu cele ale urangutanului, cea mai arboricolă dintre marile maimuțe antropoide actuale. În majoritatea privințelor, *Dryopithecus* și *Oreopithecus* se asemănau, deși erau distincte din punct de vedere dentar și s-a mai sugerat că *Oreopithecus* ar fi fost adaptat și la viața terestră.

Mediul ocupat de *Dryopithecus* în sudul Europei era subtropical, ca acela al maimuțelor antropoide cu smalțul gros al dinților, dar climatul era mai umed și cuprindea probabil pădure subtropicală perenă. Prin asta se asemăna mai mult cu pădurile tropicale musonice din Birmania și regiunile mai umede din estul Indiei, unde gibonii încă supraviețuiesc. Speciile de *Dryopithecus* erau consumatoare de fructe și trăiau în totalitate în copaci și e probabil ca *Dryopithecus* să fi ocupat o poziție similară cu cea a gibonilor în mediul său din Miocen.

Primii strămoși ai omului

Cele două grupuri de maimuțe antropoide din Miocenul Superior nu par să fi fost strâns înrudite unele cu altele, dar împreună pregătesc apariția strămoșilor omului spre sfârșitul Miocenului și intrarea în Pliocen. Nu se știe exact când a avut loc acest eveniment, dar e plasat în perioada dintre 7-5 mil. de ani în urmă, chiar la sfârșitul Miocenului. Primii strămoși ai omului sunt de obicei recunoscuți prin adaptările lor la mersul biped.

În ultimii ani au fost descrise un număr de fosile ca fiind ale străbunilor oamenilor, însă dovezile pentru unele din acestea sunt ambigue, în principal datorită lipsei dovezilor mersului biped. *Orrorin* din nordul Kenyei pare să fie o specie cu smalțul gros, cu oase postcraniene precum cele ale maimuțelor antropoide din Miocenul Superior, dar nimic nu se cunoaște despre mediul de viață sau comportamentul său, iar dovezile pentru mersul biped sunt teoretice. Argumentele din fauna și sedimentele asociate cu această fosilă sugerează un ținut tropical împădurit. Se spune că *Ardipithecus ramidus* din Etiopia este un strămoș al omului, iar unele dovezi au fost publicate, ilustrând că ar fi fost biped, dar n-au fost încă publicate informații despre oasele picioarelor. O subspecie a fost descrisă, făcând-o cea mai veche după *Orrorin,* și, din fosilele asociate, se pare că mediul nu era de savană deschisă, ci era ținut păduros. Există res-

(Dreapta) Un grup familial de Dryopithecus *deplasându-se prin copacii unei păduri subtropicale mlăștinoase din sudul Europei.*

(Planul îndepărtat, dreapta) Un grup de Australopithecus afarensis. *Probabil au dus o viață cel puțin parțial arboricolă.*

turi de fosile de copaci, asociate cu *Ardipithecus*, iar animalele ce locuiau în copaci, ca maimuțele colobus, constituie cel mai obișnuit component al faunei. Fauna arată că habitatele deveneau mai uscate cu timpul și e probabil important că hominizii se răresc pe măsură ce habitatul devine mai rigid. *Kenyanthropus* din Kenya e asemănător ca vârstă cu prima specie de *Ardipithecus*, dar molarii prezintă un strat mai gros de smalț. Oricum, asemeni lui *Ardipithecus, Kenyanthropus* trăia într-un amestec de habitate bine irigate, dominat de păduri, dar și de zone deschise. În orice caz, ambele au dinți relativ mici, mai degrabă ca liniile de descendență ale lui *Dryopithecus* decât ca *Ankarapithecus/Sivapithecus. Australopithecus anamensis* din Kanapoi, Kenya, are părți ale oaselor membrelor ce ilustrează foarte clar că era biped, dar se plasează puțin mai târziu în timp decât *Ardipithecus.* Mai prezintă adaptările caracteristice descrise mai sus pentru maimuțele antropoide din Miocenul Superior: smalțul gros de pe dinții săi din spate, care sunt și ei măriți, maxilarele robuste și mușchii puternici destinați masticației. Lui *Ardipithecus* îi lipsesc toate aceste caracteristici și, de fapt, seamănă mult mai mult cu o maimuță antropoidă, dar nu cu una din maimuțele antropoide cu smalțul gros din Miocenul Superior, ci mai mult cu un cimpanzeu.

Australopitecii timpurii

Fosilele umane foarte timpurii sunt mai curând insuficiente, dar ceea ce avem sugerează cu tărie că australopitecii timpurii trăiau în habitate cu păduri și erau toți cel puțin parțial arboricoli în stilul de viață. Mai multe dovezi sunt disponibile pentru

forma ceva mai târzie, *A. afarensis*, cu o arie de răspândire mare, din sudul spre centrul și nord-estul Africii, din sedimente cu o vechime de 4-3 mil. de ani. În Laetoli (Tanzania) s-au găsit maxilare și dinți ce sunt similari eșantioanelor de la Kanapoi și, după cum s-a observat (p. 187), există urme de pași fosilizate, atribuite lui *A. afarensis*, ce ilustrează că această specie era bipedă. Oricum, există foarte multe controverse asupra formei exacte a acestor urme de pași, deoarece, în vreme ce unii savanți susțin că ele sunt complet moderne ca aspect, alții argumentează că degetul mare de la picior este parțial opozabil, ca la maimuțele antropoide. Fosilele din Hadar, Etiopia, sunt mai complete și includ scheletul cunoscut drept Lucy. De la aceasta și alte fosile se pare că, pe lângă faptul că e în totalitate biped, *A. afarensis* s-ar mai fi simțit în largul lui în copaci, fiindcă oasele degetelor de la mâini sunt lungi și curbate, astfel încât ar fi avut o capacitate puternică de înșfăcare pentru cățărat. Picioarele sale puteau fi utilizate probabil pentru apucarea crengilor, ca și brațele. Bineînțeles, acesta e lucrul care le face atât de agile în copaci pe maimuțele obișnuite și pe cele antropoide, fiindcă se pot ține de crengi atât cu brațele, cât și cu picioarele. Aceste interpretări, dacă sunt corecte, sugerează că acești oameni timpurii puteau trăi și la sol, unde mergeau în două picioare, dar și în copaci. Mediul lor din depresiunea Afar era un amestec de ținuturi umede cu zone împădurite ce alternau cu ținuturi deshise, pe când la Laetoli mediul era probabil mai uscat, fără apă permanentă, iar vegetația dominantă era pajiștea presărată cu pâlcuri de copaci.

Australopitecii mai târzii

Australopitecii mai târzii din Africa de Est și de Sud s-au adaptat la mediile mai deschise. Procesul poate fi observat la Olduvai, unde mediul reconstituit pentru Stratul I Mijlociu era pădurea, iar până la Stratul I Superior mediul devenise mult mai uscat. S-a elaborat o teorie complicată, menită a arăta că evoluția mersului biped însuși a fost legată de mutarea în medii de savană. Devenind bipezi, spune teoria, oamenii și-au îndepărtat corpul de fierbințeala pământului. De fapt, nu există dovezi pentru o asemenea schimbare de mediu în timpul stadiilor timpurii ale evoluției umane. Maimuțele antropoide fosile din Miocenul Superior și strămoșii plioceni ai omului trăiau cam în același tip de mediu, ținuturi împădurite ce aveau și unele spații deschise, mâncau hrană asemănătoare, constând mai ales din fructe, și se deplasau atât în copaci, cât și pe pământ în proporții similare, cu excepția unor specii de maimuțe antropoide ce au devenit bipede, iar altele au continuat pe toate patru picioarele. Există răspunsuri posibile la toate aceste probleme, dar nu privesc adaptarea la mediu, ci mai curând dezvoltarea socială și folosirea uneltelor. Acest subiect e dezbătut în continuare.

Uneltele și comportamentul uman: primele dovezi

(Pagina alăturată, jos) Situl deschis de la Bilzingsleben din estul Germaniei a fost locuit de oameni (probabil Homo heidelbergensis*), cam în urmă cu 400.000 de ani, în jurul unui izvor străvechi. Oase de mamifere mari ca elefantul și rinocerii au urme de tranșare și s-a suținut că aranjamentele din pietre erau făcute de oameni, înfățișând probabil conturul unor colibe.*

(Jos) Cele mai vechi unelte de piatră seamănă mult cu niște pietre banale (dreapta, jos). Acestea erau făcute prin detașarea uneia sau a mai multor așchii dintr-un bolovan de piatră. Ele sunt considerate mai degrabă unelte decât produse naturale, datorită faptului că au fost transportate pe distanțe lungi, cât și datorită contextului (uneori sunt găsite printre oase animale tăiate sau zdrobite).

Savantul Jacob Bronowski spunea că majoritatea animalelor lasă urme fizice când mor, și numai oamenii lasă ceea ce au creat mințile lor. Vreme de mai bine de 2 milioane de ani, oamenii au lăsat astfel de urme sub forma uneltelor de piatră și putem presupune că acestea erau doar o parte din ceea ce oamenii timpurii au făcut și au utilizat. Multe materiale, ca lemnul, bambusul și pieile de animale nu sunt la fel de durabile ca piatra sau osul, și se conservă doar în condiții speciale. Astfel, cele mai multe dovezi ale creativității umane din trecut au fost pierdute și este foarte posibil ca și înainte de crearea inițială a uneltelor de piatră să fi existat o fază de producere a uneltelor pe care n-o putem identifica, ce implica folosirea frunzelor, a lemnului și a oaselor. Raymond Dart credea că australopitecii au creat o cultură „osteodontokeratică" (din oase, dinți și coarne), însă dovezile pe care le-a invocat din siturile din Africa de Sud nu sunt acceptate acum. Totuși, cele mai apropiate rudenii ale noastre, cimpanzeii, au fost observate făcând unelte din tulpini de iarbă sau bețe pentru prinderea termitelor și, mai recent, au fost observate în Guineea folosind pietrele pentru a procesa mâncarea, închizând mai departe golul de comportament dintre ei și noi. Recent, s-a sugerat că unii hominizi timpurii, ca australopitecii robuști, ar fi putut avea un comportament similar.

Primele unelte de piatră

Primele unelte de piatră cunoscute, adesea făcute din rocă vulcanică, au fost scoase la suprafață din siturile est-africane, datând de cca 2,5 milioane de ani. Au fost atribuite culturii „Oldowan", după defileul Olduvai, unde au fost identificate prima oară. Uneltele în discuție erau foarte simple: bolovanii rotunzi de râu sau silex erau strânși și apoi erau desprinse câteva așchii de pe ei prin folosirea altei pietre. Uneori se folosea nucleul dur pentru zdrobire, iar în alte cazuri așchiile erau folosite ca simple cuțite. Nu există în general nicio modalitate de a determina scopul pentru care erau făcute uneltele, dar în unele situații au fost găsite în asociere cu oase de animale care poartă urme de tăiere, astfel că putem presupune că erau implicate în tranșarea hoiturilor. Unele pietre nemodificate par să fi fost utilizate pentru spargerea oaselor, probabil pentru a extrage măduva plină de substanțe nutritive. Dar în multe alte cazuri, aceste unelte ar fi putut fi folosite pentru prelucrarea mâncărurilor vegetale, de exemplu, săparea și fărâmițarea tuberculilor, felierea tulpinilor și desfacerea nucilor și a semințelor. Poate că existau recipiente din piele de animal sau lemn făcute pentru a purta hrană sau apă, dar nu dispunem de dovezi.

Se presupune că oamenii timpurii din specia *Homo habilis* sau *Homo rudolfensis* au făurit primele unelte cunoscute, chiar dacă resturile lor fosile nu au fost găsite în directă asociere cu uneltele. În orice caz, e cu siguranță posibil ca australopitecii ca *A. garhi* să fi creat și folosit și ei unelte, iar asta ar putea cuprinde speciile robuste din Africa de Sud și de Est, care au coexistat cu primii oameni în situri ca Olduvai sau Koobi Fora. Uneltele primitive au continuitate în mărturiile arheologice ale Africii de Est pentru aproape un milion de ani, însă unelte variate apar acolo cu cca 1,5 milioane de ani în urmă.

Apariția topoarelor din piatră

Aceste unelte sunt numite toporașe de mână din piatră sau de tip „acheulean", după situl francez St. Acheul, unde au fost găsite în număr foarte mare. Ele par să fi fost create prima dată de speciile *Homo ergaster* sau *Homo erectus,* dar mai târziu au fost făcute de *Homo heidelbergensis*, în situri ca Boxgrove, și de strămoșii neanderthalienilor din Europa și *Homo sapiens* din Africa. Uneltele sunt de obicei de forma migdalei sau a unei lacrimi, dar

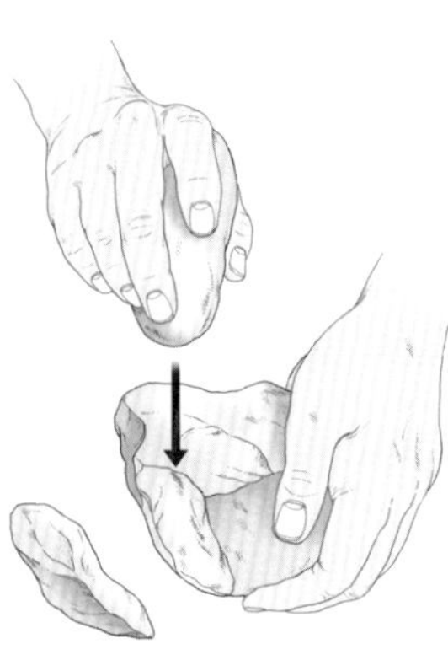

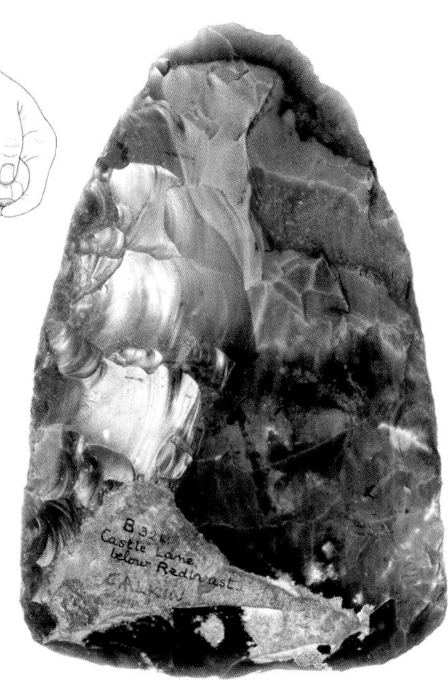

Topoarele de mână din piatră de tip acheulean apar prima dată în Africa, cu aproximativ 1,5 milioane de ani în urmă, și s-au răspândit ulterior în Europa și vestul Asiei. Unele sunt făcute prin „ciocănire" cu alte pietre, altele cu ciocane „moi" din os sau corn de cerb (sus). Aceste exemple (stânga) provin din situri din Africa. Topoarele de mână din piatră (dreapta) erau încă produse de neanderthalieni cu 50.000 de ani în urmă.

uneori erau sparte pe lungime, pentru a obține o daltă. În Africa ele erau adesea produse din rocă vulcanică, pe când în alte zone erau create din pietre locale, ca șistul silicos sau cremenele. În mod curios, toporașele de mână din piatră nu sunt specifice oamenilor timpurii din Orientul Îndepărtat și au existat foarte multe speculații despre motivul acestui lucru. Să fi fost oare pentru că modelul topoarelor de mână de piatră nu a ajuns niciodată în regiune, au fost ele o „modă" care n-a prins niciodată, sau străvechii asiatici foloseau alte unelte în schimb? Unii savanți cred că uneltele făcute din bambus perisabil au înlocuit toporul de mână din piatră din Asia Estică.

Dar toporașul de mână din piatră era cu siguranță important pentru *Homo erectus* și urmașii săi din jumătatea vestică a lumii populate. Forma sa abia dacă s-a schimbat într-un milion de ani, iar aspectul său distinct poate fi recunoscut din sudul Africii până în Israel și din Anglia până în India. Numele său vine de la faptul că era ținut în mână – încă nu se inventase „coada" pentru topor. Oamenii care au făcut topoarele de piatră aveau în mod clar un anumit scop în minte și au mers adesea dincolo de o formă pur utilitară în grija cu care le produceau.

(Jos) Acum 500.000 ani exista o clară diferență tehnologică între Extremul Orient și restul lumii locuite. Arheologul Hallam Movius a dat numele său unei linii ce marca limita estică a topoarelor. Dacă această linie este un demarcator cultural adevărat, indică el izolarea oamenilor est-asiatici sau faptul că existau diverse adaptări umane la medii diferite?

Uneltele și comportamentul uman: Paleoliticul Mijlociu

(Jos) O trăsătură caracteristică multor industrii litice din Paleoliticul Mijlociu (Modul 3) este folosirea nucleului de desprindere sau a tehnicii Levallois, unde „meșterul" schița forma lamei dorite, în pregătirile inițiale, și putea apoi să o desprindă în forma sa predeterminată dintr-o singură lovitură.

Epoca veche a Pietrei sau „Paleoliticul" (cca 2,5 milioane până la 12.000 de ani în urmă) e adesea împărțită în trei etape, deși aceste etape cu bază europeană au o valoare incertă în altă parte. Paleoliticul Inferior (cu cca 2,5 milioane până la 300.000 de ani în urmă) este prima perioadă a creării uneltelor de piatră, de la primele uneltele „de prund", la culturile topoarelor de mână din piatră. Următoarea etapă, Paleoliticul Mijlociu (cu cca 300.000 până la 40.000 de ani în urmă) acoperă industriile uneltelor de piatră făcute de neanderthalieni din Europa și din vestul Asiei și cele create de primii oameni moderni din Africa și vestul Asiei. Ultima etapă, Paleoliticul Superior (cu cca 40.000 până la 10.000 de ani în urmă), este avută în vedere în capitolul următor. Un criteriu asemănător de clasificare, bazat pe modurile de producție, distinge cultura „uneltelor de prund" ca Modul 1, industriile topoarelor de mână din piatră ca Modul 2, tehnica Levallois ca Modul 3, tehnologia din Paleoliticul Superior ca Modul 4 și microlitele (unelte foarte mici, adesea montate pe niște mânere) ca Modul 5.

Tehnica Levallois

În urmă cu aproape 300.000 de ani, la începutul Paleoliticului Mijlociu, a fost inventată o metodă numită tehnica Levallois (botezată după situl francez în care a fost prima dată identificată). Această tehnică îi permitea făuritorului uneltelor de piatră să schițeze forma ultimă a așchiei (lamei), ce putea fi apoi desprinsă de nucleul litic cu o singură lovitură și permitea un control mult mai mare asupra producerii uneltelor. Metoda Levallois a fost cea mai importantă inovație a Paleoliticului Mijlociu, deși de la bun început a fost folosită pentru a crea topoare de piatră cu iz tradițional. Mai târziu a fost utilizată într-o varietate de „industrii" locale de piatră în Europa, Asia și Africa.

Uneltele și comportamentul oamenilor de Neanderthal

În Europa, cultura neanderthalienilor din Paleoliticul Mijlociu mai este cunoscută drept cultura „Musteriană", după numele francez al peșterii Le Moustier, unul din primele situri unde a fost identificată. Neanderthalienii făceau diferite tipuri de unelte din așchii, pe care le numim „răzuitoare" „lame", „cuțite" și „vârfuri", deși nu putem fi siguri de modul în care erau folosite. În cazuri rare, părți din sulițe de lemn au fost conservate în siturile neanderthaliene, iar la Lehringen, în Germania, capătul unei sulițe de lemn a fost găsit într-un schelet de elefant. Neanderthalienii au mai fixat probabil vârfuri de piatră pe mânere de lemn, spre a face sulițe. Presupunem că au creat și alte obiecte din lemn și se îmbrăcau probabil în piei de animale. În orice caz, ei par să fi folosit puțin osul, coarnele de cerb sau fildeșul, chiar dacă aceste materiale se găseau peste tot în jurul lor. Asta se întâmpla fiindcă aceste materiale sunt mult mai greu de prelucrat decât piatra sau lemnul.

Neanderthalienii nu par să fi produs artă, deși pigmenți naturali ca oxidul de fier numit ocru roșu sau hematitul se găsesc uneori în siturile lor, sugerând că acestea ar fi fost utilizate pentru colorarea obiectelor sau la pictarea propriilor corpuri. Mai sunt niște exemple de zgârieturi făcute de om pe oase ori pietre, dar presupunerile recente că o bucată de os dintr-un sit din Slovenia era un fluier neanderthalian au fost combătute de studiile ce sugerează că osul în cauză a fost străpuns de urșii ce l-au mestecat.

Oricum, în ciuda opiniilor contrare, se pare că

(Dreapta) Oamenii de Neanderthal au făcut multe tipuri de unelte din piatră, iar varietatea acestora poate reprezenta fie realizarea unor activități diferite, fie tradiții diferite. Uneltele ilustrate aici sunt răzuitoare (sus și stânga) și vârf (dreapta), dar există puține dovezi directe cu privire la funcția lor reală.

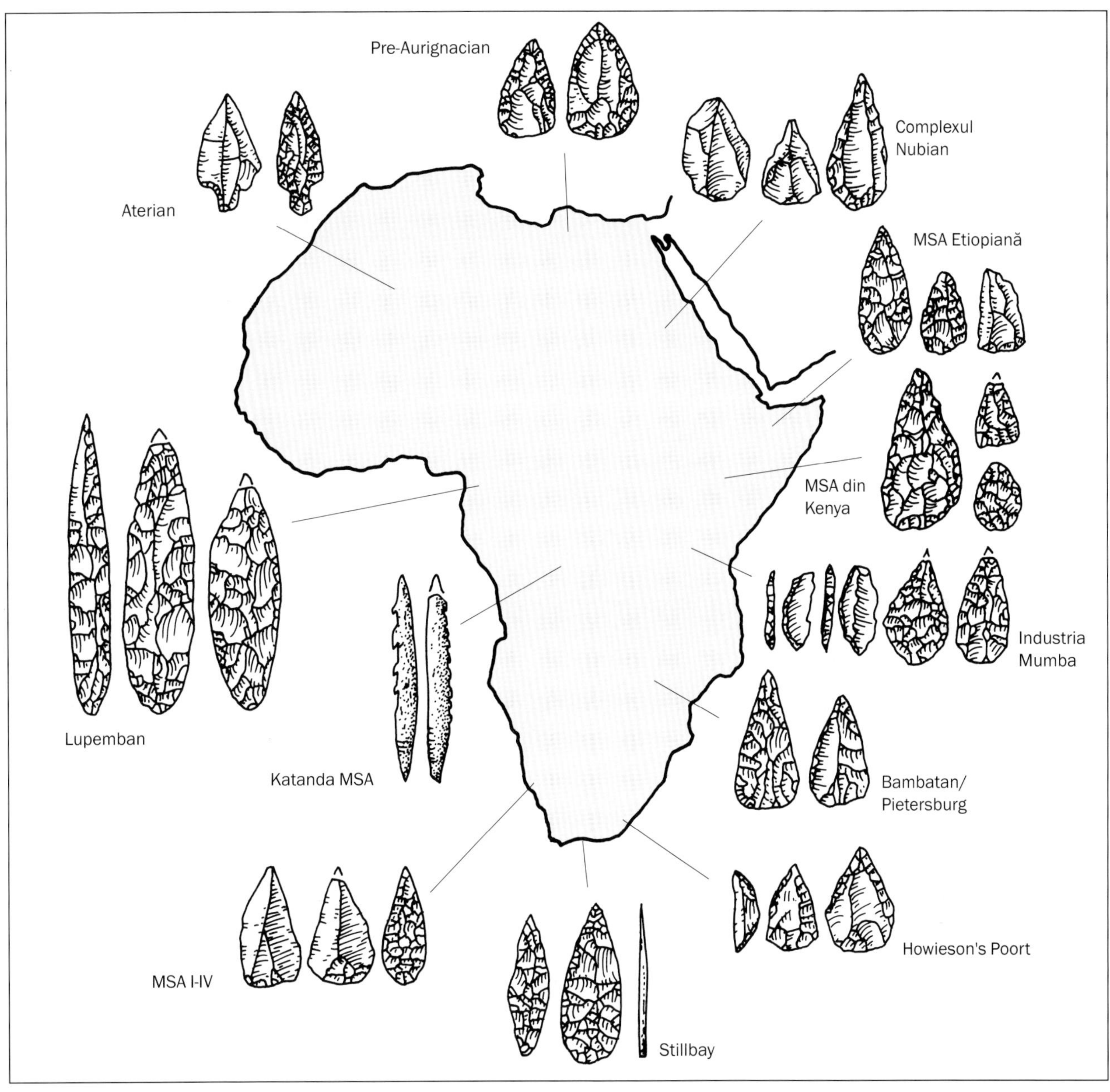

neanderthalienii își îngropau într-adevăr morții.

Epoca mijlocie a Pietrei din Africa

În Africa, Paleoliticul Mijlociu e cunoscut și ca „Epoca mijlocie a Pietrei", prescurtată MSA (Middle Stone Age). În nord, uneltele de piatră erau adesea similare celor făcute de neanderthalieni, dar altundeva exista mai multă varietate. „Sangoan-ul" din Africa Centrală a fost caracterizat prin unelte mari ca târnăcoapele, despre care s-a sugerat că s-ar fi putut utiliza pentru doborârea copacilor, pe când în sud, o cultură numită „Howieson's Poort" era dominată de producerea unor lame subțiri și lungi sau unelte ascuțite, precum cele găsite în perioada mult mai târzie a Paleoliticului Superior din Europa. Există și dovezi ale folosirii mai frecvente a ocrului roșu și ale prelucrării osului în siturile MSA sud-africane, pe care unii arheologi le interpretează ca un semn al complexității sporite a comportamentului. Totuși, primii oameni moderni cunoscuți plecați din Africa, cei descoperiți în siturile din Orientul Mijlociu de la Skhul și Qafzeh, cam cu 100.000 de ani în urmă, erau asemănători neanderthalienilor în privința tehnologiei lor. Există doar indicii ale unei mai mari complexități comportamentale în ritualurile funerare, de exemplu un bărbat din Skhul a fost înmormântat cu maxilarul unui porc în brațe, iar un copil din Qafzeh a fost îngropat cu un craniu al unui cerb cu coarne.

Culturile din MSA ilustrează o mult mai mare variație decât culturile echivalente din Europa sau Asia. Această hartă arată câteva din aceste variante de pe tot continentul african. Unele culturi din Epoca mijlocie a Pietrei au păstrat topoarele de piatră, pe când altele ilustrau trăsături avansate, ca uneltele compozite sau prelucrarea osului.

Uneltele şi comportamentul uman: Paleoliticul Superior

(Jos) Tehnologia lamelor a fost comparată cu faimosul briceag elveţian pentru multiplele sale utilizări şi adaptabilitatea lui. Aşchiile subţiri din piatră erau prima dată desprinse de miezurile atent pregătite. Aceste aşchii putea fi modificate apoi spre a crea o gamă de unelte specializate pe tăiere, străpungere sau gravare. Unele din acestea, în schimb, au fost apoi folosite pentru a prelucra lemn, os etc.

Cu cca 400.000 de ani în urmă a existat o schimbare în tehnica de producere a uneltelor din Africa şi Orientul Mijlociu. În timp ce procedura obişnuită din Paleoliticul Inferior şi Mijlociu era de a reduce o bucată de piatră la doar o singură unealtă sau mai multe, noua metodă permitea crearea sistematică a mai multor aşchii lungi subţiri dintr-un sigur bloc iniţial de piatră. Aşchiile erau adesea prelucrate cu ajutorul unui „perforator" ascuţit, făcut din os sau corn de cerb. Ele erau apoi prelucrate mai departe spre a fi transformate în „cuţite", „răzuitoare", „dalte" „sfredele" etc. Menţionăm că ceea ce este numit „Paleolitic Superior" în Europa şi vestul Asiei este numit „Epoca târzie a Pietrei" în Africa (LSA - Later Stone Age).

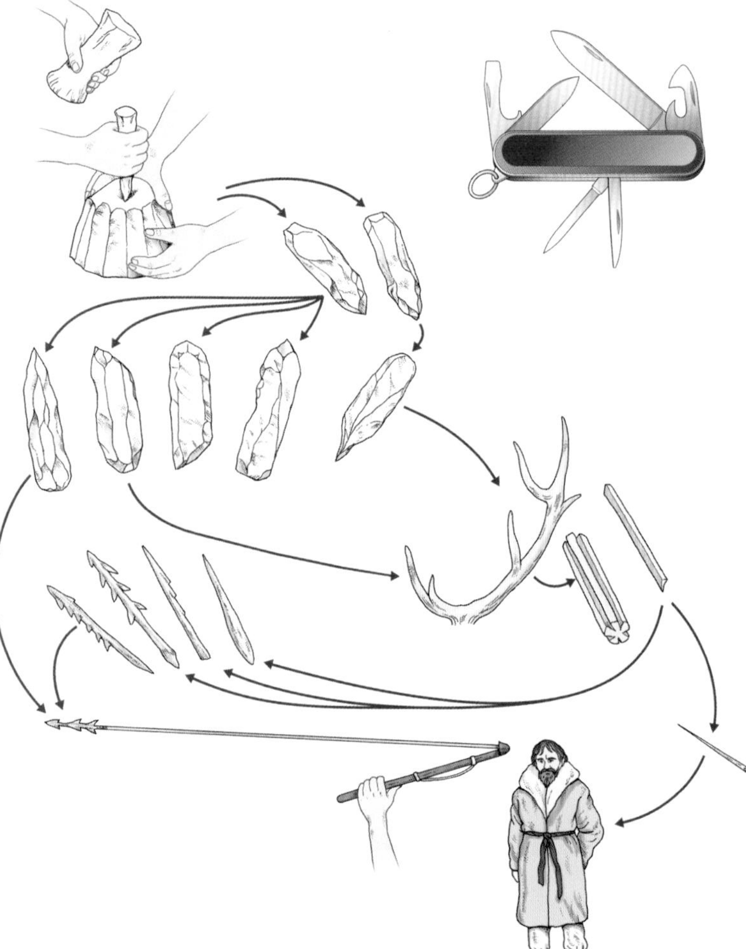

(Dreapta) Situl Předmostí din Cehia a scos la iveală un eşantion mare de schelete umane, dar şi o gamă remarcabilă de unelte din piatră, os şi fildeş ale culturii gravettiene. Majoritatea acestor materiale au fost din păcate distruse în timpul celui de-al Doilea Război Mondial şi supravieţuiesc doar în fotografii. Acestea sunt câteva din uneltele şi armele găsite acolo, dintre care unele au o funcţie necunoscută. „Mânerul" din os (jos, dreapta) este considerat a proveni de la un topor cu „cap" de piatră.

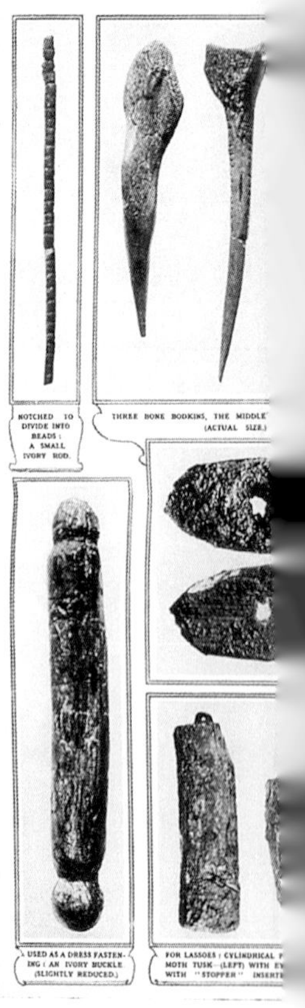

(Jos) Acest „baston" din corn de cerb a fost scos la suprafaţă din Peştera lui Gough, din Anglia. Forma spiralată a găurii susţine ideea că „bastoanele" puteau fi de fapt utilizate ca scripeţi.

Arta şi uneltele noi

Pe lângă lamele de piatră care erau predominante, s-a înregistrat şi o intensificare a prelucrării osului, a coarnelor de cerb şi a fildeşului, precum şi dovezi ale prelucrării argilei, a frânghiilor şi chiar a împletiturilor de nuiele. Uneltele compozite făcute din mai multe părţi au devenit mai obişnuite, cum ar fi harpoanele cu capete detaşabile, iar

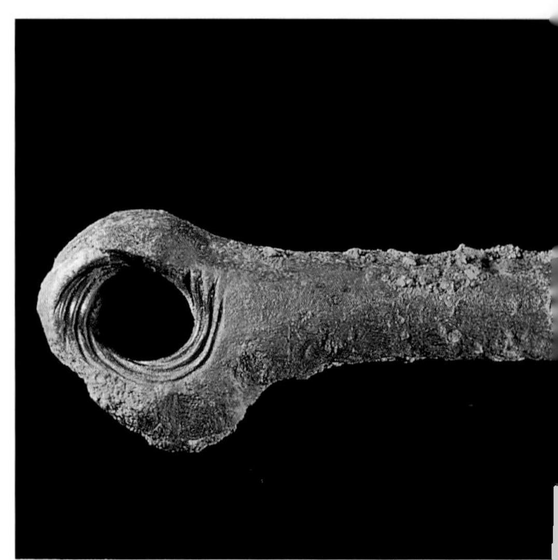

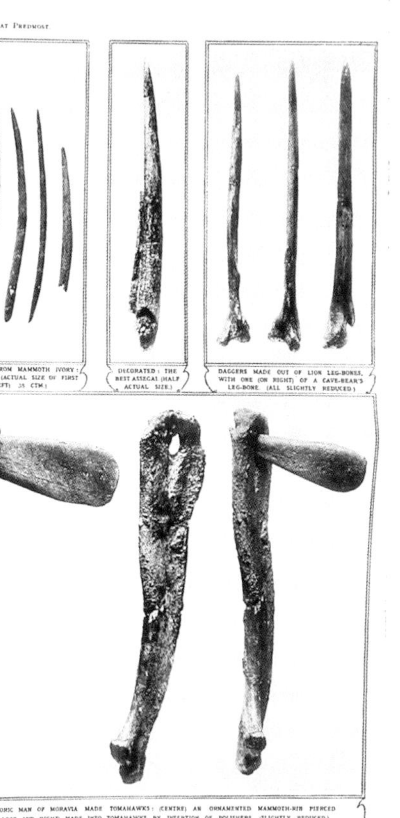

…OGRAPHS BY PROFESSOR D. K. ABSOLON, OF PRAGUE UNIVERSITY, CURATOR OF THE BRNO (BRÜNN) MUSEUM, AND IN CHARGE OF THE PREHISTORIC REMAINS AT PREDMOST.

PREHISTORIC TEXTILE ART: THREE BODKINS OF IVORY. (SLIGHTLY REDUCED.)

USED BY MORAVIAN WOMEN OVER 20,000 YEARS AGO: BONE NEEDLES. (ACTUAL SIZE.)

A LARGE AND WELL-PRESERVED NEEDLE OF REINDEER-HORN; AND THREE SMALLER ONES (SLIGHTLY REDUCED).

ASSEGAIS CARVED FROM MAMMOTH IVORY: VARIOUS SPECIMENS. (ACTUAL SIZE OF FIRST ONE (ON LEFT) 35 CTM.)

DECORATED: THE BEST ASSEGAI. (HALF ACTUAL SIZE.)

DAGGERS MADE OUT OF LION LEG-BONES, WITH ONE (ON RIGHT) OF A CAVE-BEAR'S LEG-BONE. (ALL SLIGHTLY REDUCED.)

IMPORTANT AS EVIDENCE THAT MORAVIAN MAN OF OVER 20,000 YEARS AGO WORE CLOTHES: BOTH SIDES OF A SPECTACLES-LIKE BUCKLE FOR FASTENING SKIN GARMENTS. (ACTUAL SIZE.)

A PREHISTORIC KNIFE: (ABOVE) RECONSTRUCTED, WITH A FLINT INSERTED AS A BLADE; (BELOW) THE BONE HANDLE AS IT WAS FOUND. (SLIGHTLY REDUCED.)

A STAFF OF AUTHORITY? A REINDEER HORN (REDUCED); AND A BARB OF MAMMOTH IVORY. (ACTUAL SIZE.)

HOW THE PREHISTORIC MAN OF MORAVIA MADE TOMAHAWKS: (CENTRE) AN ORNAMENTED MAMMOTH-RIB PIERCED WITH A HOLE; (LEFT AND RIGHT) MADE INTO TOMAHAWKS BY INSERTION OF POLISHERS. (SLIGHTLY REDUCED.)

(Jos, stânga) Oamenii moderni se caracterizează prin folosirea simbolismului și a artei, iar acest lucru a fost cu siguranță specific Paleoliticului Superior din Europa. Dar când și unde a început un asemenea comportament? Situl peșterii Blombos din Africa de Sud a scos la iveală dovezi vechi de 75.000 de ani ale folosirii oxidului de fier ca pigment, sub forma ocrului roșu. Era utilizat probabil pentru decorarea corpului, iar în această imagine, o bucată de ocru roșu prezintă urme de gravare, posibil simbolice.

(Jos) Harpoanele din Paleoliticul Superior și Epoca târzie a Pietrei (LSA în Africa) erau frumoase, dar și foarte funcționale. Cârligele trebuie să se fi înfipt adânc în pradă.

aruncătoarele de sulițe erau folosite pentru a mări distanța de aruncare a sulițelor. În siturile arheologice din această perioadă apar obiecte de podoabă, cum ar fi colierele de scoici din Australia, mărgelele din găoace de ou de struț din Africa și pandantivele de fildeș din Europa. Mai există și dovezi mult mai consistente ale folosirii pigmenților, uneori pe obiecte, alteori pe pereții peșterilor, iar în alte cazuri pe corpurile îngropate. Această „explozie creativă" e privită de mulți arheologi ca marcând apariția clară a minților cu adevărat moderne, deși trebuie să ne aducem aminte că nu toate părțile lumii ilustrează întregul evantai de trăsături ale Paleoliticului Superior în același timp – de exemplu, cu toate că arta, pictarea corpului, prelucrarea osului și înmormântările complexe sunt cu-

noscute în Australia acum 30.000 de ani, uneltele complexe de tip european și african lipsesc.

Viața economică și socială

În timpul Paleoliticului Superior, taberele au devenit în general mai mari și mai stabile, iar locuințele deveneau mai complexe, incluzând corturi din piele și chiar locuințe făcute din oase de mamut, acolo unde lemnul nu era disponibil. Tehnologia focului s-a îmbunătățit odată cu construirea unor vetre și cuptoare mărginite de pietre, iar lămpi din piatră care funcționau cu ulei animal au fost găsite în câteva peșteri. Tehnicile de procurare a hranei s-au diversificat și ele, odată cu dezvoltarea bărcilor și a pescuitului și probabil cu producerea plaselor și a capcanelor. Mai există dovezi ale începuturilor de stratificare socială, de vreme ce unii indivizi erau îngropați cu mult mai multe obiecte în mormânt decât alții. Într-un sit numit Sungir, din Rusia, au fost descoperite scheletele unui bărbat și a doi copilași împreună cu mii de mărgele din fildeș, care au decorat probabil hainele în care au fost îngropați. Aceste mărgele trebuie să fi necesitat mult timp pentru a fi create, sugerând că acești copii erau urmașii cuiva important, poate un șef. Un

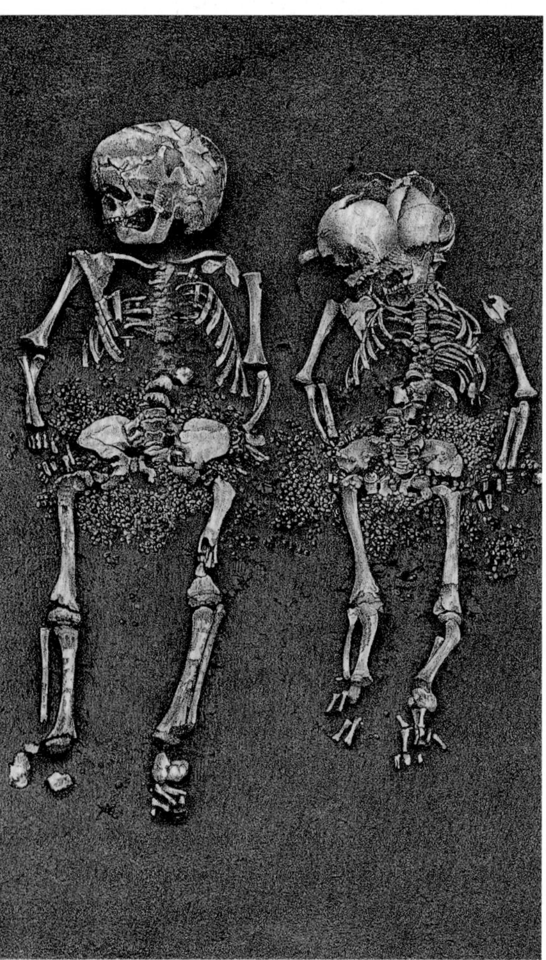

(Sus) În câmpiile relativ reci și aride ale Europei Centrale și Estice din Epoca Glaciară, lemnul era uneori o resursă rară. În consecință, popoarele din Paleoliticul Mijlociu și Superior s-au orientat spre oasele mamiferelor, folosindu-le ca materiale pentru unelte și chiar combustibil. Oasele animalelor mari, ca mamutul și rinocerii lânoși, erau folosite pentru construirea unor colibe mari, ca cea de aici, de la Mejirici, Ucraina.

(Stânga) Acest mormânt dublu de copii descoperit în 1874 provine din Grotte des Enfants/Grota Copiilor din Italia. Corpurile sunt ornamentate cu sute de scoici marine și dinți de animale perforați.

(Dreapta) Un complex funerar din Sungir, Rusia, conține scheletele a doi copii într-un mormânt și scheletul unui bărbat și craniul unei femei în altul. Pe scheletul bărbatului au fost găsite aproape 3.000 de mărgele din fildeș.

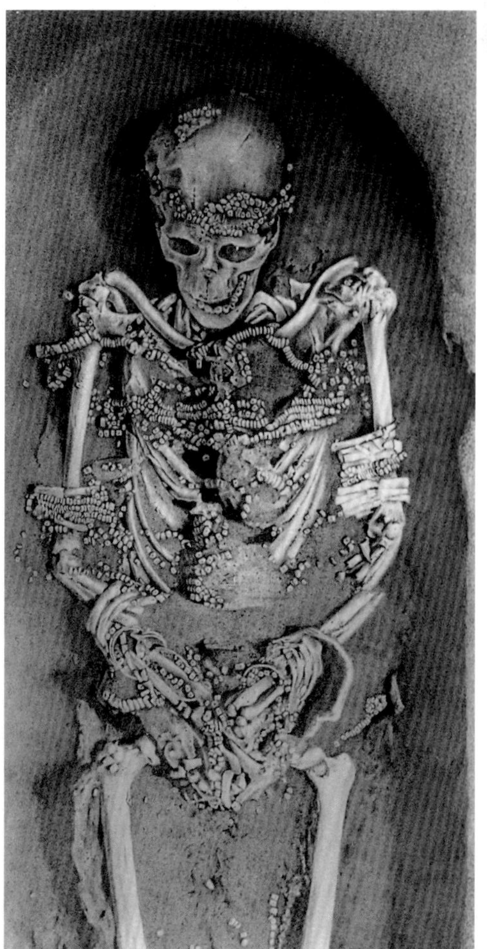

mormânt similar dublu de copii e cunoscut din Grotte des Enfants/Grota Copiilor din Italia. Obiceiurile legate de înmormântare erau și ele foarte complexe, de exemplu trei adolescenți au fost îngropați împreună la Dolní Vestonice. Mormântul a fost special pregătit, iar corpurile atent aranjate, decorate cu pudră de ocru roșu și țăruși din lemn.

„Industriile" europene ale uneltelor din piatră

În Europa a existat o succesiune a industriilor litice din Paeloliticul Superior, majoritatea fiind numite după siturile franceze unde au fost identificate prima dată. Aurignacianul a apărut peste tot pe continent de acum aproximativ 35.000 de ani și a fost asociat cu primii oameni moderni (Cro-Magnon) și primele manifestări artistice. În unele părți ale Europei acesta a fost urmat de Gravettian, cunoscut din situri vestite ca Předmostí și Dolní Vestonice, în vreme ce Solutreanul și Magdalenianul au urmat după aceea (faimoasa peșteră Lascaux a fost pictată de oamenii timpurii aparținând culturii Magdaleniene). Magdalenianul a continuat până la sfârșitul Epocii Glaciare, cu 11.000 de ani în urmă, când Paleoliticul Superior a lăsat drum liber Mezoliticului sau Epocii mijlocii a Pietrei (nu trebuie confundată cu Epoca mijlocie a Pietrei mult mai timpurie, din Africa).

(Sus) Mormântul triplu de la Dolní Vestonice. Un corp deformat, poate al unei femei, stă între doi bărbați ale căror cranii sunt încercuite de coliere din dinți și fildeș. (Jos) Unelte solutreene din silex, Le Placard, Franța.

Industriile litice

	Perioada probabilă (cu ani în urmă)
Châtelperronian	38.000-33.000
Aurignacian	35.000-29.000
Gravettian	29.000-22.000
Solutrean	22.000-17.000
Magdalenian	17.000-11.000

Primii artişti

Un anumit fel de expresie artistică este universală în societăţile umane de azi, fie că e exprimată în muzică, dans, pictură, sculptură, olărie, ţesături, obiecte de metal etc. Deşi în aşa-numita lume civilizată arta e privită adesea ca lux, pentru majoritatea grupurilor de vânători-culegători era într-un mod complex legată de stilul lor de viaţă, fie că făcea parte din credinţele lor spirituale, ca marcă a teritoriului lor sau a identităţii lor sociale, fie că era creată pentru comerţ cu grupurile învecinate. Fiindcă arta, asemenea limbii, se găseşte peste tot unde locuiesc oamenii azi, din Siberia în Africa de Sud, din Noua Zeelandă în Groenlanda, se crede că

Hartă înfăţişând locuri din Europa în care au fost descoperite manifestări artistice din Paleoliticul Superior.

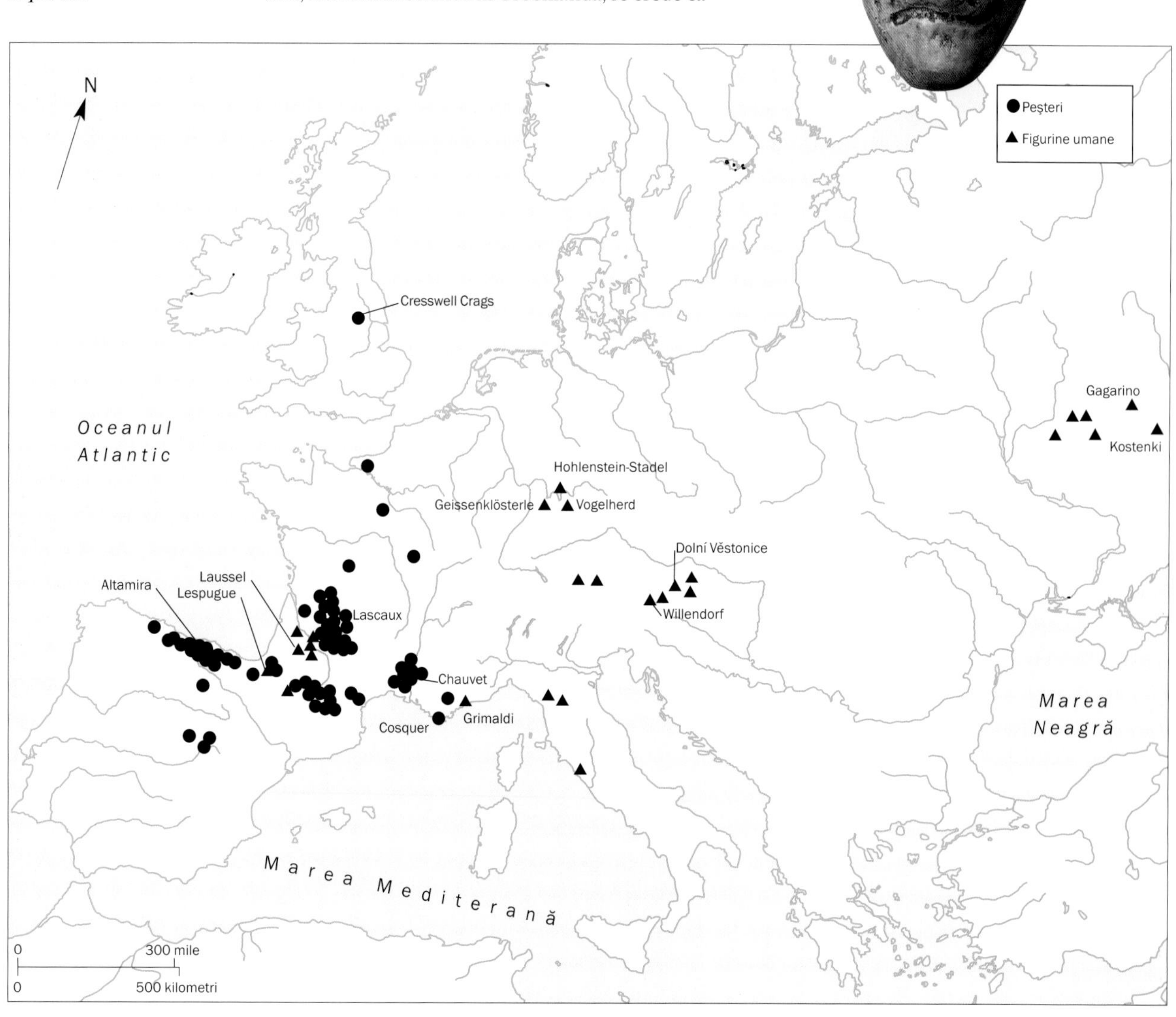

a făcut parte din moștenirea umană generală care a început să se dezvolte în Africa cu peste 75.000 de ani în urmă.

Descoperirea artei paleolitice

Dar când primele exemple de artă paleolitică europeană au fost descoperite în secolul XIX, arheologilor le-a venit greu să creadă că oameni ce păreau atât de primitivi din punct de vedere tehnologic aveau capacitatea, dorința sau timpul de a produce asemenea imagini sofisticate. Așadar, s-a sugerat că materialele străvechi fuseseră gravate mai recent, de exemplu, de către romani, sau că „arta" fusese de fapt realizată în perioadele recente și adusă în siturile paleolitice. Dar treptat, exemple de „artefacte mobile", adică ce puteau fi transportate, au ajuns să fie acceptate ca originale; de exemplu, situl francez La Madeleine conținea o parte din colțul unui mamut, pe care fusese de fapt gravată imaginea unui mamut. Dar acceptarea picturilor de pe pereții peșterilor („artă parietală") ca originale a durat mai mult timp, fiindcă unele erau departe de siturile așezărilor paleolitice și multe ilustrau o îndemânare artistică uluitoare, încât au fost considerate mai presus de gândirea și capacitățile oamenilor din Epoca Pietrei. Totuși, o comparație a stilurilor din arta artefactelor mobile și cea parietală a arătat că erau

(Stânga) Acest cap mic, sculptat în fildeș din Pavlov, Cehia, are o vechime de aproape 27.000 de ani. Detaliile feței sugerează că ar putea de fapt reprezenta un personaj real și nu neapărat unul imaginar.

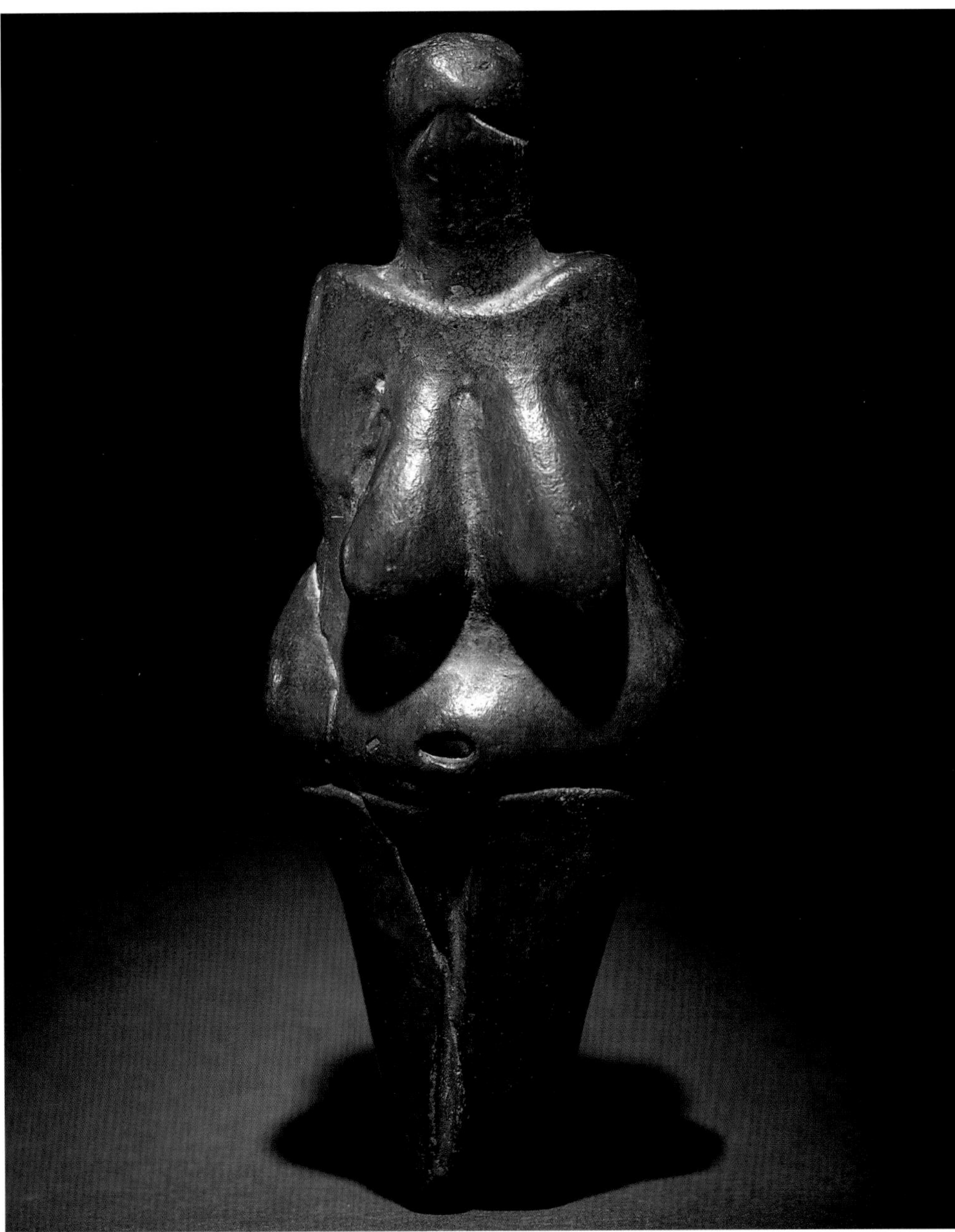

(Dreapta) Această statuetă din Dolní Věstonice („Venus") are o înălțime de aproximativ 110 mm și ilustrează o femeie obeză tipică pentru arta acelei perioade. Aceste statuete sunt asociate de specialiști cu un cult al fertilității, simbolizat de aceste „zeițe" ce sunt reprezentate cu atributele maternității. Statueta a fost modelată în argilă și cenușă de os și apoi fost arsă la o temperatură mare; una dintre cele mai vechi figurine ceramice cunoscute.

(Stânga) Venus din Laussel a fost descoperită în 1911, gravată într-un adăpost de sub o stâncă (abri) din apropiere de Lascaux. Au existat multe speculații despre cornul din mâna sa. Să fie doar o reprezentare stilistică a unui corn de ibex ori cele 13 semne reprezentate pe el au o anumită semnificație?

(Dreapta) Statuia cu cap de leu din Hohlenstein-Stadel, Germania. Statueta are corpul unui bărbat și capul unui leu și era probabil un obiect sacru pentru făuritorii săi din cultura aurignaciană.

consecvente, astfel că unii arheologi credeau că-l puteau chiar recunoaște pe artist în procesul creației, pe când în alte cazuri, săpăturile dezvăluiau picturile ce fuseseră îngropate mii de ani.

Care era scopul artei?

Știm azi că arta paleolitică a fost creată de oamenii de Cro-Magnon din Europa vreme de aproape 25.000 de ani. În decursul acelei perioade, existau probabil diferite motive pentru care arta a fost creată, dar arheologii cred că o oarecare parte din ea folosea la ceremonii, poate ceremonii religioase sau ritualuri de inițiere. Acest lucru se datorează faptului că arta era adesea pictată pe pereți la mare adâncime în peșteri și nu era așadar la vedere. În plus, unele din încăperile pictate au fost testate pentru rezonanța lor și par să fi avut proprietăți acustice importante, așa că baterea tobelor sau incantațiile puteau fi parte din orice se

(Dreapta) Acest cap mic din fildeș de mamut din Brassempouy, Franța, e una din cele mai delicate sculpturi din Paleoliticul Superior. Nu e sigur dacă „părul" este aranjat sau dacă reprezintă o pălărie.

(Sus) Galeria Axial din Lascaux, în Dordogne, Franța.

(Dreapta) Unul din faimoșii „cai chinezești" din Lascaux. Are o lungime de cca 1,8 metri.

întâmpla acolo. S-a mai sugerat că o anumită parte a artei ilustrează tendinţe halucinogene, astfel că ar fi fost produsă sub efectul drogurilor.

De la picturile cu animale la figurinele umane

Mare parte a artei ilustrează animale ce le erau cunoscute oamenilor de Cro-Magnon, mai ales cerbi şi cai, dar mai există şi reprezentări de bizoni, mamuţi, rinoceri, ibecşi şi uneori oameni, mai curând schematizaţi. Totuşi, micile figurine umane numite „Venus" au fost găsite în situri paleolitice peste tot în Europa. Aceste reprezentări sunt cunoscute şi din gravuri în piatră sau os, din sculpturi în materiale ca fildeşul şi din statuete modelate în argilă care a fost apoi arsă. Figurile de bărbaţi sunt mai puţin întâlnite, dar una din cele mai remarcabile este şi una din cele mai vechi. În 1939, în jur de 200 de fragmente prelucrate de fildeş au fost descoperite în peştera Hohlenstein-Stadel din sudul Germaniei. Dar numai în 1969 au fost reconstituite într-o statuie înaltă de 30 cm a unui bărbat cu cap de leu (ilustrat la p. 218). Fragmentele proveneau dintr-un nivel aurignacian din peşteră, datat cu 32.000 de ani în urmă.

Faimoasele peşteri cu reprezentări artistice

Cele mai vestite peşteri pictate sunt şi printre cele mai recente – picturile din Altamira, Spania, sunt vechi de cca 15.000 de ani, iar cele din Lascaux, Franţa, datează cam de 18.000 de ani. Dar trei descoperiri recente arată că mai sunt multe de descoperit, precum şi că mai avem multe de învăţat despre arta paleolitică. Peştera Cosquer a fost descoperită pe coasta mediteraneană a Franţei, departe de orice alte peşteri pictate, şi se poate acum ajunge la ea doar prin scufundare subacvatică. Dar când a fost pictată, între acum 27.000 şi 18.000 de ani, nivelul mării era probabil cu cel puţin 80 de

(Jos) Corn de cerb gravat cu un bizon, piesă descoperită în adăpostul de sub stâncă de la La Madeleine, Franţa, datând de aproximativ 13.000 de ani. Artistul a ilustrat într-un mod inteligent întoarcerea animalului pentru a-şi linge coastele.

(Sus) Spectaculoasa „friză" a leilor din peştera Chauvet, din Ardeche, sudul Franţei, de aproximativ 30.000 de ani vechime.

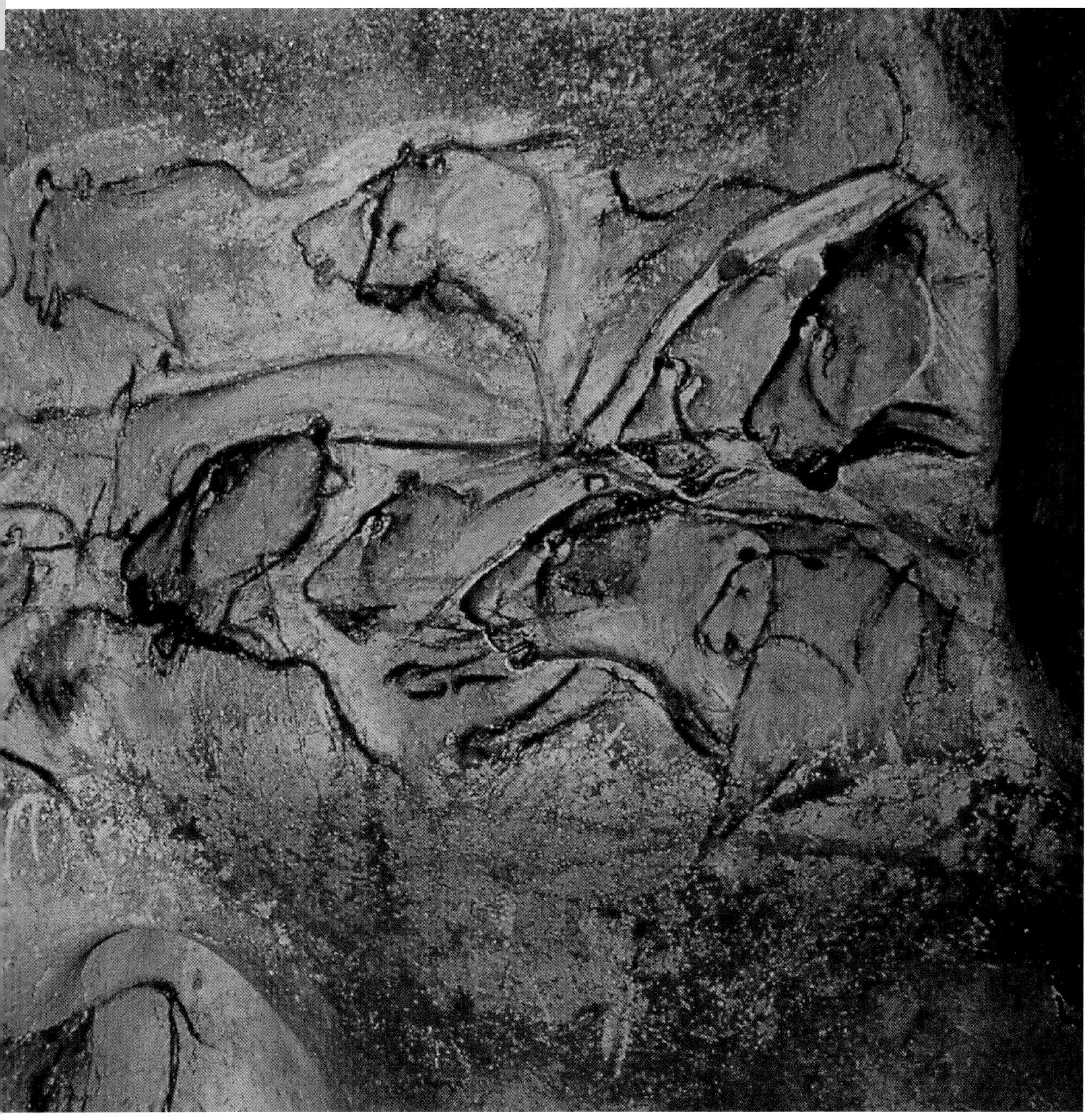

metri mai scăzut decât azi, și toate încăperile sale erau uscate. Printre ilustrații se numără mâini-șablon, precum și imagini ale păsării dispărute asemănătoare cu pinguinul, Marele Auk. Un al doilea nou sit este peștera Cussac, de lângă Lascaux, conținând gravuri uriașe pe pereți și mai multe schelete de oameni Cro-Magnon pe jos.

Chiar mai remarcabilă e arta din peștera Chauvet, de lângă Avignon, Franța. Descoperit în 1994, acest sit reprezintă poate cea mai importantă peșteră pictată găsită până acum.

Deși picturile sunt colorate aproape într-o singură nuanță, negru sau roșu, varietatea și îndemânarea picturilor sunt uimitoare, cu rinoceri atacându-se între ei și cu capete meditative de lei și urși. Chauvet a oferit cea mai mare surpriză dintre toate când pigmenții de cărbune din picturi au fost estimați ca având o vechime de aproximativ 31.000 de ani, ilustrând astfel că unele din cele mai sofisticate mostre de artă erau și cele mai vechi. În mod clar, oamenii timpurii de Cro-Magnon care au sculptat bărbatul-leu din Hohlenstein-Stadel și au pictat peștera Chauvet continuau o tradiție născută cu mult înainte, în Europa sau altundeva.

Reconstituirea comportamentului uman străvechi 1

(Jos, dreapta) Una dintre cele mai bine conservate sulițe găsite la Schöeningen, în Germania. Măsoară cam 2 metri lungime.

(Jos) Această adunare circulară de fragmente bazaltice din defileul Olduvai a fost interpretată de Mary Leakey ca baza unei construcții, dar putea indica și locația unui copac.

Arheologii trebuie să încerce să reconstituie comportamentul străvechi din resturile fragmentare lăsate în urmă cu mult timp. Aceste resturi pot fi incomplete, deranjate și deschise interpretărilor diverse. De exemplu, Mary Leakey a scos la suprafață un semicerc de pietre în Stratul I de la Olduvai, despre care credea că reprezenta baza unei colibe primitive sau a unui ascunziș de vânătoare. Dar alți arheologi au avertizat că acestea puteau fi strânse de rădăcinile copacilor în timpul inundațiilor. În aceeași măsură, cei din echipa lui Leakey au considerat că asocierile oaselor de animale și ale uneltelor de piatră de la Olduvai demonstra că *Homo habilis* a fost un vânător capabil, dar alți arheologi au interpretat aceleași dovezi prin aceea că *habilis* doar mânca hoiturile ucise de alte carnivore.

Dovezile de la Boxgrove

Un sit ca Boxgrove (vezi pp. 72-75) oferă dovezi mai clare pentru vânătoarea practicată de om. Aici, cu jumătate de milion de ani în urmă, măcelărirea unor mamifere uriașe era complexă: de la jupuire și desfacerea articulațiilor, la feliere și zdrobirea oaselor. E neclar totuși dacă animalele erau de fapt vânate efectiv de oameni sau dacă oamenii așteptau să plece de lângă prada ucisă adevărații vânători, cum ar fi leii, dar cercetările recente susțin prima alternativă. Resturile osteologice proveneau aparent mai ales de la adulți sănătoși de vârstă mijlocie, iar în cazurile animalelor puternice, ca rinocerii, pare improbabil să fi avut orice prădători naturali, alții decât oamenii. În plus față de aceste lucruri, dovezi mai directe ale vânătorii provin de la o gaură probabil provocată de un vârf de

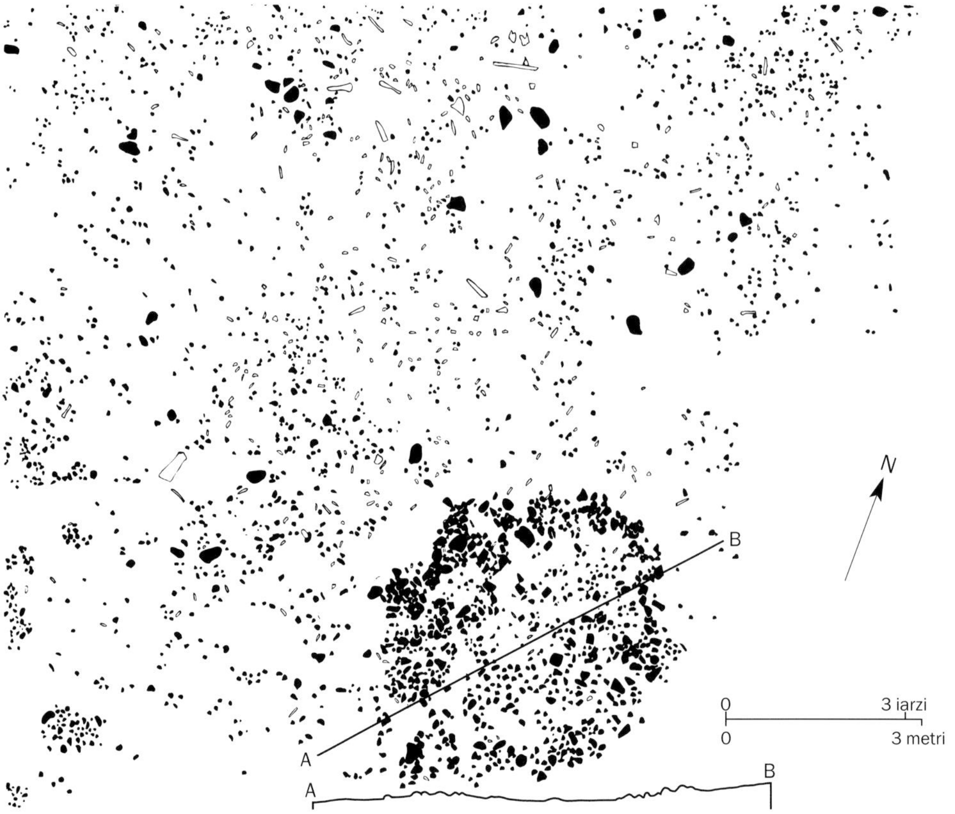

N
B
A
0 3 iarzi
0 3 metri
A B

(Pagina alăturată) Acest os de cal din Boxgrove prezintă numeroase semne ale măcelăririi, realizată cu unelte de piatră. Cercetarea atentă poate să mai arate starea de distrugere a dinților prădătorilor, iar secvența de modificări poate fi importantă pentru a determina cine avea acces mai întâi la hoituri, oamenii sau animalele.

(Dreapta) Această vatră de foc din peștera Vanguard, Gibraltar, ilustrează că neanderthalienii găteau oasele cărnoase, dar mâncau probabil și măduva crudă.

suliță în omoplatul unui cal.

Dovezi indirecte ale folosirii sulițelor la Boxgrove au fost descoperite recent dintr-un sit mai târziu din Germania, numit Schöeningen, unde mai multe sulițe din lemn frumos modelate și conservate în întregime au fost descoperite printre un grup de schelete de cai. În orice caz, putem doar reconstitui și, prin urmare, putem oferi o imagine sumară, o mică parte din viețile oamenilor de la Boxgrove de pe vremea când își procurau hrana. Nu știm dacă purtau haine, construiau adăposturi sau dacă foloseau focul.

Oamenii de Neanderthal și Cro-Magnon

Pentru popoarele mai târzii, ca neanderthalienii, deținem mai multe informații, fiindcă am putut scoate la suprafață zonele în care au locuit de fapt, precum și cele unde vânau. Un exemplu sunt peșterile din Gibraltar (vezi pp. 76-79), unde putem compara direct modul de viață al neanderthalienilor și al oamenilor moderni timpurii care i-au urmat la locuire în aceleași situri. Maniera în care foloseau peșterile din Gibraltar pare să contrasteze. Deși regimurile lor alimentare păreau asemănătoare, judecând numai după oasele de ibex, căprioare, iepuri și păsări din nivelurile respective de ocupare, vetrele de foc conservate din Paleoliticul Mijlociu al Peșterii lui Gorham și Vanguard păreau să sugereze pur și simplu un loc unde unul sau mai mulți neanderthalieni săpau o gaură în nisip și aprindeau repede un foc. După scurt timp, poate o noapte, se mutau în altă parte. Dar în nivelurile Paleoliticului Superior ale Peșterii lui Gorham, oamenii moderni timpurii se pare că și-au aprins focurile în aceleași locuri mulți ani și există dovezi că pietrele de pe plajă erau folosite pentru construirea vetrelor. Așezările lor păreau de lungă durată și constau poate din grupuri mai mari. Acest lucru corespunde cu structura generală de locuire atât a neanderthalienilor, cât și a indivizilor de Cro-Magnon pe tot cuprinsul continentului european.

Arheologi ca Lewis Binford au folosit asemenea dovezi pentru a presupune că neanderthalienii și alte popoare premoderne aveau structuri sociale complet diferite față de popoarele existente. În loc de grupuri familiale cu masculi și femele în asocieri periodice, Binford a susținut că bărbații și femeile de Neanderthal au dus în foarte mare parte vieți separate. Femeile și copiii lor căutau hrană prin apropiere, mai ales plante și mamifere mici, pe când grupurile de bărbați vânau peste tot în ținut, doar întorcându-se ocazional la femele cu părți din prada vânată sau găsită. Acest punct de vedere pare a merge prea departe, având în vedere dovezile limitate pe care le deținem, dar cu siguranță ar fi nechibzuit să presupunem că structurile sociale de azi, care sunt bazate pe împerecherea îndelungată a masculilor cu femelele, au avut o lungă istorie evolutivă.

(Jos) Sheletele umane timpurii pot ilustra dovezi ale unor leziuni, cum ar fi rănile sau fracturile. Neanderthalienii mai ales par să fi fost predispuși la asemenea leziuni, ca dovadă a modului lor particular de viață. Specialiștii au comparat rănile scheletelor lor cu cele ale unor atleți și sportivi. Cea mai apropiată potrivire a fost identificată cu călăreții de rodeo, care se apropie periodic de animalele sălbatice. Acest fapt a sugerat că multe răni neanderthaliene puteau fi cauzate de animale periculoase în timpul vânătorii.

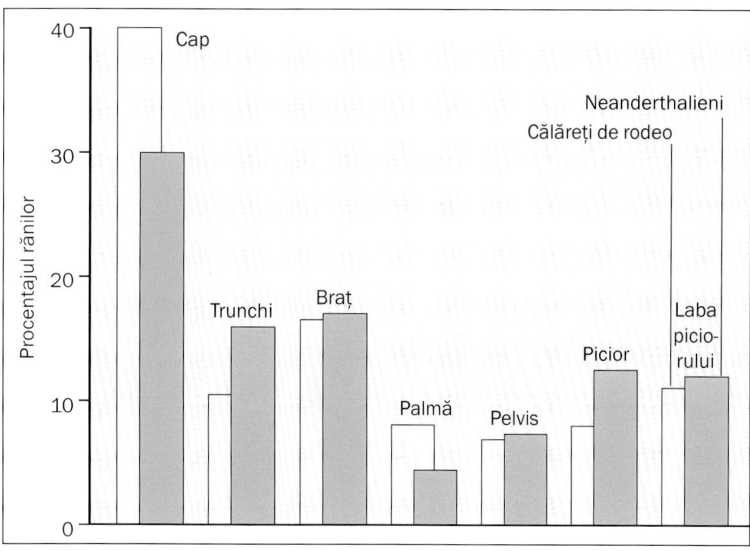

Reconstituirea comportamentului uman străvechi2

Punctul de vedere al arheologului Steve Mithen despre evoluția inteligenței umane. El consideră că oamenii timpurii erau inteligenți, dar diferite domenii ale inteligenței au fost combinate într-un nou mod la Homo sapiens.

După cum am văzut, dovezile fizice directe din care putem reconstitui comportamentul uman străvechi se limitează la oasele și pietrele lăsate în urmă și siturile în care sunt conservate, și există în mod clar probleme majore de analiză în interpretarea acestor structuri selective și fragmentare. Oricum, după cum am mai observat, deținem acum un volum mare și în creștere de cunoștințe despre comportamentul și abilitățile celor mai apropiate rudenii ale noastre, marile maimuțe antropoide, atât de la exemplarele captive, cât și de la cele libere, iar acestea pot oferi modele pentru reconstituirea comportamentului populațiilor umane străvechi. Unii cercetători chiar au extins comparațiile la alte primate, ca babuinii, sau nonprimate, ca animalele carnivore sociale (de exemplu lupii sau hienele). Există și un volum mare de informații despre structurile sociale, comportamentele și adaptările vânătorilor-culegători actuali ce pot oferi cadre comparative pentru reconstituirea comportamentului predecesorilor noștri străvechi. Pe când stilurile de viață și tehnologia vânătorilor-culegători recenți pot părea destul de simple pentru a face analogii cu oamenii paleolitici, știm că structurile sociale, limba și sistemele religioase pot fi în fiecare aspect la fel de complexe precum cele din societățile „dezvoltate" și pare improbabil că oamenii străvechi aveau ceva comparabil.

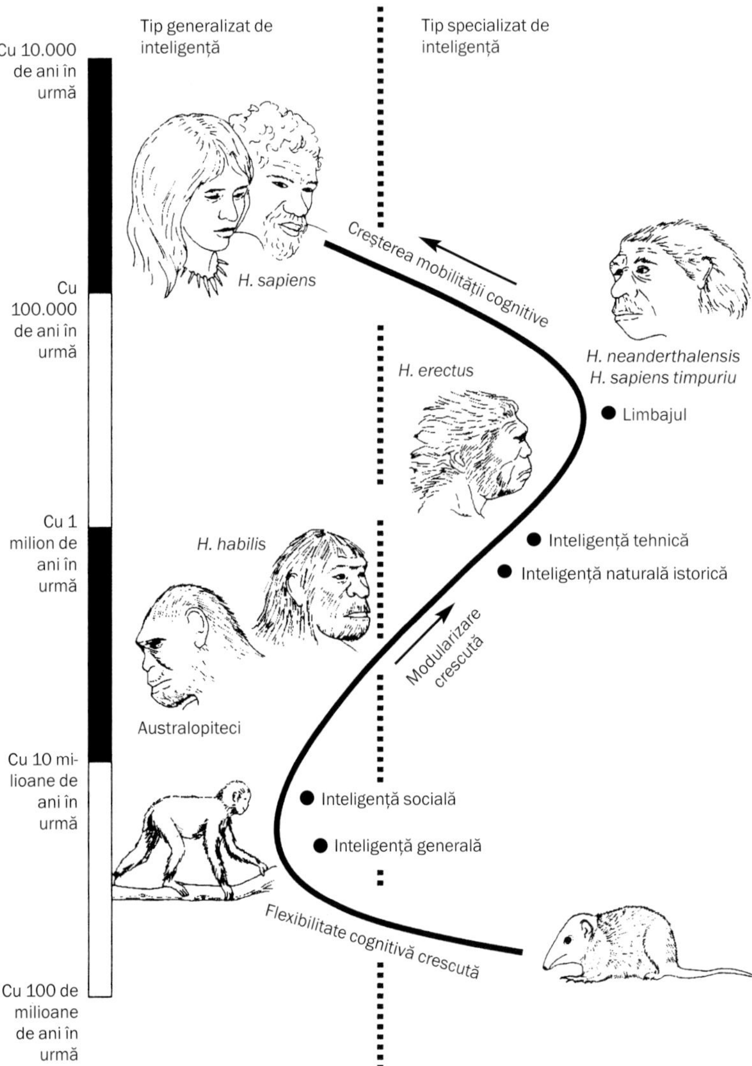

Psihologia evoluționistă

Recent, a fost elaborată o abordare total diferită pentru înțelegerea felului în care a evoluat comportamentul – domeniul psihologiei evolutive. Psihologia evolutivă încearcă să înțeleagă comportamentul nostru examinând forțele selective care probabil l-au modelat. Unii cercetători cred că ne-am dezvoltat în creierele noastre module mentale ce răspund la semne din mediul natural sau social înconjurător. Aceste semne solicită anumite comportamente în reacția la amenințări, situații sociale, semnale sexuale, cererile copiilor etc., și se susține că au fost selectate răspunsuri umane tipice în trecutul nostru evolutiv, fiindcă creșteau șansele de supraviețuire și succesul reproductiv. Alți cercetători cred că există o flexibilitate mult mai mare în răspunsurile noastre, dar, cu toate acestea, noi (adesea inconștient) cântărim alegerile pentru a optimiza beneficiile noastre și ale rudeniilor, fie că beneficiile vin sub forma resurselor, a avantajului social sau a succesului reproductiv.

Un exemplu simplu al metodelor psihologiei evoluționiste este modul în care abordează evoluția diferențelor comportamentale dintre bărbați și femei. Bărbații fertili pot avea mulți urmași pe tot parcursul vieții lor adulte, pe când femeile sunt mult mai limitate de intervalele nașterii, perioada lor reproductivă scurtă (dată de menopauză) și nevoia de a-și hrăni copiii. Astfel, se susține că evoluția trecută a acționat în așa fel încât bărbații erau atrași de o potențială fertilitate a viitorului partener, în vreme ce femeile sunt atrase de bărbații ce oferă probabil stabilitatea și resursele necesare după reproducere. Există cu siguranță dovezi pentru a sprijini asemenea așteptări teoretice dintr-o gamă de societăți umane; totuși, e clar că astfel de cerințe nu alcătuiesc întreaga poveste, date fiind variațiile, cum ar fi parteneriatele ce continuă în prezența opririi sau eșecului reproductiv, și relațiile homosexuale.

Un concept important pentru unii cercetători în psihologia evoluționistă este Adaptarea Evolu-

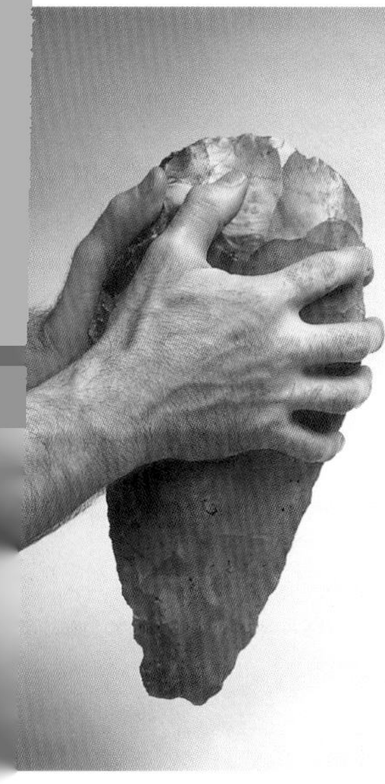

(Sus) Unele topoare de mână din piatră sunt uriaşe, cum e acesta din Furze Platt, de lângă Maidenhead, Anglia. Nu se ştie dacă acestea erau funcţionale sau doar ornamentale.

tivă la Mediu (AEM), adică mediul trecut ce a produs efectul selectiv care se observă azi. Se presupune adesea că Pleistocenul a fost perioada care a modelat mare parte din comportamentele umane distinctive de astăzi, şi în mod clar a fost o perioadă importantă în preistoria omului, dar unele elemente trebuie să se fi dezvoltat înainte de Pleistocen, iar altele s-au dezvoltat probabil ca răspuns la schimbările majore ce au urmat în unele părţi ale lumii odată cu apariţia agriculturii. Pentru unii cercetători, multe din maladiile care îi afectează pe oameni în lumea dezvoltată, ca bolile mentale, abuzul de medicamente, crimele violente şi molestarea copiilor, sunt simptome ale nepotrivirilor dintre mediile în care ne-am dezvoltat cândva şi mediile în care trăim azi.

Unii cercetători au aplicat conceptele psihologiei evoluţioniste pentru a explica enigmele din comportamentul uman trecut, un bun exemplu fiind topoarele de mână din piatră. Forma de bază a acestor unelte a rămas neschimbată peste un milion de ani şi pe mai multe continente, iar acest lucru este mai curând surprinzător, deşi ştim din experimentele moderne că topoarele de piatră erau unelte bune pentru măcelărit. Totuşi, sunt descoperite uneori exemplare atât de mari şi de frumoase, încât e greu de crezut că erau funcţionale, iar în unele situri apar într-o asemenea cantitate şi în asemenea stare, încât se pare că unele din ele n-au fost niciodată folosite. Doi cercetători au sugerat în mod independent o explicaţie bazată pe psihologia evoluţionistă. Producerea topoarelor de piatră nu era doar o chestiune practică, ci avea şi semnificaţie socială – în special bărbaţii fabricau topoarele ca parte a „ceremonialului de împerechere". Astfel, topoarele reprezentau un fel de simbol al statutului bărbaţilor, iar capacitatea de a le produce cu dibăcie ar fi avut valoare selectivă.

Domeniul psihologiei evoluţioniste e încă în faşă, şi fără îndoială că iniţiatorii săi au un punct de vedere foarte simplificat asupra comportamentului uman şi exagerează importanţa componentelor pur genetice şi instinctive în comparaţie cu cele care sunt flexibile sau influenţate de mediu sau cultură. Dar pe măsură ce ştiinţa se dezvoltă, ea va trebui să arunce o nouă lumină asupra evoluţiei trăsăturilor umane importante ca limbajul, simbolismul şi sistemele religioase, pentru care ne lipsesc prea multe informaţii-cheie.

*Unele situri sunt bogate mai ales în dovezi privind uneltele de piatră. S-a evaluat de exemplu că situl din Paleoliticul Inferior de la Swanscombe, din sudul Angliei, a scos la iveală cel puţin 100.000 de topoare de piatră. Această fotografie ilustrează situl Olorgesailie din Kenya, unde au fost descoperite mii de artefacte din Epoca timpurie a Pietrei *ESA – Early Stone Age). Aceste situri pot acumula atâtea dovezi în perioade lungi de timp, prin fenomene naturale ca transportul pe apă sau eroziunea sedimentelor înconjurătoare, prin acţiunea vântului sau a apei.*

Privire de ansamblu asupra originilor omului

În această carte am acoperit cam 30 de milioane de ani din evoluția primatelor și peste 5 milioane de ani din evoluția omului. Ce putem spune cu adevărat despre trecutul nostru îndepărtat și înfloritorul nostru prezent, ce mai trebuie să învățăm și ce rezervă viitorul pentru specia umană?

O evoluție nedirijată

Una din principalele lecții ale poveștii evoluției omului este cât de dezorientată era de fapt și cât de nesemnificativ a început și a continuat. Dacă n-ar fi acționat asupra Pământului schimbări majore cu aproximativ 65 de milioane de ani în urmă, dominația reptilelor pe uscat și pe apă nu ar fi fost întreruptă, iar marea răspândire a mamiferelor, inclusiv a strămoșilor noștri, primatele timpurii, n-ar fi putut începe. Cu treizeci de milioane de ani în urmă, strămoșii noștri erau mici creaturi asemănătoare maimuțelor, ce trăiau în copaci, iar cu 4 milioane de ani în urmă, strămoșii noștri erau probabil încă arboricoli, dar mergeau și biped pe sol. Împrejurările care le-au dus pe unele dintre acele maimuțe antropoide înspre drumul către umanitate sunt încă necunoscute, dar evenimentele întâmplătoare vor fi jucat un rol important.

Cu 130.000 de ani în urmă, un posibil observator de pe o altă planetă abia l-ar fi luat în considerare pe *Homo sapiens* ca specie capabilă a domina planeta odată. Specia se limita doar la o regiune, Africa, și a fost probabil prezentă în număr de doar 10.000 de indivizi. Specia era capabilă să producă doar unelte rudimentare din piatră, îi lipseau orice mijloace de producere independentă a hranei și depindea în mare parte de climatul planetar instabil. Altundeva pe planetă existau alte specii

Oamenii au o curiozitate naturală și o tendință de a explora. Acest fapt se oglindește în expedițiile în spațiul cosmic, ilustrate (dreapta) de această urmă de pas uman pe Lună (1969). Căutarea vieții în alte lumi e una dintre forțele motrice ale unei asemenea explorări. Există viață doar pe planeta noastră, suntem noi singuri în Univers? În decursul următorilor câțiva ani se poate întâmpla să descoperim că există viață și altundeva în sistemul nostru solar, de exemplu pe Marte, sau în oceanele înghețate ale satelitului natural al lui Jupiter, Europa.

umane, ca neanderthalienii în Europa și *Homo erectus* în Indonezia. Acel observator extraterestru n-ar fi avut niciun motiv să-și imagineze că *Homo sapiens* se va răspândi odată din Africa, că va prelua controlul de la alte specii, va coloniza treptat fiecare regiune locuibilă a planetei și va călători în cele din urmă dincolo de ea.

Un proces complex

Evoluția umană a fost cu siguranță un proces complex și doar acum începem să înțelegem această complexitate. Cu două milioane de ani în urmă existau cel puțin patru specii umane ce trăiau în Africa și chiar cu 100.000 de ani în urmă, existau probabil trei specii, câte una din fiecare în Africa, Europa și Asia de Est. Astăzi suntem singuri, dar aceasta e o situație foarte neobișnuită pentru o specie hominidă. Din această perspectivă, e ușor de imaginat că eram predestinați la succes și că abilitățile noastre au fost cele care ne-au asigurat succesul. Dacă un Tyrannosaurus ar fi putut gândi așa, ar fi putut la fel de bine concluziona și că el era culmea evoluției, cu dimensiunea sa, puterea și ferocitatea specifice. În timp ce suntem pe bună dreptate mândri de creierele noastre mari, trebuie să se mai rețină că neanderthalienii aveau creiere cam de aceeași mărime cu a noastră, dar noi suntem acum aici și nu ei. Totuși, dacă evenimentele din Epoca Glaciară s-ar fi desfășurat puțin diferit, poate că specia noastră nu s-ar fi răspândit din Africa deloc, iar neanderthalienii ar fi putut fi până la urmă cei care ar fi colonizat restul lumii. Poate că primul pas pe suprafața Lunii i-ar fi aparținut atunci unui neanderthalian!

Un viitor imprevizibil

Viitorul speciei noastre este imprevizibil, așa cum nici trecutul nu poate fi stabilit cu exactitate. Mamiferele par să aibă o durată de viață măsurată în sute de mii sau milioane de ani, astfel că ne-am putea aștepta la un viitor lung, dar limitat. Majoritatea speciilor ajung să dispară fără consecințe, dar unele dau naștere unor specii noi. Șansele noastre de supraviețuire ar putea depinde parțial

(Dreapta) Această imagine din satelit ilustrează prăbușirea unei părți uriașe din ghețarul de șelf Larsen (cam de 160 de kilometri diametru) din Antarctica, determinată de temperaturile neobișnuit de calde din timpul verii. Pe platforma de gheață rămasă pot fi observate găuri pline cu apă. Aceste prăbușiri sunt din ce în ce mai frecvente, ca urmare a încălzirii globale.

de noi, dar și de altceva. Dar dacă vom continua să exploatăm prea mult Pământul și să amenințăm planeta cu războaie nucleare, viitorul pare întunecat. Dar tot așa de interesante sunt și efectele probabile ale schimbării climatice viitoare, din moment ce pot interveni schimbări climatice mai mari în următorii o sută de ani decât în ultimii 10.000.

În ultimele câteva secole, datorită industrializării, am modificat compoziția atmosferei Pământu-

Strămoșii noștri s-au confruntat cu efectele schimbărilor climatice rapide de multe ori în evoluția lor, dar prin propriile noastre acțiuni viitorul imediat va aduce probabil mai multe schimbări pe planeta noastră decât au existat vreodată. Această imagine din satelit (stânga) ilustrează statul brazilian Mato Grosso. Zonele de un verde-închis sunt pădurile intacte, zonele defrișate sunt maro, iar dârele de fum ilustrează arderi extinse, indicând continua distrugere a pădurilor tropicale, contribuind mai departe la intensificarea efectului de seră în atmosferă. (Sus) O scenă tipică de devastare a ceea ce reprezenta odată un mediu de pădure tropicală luxuriantă.

lui, iar încălzirea globală este o realitate în dezvoltare. Probabil că intrăm într-o perioadă interglaciară mai caldă decât au experimentat vreodată oamenii, și dacă acest lucru poate suna interesant pentru cei care locuiesc în părți mai reci ale lumii, pe lângă temperaturile mai mari ar putea apărea și schimbări majore și imprevizibile în clima de la nivelul întregii planete.

Una dintre cele mai semnificative lecții ale trecutului recent se leagă de climatul foarte instabil al Pământului, și asemenea schimbări ar putea genera o răcire subită și serioasă a Atlanticului de Nord, chiar înaintea încălzirii globale, dacă Curentul Golfului este deviat înspre sud prin creșterea nivelului apelor din Oceanul Arctic (prin topirea ghețarilor de aici). Să sperăm că urmașii noștri vor face față haosului prevăzut de mulți climatologi. Poate că până atunci specia noastră va fi capabilă să stabilească colonii pe alte planete, iar povestea evoluției umane va putea începe să se desfășoare în afara Pământului, dar la fel de bine să continue și aici.

(Jos) Silueta reconstituită din mijloc este o femeie de Neanderthal, iar ea este înconjurată de alte specii de maimuțe antropoide și oameni, atât trecute, cât și prezente. Odată cu distrugerea continuă a habitatelor lor, maimuțele antropoide, cele mai apropiate rudenii în viață ale noastre, pot împărtăși în curând soarta neanderthalienilor (și a celorlaltor specii umane cu excepția noastră) și dispărea.

Bibliografie suplimentar

Abrevieri
AHG Annals of Human Genetics
AJHG American Journal of Human Genetics
AJPA American Journal of Physical Anthropology
EA Evolutionary Anthropology
JHE Journal of Human Evolution
NG National Geographic
PNAS Proceedings of the National Academy of Sciences
SA Scientific American
YbPA Yearbook of Physical Anthropology

Website-uri
http://www.becominghuman.org/
http://encarta.msn.com/encnet/refpages/RefArticle.aspx?refid=761566394
http://www.pbs.org/wgbh/evolution/library/07/index.html
http://www.talkorigins.org/

Lecturi generale
Aiello, L.C & Dean, C., *Human Evolutionary Anatomy* (Academic Press, 1990)
Gore, R., „The Dawn of Humans: The First Steps", *NG* 191: 72-99 (1997)
Hartwig, W.C. (ed.), *The Primate Fossil Record* (Cambridge University Press, 2002)
Johanson D.C. & Edgar B., *From Lucy to Language* (Simon and Schuster, 1996)
Jones, S., Martin, R. & Pilbeam, D., *Cambridge Enciclopaedia of Human Evolution* (Cambridge University Press, 1992)
Klein, R.G., *The Human Career: Human Biological and Cultural Origins* (University of Chicago Press, 1999)
Klein, R.G. & Edgar, B., *The Dawn of Human Culture* (John Willey & Sons, 2002)
Lewin, R., *Human Evolution: An Illustrated Introduction* (Blackwell Scientific Publications, 1998)
New Look at Human Evolution (Special Issue *SA*, 2003)
Schick, K.D. & Toth, N., *Making Silent Stones Speak: Human Evolution and the Dawn of Technology* (Simon & Schuster, 1994)
Tattersall, I., *The Monkey in the Mirror: Essays on the Science of What Makes Us Human* (Oxford University Press, 2002)
Tattersall, I., Delson, E., Van Couvering, J. & Brooks, A.S. (eds.), *Encyclopaedia of Human Evolution and Prehistory* (Garland Publishing, 1999)
Weaver, K.F., „The Search for Our Ancestors", *NG* 168: 560-623 (1985)
Zihlman, A.L., *The Human Evolution Coloring Book* (Concepts Inc. Coloring, 2001)

I În c utarea str mo ilor no tri

Maimu ele antropoide actuale i mediul lor
Fleagle, J., *Primate Adaptations and Evolution* (Academic Press, 1988)
Groves, C., *Primate Taxonomy* (Smithsonian Press, 2001)
Napier, J.H. & Napier, P.H., *A Handbook of Living Primates* (Academic Press, 1967)

Diversitatea uman
Howells, W.W., „Skull shapes and the map", *Papers of the Peabody Museum, Lucr rile Muzeului Peabody, Harvard* 79 (1989)
Lahr, M., *The Evolution of Modern Human Diversity: a Study of Cranial Variation* (Cambridge University Press, 1966)

Paleoantropologia
Jones, S., Martin, R. & Pilbeam, D., *Cambridge Encyclopaedia of Human Evolution* (Cambridge University Press, 1992)
Lewin, R., *Human Evolution: An Illustrated Introduction* (Blackwell Scientific Publications, 1998)
Tattersall, I., Delson, E., Van Couvering, J & Brooks, A.S. (eds.), *Encyclopaedia of Human Evolution and Prehistory* (Garland Publishing, 1999)

Scara geocronologic
Lamb, S. & Sington, D., *Earth Story: The Shaping of Our World* (BBC Consumer Publishing, 1998)
Lewis, C. & Knell, S. (eds.), *The Age of the Earth: from 4004 BC to AD 2002* (The Geological Society/Societatea de Geologie, 2002)

Datarea trecutului
Klein, R.G., *The Human Career: Human Biological and Cultural Origins* (University of Chicago Press, 1999)
Taylor, R. & Aitken, M. (eds.), *Chronometric Dating in Archeology* (New York, 1997)

Func¸ iile animale
Begun, D., Ward, C.V. & Rose, M. (eds.), *Function, Phylogeny and Fossils* (Plenum Press, 1997)
Aiello, L.C & Dean, C., *Human Evolutionary Anatomy* (Academic Press, 1990)
12. Excavarea i tehnicile analitice
Renfrew, C & Bahn, P., *Archaeology: Theories, Methods and Practice* (Thames & Hudson, 2004)
Whybrow, P., *Travels with the Fossil Hunters* (Cambridge University Press, 2000)

Noi tehnici de studiere a fosilelor
Bocherens, H., Biliou, D., Mariotti, A., Toussaint, M., Patou-Mathis, M., Bonjean, D. & Otte, M., „New isotopic evidence for dietary habits of Neanderthals from Belgium", JHE 40: 497-505 (2001)
Ponce de Léon, M. & Zollikofer, C., „Neanderthal cranial ontogeny and its implications for late hominid diversity", Nature 412: 534-538 (2001)
Renfrew, C & Bahn, P., *Archaeology: Theories, Methods and Practice* (Thames & Hudson, 2004)

Tafonomia: cum se conserv fosilele
Andrews, P., *Owls, Caves and Fossils (University of Chicago Press, 1990)*
Brain, C.K., *Hunters or the Hunted?* (Vân tori sau vâna¸ i?) (University of Chicago Press,1981)
Lyman, R., *Vertebrate Taphonomy* (Cambridge University Press, 1994)

Ce ne spun fosilele despre mediile preistorice
Bromage, T & Schrenk, F., *African Biogeography, Climate Change and Human Evolution* (Oxford University Press, 1999)
Vrba, E.S., Denton, G.H., Partridge, T.C. &Burckle, L.H., *Paleoclimate and Evolution with Emphasis on Human Origins* (Yale University Press, 1995)

Schimb ri climatice
Bromage, T & Schrenk, F., *African Biogeography, Climate Change and Human Evolution* (Oxford University Press, 1999)
Potts, R., „Environmental hypotheses of hominin evolution", *YbPA* 41: 93-136 (1998)
Vrba, E.S., Denton, G.H., Partridge, T.C. &Burckle, L.H., *Paleoclimate and Evolution with Emphasis on Human Origins* (Yale University Press, 1995)

Situl I: insula Rusinga
Andrews, P. & Van Couvering, J.H., „Paleoenvironments in the East African Miocene", în *Approaches to Primate Paleobiology* (Karger, 1975)
Walker, A. & Teaford, M., „The hunt for *Proconsul*", *SA* 260: 76-82 (1988)

Situl II: Pa alar
Andrews, P. (ed.), „The Miocene Hominid site at Pa alar, Turkey", *JHE* 19 (1990)
Andrews, P. & Alpagut, B. (eds.), „Further Papers on the Miocene Site at Pa alar, Turkey", Turcia, *JHE* 28 (1995)

Situl III: Rudabánya
Begun, D. & Kordos, L., „Revision of *Dryopithecus brancoi* based on the fossil material from Rudabánya" , *JHE* 25: 271-285 (1993)
Kordos, L. & Begun, D., „A late Miocene subtropical swamp deposit with evidence of the origin of the African apes and humans" , *EA* 1: 45-57 (2002)

Situl IV: defileul Olduvai
Hay, R.L., *Geology of Olduvai Gorge* (University of California Press, 1996)
Klein, R.G., *The Human Career: Human Biological and Cultural Origins* (University of Chicago Press, 1999)

Situl V: Boxgrove
Pitts, M. & Roberts, M., *Fairweather Eden: Life in Britain Half a Million Years Ago as Revealed by the Excavation at Boxgrove* (Arrow, 1998)
Roberts, M.B. & Parfitt, S.A., „Boxgrove. A Middle Pleistocene Hominid site at Eartham Quarry, Boxgrove, West Sussex" (*English Heritage Archaeological Report* 17, 1999)

Situl VI: Gibraltar

Stringer, C., „Digging the Rock"/S parea pietrelor, în P. Whybrow (ed.), *Travels with the Fossil Hunters* (Cambridge University Press, 2000), p. 42-59
Stringer, C., Barton, R.N. & Finlayson, C. (eds.), *Neanderthals on the edge: 150th anniversary conference of the Forbes' Quarry discovery, Gibraltar* (Oxbow Books, 2000)

II Dovezile fosile

Fleagle, J., *Primate Adaptations and Evolution* (Academic Press, 1988)
Groves, C., *Primate Taxonomy* (Smithsonian Press, 2001)
Szalay, F. & Delson, E., *Evolutionary History of the Primates* (Istoria evolutiv a primatelor) (Academic Press, 1979)

Originea primatelor

Fleagle, J., *Primate Adaptations and Evolution* (Academic Press, 1988)
Fleagle, J. & kay, R., *Anthropoid Origins* (Plenum Press, 1994)

Maimu ele antropoide

Begun, D., Ward, C.V. & Rose, M. (eds.), *Function, Phylogeny and Fossils* (Plenum Press, 1997)
Conroy, G., *Primate Evolution* (W.W. Norton, 1990)

Maimu ele antropoide ancestrale

Andrews, P., „Revision of the Miocene Hominoidea of East Africa", *Bulletin of British Museum (Natural History)* 30: 85-225 (1978)
Hartwig, W.C. (ed.), *The Primate Fossil Record* (Cambridge University Press, 2002)

Proconsul i contemporanii s i

Andrews, P., „Revision of the Miocene Hominoidea of East Africa", *Bulletin of British Museum (Natural History)* 30: 85-225 (1978)
Hartwig, W.C. (ed.), *The Primate Fossil Record* (Cambridge University Press, 2002)
Walker, A. & Teaford, M., „The Kaswanga primate site: an early Miocene hominoid site on Rusinga Island, Kenya", Kenya, *JHE* 17: 539-544 (1988)

Maimu ele africane din Miocenul Mijlociu

Hartwig, W.C. (ed.), *The Primate Fossil Record* (Cambridge University Press, 2002)
Ward, S.C., Brown, B., Hill, A., Kelley, J. & Downs, W., „*Equatorius*, a new hominoid genus from the middle Miocene of Kenya", *Science* 285: 1382-1386 (1999)

Plecarea din Africa

Andrews, P. (ed.), „The Miocene Hominoid site at Pa alar, Turkey", Turcia, *JHE* 19 (1990)
Hartwig, W.C. (ed.), *The Primate Fossil Record* (Cambridge University Press, 2002)

Ankarapithecus – o enigm fosil

Alpagut, B., Andrews, P., Fortelius, M., Kappelman, J., Temizsoy, I., Celebi, H & Lindsay, W., "A new specimen of *Ankarapithecus meteai* from the Sinap Formation of central Anatolia", *Nature* 382: 349-351 (1996)
Begun, D. & Gulec, E., „Restoration of the type and palate of *Ankarapithecus meteai*: taxonomic and phylogenetic implications", *AJPA* 105: 279-314 (1998)
Hartwig, W.C. (ed.), *The Primate Fossil Record* (Cambridge University Press, 2002)

Str mo ii urangutanilor

Andrews, P. & Cronin, J., „The relationships of *Sivapithecus* and *Ramapithecus* and the evolution of the orang utan", *Nature* 297: 541-546 (1982)
Pilbeam, D., „Genetic and morphological records of the Hominoidea and hominid origins: a synthesis", *Molecular Phylogenetics and Evolution 5/Filogenetica i evolu ia molecular* 5: 155-168 (1996)

Str mo ii maimu elor antropoide de azi

Hartwig, W.C. (ed.), *The Primate Fossil Record* (Cambridge University Press, 2002)
Kordos, L. & Begun, D., „A late Miocene subtropical swamp deposit with evidence of the origin of the African apes and humans", *EA* 1: 45-57 (2002)
Pilbeam, D., „Genetic and morphological records of the Hominoidea and hominid origins: a synthesis", *Molecular Phylogenetics and Evolution 5/Filogenetica i evolu ia molecular* 5: 155-168 (1996)

Maimu ele din Miocenul Superior i str mo ii umani

Brunet, M. *et al.*, „A new hominid form Miocene of Chad, Central Africa", *Nature* 418: 145-151 (2002)
Clarke, R.J., „Newly revealed information on the Sterkfontein Member 2 *Australopithecus* skeleton", *South Afr. J. Sci.* 98: 523-526 (2002)
Haille-Selassi, Y., „Late Miocene hominids from the Midlle Awash, Ethiopia", *Nature* 412: 178-181 (2001)
Hartwig, W.C. (ed.), *The Primate Fossil Record* (Cambridge University Press, 2002)
Johanson, D., White, T. & Coppens, Y., „A new species of the genus *Australopithecus* (Primates: Hominidae) from the Pliocene of eastern Africa *Kirtlandia* 28: 1-14 (1978)
Leakey, M.G., Feibel, C.S., McDougall, I. & Walker, A., „New four million year hominid species from Kanapoi and Allia Bay, Kenya", *Nature* 376: 565-571 (1995)
Leakey, M.D. & Hay, R., „Pliocene footprints in the Laetolil Beds at Laetoli, northern Tanzania", *Nature* 278: 317-323 (1979)
Leakey, M.D. & Harris, J.M., *Laetoli: A Pliocene Site in northern Tanzania* (Oxford University Press, 1987)
Senut, B., Pickford, M., Gommery, D., Mein, P., Cheboi, K. & Coppens, Y, „First hominid from the Miocene (Lukeino Formation, Kenya)", *C.R. Acad. Sci. Paris* 332: 137-144 (2001)
Ward, C.V., „Interpreting the posture and locomotion of *Australopithecus afarensis*: where do we stand?", *Yrbk Phys. Anthrop.* 45: 185-225 (2002)
White, T, Suwa, G. & Asfaw, B., „*Australopithecus ramidus*, a new species of early hominid from Aramis, Ethiopia", Etiopia, *Nature* 371: 306-312 (1995)

Australopithecus africanus

Berger, L. „The Dawn of Humans: Redrawing Our Family Tree?", *NG* 194: 90-99 (1998)
Falk, D., Redmond, J.C., Guyer, J., Conroy, G.C., Recheis, W., Weber, G.W., Seidler, H., „Early hominid brain evolution: a new look at old endocasts", *JHE* 38: 695-717 (2000)
Sponheimer, M & Lee-Thorp, J.A., „Isotopic evidence for the diet of an early hominid, *Australopithecus africanus*", *Australopithecus africanus*, *Science* 283: 368-369 (1999)

Australopitecii robu ti

Brain, C.K., „Swartkrans, A Cave's Chronicle of Early Man", *Transvaal Museum Monograph* No. 8 (1993)
Keyser, A., „The Dawn of Humans: New Finds in South Africa", *NG*, 197: 76-83 (2000)
Suwa, G., Asfaw, B., Beyene, Y., White, T, Katoh, S., Nagaoka, S., Nakaya, H., Uzawa, K., Renne, P. & WoldeGabriel, G., „The first skull of *Australopithecus boisei*", *Nature* 389: 489-492 (1997)

Originea oamenilor

Aiello, L.C. & Dunbar, R.I.M., „Neocortex size, group size and the evolution of language", *Current Anthropology* 34: 184-194
Aiello, L.C. & Wheeler, P., „The expensive-tissue hypothesis: the brain and the digestive system in human and primate evolution", *Current Anthropology* 34: 184-193 (1995)
Elton, S., Bishop, L.C. & Wood, B.A., „Comparative context of Plio-pleistocene hominin brain evolution", *JHE* 41: 1-27 (2001)
Wood, B.A. & Richmond, B.G., „Human evolution: taxonomy and paleobiology", *Journal of Anatomy* 196: 19-60 (2000)

Omul timpuriu

Asfaw, B., White, T., Lovejoy, O., Latimer, B., Simpson, S. & Suwa, G., „*Australopithecus garhi*: a new species of early hominid from Ethiopia", *Science* 284: 629-635 (1999)
Gore, R., „New find (Dmanisi)", (august 2002)
Heinzelin, J.D., Clark, J.D., White, T., Hart, W., Renne, P., WoldeGabriel, G., Beyene, Y. & Vrba, E., „Environment and behaviour of 2.5-million-year-old Bouri hominids", *Science* 284: 625-629

(1999)
Vekua, A., Lordkipanidze, D., Rightmire, G. Philip, Agusti, J., Ferring, R., Maisuradze, G., Mouskhelishvili, A., Nioradze, M., Ponce de Leon, M., Tappen, M., Tvalchrelidze, M. & Zollifoker C., „A New Skull of Early *Homo* from Dmanisi, Georgia", Georgia, *Science* 297: 85-89 (2002)
Wood, B. & Collard, M., „The Human Genus", *Science* 284: 65-71 (1999)

Homo erectus
Asfaw, B., Gilbert, W.H., Beyene, Y., Hart, W.K., Renne, P.R., WoldeGabriel, G., Vrba, E. & White, T.D., „Remains of *Homo erectus* from Bouri, Middle Awash, Ethiopia", Etiopia, *Nature* 416: 317-320 (2002)
Gore, R., „Dawn of Humans: Expanding Worlds", *NG* 191: 84-109 (1997)
Ruff, C.B., Trinkaus, E. & Holliday, T.W., „Body mass and encephalization in Pleistocene *Homo*", *Nature* 387: 173-176 (1997)

Modele ale evolu iei omului
Lewin, R, *The Origin of Modern Humans: A SA Library Vol* (W.H. Freeman, 2002)
Lieberman, D., McBratney, B & Krovitz, G., „The evolution and development of cranial form in *Homo sapiens*", *PNAS* 99: 1134-1139 (2002)
Stringer, C., „Modern human origins: progress and prospects", *Philosophical Transactions of the Royal Society of London* (357B: 563-579) (2002)
Thorne, A. & Wolpoff, M., „The Multiregional Evolution of Modern Humans", *SA* 266: 76-83 (1992)
Wolpoff, M. & Caspari, R., *Race and human evolution: a fatal attraction* (Simon & Schuster, 2002)

Primii oameni din Europa: Gran Dolina
Atapuerca: nuestros antecesore (Junta de Castilla y León, 1999)
Manzi, G., Mallegni, F. & Ascenzi, A., „A cranium for the earliest Europeans: phylogenetic position of the hominid from Ceprano, Italy", Italia, *PNAS USA* 98: 10011-10016 (2001)

Homo heidelbergensis
Gore, R., „Dawn of Humans: The First Europeans", *NG* 192: 96-113 (1997)
Hublin, J.-J., „Northwestern African Middle Pleistocene hominids and their bearing on the emergence of *Homo sapiens*", în L. Barham & K. Robson-Brown (eds.) *Human Roots: Africa and Asia in the Middle Pleistocene* (Western Academic and Specialist Press, 2001)
Rightmire, G.P., „Comparison of Middle Pleistocene hominids from Africa and Asia" (eds.) *Human Roots: Africa and Asia in the Middle Pleistocene/* (Western Academic and Specialist Press, 2001)

Atapuerca i originea neanderthalienilor
Arsuaga, J.L, *The Neanderthal's Necklace: In Search of the First Thinkers* (Wiley, 2002)
Arsuaga, J.L, Bermúdez de Castro, J.M & Carbonell, E. (eds.), „The Sima de los Huesos Hominid site", *JHE* 33: 105-421 (1997)
Atapuerca: nuestros antecesore (Junta de Castilla y León, 1999)

Neanderthalienii
Gore, R., „Neanderthals", *NG* 189: 2-35 (1996)
Shreeve, J., *The Neanderthal enigma: solving the mystery of human origins* (William Morrow, 1995)
Stringer, C. & Gamble, C., *In Search of the Neanderthals* (Thames & Hudson, 1993)
Trinkaus, E. & Shipman, P., *The Neanderthals: changing the image of mankind* (Alfred E. Knopf, 1992)

Africa – patria lui Homo sapiens?
Gore, R., „Tracking the first of our kind", *NG* 192: 92-99 (1997)
Lieberman, D., McBratney, B.M. & Krovitz, G., „The evolution and development of cranial form in Homo sapiens", *PNAS* 99: 1134-1139 (2002)
Stringer, C., „Human evolution: Out of Ethiopia", *Nature* 423: 692-695 (2003)
Stringer, C. & McKie, R., *African Exodus: The Origins of Modern Humanity?* (Pimlico, 1998)

Asia – coridor sau fund tur ?
Bar-Yosef, O. & Pilbeam, D., „Geography of Neanderthals and Modern Humans in Europe and the Greater Mediterranean" (*Peabody Museum Bulletins/Buletinele Muzeului Peabody*, nr. 8, 2000)
Brown, P., „Chinese Middle Pleistocene hominids and modern human origins in East Asia" (eds.) *Human Roots: Africa and Asia in the Middle Pleistocene* (Western Academic and Specialist Press, 2001)
Gibbons, A., „*Homo erectus* in Java: a 250.000 year anachronism", *Science* 274, 1841-1842 (1996)

Ce s-a întâmplat cu neanderthalienii?
D'Errico, F., „The invisible frontier. A multiple species model for the origin of behavioral modernity", *EA* 12:188-202 (2003)
„Neanderthals meet modern humans", *Athena Review* 2: 13-64 (2001)
Shea, J., „Neanderthals, competition, and the origin of modern behavior in the Levant", *EA* 12: 173-187 (2003)
Stringer, C. & Davies, W., „Those elusive Neanderthals", *Nature* 413: 791-792 (2001)

Oamenii de Cro-Magnon
Brown, P., „The first modern East Asians?: another look at Upper Cave 101, Liujiang and Minatogawa 1" (ed.), *Interdisciplinary Perspectives on the Origins of the Japanese* (International Research Center for Japanese Studies, 1999), p. 105-131
Gore, R., „The Dawn of Humans: People Like Us", *NG* 198: 90-117 (2000)
Holliday, T., „Body proportions in Late Pleistocene Europe and modern human origins", *JHE* 32: 423-448 (1997)

Primii australieni
Bowler, J.M., Johnston, H., Olley, J.M., Prescott, J.R., Roberts, R.G., Shawcross, W. & Spooner, N.A., „New ages for human occupation and climatic change at Lake Mungo", *Nature* 421: 837-840 (2003)
Thorne, A., Grün, R., Mortimer, G., Spooner, N., Simpson, J., Mcculloch, M., Taylor, L. & Curnoe, D., „Australia's oldest human remains: age of the Lake Mungo 3 skeleton", *JHE* 36: 591-612 (1999)

Homo floresiensis
Brown, P., *et al.*, „A new small-bodied hominin from the Late Pleistocene of Flores, Indonesia", *Nature* 431: 1055-1061 (2004)
Lahr, M. & Foley, R., „Human evolution writ small", *Nature* 43: 1043-1044 (2004)
Morwood, M.J., *et. al.*, „Archaeology and age of a new hominin from Flores in eastern Indonesia", *Nature* 431: 1087-1091 (2004)

Informa ii genetice despre evolu ia uman
Cavalli-Sforza, L.L., *Genes, Peoples and Languages* (North Point Press, 2000)
Cavalli-Sforza, L.L. & Feldman, M.W., „The application of molecular genetic approaches to the study of human evolution", *Nature Genetics* suplimentul 33: 266-275 (2003)
Jorde, L., Watkins, W., Bamshad, M., Dixon, M., Ricker, C., Seielstad, M. & Batzer, M., „The distribution of human genetic diversity: a comparison of mithocondrial, autosomal, and Y-chromosome data", *AJHG* 66: 979-988 (2000)
Oppenheimer, S., *Out of Eden* (Constable & Robinson, 2003)
Underhill, P., Passarino, G., Lin, A., Shen, P., Lahr, M., Foley, R., Oefner, P. & Cavalli-Sforza, L., „The phylogeography of Y chromosome binary haplotypes and the origins of modern human populations", *AHG* 65: 43-62 (2001)

ADN-ul mitocondrial
Cann, R., Stoneking, M. & Wilson, A., „Mitochondrial DNA and human evolution", *Nature* 325: 31-36 (1987)
Ingman, M., Kaessmann, H., Pääbo, S. & Gyllensten, U., „Mitochondrial genome variation and the origin of modern humans", *Nature* 408: 708-713 (2000)

ADN-ul neanderthalian
Hoss, M., „Neanderthal population genetics", *Nature* 404: 453-454 (2000)
Richards, M. & Macaulay, V., „Genetic data and the colonization of Europe: genealogies and founders", în C. Renfrew & K. Boyle (eds.), *Archaeologenetics* (McDonald Institute, 2000), p. 139-151
Shmitz, RW., Serre, D., Bonani, G., Faine, S.,

Hillgruber, F., Krainitziki, H., Paabo, S. & Smith, F.H., „The Neanderthal type site revisited: Interdisciplinary investigations of skeletal remains from the Neander Valley, Germany", Germania, *PNAS* 99: 13342-13347 (2002)

III Interpretarea dovezilor

Evolu ia locomo iei la maimu e i oameni
Fleagle, J., *Primate Adaptations and Evolution* (Academic Press, 1988)
Napier, J.H. & Napier, P.H., *A Handbook of Living Primates* (Academic Press, 1967)
Ward, C.V., „Interpreting the posture and locomotion of *Australopithecus afarensis*: where do we stand?, *YbPA* 45: 185-225 (2002)

Evolu ia alimenta iei
Chivers, D., Wood, B. & Bilsborough, A. (eds.), *Food, Acquisition and Processing in Primates* (Plenum Press, 1984)
Crowe, I., *The Quest for Food* (Tempus Publishing, 2000)

R spândirea geografic a maimu elor i oamenilor
Andrews, P., „Fossil evidence on human origins and dispersal", în J.D. Watson (ed.), *Molecular Biology of Homo sapiens*(Cold Spring Harbor Symposia on Quantitative Biology, 1986, pp. 419-428
Bernor, R., Fahlbusch, V. & Mittmann, H-W., *The Evolution of Western Eurasian Neogene Mammal Faunas* (Columbia University Press, 1996)
Gamble, C., *Timewalkers: The Prehistory of Global Colonization*(Harvard University Press, 1996)
Kingdon, J., *Lowly Origins* (Princeton University Press, 2003)
Lahr, M. & Foley, R., „Towards a theory of modern human origins: geography, demography, and diversity in recent human evolution", *YbPA* 41: 137-176 (1998)
Stringer, C. & Andrews, P., „Genetic and fossil evidence for the origin of modern humans", *Science* 239: 1263-1268 i 241: 772-774 (1988)

Primii americani
Dillehay, T.D., „Tracking the first Americans", *Nature* 425: 23-24 (2003)
Parfit, M., „Who were the first Americans?", *NG* 198: 40-67 (2000)

Evolu ia i comportamentul în rela ie cu mediul
Andrews, P., „Palaecology and hominoid paleoenvironments", *Biological Reviews* 71, 257-300 (1996)
Fleagle, J., Hanson, C. & Reed, K. (eds.), *Primate Communities* (Cambridge University Press, 1999)
Klein, R.G., *The Human Career* (Chicago University Press, 1999)
McGrew, W., Marchant, L. & Nishida, T. (eds.), *Great Ape Societies* (Cambridge University Press, 1996)
Napier, J.R. & Napier, P.H., *The Natural History of the Primates* (Cambridge University Press, 1985)
Vrba, E.S., Denton, G.H., Partridge, T.C. & Burckle, L.H., *Paleoclimate and Evolution with Emphasis on Human Origins* (Yale University Press, 1995)
Wrangham, R. & Petersen, D., *Demonic Males* (Bloomsbury Publishing, 1996)

Uneltele i comportamentul uman: primele dovezi
Barham, L. & Robson-Brown, K. (eds.), *Human Roots: Africa and Asia in the Middle Pleistocene* (Western Academic and Specialist Press, 2001)
Dennell, R., „The world's oldest spears", *Nature* 385: 767-768 (1997)
Klein, R.G., *The Human Career: Human Bilological and Cultural Origins* (University of Chicago Press, 1999)
Kuman, K. & Clarke, R.J., „Stratigraphy, artefact industries and hominid associations for Sterkfontein, Member 5", *JHE* 38: 827-847 (2000)
Semaw, S., Renne, P., Harris, J.W.K., Feibel, C.S., Bernor, R.L., Fesseha, N. & Mowbray, K., „2.5-million-year-old stone tools from Gona, Ethiopia", Etiopia, *Nature* 385: 333-336 (1997)

Uneltele i comportamentul uman: Paleoliticul Mijlociu
McBrearty, S. & Brooks, A., „The revolution that wasn't: a new interpretation of the origin of modern human behavior", *JHE* 39: 453-563 (2000)
Roebroeks, W. & Gamble, C. (eds.), *The Middle Paleolithic Occupation of Europe* (University of Leiden, 1999)

Uneltele i comportamentul uman: Paleoliticul Superior
Ambrose, S.H., „Paleolithic technology and human evolution", *Science* 291: 1748 (2001)
Klein, R.G., „Archaeology and the evolution of human behavior", *EA* 9: 17-36 (2000)
Klein, R.G. & Edgar, B., *The Dawn of Human Culture* (John Willey & Sons, 2002)

Primii arti ti
Bahn, P. & Vertut, J., *Journey Through the Ice Age*
(University of California Press, 2002)
Chauvet, J.M., Eliette Brunel Deschamp, E.B., Christian Hillaire, C. & Clottes, J., *Chauvet Cave: The Discovery of the World's Oldest Paintings* (Thames & Hudson, 1996)
Clottes, J. (ed.), *Return to Chauvet Cave: Excavating the Birthplace of Art: the First Full Report* (Thames & Hudson, 2003)
White, R., *Prehistoric Art: The Symbolic Journey of Humankind* (Harry N. Abrams, Inc., 2003)

Reconstituirea comportamentului uman str vechi 1
Binford, L.R., *Bones: Modern Myths and Ancient Men* (Academic Press, 1981)
Renfrew, C. & Bahn, P., *Archaeology: Theories, Methods and Practice* (Thames & Hudson, 2005)

Reconstituirea comportamentului uman str vechi 2
Buss, D.M., *Evolutionary Psychology. The New Science of Behavior* (Allyn & Bacon, 1999)
Mithen, S., *The Prehistory of the Mind: The Cognitive Origins of Art, Religion, and Science* (Thames & Hudson, 1996)

Privire de ansamblu asupra originilor umane
Bowler, J.M., Johnston, H., Olley, J.M., Prescott, J.R., Roberts, R.G.,Shawcross, W. & Spooner, N.A., „New ages for human occupation and climatic change at Lake Mungo, Australia", Australia, *Nature* 421: 837-840 (2003)
Jones, S., Martin, R. & Pilbeam, D., *Cambridge Encyclopaedia of Human Evolution* (Cambridge University Press, 1992)
Tattersall, I., *Becoming Human: evolution and human uniqueness* (Oxford University Press, 1999)
Thorne, A., Grün, R., Mortimer, G., Spooner, N., Simpson, J., Mcculloch, M., Taylor, L. & Curnoe, D., „Australia's oldest human remains: age of the Lake Mungo 3 skeleton", *JHE* 36: 591-612 (1999)

Credite fotografice

Abrevieri:
s = sus, j = jos, m = în mijloc, st. = stânga, dr. = dreapta

J. M. Adovasio: 197s
Dup Airvaux i Pradel, Gravure d'une tête humaine
Bull. Soc. Préhist. Française 81 (1984), pp. 212-215: 169s
Prin amabilitatea Library Services, American Museum of
Natural History, New York. Fotografii de
D. Finnin/C. Chesek, diapozitivul nr. 4936(7): 189j
Arizona State Museum, Universitatea din Arizona.
Fotografii de E.B. Sayles, neg. 3417-x-1: 196sdr
Igor Astrologo dup Krings *et al.*, *Cell* 90 (1997): 181jdr
Lewis Binford: 128
F. Blickle/Network: 228-229s
Annick Boothe: 32s (dup Hedges i Gowlett în *Scientific American* 254
(1) (1986), p. 84), 130dr (dup Lewin,
In the Age of Mankind (1988), p. 181), 176sdr
Dup Boule, M., L'homme fossile de la Chapelle-aux-Saints, Annales de Pléontologie (1911-13): 142-143j
Prin bun voin a Proiectului Boxgrove: 73jst, 73jdr, 74, 75jdr, 222sdr
Fotografii British Museum din Londra: 209sdr
Peter Brown: 7m, 174st

Michel Brunet: 114-115j, 115s
Peter Bull Art Studio © Thames & Hudson Ltd, Londra: 17s, 18, 28 (adaptat după Relethford, *Human Species* (2002), p. 110-111), 35s, 36 (după Fleagle, *Primate Adaptation and Evolution* (1988), p. 187), 46s, 49, 56st (după Foley, *Principles of Human Evolution* (2004), p. 64), 67s, 94 (după Boyd și Silk, *How Humans Evolved* (2000), p. 318), 95s, 105jdr, 167sdr, 193, 298jst, 209sm, 210jst, 212jst
După Giovanni Caselli: 157s
University of Chicago Press, ilustrație din C.K. Brain, *The Hunters or the Hunted: an Introduction to African Cave Taphonomy* (1981), p. 268: 25sdr
David Chivers: 51j
Margaret Collinson: 61sst
Michael Day: 160sdr
Profesorul H.J. Deacon: 159j
Christopher Dean: 45jst
Profesorul Vittorio Pesce Delfino, Universitatea din Bari: 180sst
Fotografiile prin bunăvoința lui Jacques Descloitres, MODIS Land Rapid Response Team de la NASA (Centrul de zbor spațial Goddard): 2281
Tom Dillehay: 197j, 198
Simon, S.S. Driver: 194-195
©Ric Ergenbright&Corbis: 70s
Eurelios: 43, 115jdr
Frank Lane Picture Agency: 202s (Terry Whittaker)
Ministerul Francez de Cultură și Comunicare, Direcția regională pentru Afaceri Culturale-Rhône-Alpes, Departamentul regional pentru arheologie: 10, 11s, 11j, 182-183, 220-221s
Colin Groves: 171s
Barbara Harrisson 107sdr
Chris Henshilwood, African Heritage Research Institute, Cape Town, Africa de Sud:213jm
Din *The Hornet*, 1871: 1
© David G. Houser/Corbis: 173j
Illustrated London News, 1921: 148sdr, 148j, 169jdr, 212-213s
Prin amabilitatea lui C.M. Janis: 52 (Biological Reviews 57, p. 292, figura 6), 52-53 (Janis, Biological Reviews 63, p. 199)
Frank Kiernan/Centrul de Cercetări Lingvistice, Universitatea de Stat Georgia,
Atlanta:131sst
Din Richard Klein, *The Human Career*, 1999 (a doua ediție): 138j, 165j, 188dr, 222jst
Prin amabilitatea Dr. Ninel Korniets: 214sst
George Koufos: 112sst
Photo Laborie, Bergerac: 219s
Fotografiile prin bunăvoința Landsat 7 Science Team & NASA (Centrul de zboruri spațiale Goddard): 227
După Leakey și Harris, *Laetoli: A Pliocen Site in Northern Tanzania* (1987): 1871
David Lordkipanidze: 6, 139s
Giorgio Manzi: 144
Lawrence Martin: 101jdr, 108sdr, 191jst
După Martin, R.D., *Primate Origins and Evolution*, 1990: 186sdr
Laura McLatchy: 97sst
Robin Mckie: 164jdr
Prin amabilitatea lui Steven Mithen (din *Prehistory of the Mind* (1996): 224
ML Design © Thames & Hudson Ltd, Londra: 37r (după Conroy, *Primate Evolution* (1990), p. 35), 51s (după Coppens *et. al.*, *Earliest Man and Environments in the Lake Rudolf Basin*, (1976), p. 427), 55j, 59s, 62l, 66sst, 68j (după Johnson și Shreeve, *Lucy's Child* (1989), p. 10-11), 72j, 76s, 83s, 100 (după Agust *et. al.*, *Hominid evolution and climatic change in Eurasia* Vol. 1 (1999), p. 14-16, fig. 2.6, 2.4, 2.3), 114st, 126st, 131sdr, 136sst, 145s (după *National Geographic* (1997), vol. 192 (1), p. 102), 146sst (după Parés și Pérez-González, Situl pleistocen de la Gran Dolina, *Journal of Human Evolution*, 37, p. 317), 156jst, 158, 170st, 199, 209jdr, 216j, 223j
© Warren Morgan/Corbis: 22sdr
Mike Morwood: 7s, 174dr, 175j
Salvador Moya-Sola, Institutul de Paleontologie Miquel Crusafont Sabadell: 111sst, 112sdr, 186st
Muzeul Aquitaine, Bordeaux. Fotografii B. Biraben: 218sst
NASA: 59j (Centrul spațial Johnson – Științele Pământului și analiza imaginilor); 226 (Centrul de Cercetare Langley)
Muzeul Național al Australiei, Canberra. Fotografii H. Basedow: 172sst
Muzeul Național al Kenyei, Nairobi: 96jst, 117, 120
Muzeul de Istorie Naturală, Londra: 4-5, 8-9, 20j, 21sst, 22sdr, 24jdr, 25jdr, 30, 38, 39s, 39j, 40s, 40j, 41, 45jdr, 47s, 47j, 48s, 48j, 50st, 50dr, 54 (P. Snowball), 55s (P. Snowball), 58s, 58-59, 60s, 60j, 61j (Maurice Wilson), 62-63, 63s, 64sst, 64mst, 64sdr, 64j, 65, 65j, 66sdr, 66j, 67j, 69j, 70j, 70-71, 71sdr, 71mdr, 75jst, 77sst, 77sdr, 78, 78-79, 79jst, 79jdr, 82mdr, 82j, 83j, 84-85s, 86s (Maurice Wilson), 87s, 87j (P. Stattford), 89s, 89jst, 89jdr, 90dr, 90jdr, 91s (Maurice Wilson), 91j, 92st, 92-93, 93sdr, 93jdr, 95j, 96sdr, 97sdr, 97mdr, 97j, 98s, 98j, 99m, 99j (Maurice Wilson), 101s, 102-103s (Tania King), 104sdr, 104sst, 105sst, 106 (Maurice Wilson), 107al, 108al, 109ar, 111ar, 111cr, 113b, 113c, 122m, 123j, 125sdr (Maurice Wilson), 127sdr, 129j (Maurice Wilson), 133s, 134j, 135sdr, 135jdr, 137sdr, 141j, 149st, 149mdr, 149jdr, 155sst, 157mst, 159sst, 160st, 160-161j, 161sm, 161sdr, 162ar, 163mdr, 163jdr, 165s, 167jst, 168s, 168jst, 168jdr, 169jst, 190dr, 192, 205, 208jdr, 209sst, 210mdr, 210jdr, 212-213j, 213jdr, 214jst, 216sdr, 217, 223s, 225st, 229j
Agenția Fotografică de Istorie Naturală: 34j (Nick Garbutt); 36-37 (Christophe Rattier); 86j (Kevin Schafer); 88 (Martin Harvey); 203jst (Steve Robinson)
Nature Picture Library: 19s (Bruce Davidson); 35j (Richard Du Toit); 203jdr (Karl Amman)
Novosti, Londra: 214jdr
Oxford Scientific Films/Photolibrary.com: 200, 204; 17jst (Brian Kenney); 17jdr (Daniel Cox); 19j, 184 (Stan Osolinski); 23 (David Cayless); 34s, 190st (Mike Birkhead); 69s (Tom Leach); 90st (Richard Packwood); 130st (Neil Bromhall); 202j (Andrew Plumptre); 203s (Richard Smithers)
Geoff Penna © Thames & Hudson Ltd, Londra: 12-13, 20s, 22j (după Relethford, *Human Species* (2002), p. 172), 27, 31, 33s, 46j, 56jdr, 131j (după Relethford, *Human Species* (2002), p. 329), 162jdr, 176-177j (după Mountain *et. al.*, *Genes Species* (1992), 177s, 178jst, 179sdr (după Fagan, *People of the Earth* (2004), p. 105), 179jdr (după Oppenheimer, *Out of Eden* (2003), p. 62), 181sdr
David Pilbeam: 107j, 108-109j
Mike Pitts: 2 (fundal), 14-15, 73s, 75s
Ben Plumridge © Thames & Hudson Ltd, Londra: 16, 21sdr, 21jdr, 24jst (după Gould, *The Book of Life* (2001), p. 226), 33j, 53s (după Kappelman, *Journal of Human Evolution* 20, p. 105), 89m (după Aiello și Dean, *An Introduction to Human Evolutionary Anatomy* (1990), 112jdr, 122-123s, 178mst, 185 (după Fagan, *People of the Earth* (2004), p. 38), 186sm, 188st, 189s, 20st (după de Waal, Sexul și societatea maimuțelor bonobo, *Scientific American* (1995), p. 85), 211
Yoel Rak: 154sst
Photo RNM: 167m, 167jdr, 210mst; 215j (J.G. Berizz); 220jst (R.G. Ojeda)
Richard Schlecht/National Geographic Image Collection: 61sdr
Prin amabilitatea artistului Peter Schouten și a Societății National Geographic: 175s
Retipărit cu permisiunea revistei *Science*, vol. 169, p. 522, 28 iulie 1995, © AAAS: 121
Science Photo Library: 29 (NASA); 57j (British Antarctic Survey); 80-81, 187dr (John Reader); 176st (Alfred Pasieka); 178-179s (CNRI); 180-181j (Volker Steger)
© John Sibbick: 2 (figura), 68s, 72s, 76-77, 102-103j, 110, 118-119, 122st, 132-133, 136-137, 150j, 155dr, 166dr, 170-171j, 296-207j
E.L. Simons: 84jst, 84-85j, 85jdr
Instituția Smithsonian, Washington D.C., Neg. nr. SI34358B: 1961
Fotografii Thomas Stephan, Muzeul Ulmer: 218dr
Chris Stringer: 26, 32j, 45s, 124sst, 124-125j, 125sst, 125sm, 126-127s, 126jdr, 127sm, 127j, 134sdr, 136sdr, 138s, 140sdr, 140j, 141s, 143s, 150sdr, 151s, 151j, 152, 154-155j, 156-157j, 163jst, 164jst, 172j, 173s, 209jst
Chris Stringer/Musée de l'Home, Paris: 156sst, 156sm, 156sdr, 166jst
Chris Stringer/Wu Xinzhi: 162jst
W. Suschitzky: 82st
A.J. Sutcliffe: 129s
Jiri Svoboda, Institutul de Arheologie, Brno: 215s
Dr. Hartmut Thieme: 222jdr
Javier Trueba, Madrid Scientific Films: 145j, 146-147s, 146-147j, 153st, 153dr
Alan Walker/Bob Campbell Muzeul Național al Kenyei, Nairobi: 139dr
Dr. Steven Ward: 99s
Bradford Washburn/Muzeul de Știință din Boston: 57s
Profesorul Gerhard Weber, Departamentul de antropologie, Universitatea din Vienna: 44
Tim White: 116
Klaus Will, Universitatea din Heidelberg: 142s
Pamela Willoughby: 225dr
Christopher Zollikover & Marci Ponce de Leon, Universitatea din Zürich: 42

Mulțumiri

Am dori să le mulțumim prietenilor și colegilor a căror activitate o amintim sau o ilustrăm, echipei editoriale, personalului de design și producție al editurii Thames & Hudson, bibliotecii de imagini și personalului de la Muzeul de Istorie Naturală din Londra, și lui Philip de Ste. Croix pentru munca originală asupra manuscrisului.

Index

Numerele de pagin în *italice* fac referire la ilustra ii